王振鵠教授近影

王振鵠教授八秩榮慶論文集

王振鵠教授八秩榮慶籌備小組 編著

臺灣 學生書局 印行

編例及緣起

　　民國九十一年十月五日，王振鵠教授的學生們共同討論組成「王振鵠教授八秩榮慶籌備小組」，規劃一系列慶祝活動，以感謝 老師對圖書資訊學領域的深遠影響與卓越貢獻。籌備小組先後召開五次工作會議，成員有胡歐蘭、宋建成、吳瑠璃、鄭恆雄、蘇精、陳仲彥、吳美美、郭麗玲、陳昭珍等。活動內容包括出版「王振鵠教授八秩榮慶論文集」及「王師回憶錄」，並舉辦「王振鵠教授圖書館學術、教育與志業——見證臺灣圖書館事業發展研討會」暨「祝壽茶會」，師生齊聚歡慶老師八十壽辰。

　　本論文集於九十二年六月開始進行邀稿，承蒙國內專家學者支持及惠賜稿件，謹此致謝，共收三十九篇論文，依探討主題區分為七大類，分別為：「一般/圖書資訊學教育」十四篇、「數位典藏/電子圖書館」五篇、「組織/編目/後設資料」三篇、「讀者服務/資訊需求」三篇、「館藏發展 資源/文獻/檔案」六篇、「資訊素養/利用教育」五篇、「書目計量/引文」三篇。編輯依上述類別順序編排，論文內容則包括中英文篇名、中英文作者名、中英文摘要、中英文關鍵詞、正文、附註及參考文獻。

　　蒙國家圖書館 莊芳榮館長撥冗賜序，臺灣學生書局鮑邦瑞先生協助出版。榮幸邀請卜小蝶、王梅玲、吳明德、吳美美、吳瑠璃、宋建成、林珊如、邱炯友、胡歐蘭、郭麗玲、陳仲彥、陳和琴、陳昭珍、陳書梅、陳雪華、黃慕萱、楊美華、詹麗萍、蔡明月、鄭恆雄、賴鼎銘、薛理桂、蘇精等擔任編輯委員協助編校稿件，在此一併銘謝。

　　謹以此論文集獻給我們所敬愛的 王老師。

王振鵠教授八秩榮慶籌備小組　謹識

民國九十三年七月

王振鵠教授八秩榮慶論文集

目　次

序　文

　　近四十年來我國圖書館事業的發展，日新又新，十分進步。無論圖書資訊學的研究及圖書館的經營，均能與國際接軌，相距不遠，固賴經濟發達、教育普及、圖書館人員的努力等因素，但王振鵠老師可謂厥功至偉。

　　王老師自民國 48（1959）年於美國範得比大學（Vanderbilt University）畢保德教育學院（George Peabody College）獲圖書館學碩士學位，長久以來，在我國圖書館事業中擔任教育、行政、學術研究等不同的職務，是圖書館界卓越的領導者，帶動了我國圖書館的現代化。

　　王老師是教育家，他在我國最早的圖書館學校，國立臺灣師範大學社會教育學系圖書館組教書，擔任過該系系主任；先後擔任國立臺灣大學、輔仁大學圖書館學系所、中國文化大學史學研究所圖書博物組等校系所兼任教授，也擔任各種圖書館人員在職訓練研習班講座。除了教學外，對學系核心課程的擬訂及修正，新圖書館學系所的籌辦及設立，莫不鼎力協助，以促成實現。如今許許多多圖書館界的工作者，包括館長、主任及中堅幹部；圖書資訊系所的教師，包括系所主任，若不是出於王老師的門牆，也都接受過他的春風化育，可以說為國內培養了一批優秀的圖書館專業人員，為我國圖書館事業奠定紮實的基礎。

　　王老師曾任臺灣師範大學圖書館館長，在我國大學圖書館中，是最早出任館長的圖書館專業館長之一，是大學圖書館館長的前輩。民國 66（1977）年 3 月教育部借調王老師擔任國立中央圖書館館長；70（1981）年 6 月復聘為該館館長兼任漢學研究資料及服務中心主任。他主政十二年間，建樹良多。對於中央圖書館的遷建，自動化的推動，「國際標準書號」（ISBN）及「臺北國際書展」的推行，館際合作的倡導，全國圖書館事業的規劃及各種業務的發展，成就非凡，使中央圖書館的經營邁向新境界。

　　王老師對我國圖書館事業的發展，具前瞻性、整體性、國際性的觀念。在中國圖書

館學會先後擔任委員會召集人、理監事、理事長；教育部圖書館事業委員會委員、行政院文化建設委員會語文圖書委員會委員召集人，均對不同類型圖書館的發展，寄於關切，期其能與時並進。他一直對社會教育、文化建設奉獻，勞心勞力。此外，也曾擔任美國資訊科學學會臺灣分會會長。在他主持下，中央圖書館舉辦多次國際性研討會，如第一、二屆圖書館事業合作發展研討會、第一屆亞太地區圖書館學研討會、方志學國際研討會、敦煌學國際研討會、明代戲曲小說研討會等。他也曾率領文化建設圖書館訪問團訪問韓、日圖書館、率團參加漢城亞太圖書館學研討會、出席各種國際研討會、訪問外國重要圖書館，對國際文化合作交流貢獻良多。

王老師極力提升圖書館學術研究，他先後創編《圖書館學與資訊科學》（*Journal of Library and Information Science*）刊物，擔任主編；及《中華民國圖書館年鑑》、《漢學研究》、《國立中央圖書館館訊》、《漢學研究通訊》。他的著作包括《學校圖書館》、《圖書選擇法》、各種專題研究報告（如行政院研究發展考核委員會、行政院國家科學委員會、教育部圖書館事業委員會）等書，以及相關各類論述、期刊論文等三百餘篇。王老師脫卸圖書館界大家長重責後，對促進兩岸圖書館人員交流，增進雙方相互瞭解圖書館研究及圖書館事業的發展，頗多致力。

基於王老師對圖書館事業和促進國際圖書館合作的重大貢獻，他曾經得到許多勛獎，其中有（依年排列）：總統頒贈「行政院最優人員榮譽紀念章」（民國 71 年）、中國圖書館學會頒贈「圖書館事業貢獻獎」（民國 74 年）、行政院頒授「三等功績獎章」（民國 76 年）、羅馬教廷頒授「聖思維爵士」勛位勛章（1987 年）、美國華人圖書館協會頒贈「1987 年傑出服務獎」（1987 年）、美國俄亥俄大學頒授「名譽法學博士」學位（1987 年）。

今年欣逢老師八秩華誕，友人及門生弟子們決定每人以論文一篇為老師祝壽，彙編為《王振鵠教授八秩榮慶論文集》。我們在此衷心恭祝老師及師母生日快樂，身體康健。特以為序。

莊芳榮　謹序
民國九十三年七月

一般/圖書資訊學教育

記我在北京大學與武漢大學的講學
以祝賀王振鵠教授八秩大壽

My Teaching at Peking and Wuhan Universities

胡述兆

James S.C. Hu

摘　要

記述我與王振鵠教授交往的經過，及我到北京大學與武漢大學教書的情形。

Abstract

A description of my association with Professor Wang Cheng-ku and my teaching at Peking University and Wuhan University.

關鍵詞：圖書資訊學教育；北京大學；武漢大學

Keywords: Library and Information Science Education; Peking University; Wuhan University

一、我與王振鵠教授的締交經過

我與王振鵠教授結交，始於 1980 年我自美回國擔任臺灣大學客座教授之時，那時他是國立中央圖書館館長，為臺灣地區圖書館界的大家長。在這一年中，承他厚愛，凡圖

書館界的主要活動，包括國際會議、「圖書館法」之研議、國立中央圖書館新館之籌建，乃至宴請國內外圖書館界的重要訪客，總不忘邀我去參加。他敦厚的外表，溫和的態度，平實的作風，禮讓的胸懷，陳述問題的簡明，分析事理的能力，在在使我折服，是一位真正的謙謙君子。

　　1983 年我重回臺灣大學，承乏圖書館學系系主任暨研究所所長，我們見面的機會更多，合作的關係也日益密切。在其後的歲月中，就我而言，我們攜手打拼的機會最多。舉其要者：在教育部，我們同為各大學圖書館學系及世界新專圖書資料科的評鑑委員，九個師範學院圖書館的評鑑委員，中教司、社教司、技職司相關委員會的委員，以及圖書館事業委員會的委員。在行政院文化建設委員會，我們自始至終都是文化中心輔導委員，曾每年赴 21 個文化中心訪視輔導，連續達八年之久，我們也是語言圖書委員會委員，及文化機構義工評鑑委員會委員。在行政院研考會，我們曾共同參與「檔案法」之研訂工作，在馬英九先生擔任研考會主委期間，我們每月開會一次，長達 15 個月，其後並共同主持該會委託的「縣市文化中心績效評估」研究計畫，費時一年完成。在考試院，我們曾連續擔任高等暨普通考試典試委員十餘年，並多次負責為圖書館高普考建立題庫。至於專業學會的活動，我們均一直被選為中國圖書館學會及中華圖書資訊學教育學會的理事、常務理事，並分別當選過理事長。

　　在國際圖書資訊交流方面，我們曾連袂參加在漢城舉行的「第二屆亞太圖書館會議」，會後並參觀日本東京等地的圖書館設施。又去土耳其伊士坦堡參加 IFLA 年會，並前往希臘、埃及、約旦、耶路撒冷、以色列等地參訪。在兩岸交流方面，除參加 1990 年由他領隊的臺灣圖書館界赴大陸參訪的破冰之旅外，還一道參加了在上海、北京、武漢、廣州等地舉辦的兩岸圖書資訊學合作交流研討會。退休以後，我們又相偕去大陸的絲路、三峽、桂林、黃山等地旅遊。

　　總之，過去二十年，我和王館長（我們圖書館界對他的尊稱）攜手合作，共同打拼，十分愉快。

　　欣逢王教授八秩大慶，僅以此小文為先生祝嘏，並頌：萬事順心，健康長壽。

二、我在北大與武大的講學

　　1997 年武漢大學聘請我為客座教授，聘書上只有發聘的日期（1997 年 9 月 11 日），沒有效期的限制，也就是說，去講學的時間可以彈性安排。同年 7 月，我已收到湘潭大學客座教授的聘書，聘期注明為 1997 年 7 月 9 日至 1999 年 7 月 9 日，希望我在此期限

內，依我自己的方便，安排去講學的時間。不久又接到潘長良校長的邀請函，請我於 1998 年 9 月 10 日去參加湘潭大學建校 40 週年慶典，並發表專題演講，題目由我自定，當即去函接受，並準備以「大英百科全書與古今圖書集成之比較」為專題演講題目。本想同時去武大講學，因為兩校相距不遠，行程較便，不料那年自 8 月開始，大陸發生空前水災，長江沿岸各省都成水鄉澤國，武漢、長沙一帶，情況更是危急，湘潭大學臨時來函，取消擴大慶典活動，所以兩校講學之行，都沒有去成。

1999 年初，北京大學來函，邀我去講學，我欣然接受，並決定以「研究方法與論文寫作」為題，對他們的博、碩士班學生開課。我將此事函告武漢大學大眾傳播與信息管理學院院長馬費成教授，徵詢他的意見，是否可用同一門課在北大講完之後再到武大去講，他立刻回信表示歡迎。我與馬院長及北大信息管理系主任吳慰慈教授幾度函電磋商，確定這門課分為 10 講，每講 2 至 3 小時，於一個月內授課完畢。講課的日期決定為 1999 年的下半年，北大為 9 月中旬至 10 月中旬，武大為 10 月中旬至 11 月中旬。

1999 年 8 月底至 9 月 14 日，我又為臺灣地區一些旅遊的老伙伴們，安排了一趟中原之旅。我們自臺灣直飛山東濟南，自此而南，經泰山、曲阜而至河南的開封，由此向西，先至鄭州，經嵩山少林寺而至洛陽，再經華山至古都陝西西安，由此北上，經山西太原、大同，暢遊五台山和恆山的懸空寺後，轉往內蒙古的首府呼和浩特，在此停留兩天，曾經到陰山，並在蒙古大草原騎馬馳騁，於 8 月 14 日自呼和浩特飛往北京。旅行團在此解散，祖善則陪我去北大教書。

北大的課自 9 月 16 日開始，碩士班一年級的 8 位同學必修，博士班學生旁聽，經常聽課者約有 15 人左右，每日上課兩小時，不到三週即講授完畢。在我以前，北大從未開過「研究方法與論文寫作」這門課，大家覺得好奇，有時信息管理系的教授，甚至中科院文獻情報中心的博士生，也來旁聽。有位信息管理系的教授對我說：「這門課非常有用，假如我不是擔任副系主任，又要教書，我一定每天來旁聽」。同學們的反應也不錯，博士班的劉嘉同學每堂必到，認為對她寫博士論文很有幫助，加以我在課堂發的參考資料多係英文，常用英文解釋，更使他們感到新鮮，所以課堂的氣氛相當活潑，很少有人缺課。上課完畢，我也給了一次考試，成績在 92 分至 75 分之間，與台大研究生的分數，不相上下。北大的課務結束後，我曾應中科院孟廣均教授之邀，在文獻情報中心作了一次演講，並與他們的博導及博士研究生舉行座談會。也應位於保定的河北大學楊文祥主任之邀，由吳慰慈主任夫婦陪同我和祖善，去對該校信息管理系全體師生作了一次演講，聽眾不下 500 人（外系亦來聽講），講後並由聽眾發問，除涉及北大與台大比較之敏感

問題，我不便回答外，其他問題我都儘量回答，使他們感到滿意。我們在河北大學招待所住了一晚，翌日於暢遊保定的前清直隸總督府等名勝後，返回北京。

北大招待我們夫婦住於勺園的套房中，二樓靠邊，光線充足，環境頗佳。每日三餐都是免費招待，早餐人民幣 10 元，中晚餐各 20 元，可在北大校園內任何餐廳用膳，不受限制。不過為了方便，我們多在勺園內餐廳吃飯，只有何芳川和郝斌兩位副校長宴請的兩頓，係在勺園以外餐廳。我們也利用閒暇，到北京各處去觀光，天壇、鐘鼓樓、什剎海、前門、東交民巷、宋慶齡與梅蘭芳故居等，過去未看的地方，這次都有我們的遊蹤，王府井大街及其街旁的「全聚德」烤鴨店，更是我們經常光顧的地方。這次也重遊了故宮和頤和園，因為時間充裕，都仔細欣賞了一番。最難得的是適逢 10 月 1 日 50 週年慶典，親睹北京的花車遊行及晚間全城的彩燈競輝，真是美不勝收。10 月 11 日，我們結束將近一個月的北京教學與觀光之行，自北京飛到南昌。略事休息兩天，祖善單獨先回台北，我則繼續去武漢大學履行我的客座教授義務。

我於 10 月 15 日自南昌飛到武漢，由武大安排住在武大校門對面的武漢測繪科技大學對外交流中心招待所，是一房一廳的套房，但光線頗暗，白天亦需開燈。不住武大招待所而住此一招待的主要原因，是這裡離上課的教室最近，可以步行去講課。當晚由馬費成院長設宴為我洗塵，老院長彭斐章教授，現任副院長陳傳夫教授，圖書與檔案系主任詹德優教授等作陪。17 日正式上課，全班學生約 40 人，但必修的碩士班一年級學生僅 15 人，其他都是來旁聽。由於已幾天感冒，嗓子沙啞，第一堂課說話很吃力。晚由陳傳夫副院長陪我去看醫生，情況較好轉。陳副院長是青年才俊型的年輕學者，其時正在武大修博士學位，對我照顧得非常周到。第二天上課時，有十多位同學都帶來各種不同的感冒及咳嗽藥，對我的關懷溢於言表，令我十分感動。由於這門課在北大已教過一次，對大陸學生的心理與要求已有一些瞭解，所以教起來更為得心應手。講課完畢，我以在北大的同樣題目考他們，15 人之中有 5 人得 90 分，80 分以下者有 4 人，與北大相較，可說是無分軒輊。無論北大或武大，學生的考卷都寫得比台大乾淨，文字也通順些，值得我們向他們學習。

10 月 28 日，信息管理學院的館長研習班，請我去演講，學員都是全國各大學的圖書館館長，來此受訓，所以他們指定要我講臺灣的大學圖書館概況。聽眾有 80 多人，其中 30 多人是館長，我講了兩小時，並與他們座談一小時，答覆了 20 多個問題，他們對臺灣圖書館事業之關心，可見一斑。在我結束教學與演講活動離開武大以前，武大的常務副校長李文鑫博士曾設宴對我表示謝意，並對我能應聘擔任武大的客座教授，感到高

興，更歡迎我有空多去講學。臨行的前一晚，馬院長夫婦在一個軍方俱樂部請客，吃了三道特別菜及一盆特製菇湯，三人花了 300 元，對他們如此破費，頗感不安。飯後去他們家參觀，4 房 2 廳 2 衛，無論面積或傢俱，都比我在台北的家豪華，大陸教授待遇改善之快，不言可喻。

11 月 5 日自武漢回到南昌，又去南昌大學作了一次演講，並與南昌市內的幾位大學圖書館長座談。也再去了一次江西省圖書館，在新任的章伏源館長（北大圖情系畢業）經營下，已有很多改進，值得肯定。11 月 9 日取道香港回台北。這次在大陸停留兩個半月，完成了在北大、武大開課的願望，也發生了一些影響，據武大的陳傳夫副院長來信告訴我，武大信息管理學院已將「研究方法與論文寫作」列為選修課，並由他主講，我對這門課在大陸的播種工作，已經發生了一些效果，至堪欣慰。

數位時代亞洲的圖書館
Libraries in Asia in the Digital Age

李華偉
Hwa-wei Lee

摘　要

這篇慶賀王振鵠博士八十大壽的短文簡短地介紹了亞洲地區圖書館在數位化時代的發展。建議亞洲圖書館要重視教育讀者如何正確地查尋和使用 Internet 上豐富的資訊資源。並且鼓勵亞洲圖書館將他們國家文化寶藏數位化以供全世界讀者使用。

Abstract

This short paper in honor of Dr. Cheng-Ku Wang on his 80th birthday gives a brief overview of library development in Asia in the digital age. It calls attention to the opportunity as well as the challenge for Asian libraries to educate their users in the correct ways of accessing and exploring the wealth of information on the Internet. It also encourages Asian libraries to digitize their national cultural treasures and make them accessible to worldwide users.

關鍵詞：亞洲圖書館；數位時代；因特網；讀者教育
Keywords: Asian Libraries; Digital Age; Internet; User Education.

Many historians, economists, and political analysts have observed that the 19th century was the European century, the 20th century was the American century, and the 21st century is and will be the Asian century. Is this for real despite the recent economic setback in many Asian countries? Is it overly optimistic? What does it means? Is it based purely on economic projection, or on the vibrancy of her two-thirds of the world's population? Does it include other areas of development such as scientific, educational, and cultural advances?

Culturally, Asia has played a key role in the development of civilization with its great cultural diversity and contributions. Techniques for paper making and movable-type printing were invented in China long before the West (about 4th century and 11th century, respectively). Education and science also flourished in China, India and many Asian countries long ago. However, under various colonial rules and the conflict of the wars of the 19th and 20th centuries, most Asian countries became underdeveloped countries despite their glorious past.

In the traditional cultural setting, education and learning were greatly revered in Asian societies and mindsets. This honorable traditional has not been deterred despite the wars, internal strife, racial conflicts, historical rivalries, population explosion, natural disasters, political instabilities, mismanagement, and the resulting poverty among a large segment of the population. After World War II, when colonial rulers were gone, most of the war-torn countries began to rebuild. This led to the economic boom in many of these countries in the 1970s, 1980s, and 1990s, until the recent worldwide economic crisis which has hit some countries harder than others, including the economic giant of Japan and the four "dragons" of Hong Kong, Korea, Singapore, and Taiwan. Since the early 1990s, however, China and India have become the new economic and industrial powers in Asia.

Historically, as a place where human knowledge, especially explicit knowledge, was stored, libraries existed as long as human civilization. Just as the great Alexandria Library (Bibliotheca Alexandrina) built in the beginning of the third century B.C. in Egypt, great libraries were known to exist in China and India about the same time. Most of them served the needs of rulers, scholars, and those of the privileged classes.

The development of popular education which began in the later part of the 19th century brought about the development of modern libraries in most Asian countries. The process might be slow and uneven in most instances, but it was real and visible. Libraries at all levels from national libraries to local libraries; and all types from university libraries to public, school, and special libraries, have been established. The most important distinction between traditional libraries and modern libraries is the way that modern libraries make themselves accessible to the general public. The yearning for knowledge is everywhere in Asia, just see the growing number of very bright Asian students who flood the campuses of developed countries. Many of them are well motivated and prepared for the highly competitive and demanding post-graduate education in the West. In fact, this phenomenon has contributed to the problem of "brain drain" for most Asian countries which have invested heavily in the education of these talented, young "cream of the crop," but have lost a sizable portion of them to the West.

The traditional reverence for education and learning prompted widespread educational reforms in most Asian countries, along with drastic changes in their libraries. In China, for example, among the first wave of students sent to the United States for studies in the beginning of the 20th century, several returned with degrees in library science. They were pioneers in developing the new type of libraries with the help of Miss Mary Elizabeth Wood (1862-1931), a librarian of the Richmond Library in Batavia, New York and an English teacher, who came to China in 1899 and stayed until her death in 1931.

In India, the person who has done more than anyone else to modernize and professionalize library science in that country is Shiyali R. Ranganathan (1892-1972) who received his library science education in England. Ranganathan set up his famous Five Laws of Library Science: (1) books are for use, (2) every reader his book, (3) every book its reader, (4) save the time of the reader, and (5) a library is a growing organism. These five laws might seem self-evident today, but certainly were not to Asian librarians in the early part of the 20th century. His five laws helped to put library work on a scientific basis and to ensure that libraries are service-oriented.

The most development of libraries in Asia came in the 1960s, however, when computers and information technology invaded the libraries, first in the U.S., Canada, and some of the European countries, then into Asian countries. We have witnessed the accelerated changes from time-honored paper- and print-based libraries to computerized libraries in the 1970s, to networked libraries in the 1980s, to electronic and digital libraries in the 1990s, and now on to the globally linked virtual libraries supported by the Internet and the World Wide Web backbone.

The greatest benefit of the Internet has been its power of transmitting information and knowledge across the world, allowing information to flow freely at amazing speed and low communication cost. In effect, the Internet has transcended geographical and political barriers and, in time, will narrow the gap between the "haves" and "have nots" in terms of accessing information and knowledge. It is hopeful that such a gap can also be narrowed by the joint effort now undertaken by the scholarly community, learned societies, and libraries to move away from the dominance of a few commercial publishers who have monopolized the worldwide publication of scientific, technological, and medical journals, set high prices for their subscription, and placed unreasonable restrictions on their use. Alternative approaches such as supporting the publishing of new scholarly journals at low-cost and with less restrictions for scholarly use, and establishing a system of open digital archives where researchers and scholars can deposit their pre-publications and writings for easy online access either free or at a low handling cost, are making progress.

To facilitate the sharing of library resources, libraries in many Asian countries have also established local, national, and regional consortia to create online union catalogs and to carry out cooperative projects such as collection development, interlibrary loans, staff exchange, networking, etc. OCLC, the Online Computer Library Center headquartered in Dublin, Ohio, is a worldwide library cooperative which provides valuable cooperative services to many libraries in Asia.

Based on the best estimate provided by <www.cyveillance.com> there are more than two billion unique, publicly available web pages existing on the Internet and it is growing at a rate of seven million pages each day. Aided by intelligent search agents nicknamed web "spider" or "crawler," the best search engine - Google - is able to cover 1.5 billon web pages, a mind boggling number! Although many of the web pages contain a large amount of information glut, with greatly improved search techniques, one can still discover a large amount of hidden treasures.

For many Asian libraries that can not afford to purchase expensive books and subscribe to highly priced journals, the Internet has become an indispensable source of information. As more and more libraries in Asia have connected to the Internet, many libraries have become selectors, navigators, organizers, and providers of digital information on the web. An increasing number of teachers, students, researchers, and scholars of all fields have used the Internet as a new means of scholarly communication and knowledge exchange. Thus the "Digital Divide" between those who have access to the Internet and those who have not is also narrowing as more and more libraries in Asia are trying to provide Internet access to their users. In recent travels throughout Asia I also saw the fast spread of Internet "cafes" everywhere which are frequented by people of all ages, although students have made up the largest group of customers. The growing Internet literacy among an increasing number of people has in some ways reduced the severity of information illiteracy still existing in many of the less developed countries in Asia.

The advance of digital and networking technologies and the fast expansion of digitized information, both "born digital" and through the process of "digitization," have led to the development of the "digital library" concept and brought new life to libraries everywhere. Libraries in Asia are especially happy to welcome the coming of the digital age in that it has in effect brought the world of information and knowledge close to home in real time and freed libraries and their users from the barrier of geographical isolation. It is the opportunity as well as the challenge for Asian libraries to educate their users in the correct ways of accessing and exploring the wealth of information on the Internet for the benefit of learning and scholarly pursuit. It is also the opportune time for Asian libraries to digitize their national cultural treasures and make them accessible to worldwide users. From a quick review of the websites of national libraries in many of the Asian countries one can easily find that this movement is already underway. Such an undertaking is necessary to improve the knowledge and understanding of others about the advances and contributions of Asian countries and their diverse culture and achievements.

圖書館學與資訊科學之關係
The Relationship between Library Science and Information Science

盧秀菊

Shiow-jyu Lu

摘　要

　　自 1970 年代以來，資訊科學的興起，改變了二十世紀圖書館學在處理圖書資料與資訊的唯我獨尊局面。本文探討圖書館學之本質與內涵，資訊科學之興起與發展，以及圖書館學與資訊科學之關係。本文結論指出，圖書館學透過與資訊科學的整合，將繼續適存與發展於二十一世紀之時代環境中。

Abstract

The emergence of information science since the 1970's has changed the monopoly position that library science had long held in the processing of library materials and information sources. This paper discusses the nature and content of library science, the emergence and development of information science, as well as the relationship between the two. This paper concludes that library science will find appropriate ways to integrate with information science in order for it to continue to flourish in the 21st century.

關鍵詞：圖書館學；圖書館學本質；圖書館學與資訊科學之關係；資訊科學

Keywords: Library Science; Nature of Library Science; Relationship between Library Science and Information Science; Information Science

壹、前言

二十世紀圖書館學與資訊科學的整合，是值得慶賀的學術盛事。探索這段整合的過程與歷史，發現有其特殊的背景與意義。自 1920 年代起，圖書館學的觀念即因圖書館事業之推行而漸為社會人士所接受。圖書館界開始討論圖書館學的原理與方法，其焦點尤其在圖書館學的本質與內容。首先討論圖書館是否以技術為主，一般以為技術不可缺，而學識基礎及對圖書館方面的知識亦甚重要。其次討論圖書館對社會的價值與功能，以及在文化史中所佔的地位等議題。[1]

自 1960 年代起，電腦的普遍應用，以及其後資訊科學的興起，導致圖書館學在研究範圍方面擴大了，納入不少資訊科學的內容。圖書館學與資訊科學的整合是二十世紀 1970 年代以來的盛事，美國大專校院中的 Library School 轉變成 School of Library and Information Science 或其他名稱。而臺灣自 1992 年起，大專校院的圖書館學系名稱亦改為圖書資訊學系。

有鑑於此，本文探討圖書館學之本質與內涵，資訊科學之興起與發展，以及圖書館學與資訊科學之關係。本文結論指出，圖書館學透過與資訊科學的整合，將繼續適存與發展於二十一世紀之時代環境中。

貳、圖書館學之本質與內涵

圖書館之存在，有其政治、社會與經濟之背景。歷史上各時代各地區之圖書館有其歷史任務，現代各類型圖書館皆具有保存文化遺產、教育社會大眾、提供資訊資料之功能。圖書館有各種價值觀，如服務、閱讀、追求真理、包容、公益、正義、美學等。

至於圖書館學之哲學或理論，並無定論。有些圖書館員認為圖書館提供有績效的服務遠比談理論或哲學重要。另一些圖書館員則認為圖書館學領域應作推論分析以導引出基本法則和原則；圖書館學具有堅實之理論，才能在實務領域充分發揮實務績效。[2] 1876年，美國圖書館學會（ALA）在費城成立大會時，Melvil Dewey（杜威）為此新組織提出一話語，「以最少的價格，獲取最好之讀物，供大多數人使用」（The Best Books for the Most People at the Least Cost）[3] 這句話語幾乎成為圖書館事業經營之教條（Creed），但

仍非圖書館學哲學。而 Michael Gorman（高曼）認為圖書館事業長久以來重視實務、實用和利用，是一種實利主義（Utilitarianism）；而實利主義本身即是一種哲學（Philosophy）。圖書館員如遵循實利主義亦可成為優秀的圖書館員。④

由於圖書館自古以來存在的事實，合理化其存在的價值，因此忽略了圖書館為社會組織（Social Organism）的理論基礎。事實上，歷代圖書館各有其興起的背景及時代特色，如古蘇美人和埃及人因需要而設立圖書館，此後各時代為傳承文化或保存個人資料而有各類型圖書館，中古以後大學圖書館興起支援學術與研究。然而必須等到近代公共圖書館之出現，圖書館事業才認為需要有圖書館哲學合理化其存在與服務。二十世紀公共圖書館的昌盛繁榮導致圖書館界思考許多問題。圖書館有許多活動吸引公眾的支持，如成人服務、老人服務、殘障服務等，但圖書館並不深入思考圖書館是否為提供這些服務的最佳機構？圖書館館藏之品質與需求之間如何尋求平衡以應讀者之需？圖書館之讀者一直是菁英群，如何吸引更多其他讀者群？以上諸問題皆需哲學理念作為導引。⑤

圖書館是社會中溝通傳播系統（Communication System）的重要代理者（Agent）。因此一個社會或文化如何取得、吸收、傳播知識，與圖書館員的專業哲學息息相關。圖書館學關切知識本身及知識全體。知識長久以來已發展成一研究議題，然而對知識之協調、統合，並付之實務工作方面尚待深入探究。哲學之知識論探討知識之性質、資源與方法，以及正確性。心理學利用實驗室研究個人之心理能力和行為。以上二者皆針對個人知識，而未能對複雜之社會結構中知識之整體、知識之差異、及其整合做深入研究。於此，Jesse H. Shera 將圖書館學研究的知識名之曰社會知識論（Social Epistemology），探討社會知識之複雜過程；即是社會中知識之生產、流通、整合與消費而形成新知識體，以及知識與社會互動的過程。⑥

圖書館並非大眾媒體（Mass Media），其傳播途徑不是由大眾媒體傳向個人，而是個人要向圖書館取得資訊。因此圖書館員要深入研究：知識是什麼？如何學習，以及如何綜合知識而影響行為等問題。換言之，即是瞭解個人接收及綜合知識之心理及心智過程。溝通傳播是透過口語、書面及其他外在載體而完成，因此圖書館員重視的是觀念本身而非其載體物件的溝通傳播。圖書館學涵蓋所有主題範疇；而完備的主題範疇使圖書館學具備無所不包的知識與專業本質。⑦

參、資訊科學之興起與發展

資訊科學之起源，眾說紛紜，迄未定論。Saul Herner 之 "Brief History of Information

Science"（資訊科學簡史）文⑧即指出，很難找出資訊科學真正開始的日期。Dorothy B. Lilley 與 Ronald W. Trice 二人之 *A History of Information Science, 1945-1985*（資訊科學史：1945-1985）書⑨，則以 1945 年 Vannevar Bush（1890-1974）之 "As We May Think"（思維之際）一文⑩作為資訊科學起始，是最普遍之說法。

如以一般接受的說法，以 Bush 之 "As We May Think" 文之發表為資訊科學的起始，則依據 Lilley & Trice 之《資訊科學史》⑪，從 1945 年至 1985 年，資訊科學的發展簡述如下。1945 年至 1968 年之間，各行業之科學家，包括數學家、工程師、文獻學家等，以 Vanneva Bush（1890-1974），Norbert Wiener（1894-1964），Claude E. Shannon（1916-   ），S. C. Bradford（1878-1948），Mortimer Taube（1910-1965），Hans Peter Luhn（1896-1964），Eugene Garfield（1925-   ）等八位，為資訊科學的預想家（Visionary）及非傳統資訊系統的先導人物。其後資訊科學在圖書館之應用包括 Henriette D. Avram 在美國國會圖書館（Library of Congress，簡稱 LC）主導之機讀編目格式（MARC），Frederick G. Kilgour 設立美國最大的書目供用中心 OCLC。線上資訊活動包括人機交互作用理論，人機共生理論，資料庫服務，全文資料庫檢索，DIALOG 系統之設立等。其後網路出現，則有國家資訊網路，各州圖書館網路，網路系統管理等之建構。⑫

肆、圖書館學與資訊科學之關係

前第貳節論及圖書館學之本質與內涵，述及圖書館存在需要圖書館哲學與理論作導引。Shera 認為圖書館學發展成為一門科學（Library Science），希望以科學原則為基礎，忽略了圖書館實興起於人文的傳統。⑬圖書館是社會中溝通傳播系統（Communication System）之重要代理者（Agent）。資訊科學強調社會中溝通傳播管道之效果，而未及於知識之起源、知識之成長、以及知識對文化之影響等議題。資訊科學列於自然科學範疇，探討物理現象與物件等；而圖書館學探討觀念和知識，及其溝通傳播，因此 Shera 認為 "Librarianship"（圖書館學）更接近於人文學而非「硬」科學（"Hard" Sciences）。⑭

Pierce Butler 從科學的本質，以及社會學、心理學和史學等觀點，探討圖書館學的問題。其治學方法，力求科學化。圖書館學尚未建立理論體系，以闡釋並推行其實務，因此巴特勒強調有組織的科學研究，將圖書館學由「人文」背景推向「社會科學」。簡言之，Butler 從科學的本質，並佐以社會學、心理學、和史學角度探討圖書館學涉及的問題。⑮

國內學者賴鼎銘認為圖書館學隸屬於社會科學，而無法也不一定要成為真正的「科

學」。以律師和醫生為例，專業的重要性在於其是否能與人們的日常生活緊密結合並解決實際的切身問題，此乃就社會現實而言。[16]梁朝雲則認為圖書資訊學較接近社會科學中管理學的領域，因為除資訊組織管理外，圖書館一直重視其人事、經費與設備的有效管理運用，以提供最令顧客滿意的服務。梁朝雲進一步認為圖書資訊學亦如管理學，可被視為一整合上下游之領域，其從業人員一方面整合上游各界，如心理學、社會學、經濟學、政治學等學理精華，另一方面將此跨領域具綜效的學理精華用來解決館內、館際、自我及服務顧客等實際問題。而為人們解決生活上的資訊問題，實為圖書資訊專業對人類社會最顯著的貢獻。[17]

1968 年，美國資訊科學學會（ASIS）成立，H. Borko 曾撰長文"Information Science: What is It?"（資訊科學是什麼？）闡述資訊科學之意義與內涵。[18]Borko 認為資訊科學是科際整合的，因它起源於並涉及於多種學科，如數學、邏輯學、語言學、心理學、電腦技術、作業研究、圖像藝術、圖書館學、管理學，以及其他相關的學科。[19]

1967 年，Alan Rees 和 Tefko Saracevic 在 Special Libraries Association（簡稱 SLA，專門圖書館學會）會議上提出，資訊科學不等於文獻學、資訊檢索、圖書館學、或其他學科。資訊科學不是加料的資訊檢索或圖書館學，就像物理學並不是加壓的工程學。[20]

Klause Otten 和 Anthony DeBons 撰文"Toward a Metascience of Information: Infomatolog,"[21]提出"Informatalogy"之名詞，並且以圖繪出資訊科學與其相關科學之關係，於此圖書館學是資訊科學之六門相關學科之一，見圖 1，「資訊科學與相關學科圖」。

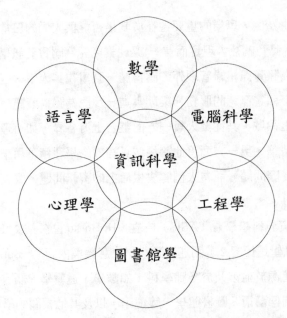

資料來源：Klause Otten and Anthony DeBons, "Towards a Metascience of Information: Informatology," *Journal of the American Society for Information Science* 21: 1 (January/February 1970), pp. 93-94.

圖 1　資訊科學與相關學科圖

　　資訊科學相關的六門學科是：數學、語言學、心理學、圖書館學、工程學、電腦科學。在文獻學（Documentation）與圖書館學（Library Science）而言，資訊科學之內涵側重於分類法則，以及大眾資訊之儲存與檢索（Mass Information Storage and Retrieval）。迄 1970 年 Otten & DeBons 撰文時，以圖書館為導向的資訊科學重心放在記錄的信息（Documented Message）之處理，而尚未能致力於這些實務操作之法則的探討。因此，在圖書館學考量下的資訊科學基本上是以技術（Technology）為主，旁及相關科學中之某些部份。[22]

　　Imad A. Al-Sabbagh 在 1987 年之博士論文中查考 1970-1985 年之間 *Journal of the American Society for Information Science*（JASIS）之文獻，發現除資訊科學文獻量最多外，其他相關學科之文獻量最多的是電腦科學、圖書館學、一般科學，次多的學科是心理學、管理學、化學、數學和統計學。[23]由此可見資訊科學和以上電腦科學、圖書館學等八學科之關係密切。

　　如從人類學家的文化一詞探討，Shera 認為任何文化體系下都有次文化，二十世紀圖書館員利用他們的信仰體系，累積的特有知識、行為模式、和專門術語，發展了獨特的

次文化。而 1970 年以後，傳統圖書館文化面臨一種新的次文化的挑戰，即資訊科學。Shera
提出他的文化本質（The Nature of Culture）三角形圖。[20]見圖 2，「文化本質圖」。

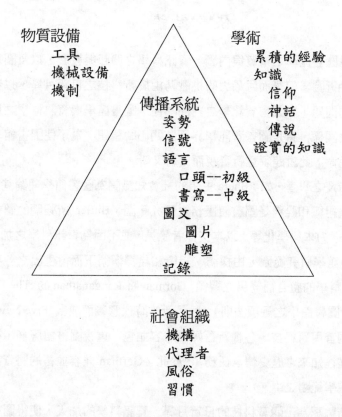

物質設備
　工具
　機械設備
　機制

學術
　累積的經驗
　知識
　　信仰
　　神話
　　傳說
　　證實的知識

傳播系統
　姿勢
　信號
　語言
　　口頭――初級
　　書寫――中級
　　圖文
　　　圖片
　　　雕塑
　　記錄

社會組織
　機構
　代理者
　風俗
　習慣

資料來源：Jesse H. Shera, Introduction to Library Science (Littleton, Colorado: Libraries Unlimited, 1976), p. 44.

圖2　文化本質圖

從 Abraham Kaplan（卡布蘭）的 "The Law of Instrument"（工具定律）觀之，人類因
應不同時代社會之需求，應用工具經驗的累積，成為解決問題的知識；而物質設備、學
術和社會組織三者必須依賴傳播系統之語言、圖文、記錄等才構成文化的本質。[25]於此，
1970 年以後，新興科技之昌盛與加入，並未改變文化的本質，而是牽動銜接三者的傳播
系統，圖書館傳統以來是人類文化中圖文記錄的保存者，傳播系統中之一員，因此本文
著者認為即使物質設備的工具改變了，亦不影響圖書館保存人類圖文記錄，為傳播系統
一環之功能；當然，圖書館應當因應工具，亦即科技之改變而做調整。此正是 Shera 所

言，物質設備、學術和社會組織三者要維持和諧，若任一方進步或落後，皆導致文化失調。㉖因此之故，資訊科學之興起，和圖書館學之關係，是值得再進一步深入探討的。

伍、結論

本文旨在探討圖書館學之本質與內涵，資訊科學之興起與發展，以及圖書館學與資訊科學之關係。晚近圖書館學面臨最大的挑戰乃由於新科技之日新月異，以致與資訊科學的整合而面臨的問題，如圖書資訊學之內涵為何，圖書館學與資訊科學之比重，圖書館學與資訊科學之關係，皆是圖書資訊學界極為關心的議題。為了使圖書館學因資訊科學之加入而更新生命，此議題須重新審視而日新又新。

本文內容所涉及之學者，如：Shera 主張的社會知識論為圖書館學理論基礎，並配以實際行動的採訪、組織和詮釋是圖書館服務之研究範圍；Butler 所強調的圖書館為社會機構，其治學方法，力求科學化等；以本文作者愚見，並不因為資訊科學之加入而過時。Shera 主張之圖書館學研究範圍，由採訪、組織和詮釋綱領下而衍生出之各項圖書館服務，並不因與資訊科學的整合而需另立綱領。Gorman 將 Ranganathan 的 "The Five Laws of Library Science."（圖書館學之五項法則），賦予新的時代意義而成為 "Five New Laws"（五項新法則），強調善用新科技，各種新舊媒體兼容並包，重視圖書館服務，捍衛知識自由，倡導圖書館鑑往知來之歷史傳承任務；㉗於此，Gorman 兼容並蓄的將資訊科學之應用增入傳統圖書館學範疇之中。

因此，本文結論認為，隨著科技的日新月異，資訊科學的加入，使得圖書館學更能充實其內容並更新其研究方法。圖書館學透過與資訊科學的整合，將繼續適存與發展於二十一世紀之時代環境中。

註釋

① 王振鵠，〈圖書館與圖書館學〉，《圖書館學》，再版（臺北：學生書局，民國 73 年），頁 79-80。

② Jesse H. Shera, "Librarianship, Philosophy of," in *World Encyclopedia of Library and Information Services (WELIS)*, 3rd ed. (Chicago: American Library Association, 1993), pp. 460-461. 此文初刊於 WELIS 1980 年初版。因 Shera 於 1982 年逝世，故 WELIS 第三版重刊該文，以茲紀念。

③ Melvil Dewey, "The Profession," *Library Journal* 114 (June 15, 1989), p. 5; Reprinted from *American library Journal* 1 (1876). 此處引自 Shera 文，同註②，頁 460。

④ Michael Gorman, *Our Enduring Values: Librarianship in the 21st Century* (Chicago: American Library Association, 2000), p. 17.

⑤ 同註②，頁 461-462。

⑥　同註②，頁 462-463。

⑦　同註②，頁 463。

⑧　Saul Herner, "Brief History of Information Science," *Journal of the American Society for Information Science* 35 (1984), p. 157.

⑨　Dorothy B. Lilley and Ronald W. Trice, *A History of Information Science*, 1945-1985 (San Diego: Calif.: Academic Press, 1989).

⑩　Vannevar Bush, "As We May Think," *Atlantic Monthly* 176:1 (1945), pp. 101-108.

⑪　同註⑨。同註⑩。

⑫　同註⑨。莊道明，〈從典範理論探討圖書館學與資訊科學發展的歷程〉，《書府》15 期（民國 83 年 6 月），頁 49-54。

⑬　同註②，頁 461。

⑭　同註②，頁 462-463。

⑮　高錦雪著，《圖書館哲學之研究》（臺北：書棚，民國 74 年），頁 111-112, 115。Jesse H. Shera, "Butler, Pierce," in *World Encyclopedia of Library and Information Services*, 3rd ed. (Chicago: American Library Association, 1993), pp. 157-158.

⑯　賴鼎銘，〈不計科學名，寧務研究實〉，《教育資料與圖書館學》28 卷 4 期（民國 80 年 6 月），頁 473-483。

⑰　梁朝雲，〈圖書資訊學的時代定位〉，《教育資料與圖書館學》31 卷 3 期（民國 83 年 3 月），頁 297-298。

⑱　H. Borko, "Information Science: What is It?" *American Documentation* 19 (January 1968), pp. 3-4. 此處中文翻譯，引自 Jesse H. Shera 著、鄭肇陞譯，《圖書館學概論：圖書館服務的基本要素》（新竹：楓城出版社，民國 75 年），頁 99。

⑲　Jesse H. Shera, *Introduction to Library Science* (Littleton, Colorado: Libraries Unlimited, 1976), p.112。同註⑱，Jesse H. Shera 書，頁 99。

⑳　同註⑲。

㉑　Klause Otten and Anthony DeBons, "Towards a Metascience of Information: Informatology," *Journal of the American Society for Information Science* 21: 1 (January/February 1970), pp. 93-94.

㉒　同註㉑，頁 92-93。

㉓　Imad A. Al-Sabbagh, *The Evolution of the Inter Disciplinarity of Information Science: a Bibliometric Study*, Ph.D. dissertation, 1987 (Ann Arbor, Mich.: UMI, 1987), pp. ii-iv, 130-148.

㉔　同註⑲，頁 43-44。同註⑱，Jesse H. Shera 書，頁 32。

㉕　同註⑲，頁 44。同註⑱，Jesse H. Shera 書，頁 32。

㉖　同註⑲，頁 45。同註⑱，Jesse H. Shera 書，頁 34。

㉗　Michael Gorman, "Five New Laws of librarianship," *American Libraries* 26 (September 1995), pp. 784-785. Walt Crawford & Michael Gorman, *Future Libraries: Dreams, Madness, & Reality* (Chicago & London: American Library Association, 1995), pp. 7-12.　Richard E. Rubin, *Foundations of Library and Information Science* (New York: Neal-Schuman Publishers, 2000), pp. 253-254.

「多‧跨‧比‧遊戲」
——另一種比較圖書資訊學研究方式
The "Multi-Inter-Comp Game"
—Another Way for the Comparative Study of Library & Information Science

高錦雪
Jin-syue Gao

摘　要

　　常見的比較圖書館學研究方式，是以書目系統、機構組織、服務方式等的安排處置為比較對象。較多元化多層面者，則在研究各國圖書資訊服務機構時，將其納入整個國家民族的文化背景，觀之以全貌全景，更進而將政經社會等因素，對這些傳播人類知識記載的相關典章制度或任何存在方式所產生的影響，加以比較。本文所針對的，卻是另一種取向，是圖書館與其他機構、圖書資訊學與其他學門某些學說的異同處。如此，則需要需具備「多」學科基礎，並採用「跨」學科取向，而後加以分析與「比」較，以進行所謂「多‧跨‧比‧遊戲」。

Abstract

The comparative studies of Library Science usually take as the objects for comparison the bibiliographic systems, organizational structure, service plans, etc. The more multi-dimentional studies embed the scenes of each country's library and information services in the whole picture to be viewed with the cultural background of the nation, while comparing the impacts of social, economical, and other elements on various aspects of library and information services.　This article aims at a less taken approach. It advertises the comparison between theories & priciples of two professions or subject fields, or among three or more of them. By so doing, a "multi-subject" background is needed, an "interdsicipinary" approach is suggested, an anaylsis is required, then comes the "comparison" task. Thus forms the game of the so-called "Multi-Inter-Comp Game."

關鍵詞：圖書資訊學，多學科性質研究；圖書資訊學，跨學科性質研究；圖書資訊學，比較性研究；比較圖書館學

Keywords: Library & Information Science, Multidisciplinary Study; Library & Information Science, Interdisciplinary Study; Library & Information Science, Comparative Study; Comparative Librarianship

　　這樣的措辭，很不像嚴謹的學術論文題目。不過這篇短文，原本也不是嚴謹的論文，只是一種構想的表達。原本有意嘗試一個名為「比較圖書資訊學的另類取向」之研究，但「另類」一詞，在當今社會，好像是褒非貶，可能被視為與「創意」同義，用起來自覺心虛。可是又覺得在另一種觀點中，這也代表「無憑無據」，「不循正途」，「不談正理」。如此說來，以「遊戲」為名，其實也可以表示自知所作應屬荒謬性質；而「多·跨·比·」之說，更顯然有荒誕意味。所以此文縱以另類為名，與未必是自詡以創意為其特質。可預見的，應是滿紙荒唐言，一片嬉鬧心，純粹是愛玩文字之戲者的囈語狂言；在圖書資訊學專業教育的領域內，應該算是行必由徑的表現。這樣的說法，主要是聲明本篇不算論文，比較應該算是一本可能開始撰述的書，或者一串或一篇長文的前言；是forward 不是 introduction，當然更與論著之正文，有很不一樣的性質。還盼識者見諒。[1]

　　多學科本質，跨學科取向的圖書資訊學，比起看似「質純」的文學，更有比較的空間。「比較圖書館學」的論著雖然不如其他熱門實用的主題一般大量出版，卻也並非罕見。以此為名的課程，也能見諸相當比例的相關系所課表，只是課程取向，未必相同。以書目系統、機構組織、服務方式等的安排處置為比較對象，是最常見的方式。以下是

另外一種：

> Comparison and contrasts of bibliographical systems, institutions, service arrangements, and professional patterns in developed and developing cultures. Libraries, information organizations and international information systems viewed against the backdrop of national cultures. Influences of social, political, and economic factors upon these forms.[②]

馬利蘭大學這份課程綱要裡提到的，是比較是多元化、多層面的研究取向。在研究各國圖書資訊服務機構時，不以切割而獨立取樣的單位視之，而是將其納入整個國家民族的文化背景，觀之以全貌全景，而非一木、一石、一屋。更進一步，把政、經、社會等因素，對這些傳播人類知識記載的相關典章制度、或任何存在方式所產生的影響，加以比較研究。這一直是我比較感到興趣的比較圖書館學或比較圖書資訊學。[③]這就像我讀史愛讀圖書館思想史而非圖書館史一樣。不過既有「愛」字，就表示自知是主觀喜好，非關理性評判。

但是這樣的比較圖書資訊學，基本上還是研究圖書館與圖書資訊的種種現象（不論是內在或外表）。取之於非本門學說的，其實是已經和我們自己的種種現象融合而成「圖書資訊學情境」。這好比是史地資料中，介紹或討論某時期某地區某種風物景觀時，會說這是受西風東漸的影響，那是某某運動的影響等等。可是不管是來自何方的影響，這已經是此時此地的景觀或情境。就圖書館與圖書館之間，或圖書館事業本身不同的原理原則而言，這確實是兩個以上有同有異個體或學理的「比較」。所探討的，也確實是某種性質的「比較圖書館學」。

本文所針對的，卻是另一種取向，或許算是別具另類特質的「比較圖書館學」。在此希望提起相關學者研究興趣的，是圖書館與其他機構、圖書資訊學與其他學門某些學說的異同處。這應該是類似以「文學與心理學」、「文學與哲學」、或「文學與藝術」為對象的「比較文學」研究。這種比較圖書館學，需具「多」學科基礎，並採「跨」學科取向，而後加以分析與「比」較，以進行所謂「多·跨·比·遊戲」。當然，圖書館學先進如何光國教授者，已經有相當多層面取向的論著，所以此處提及的，並不是「前所未有」的方式，而是比較不那麼普遍的研究取向；不是提倡一種新的方法，而是促進一種比較不是那麼普遍被運用的方法。

　　圖書館究竟是甚麼樣的機構或體系？社會機構？教育機構？社教機構？傳播機構？資訊服務業？非營利性事業？還有甚麼「差可擬」的組織單位？這其實和問視障朋友「象是甚麼樣子？」的寓言一樣，很有討論空間。我首先想到的是：這是他們彼此互問的問題，還是別人問他們的問題？若是明眼人問視障者，提問的動機與情境（context）又如何？不同的傳播溝通因素（communication elements），使相同的答覆有不同的意義。而不同的答覆，又有不同的意義與效應。談起來可以是一篇長文或一本書，或竟成為一系列的論著。這可以是「資訊傳播學」的研究題目來源，也可以是比較圖書資訊學的研究範圍。像這樣的「比較」，不是以本學門或本行業內，理論與實務的資料相印證分辨之類的比較，而是借用其他學門或行業的學理或實例，以之審視或剖析或詮釋本門本行的理論與實務的，另一種「比較研究」方式。也算是一種跨學科的研究方式。

　　跨學科的研究，幾乎一定會出現我所戲稱的「說象與摸象現象」。與象同居一國（如泰國）者，當然非常清楚象是甚麼樣子。若其中有人被要求為從未見過象的外國人，形容「象何相」，他會怎麼說？他該怎麼說？至少他該弄清楚接受訊息的對象是否明眼人？是生活在現代文明的都會人士，還是在蠻荒地區生活用品簡陋而原始的地區？否則用對方生活中不可能接觸的事物，來輔佐說明與敘述，一定會讓對方越聽越糊塗。如果必須以「摸」的方式讓對方瞭解，是否該讓他或他們摸到「全象」？否則又該怎麼做？為什麼？然後又如何處理各有所「悟」的「象跟大水管一樣」或「象好比一根大柱子」之類的「答案」或「發現」？其實這種情況就像一些虛懷若谷的學者專家，邀請另一學門或行業的學者專家，來演說、座談、或講習。受邀者實在頗費思量，才能決定如何「說象」，或者規劃如何導引「摸象」。如果沒人到「這邊」「說象或導引摸象」，而是「這裡的人」自行到「那邊」設法瞭解「象何相」，那又是另一個討論方向。這比喻，是要指出跨學科的研究可能出現的某種現象。抱歉的是，此處只能約略點出一種景象，來不及詳細討論。但必須先說明，我要表示的，不是跨學科研究的「不當」，而是這種研究的「不易」。因此這不是一人或數人之力所能及，也不是一段時間就可以完成的。

　　每一種學術交流，就是一種傳播溝通。而傳播溝通的基本要素——情境架構（context）、傳播者和受播者或者來源與去處（sender & receiver or source & destination）、訊息和通道（message & channel）、製碼和譯碼（encoding & decoding）以及製碼者和譯碼者（encoder & decoder）、噪音或干擾（noise）、競爭力和表現（competence & performance）、回饋或反應（feedback）、傳播效應（communication effect）等等，各有許多複雜的層面或分支。例如情境架構，至少有四個層面：「物質的、社會的、心理的、

和時間上的」[4]。這些層面的互動，因果循環，變化多端，造成數不清的排列組合結果。若想要採用目標取向的研究方式（goal-oriened research）[5]，就必須在適度瞭解這些要素及其「己身所出與所從出」的瓜瓞綿衍又生生不息的生態之餘，確定如何採擷自己所需所宜的部分。其中最需顧及的，還是這「生態」的整體（whole）與個體（parts）之間的關連與互動（interrelationships and interactions）。這就是圖書館學和很多應用科學都會用到的系統哲學裡的一個重點。

觀察與瞭解現象（phenomena）之外，當然更要探求跨學科研究的本質（essence）。圖書館學五律的第五律是個「總結」：總而言之，「圖書館是持續成長的有機體。」[6]其實這也一種是圖書館的本質說。「持續成長」固然是一個訴求重點，「有機體」更是圖書館學的本質所在。我在不同的拙著裡和課堂上，或多或少的討論過這個理念。有機體的特質，不只在於成長。而成長的意義，不只是物理上的擴增現象。館藏或建築設備的擴增，與圖書館整體規模的擴大，是圖書館成長的最基本層次。「要有新陳代謝作用」算是更進一層。而最高的頂層，應該是由「有機體」的深層特質建構而成。這就是前文所說的整體與個體之間的關連與互動，以及那種生生不息的生命現象。要瞭解這樣的關係和生態，要善用這種瞭解所形成的知識，勢必藉助於來自其他學門與專業的知能。因此圖書館學或圖書資訊學的研究，必須具「多」學科基礎，採「跨」學科取向。至於「比」較研究，不只為辨異同，不是為分高下，而是要找出放諸眾學門而皆準的法則。這該算是「多・跨・比・遊戲」的精神所在。

～謹以此文為長者壽～

註釋

① 之所以在這裡寫這篇，有其因由。去年，我在輔大圖書館的某個場合中，向王振鵠教授提到這個概念，王老師一如往常的鼓勵後學。其實這方向未必真的值得鼓勵，只是我既然動了念，或遲或早，或多或少，總是要寫。本校本系與我個人，有諸多受惠與受教於王老師處，因此我想以野人獻曝的心態，把我第一次比較正式提到此一個人觀點的文字記載，作為王振鵠教授八秩榮慶賀禮，雖屬荒謬，卻含至誠。這原是我幾個開了頭，沒往下寫，卻又都放不下的題目之一：An Alternative Approach to the Comparative Study of Library and Information Science (Text in English)。劃底線表示剛開始作夢時，有寫成 book length 的野心。只是以我目前情況而言，恐怕得等我退休才能真正動工。此篇且作前言。但既然此處應示真誠，則我必須承認原計畫執行與否，真正關鍵在於「都云作者痴[愚]，誰解其中味」的心結。健康與時間因素固然有關係，最嚴重的阻礙，卻是時常有「剔銀燈欲將心事寫，長吁一聲吹滅」的心境。總覺得自己的思慮不合時宜，所作不符所需。如果痴狂之性再起，終於再造「出版品污染」

又一個案，其責實在於王教授之點火復燼風，焚槁木而燃死灰。

② LBSC 706 Seminar in International and Comparative Librarianship and Information Science (3)
http://www.clis.umd.edu/courses/course_descriptions.html　　06/21/03

③ 高錦雪「分析比較與整合」
http://web.cc.ntnu.edu.tw/~mwu/activities/1998/14.html　　07/17/03

④ 這種基本的理論，很多傳播學教科書都有，只是大同小異。對非傳播專業人員如我，下列之書中的說明與舉例，比較容易瞭解。只是名詞中譯部分，我自行略加更動，所用中英文相關語詞，也不是全部引自該書。
李茂政　著　大眾傳播新論　臺北：三民書局。民75。頁11至24

⑤ 我知道"oriented"和"orientation"常被譯為「導向」。有一段時期我也努力從善如流，改以「導向」代替我原本慣用的「取向」。但經過「估購」（Google，又是我「自用的」譯名）搜尋之後，發覺其實也有不少採用「取向」的。而我常常不習慣接受「導引」，因此咎由自「取」，總是順手就用了自以為比較主動的措辭。根本上這只是為自己難改的積習強詞奪理。其實我是很願意跟著用別人的好譯文——例如稱"information"為「資訊」，"information carrier"為「資訊載體」。

⑥ "Five Laws of Librarianship"在圖書館學中，應該可以算是不必註明出處的典故。不過有一點或者該說明一下：我在翻譯"Library is a growing organism"的時候，總是好像很多餘的加上「持續」二字，這是起因於我愛咬文嚼字的習慣。"Growing"是「成長中的」，譯為「成長的」其實沒錯。只是我老想起「停止成長」這類用語，所以覺得該強調一下，我們圖書館的「成長」，應該是持續不斷的。不過這種「成長」，所指的不是變高變壯那樣的，由嬰幼兒長成大人，而是不斷的成熟，不斷的長進，甚至像傳說中的火鳥一般，能適時浴火重生。從現實的角度，用白話來說就是：「能把危機當轉機」。數位圖書館與虛擬圖書館的興起，應該可以當作一個例子。

數位圖書館學術會議資訊計量分析研究
An Informetrics Study of
Digital Library Conferences

吳明德
Ming-der Wu

賴麗香
Li-hsiang Lai

摘　要

　　由於資訊與通訊科技的快速發展，以及各國重視文化資產之保存、保護、典藏與利用，自 1990 年代初期起帶動全球數位化的發展，興起了數位圖書館的研究熱潮。本研究針對 2000-2003 年國外所辦理之數位圖書館會議進行分析，分析內容以研討主題為主。另外，亦分析會議型式、主辦單位的特性及所屬國家等，藉以整體了解全球數位圖書館相關會議的基本特性及研究議題之發展，提供國內學術研究、實務發展及規劃辦理數位圖書館相關之學術會議或人員培訓課程之參考。

　　本研究初步研究結果發現，數位圖書館研究議題主要可分為資訊組織、資訊技術、網頁設計及網站管理、營運與推廣、影響等五大範疇，各範疇有其發展之基礎與重點。在資訊組織方面主要朝向知識管理及主題詞庫方向發展；資訊技術方面，以知識探索、多媒體、XML、無線網路、資訊安全及整合資訊查詢等相關技術之發展為主；網頁設計及網站管理方面，朝視覺化介面、入口網站等議題的方向發展；

在營運與推廣方面，則朝向數位財產權之管理、數位學習、電子商務、使用者研究及協力合作等題議發展；影響方面則以圖書館及教育之應用與影響為主。

Abstract

The purpose of the present study is to explore the trends of digital library research by analyzing the conference and workshop topics. Type, country, and organizer conferences are also discussed. Data was collected from the 'Meetings, Conferences, Workshops' column of the *D-Lib Magazine*, from 2000 to 2003.

The topics of digital library research can be categorized into five groups: information organization, information technology, web design and management, management and promotion, and impacts. Knowledge management, ontology and thesaurus, multimedia, XML, wireless technology, information security, visualization, portals, legal issues, e-learning, e-commerce, user studies, collaboration, and application to library and higher education are some of the most popular research topics.

關鍵詞：數位圖書館；學術會議；資訊計量學
Keywords: Digital Libraries; Conferences; Informetrics

壹、研究緣起

由於資訊與通訊科技的快速發展，以及各國重視文化資產之保存、保護、典藏與利用，自 1990 年代初期起帶動全球數位化的發展，如數位圖書館、數位博物館、數位檔案館等相關研究計畫的推動，乃至系統的建置與推廣利用等。數位化是運用技術與方法，將人類有意義且重要的典藏加以數位化，並將數位化的成果有效應用於教育、研究、產業及生活等方面。進一步而言，數位化的內涵包含資訊技術的研發與應用、系統化與科學化的資訊組織、主題學科的應用及推廣利用。（數位典藏國家型科技計畫，2003）因此，數位化是一跨學科、協力合作發展之新興研究領域，應用範圍遍及各層面與各領域，結合不同學科領域人才參與，如圖書資訊學、資訊工程、視覺傳達、教學設計、學科專家及經營管理等，但主要仍以圖書資訊學及電腦科學為主。（Coleman, 2002）

由於各領域的協力合作，數位化的研究與發展至 21 世紀初期世界各國已有豐碩的成

果，這些成果可由相關之研究計畫、網站、文獻及學術會議窺知。舉其犖犖者，在研究計畫方面，如美國之「數位圖書館先導計畫（Ⅰ、Ⅱ）」（Digital Library Initiative 1, 2）、加拿大之「加拿大數位圖書館計畫」（Canadian Initiative on Digital Libraries, DIDL）、英國之「電子圖書館計畫」（eLib: Electronic Libraries Program）、美英之國際數位圖書館聯合計畫（The Joint NSF/JISC International Digital Libraries Initiative）、歐盟之數位圖書館計畫（DELOS Network of Excellence on Digital Libraries）及我國之「數位博物館計畫」、「數位典藏國家型科技計畫」等。（D-Lib, Digital Library Research；數位典藏國家型科技計畫）在網站方面，如美國國會圖書館之「美國記憶」（American Memory）、加拿大之「加拿大圖書館與檔案館」（Library and Archives Canada）、英國之「大英圖書館手稿館藏」（The British Library Manuscript Collection）、我國之「國家圖書館古籍影像檢索系統」等。（數位典藏國家型科技計畫——內容發展分項計畫）在研究文獻方面，美國財團法人國家研究計畫（The Corporation for National Research Initiatives, CNRI）發行線上電子雜誌 D-Lib Magazine（http://www.dlib.org，以下簡稱 D-Lib），而依據圖書館與資訊科學摘要（Library and Information Science Abstract, LISA）資料庫，收錄數位圖書館/博物館/檔案館相關文獻，累計 1992 年-2002 年約有 2,214 篇（如圖一）。在學術會議方面，依據 D-Lib 收錄 1996-2003 年世界各國辦理之數位圖書館相關學術會議共計有 777 場次（如圖二）。

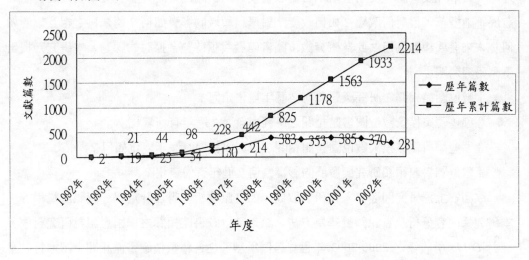

圖一：國外 LISA 1992-2002 歷年收錄數位圖書館相關文獻篇數

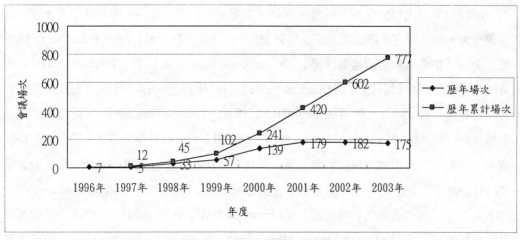

圖二：*D-Lib* 1996-2003 歷年收錄數位圖書館相關會議場次

貳、研究問題與研究目的

　　自 1990 年代初期至 2000 年代初期，不論數位圖書館相關研究計畫的執行、網站的建置、文獻的出版或學術會議的召開，均呈現量的穩定成長，顯示數位圖書館此一新興研究領域仍處於發展高峰期。十餘年的研究與發展歷程中，因技術的更迭、各學科領域逐漸參與研究及應用、使用者需求日益殷切及其他相關因素的影響，促使數位圖書館的發展不斷變革，但有何改變？如何改變？對學科領域的影響如何？跨學科之相互影響如何？未來發展趨勢為何？此為研究數位圖書館發展亟待整合探討的課題。本研究乃提出下列研究問題：

　　1.數位圖館相關之研究議題為何？歷年變化如何？

　　2.哪些國家投入數位圖書館相關之研究與發展？歷年有何變化？

　　3.哪些學科領域投入數位圖書館相關之研究與發展？歷年變化如何？

　　4.數位圖書館相關研究與發展的影響為何？歷年有何變化？

　　欲回答上述研究問題有多種研究取向，如文獻分析、書目計量學、資訊計量學等。本研究採內容分析及資訊計量學為方法，試以數位圖書館相關之學術會議為研究對象，針對 *D-Lib* 所收錄之 2000-2003 年世界各國所辦理之各種數位圖書館相關會議進行計量分析，主要目的在取得客觀的數據以呈現數位圖書館研究議題之發展與趨勢、世界各國投入數位圖書館研究與發展的情形、數位圖書館跨學科研究與發展情形、數位圖書館的影響及數位圖書館會議特性等，研究結果提供國內學術研究、實務發展及規劃辦理數位

圖書館相關之學術會議或人員培訓課程之參考。

參、相關文獻

本節就相關文獻分析數位圖書館的定義與要件、數位圖書館之研究取向與範疇，藉以了解數位圖書館的本質與研究議題。此外，分析數位圖書館相關之文獻書目計量研究，以了解數位圖書館文獻之特性；另外，亦從會議類型及提供之資訊了解會議之特性。

一、數位圖書館的定義與要件

數位圖書館（Digital library）對不同社群而言有不同的意義，但不同年代對數位圖書館的定義大致呈現當時環境中數位圖書館的內涵。換言之，隨著數位圖書館的發展，其定義也將隨著演進。因此，迄今尚無一致且固定的定義。（Chen, 1998；陳昭珍，民89；Borgman, 2000）

1996 年由美國國家科學基金會（National Science Foundation）贊助並由加州大學洛山磯分校教育學院資訊研究學系承辦之「數位圖書館之社會層面研討會」（Social Aspects of Digital Libraries Workshop），會中對數位圖書館提出較完整的定義。該定義主要從資訊系統及實體圖書館兩大觀點界定數位圖書館，歸納要點如下：（Borgman et al., 1996; Borgman, 2000, 2002）

1.數位圖書館是資訊儲存與檢索系統的延伸：此乃以電腦科學及資訊科學界的觀點定義數位圖書館，強調利用資訊技術處理各種媒介之數位資源，提供在分散式的網路繾境中進行資訊的創造、查詢與利用。其核心要件為電子資源、資訊組織、以及完整之資訊創造、查詢與利用的生命週期。

2.數位圖書館是實體圖書館的延伸：此乃就圖書資訊學界的觀點界定數位圖書館，強調提供以使用者為中心的資訊服務，延伸服務範圍與內容，是超越傳統圖書館的服務。其核心要件為使用者、資訊服務。

二、數位圖書館之研究取向與範疇

因不同領域的研究者對數位圖書館有不同的定義，因而對數位圖館的研究有不同的取向。美國數位圖書館計畫第二階段公開徵求計畫，以研究性計畫為主，主要分為以人為中心的研究、以內容及館藏為主的研究、以系統為中心的研究等三種研究取向，其餘為測試平台及應用方面的計畫。（Borgman, 2000）

至於數位圖書館的研究範疇或議題，不同背景之研究者或團體也有不同的研究重點，同時也隨著數位圖書館的演進而有不同的研究範疇或議題之界定。以下依時間先後順序，列舉不同年代不同研究者或研究團體所提出之研究範疇。

1. Fox 等（1995）將數位圖書館相關之研究領域、屬性、內容、特點、議題及角色，依英文字母順序條列 64 個常被提及的詞彙或片語，包含摘要、分類、著作權、分散處理、影像處理、知識庫、智慧財產權、多媒體串流、多媒體系統、物件導向資料庫、個人化、隱私權、可用性、視覺化等，這些詞彙或片語並未就其屬性加以分群或歸類，但以支援之資訊技術為考量重點，將數位圖書館書館之研究議題分成四個重要的範疇，分別為電子出版、超媒體、教育與數位圖書館、資料與資訊管理。

2. 美國政府贊助之資訊基礎建設技術與應用工作小組（The U.S. Government's Information Infrastructure Technology and Applications Working Group, IITA），於 1995 年召開數位圖書館研習會，會中提出數位圖書館五大重要之研究議題，分別為互通性、物件與儲藏庫之描述、館藏管理與組織、使用者介面與人機互動、及經濟、社會與法律等。（Lynch and Garcia-Molina, 1995）

3. 美國國家科學基金會與歐盟聯合工作小組（Joint NSF-EU Working Groups），於 1998 年針對數位圖書館未來之研究方向提出五大研究範疇，分別為智慧財產權與經濟、互通性、全球資源探索、後設資料、多語言資訊存取，並建立五大範疇之間之互動架構圖，其中互通性、全球資源探索、後設資料三者間建立兩兩之相互關係，成為緊密層（tight layer），而智慧財產權與經濟、多語言資訊存取則分別影響此緊密層或反之受緊密層的影響。（Schauble and Smeaton, 1998）

4. Fellner（2001）透過個人的經驗及與同道討論的方式，檢視當前的資訊技術、資訊系統要件及應用等方面，並以問題為導向提出未來十年數位圖書館重要的研究議題。其問題主要在於電子資料大海之中，缺乏相關的資料。為了解決此問題，提出下列 18 項重要之研究議題：(1)知識工程、知識管理、資料探勘，(2)內容分類、資訊萃取與索引、非文字文件之索引，(3)自動產生語意網，(4)正式之概念空間描述，(5)使用者介面－資訊空間視覺化，(6)航行於多媒體文件，(7)客製化，(8)頻寬，(9)網路，(10)行動使用者，(11)大規模資訊系統之維護，(12)動態資料，(13)多媒體資料庫，(14)內容供應者，(15)軟體與工具之出版，(16)位圖書館架構，(17)通透性，(18)智慧財產權。

以上所分析之文獻，其發表年代分布在 1995、1998 及 2001 年，各研究者或研究團體對數位圖書館研究議題之界定或有不同的重點，但綜合歸納似包括資訊組織、資訊技

術、營運與推廣、影響等面向，各面向所探討的議題雖有不同，但有些則是一直受到重視的議題，例如智慧財產權。然而整體而言，就數位圖書館之研究議題仍無法呈現整體的概念。換言之，在數位圖書館的發展過程中宜發展新的模型與理論，以便了解在全球分散式的環境中數位圖書館各種要件之間複雜的互動關係。（Schauble and Smeaton, 1998）Goncalves 等研究者（2004）基於數位圖書館是一複雜的資訊系統，需要正式之研究理論基礎，遂提出數位圖書館 5S 模型及定義地圖（5S map of formal definitions），目的在提供嚴謹地界定數位圖書館之研究範疇及議題。5S 代表之意義簡要如下：

1. 串流（Streams）：泛指任何類型之資料，包括靜態及動態之資訊內容。

2. 結構（Structure）：資訊資源之部分與整體之間的安排與組織，如超文件、分類、系統連結、使用者關係、包含的內容等。

3. 空間（Space）：是一組物件與針對此物件所進行之一切操作作業。數位圖書館可利用許多空間類型進行索引、視覺化及其他的服務，重要的空間包括可測量的空間、測量空間、機率空間、向量空間及拓樸學空間。

4. 情節（Scenarios）：情節之重要類型之一是以故事情節的方式描述使用系統的可能方法以達成使用者之功能需求。情節在資訊系統設計過程中是重要的一部分，亦可從使用者的觀點來描述外部系統的行為。

5. 社群（Societies）：是一組實體（entities）及實體之間的關係，此實體可以包括人及軟硬體組件，他（它）們使用或支援數位圖書館的服務。

Goncalves 等研究者進一步利用其所發展之 5S 模型為分析工具，將數位圖書館研究議題分成五大層面（main facets），各層面再進一步區分為次層面（sub-facets）。五大層面分別為行動者（Actors）、活動（Activities）、組件（Components）、社會/經濟及法律（Socio-economic, Legal Aspects）、環境（Environment）等。

Goncalves 等研究者提出之數位圖書館 5S 模型及層面分類已更進一步將數位圖書館的研究內涵具體化，擴展數位圖書館之定義及研究範疇之深度與廣度，呈現完整之概念模型，初步建立理論基礎，將有助於數位圖書館未來之研究與發展。

三、數位圖書館文獻書目計量研究

從文獻分析，發現過去鮮少研究採用書目計量或內容分析對數位圖書館相關主題進行系統化研究及探討其未來發展趨勢，可能係因數位圖書館是一新興研究領域，發展歷史短暫，無法提供足夠的文獻量以為長期觀察學科領域發展之基礎，但自 2000 年起陸續

有研究者進行研究。

Herring（2000）利用圖書資訊學、社會科學、商學、一般科學、應用科學等學科計 8 種索引摘要資料庫，以"digital"、"virtual"或"electronic" "library"或"libraries"為查詢詞彙，查詢 1992-1997 年間數位圖書館期刊文獻，目的在探討數位圖書館期刊文獻之出版與索引模式，試圖找出刊載數位圖書館期刊文獻的核心期刊，以提供研究者或有興趣者快速查閱相關文獻。研究結果發現，數位圖書館期刊文獻逐年遞增，但期刊論文分散於多種期刊，不容易求得核心期刊。此外，各資料庫對數位圖書館所採用的索引詞彙亦相當紛岐，影響查詢效率。Herring 認為此研究僅探討數位圖書館期刊論文，很多討論或研究的內容並未刊載於期刊，而刊載於會議論文集或線上論文（online papers），建議可進一步就會議論文集或線上論文進行分析。

Cunningham（2001）則以會議論文集的論文進行分析，以美國 ACM（Association for Computing Machinery）自 1996 年至 2000 年所舉辦有關數位圖書館之年度研討會論文集為主要研究對象，分析各篇論文的引用特性，包括被引用文獻老化率（obsolescence rates）、文獻類型、合著者合著率（Co-authorship rates）及合著者跨單位分佈情形。結果發現各年度發表之論文所引用的文獻類型以會議論文集的論文佔多數，整體中位引用年齡（Median citation age）約 5 年，與資訊系統的老化速度相當，老化率中庸，即老化速率不快也不慢。如以文獻類型區分，會議論文集之中位引用年齡約 3 年，比期刊論文、圖書均來得低，即老化速率高；合著者比例很高佔 84%，顯示數位圖書館之研究偏向團隊合作。

綜合 Herring 及 Cunningham 的研究，兩者研究的主題均以數位圖書館為主，均採用書目計量學為方法，但研究的文獻類型及分析的內容不同，Herring 以期刊論文為主，目的在找尋數位圖書館相關之核心期刊，而 Cunningham 以會議論文為主，探討論文之引用特性及作者特性，兩者均未就數位圖書館之研究議題進一步分析。

四、會議型式與會議資訊

會議討論為非正式的資訊傳播管道，卻是傳播最新研發資訊相當直接、快速的途徑，透過會議論文、口頭報告、交換預印本、與同行間討論等方式，傳播初步研究成果，讓與會者可獲得最新的資訊並有機會與從事特定主題研究的專家面對面溝通，可獲得最直接的建議與討論。（傅雅秀，民 88；宋雪芳，民 88）

(一)會議型式

會議名稱常視其舉行的目的、方式與主辦單位而不同，一般英文會議名稱有

Conference、Symposium、Seminar、Colloquium、Workshop、Tutorial、Meeting、Convention、Congress、Colloquium、Summer school 等。其中以 Conference 及 Symposium 最常見，前者指題目範圍大的會議，後者指題目小而專深的會議，屬較大型的會議；而 Workshop 則指較小型的會議，但有很高的互動溝通。就 Conference 而言，會議活動主要包括：專題演講、論文發表、講習會或討論會（Workshop/ Panel discussion）、展示與展覽。（傅雅秀，民 88；宋雪芳，民 88）

(二)網路會議資訊

隨著 WWW 快速發展，許多會議的資訊透過 WWW 傳播，既快速又新穎，並提供全球查詢及報名參加。網路上傳播會議資訊的網頁相當多，提供下列資訊：（宋雪芳，民 88）

1.即將召開會議資訊：包括會議主題、時間、地點、參與者、使用語言、行程規劃、註冊、食宿、交通、當地旅遊等資訊。

2.會後資訊：如會議摘要、會議議程、會議論文集、演講稿、建議討論提案、會後問卷調查表等。

3.線上會議資料庫：將即將召開會議資訊及會後資訊整合為線上資料庫，主要包括議程、演講、論文集及建議等。

肆、研究設計

本研究旨在分析國外數位圖書館相關學術會議的特性及研究議題之發展，提供國內數位圖書館相關培訓課程規劃及學術研究之參考。因受研究資料的可得性、研究者的語文能力及研究期限等因素之限制，本研究之資料來源主要以 *D-Lib* 所收錄之會議訊息為主，資料年限自 2000 年 1 月至 2003 年 12 月。以下就資料來源、資料收集與整理方式、資料統計與分析方式分項說明。

一、資料來源

本研究之研究對象為數位圖書館相關會議，資料來源為 *D-Lib*-Meetings, Conferences, Workshops（http://www.dlib.org/groups.html）專欄收錄世界各國所舉辦之數位圖書館相關會議網站為主。Herring（2000）建議可就會議論文集或線上論文進行數位圖書館相關文獻書目計量分析研究。惟會議論文不易取得，較難呈現全球數位圖書館會議研究議題的發展。以數位圖書館相關會議為研究對象亦有其限制，例如：會議網站上提供研討議題之資訊不若會議論文集來得精確、部分會議網頁移除後無法再取得會議相關資訊，但

因 *D-Lib* 收錄數位圖書館相關會議資訊可溯自 1996 年，會議舉辦國家遍及各國，除可提供分析全球性數位圖書館研討議題之發展，亦可提供會議的特性、舉辦國家、主辦單位特性之分析，呈現數位圖書館另一發展面貌。

會議資訊隨著會議不同的籌備階段而累增不同的會議資訊，依據 *D-Lib*-Meetings, Conferences, Workshops 收錄的資料大致可分為三階段會議資訊：

1.即將召開會議資訊：此階段所提供的資訊包括：會議名稱、大會主題、目的、日期、地點、參加對象、主/承/合辦單位及贊助單位、籌備委員會、會議研討議題或徵求會議論文議題、議程、徵稿、報名、大會聯絡資訊、交通、住宿、當地旅遊資訊、其它服務等資訊，其中議程資訊通常較不完整，例如尚缺論文題目、主講者、確切的會議場地等，但會隨時更新。這個階段的會議資訊通常在會議召開前一年即上網通告，最主要目的在徵求會議論文及報名參加。

2.召開會議資訊：這個階段已進入會議正式召開的階段，在議程資訊方面提供完整及最後確認的資訊，包括各場次主持人、主講人、會議場地，甚至主講人之專題演講或論文發表大綱或摘要等。其他活動資訊也都提供最詳實的資訊。

3.會後資訊：有些會議在會後不再更新資訊，有些甚至移除網頁或轉移網頁。一般網頁如未移除者，大部分還會提供會後資訊，如將議程更新為最正確的議程，提供會議活動照片、主講者的講綱或摘要，甚至會議論文集。但一般而言，會議論文集只提供訂購相關訊息，無法在網路上取得全文。

二、資料收集與整理方式

本研究依據 *D-Lib* 收錄 2000 年 1 月至 2003 年 12 於世界各國所舉辦之數位圖書館相關會議網站為主，逐一連結各會議網頁並進行內容分析。資料搜集時間自 2003 年 3 月 20 日至 12 月 31 日止。會議網頁如無法連結或原有網頁已移除者則視為無效場次，僅就 *D-Lib* 所提供之簡要訊息分析其舉辦地點所屬國家及洲別。連結有效的會議網站就網頁所提供的訊息進行內容分析，分析項目包括會議名稱、日期、地點所屬國家與洲別、主辦單位、主辦單位屬性、會議類型、研討主題等，就取得的資料以 MS Excel 依會議日期逐一建檔。以下就舉辦地點所屬國家/洲別、主辦單位屬性、會議類型、研討主題進一步說明整理方式。

(一)舉辦地點所屬國家及洲別

為呈現不同國家不同洲別辦理數位圖書館相關會議的情形，將會議舉辦地點所屬國家再依洲別進一步加以歸類，洲別區分為北美洲、中南美洲、歐洲、亞洲、大洋洲及非

洲等六大洲。

(二)主辦單位屬性

　　主辦單位屬性包括類型及學科屬性，目的在了解數位圖書館相關會議是由哪些類型及學科領域的單位所辦理，俾進一步與研討主題進行相關統計分析，以便了解不同類型屬性及學科屬性特質的主辦單位與研討主題之關係。類型屬性分為專業組織（Professional organization）、學術單位（Academic agency）、政府單位（Government agency）、商業機構（Corporation）、研究計畫（Research project）等；學科屬性則歸納分為圖書資訊學、電腦科學、高等教育、社會科學、藝術與人文等五大學科屬性。專業組織以專業學會、協會為主，如 ACM、IFLA 等；學術單位則以大學系所為主；研究計畫則以受政府單位補助之研究計畫為主，如英國之 VASARI（Visual Arts Systems for Archiving & Retrieval Images）研究計畫係由歐洲執委會（European Commission）所支助。主辦單位之認定以會議真正負責單位為主，例如專業學會，有些主辦單位可能於不同年度在不同國家或城市舉辦會議，但因地域之需委請當地學術單位（如大學相關學系）或政府機構辦理，受委託辦理的單位雖承辦當次會議，仍不歸入主辦單位予以分析。

(三)會議類型

　　分析會議類型的目的主要在了解各國舉辦會議的方式，因研討目的及主辦單位的不同而有不同的會議方式。因此，會議類型係就研討會（Conference、Symposium）、討論會（Seminar）、講習會（Workshop、Tutorial）、會議（Meeting）及其他（如 Summer school, Poster session）等類型加以歸類分析。部分會議包含兩種以上之會議類型，歸入為多元會議類型，只包含一種類型者則歸為單一會議類型。

　　依據 *D-Lib*-Meetings, Conferences, Workshops 收錄的資料，Conference 為最普遍的會議型式，屬大型的會議且大部分屬國際會議（International conference），研討議題大部分屬綜論性議題，辦理天數約在 2~3 天或 3~5 天不等，大部分採專題演講、論文發表、分組研討，甚至海報展等方式，部分 Conference 於正式會議之前、之後或期間安排 Workshop、Tutorial 或 Seminar，針對較特定的主題、概論性/實務內容或最新技術進行實作、講習或討論。有些會議則完全以 Workshop、Tutorial 或 Seminar 型式進行實務研討，研討的主題較特定，辦理天數為半天、一天或數天，例如 3rd Open Archives Forum Workshop。Symposium 與 Conference 類似，但研討的議題較專指，例如 EEI21 - 2003, Ethics of Electronic Information in the 21st Century (EEI21) Symposium。Colloquium 與 Seminar 類似，屬小組討論會的會議型式；而 Meeting 通常配合專業組織之年度會議而舉辦會員

或相關幹部之 Meeting，有些會議取名為 Annual meeting，但實際包含 Conference、Workshop、Tutorial 或 Seminar 的會議型式。海報展（Poster session）是近年來極為熱門的會議型式之一，但大部分搭配大型會議（如 Conference、Symposium）呈現，成為整個會議的活動節目之一，海報發表者將其研究成果、構想或實務問題之解決方案與策略張貼於海報板上，做現場展示與報告，與參與者交換意見及心得。Summer school 相當於暑期研習班，針對某一主題進行密集之研討與訓練，例如 TICER International Summer School on the Digital Library，但這種會議方式較少舉辦。

㈣研討主題

　　會議研討主題之分析為本論文之研究重點，目的在了解數位圖書館研究議題之發展。本研究採「文獻保證」原則，以會議網頁所提供之會議簡介、徵稿議題、議程、論文大綱/摘要或線上會議論文集等資訊來源為主，從中摘取研討主題或關鍵詞，建立詞彙及概念之層屬關係，並參考 Ingwersen（2003）之資訊尋求與檢索之複雜認知模型（Complex Cognitive Model of IS & R）建構數位圖書館研究議題概念模型（如圖三），亦參考 The ACM Computing Classification System（http://www.acm.org/class）建立數位圖書館相關主題分類系統，以為本研究統計分析 2000-2003 年間數位圖書館相關會議研討主題歷年分佈之依據。

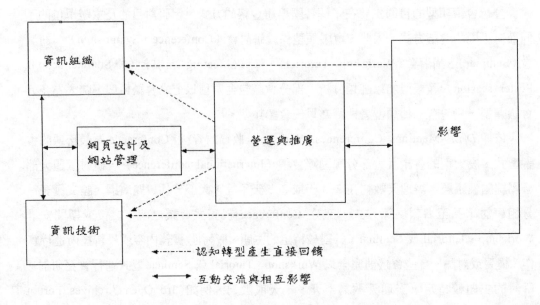

資料來源：修改自 Ingwersen（2003）之 Complex Cognitive Model of IS& R

圖三：數位圖書館研究議題概念模型

所建構之數位圖書館研究議題概念模型係將數位圖書館研究主題分為資訊組織、資訊技術、網頁設計及網站管理、營運與推廣、影響等五大主題類別（Category），各類別有其發展之基礎與重點，包含之次類別（Sub-category）如下：

1.資訊組織：包含數位物件之組織、後設資料、檔案命名、標誌語言、主題詞庫、編目、分類、權威控制等。

2.資訊技術：包含網路技術、軟體技術、字碼、電算數學、資料庫技術、資訊儲存與檢索、人工智慧、電腦繪圖、影像處理、文件與文本處理、聲音與音樂處理、資訊介面與呈現、資訊系統應用等。

3.網頁設計及網站管理：包含網頁架構、使用者介面、入口網站、網站管理及評估等。

4.營運與推廣：包含政策、計畫與人力管理、資訊技術管理、電子出版、電子商務、數位學習、數位服務、協力合作、使用者研究、評估等。

5.影響：包含機構數位圖書館之應用與影響、學科數位圖書館之應用與影響，數位圖書館對資訊社會、特定對象、全球化的影響等。

本研究即針對上述五大主題類別，將取得的關鍵詞進一步建立次類（Sub-category）及細類，最後依據各研討會之主題屬性予以分類並統計各類之分佈情況。

二、資料統計與分析方式

本研究採描述性統計，將所收集取得之資料加以組織、建檔、分析與歸類。利用 MS Excel 建檔並以 SPSS 套裝軟體進行統計，計算研討會基本特性及研討議題之次數分配，並配合時間特性比較歷年變化情形，以圖呈現部分則以 MS Excel 繪製。

伍、研究結果與討論

本研究透過資訊計量分析探討數位圖書館相關學術會議之特性及研討議題，目的在探索數位圖書館的研究發展特性。以下就歷年會議場次成長量、會議地點洲別及國家分佈、會議類型、主辦單位屬性及研討主題等五大部分提出研究結果。

一、歷年會議場次成長量

D-Lib 收錄 2000-2003 年世界各國舉辦數位圖書館會議共計 674 場次（如圖四），每年均超過 100 場次，2000~2002 年為正成長，2002 年收錄最多計 182 場次，但 2003 年略

降為 175 場次。於本研究資料收集期間（2003 年 3 月至 2003 年 12 月）進行會議網頁連結以便深入了解會議相關訊息與內容，發現各年度之連結有效場次有逐年遞減的情形，其中 2000 及 2001 年的連結有效比例已降低為 56%及 53%，2002 年為 67%，2003 年為 84%，累計四年之有效連結場次共計 443，有效比例為 66%。

　　本研究以 674 場研討場次（包含網頁連結無效場次）為樣本分析會議舉辦地點所屬洲別及國家分佈情形。另以網頁連結有效場次計 443 場進一步分析會議類型、主辦單位屬性及研討主題。

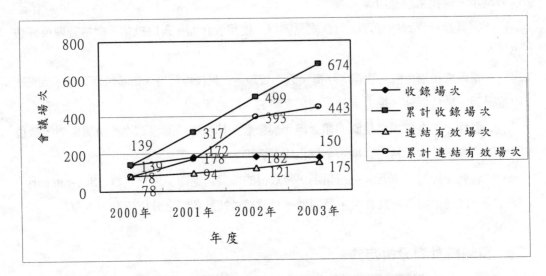

圖四：*D-Lib* 收錄 2000-2003 數位圖書館會議場次

二、會議地點洲別及國家分佈

　　分析會議地點所屬洲別及國家主要在了解世界各國辦理數位圖書館會議及其數位圖書館發展情形。本研究依據 *D-Lib* 網頁上所提供之會議簡要訊息，統計各年度收錄場次分佈情形之外，亦統計舉辦洲別及國家分佈情形，如圖五及表 1 所示。2000-2003 年，會議舉辦地點分佈於北美洲、歐洲、亞洲、大洋洲、非洲及中南美洲等 6 大洲 49 個國家，但以北美洲及歐洲為主，其中以北美洲所舉辦場次最多，歷年舉辦累計 340 場（50.4%）；歐洲地區累計 246 場（36.5%）；亞洲及大洋洲累計場次分別為 36 場(5.3%)、31 場(4.6%)，所佔比例均未超過 10%，亞洲雖於 2000~2001 舉辦場次低於大洋洲，但於 20002 年起逐漸超越大洋洲，顯示亞洲各國在數位圖書館的發展亦後來居上，漸受重視；非洲及中南美洲累計會議場次均非常少，但都在增長之中。

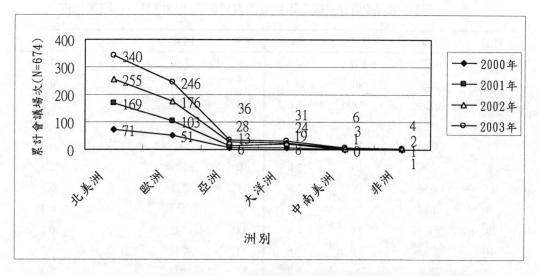

圖五：*D-Lib* 收錄 2000-2003 年數位圖書館會議舉辦地點——洲別分佈

　　表 1 呈現 2000~2003 年在全球 49 個國家舉辦數位圖書館相關會議分佈情形,以美國舉辦場次最多計 302 場 (44.8%),其次為英國 90 場 (13.4%),但兩者差距頗大;再其次依序為加拿大、澳洲及義大利、德國、荷蘭、法國、葡萄牙、西班牙及瑞士,但這些國家所佔的比例均介於 6.0%~1.0%,其餘 38 個國家所佔比例均小於 1.0%。換言之,在少數 11 (2.5%) 個國家舉辦大量數位圖書館相關會議,而其中以北美洲、歐洲及大洋洲在數位圖書館的發展較其他各洲來得早,美國、英國、加拿大及澳洲的發展更受到重視。此一結果正呼應前面提及,數位化發展亦以美國、英國、加拿大較早透過相關研究計畫的執行,帶動數位圖書館的研究與發展。

表 1　*D-Lib* 收錄 2000~2003 年數位圖書館會議舉辦地點——國家分佈

序號	國家	場次	%	序號	國家	場次	%
1	美國	302	44.8	26	捷克	3	0.4
2	英國	90	13.4	27	巴西	3	0.4
3	加拿大	38	5.6	28	科羅埃西亞	3	0.4
4	澳洲	26	3.9	29	波蘭	3	0.4
5	義大利	25	3.7	--	視訊會議*	3	0.4
6	德國	20	3.0	30	墨西哥	2	0.3
7	荷蘭	19	2.8	31	馬來西亞	2	0.3
8	法國	17	2.5	32	匈牙利	2	0.3
9	葡萄牙	11	1.6	33	韓國	2	0.3
10	西班牙	11	1.6	34	挪威	2	0.3
11	瑞士	8	1.2	35	保加利亞	2	0.3
12	希臘	6	0.9	36	斯絡維尼亞	2	0.3
13	印度	6	0.9	37	以色列	2	0.3
14	丹麥	6	0.9	38	泰國	1	0.1
15	新加波	5	0.7	39	土耳其	1	0.1
16	香港	5	0.7	40	立陶宛	1	0.1
17	日本	5	0.7	41	比利時	1	0.1
18	愛爾蘭	4	0.6	42	台灣	1	0.1
19	芬蘭	4	0.6	43	伊朗	1	0.1
20	蘇聯	4	0.6	44	烏茲別克	1	0.1
21	烏克蘭	4	0.6	45	阿拉伯公國	1	0.1
22	紐西蘭	4	0.6	46	斯洛伐克	1	0.1
23	中國	4	0.6	47	古巴	1	0.1
24	瑞典	4	0.6	48	關島	1	0.1
25	南非	3	0.4	49	那比亞	1	0.1

* N=674：有些會議係採視訊會議方式，在 *D-Lib* 中未提供會議地點，故不列入任何國家。

三、會議類型

會議類型主要分為研討會（Conference、Symposium）、講習會（Workshop、Tutorial）、討論會（Seminar）、會議（Meeting）及其他等五大類型。圖六顯示，不同會議類型中，「研討會」為普遍被採用的會議類型，場次有逐年升高的趨勢；「講習會」的總場次雖不及「研討會」的場次，但也同樣有逐年遞升的趨勢。至於「討論會」、「會議」則較少舉行。

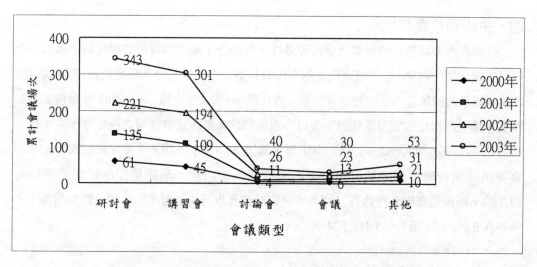

圖六：*D-Lib* 收錄 2000-2003 年數位圖書館會議類型

　　有些會議只採用一種會議類型，稱為單一會議類型，有些則採用兩種以上之會議類型，稱為多元會議類型。圖七則顯示，*D-Lib* 收錄 2000~2003 年全球數位圖書館相關會議單一及多元會議類型兩者所佔比例分別為 52.1%（231 場）、47.9%（212 場）。進一步分析歷年成長變化，發現單一會議類型所佔比例有逐年下降的趨勢，而多元會議類型則逐年遞升，至 2003 年甚至已超越單一會議類型，顯示越來越多的會議以多種會議方式進行研討議題之探討並讓與會者有更多交流與分享研究成果的機會，例如有些大型研討會除提供專題演講、論文發表的機會之外，在正式會議之前、之後或期間提供講習會（Workshop、Tutorial）、海報展示（Poster session）等。

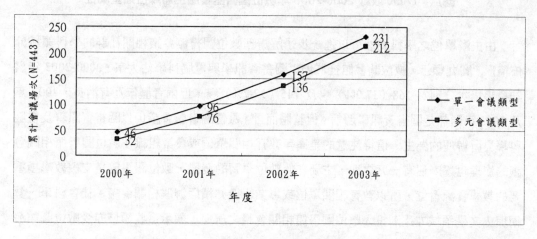

圖七：*D-Lib* 收錄 2000-2003 年數位圖書館會議類型──單一 vs.多元會議類型

四、主辦單位屬性

　　分析會議主辦單位的類型及學科等屬性，目的在了解主辦單位的屬性與會議類型及研討主題之間的關係。數位圖書館主辦單位的類型綜合歸納可分為專業組織、學術單位、商業機構、政府單位、研究計畫等類型。圖八顯示，*D-Lib* 收錄 2000-2003 年數位圖書館相關會議主辦單位的類型屬性歷年來以專業組織佔多數，且會議場次逐年增加中，歷年所佔比例在 46%與 48%之間，於 2001 年更高達 59.6%（56 場），顯示數位圖書館相關專業組織重視數位圖書館發展之學術交流及人才培訓。學術單位所佔比例平均在27.75%；商業機構歷年亦佔有 10.6%；研究計畫及政府單位歷年所佔的比例都相當少，分別為 6.8%（30 場）、5.4%（24 場）。

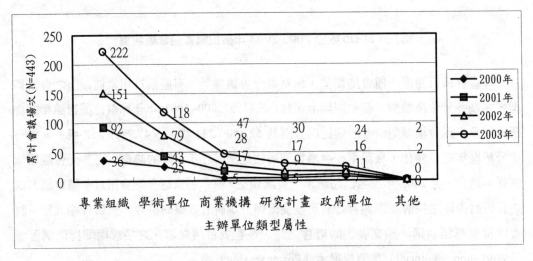

圖八：*D-Lib* 收錄 2000-2003 年數位圖書館會議主辦單位類型屬性

　　由主辦單位之學科屬性可以進一步了解辦理數位圖書館會議相關社群的學科領域分佈情形。圖九顯示，數位圖書館社群仍以圖書資訊學與電腦科學佔大宗，2000-2003 年累計會議場次分別為 168（37.9%）場及 145（32.7%）場，但兩者歷年互有消長，2002 年及 2003 年顯然是圖書資訊學超前。但整體而言，數位圖書館會議仍以圖書資訊學及電腦科學界所辦理的為主。值得注意的是高等教育相關單位或專業組織在數位圖書館相關會議的辦理也逐漸佔有一席之地，主要在於數位學習的發展，數位圖書館是支援教學極重要的教學資源倉儲，所以教育相關單位或專業組織亦積極辦理相關會議。社會科學、藝術與人文學領域亦逐漸投入數位圖書館相關會議之辦理，顯示這些領域亦受數位圖館發展所影響。

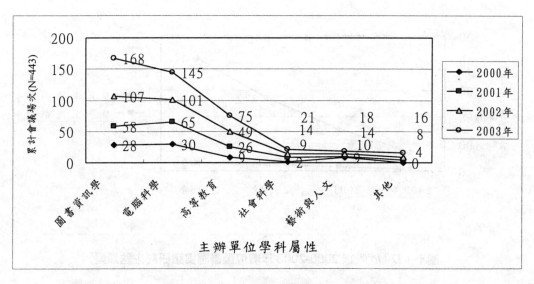

圖九： *D-Lib* 收錄 2000-2003 年數位圖書館會議主辦單位學科屬性

五、會議研討主題

本研究採文獻保證原則，針對 *D-Lib* 收錄 2000-2003 年數位圖書館會議研討主題進行關鍵詞彙的擷取，並以數位圖書館研究議題概念模型為基礎，將研討主題分為資訊組織、資訊技術、網頁設計及網站管理、營運與推廣、影響等五大類別，各類別再依所歸入的詞彙概念建立層屬關係及次要類別，以為各會議研討主題分類之依據。就主題類型、主題類別及主要主題類別進行分析，結果如圖十至圖十二所示。

圖十呈現 *D-Lib* 收錄 2000~2003 年全球性數位圖書館會議研討主題以多元主題類型為主，也就是所探討的主題至少包含兩種類別，累計共有 414（93.5%）場，明顯朝向多元主題類別的研討趨勢發展。此乃說明數位圖書館會議研討的議題在五大類別中實為環環相扣、互為影響，特別是資訊技術，往往影響其他主題類別之發展，由圖十一可以發現此發展現象，即歷年各會議探討的主題，以資訊技術所佔的比例最高，歷年累計會議場次為 364 場（82.2%），為五大類別之冠，其次依序為營運與推廣（321 場、72.5%）、影響（246 場、53.5%），網頁設計及網站管理則較少（99 場、22.5%），此乃因網頁設計及網站管理亦屬資訊技術的一部分，例如使用者介面亦可歸入資訊技術，但如以視覺藝術的角度探討網頁設計，的確在數位圖書館相關會議中較少列入研討議題。

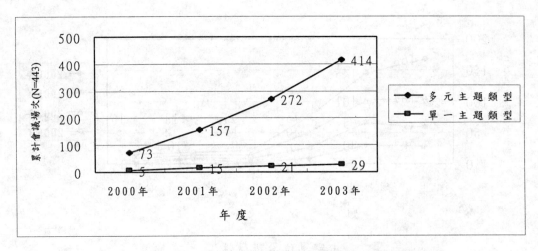

圖十：*D-Lib* 收錄 2000-2003 年數位圖書館會議研討主題類型

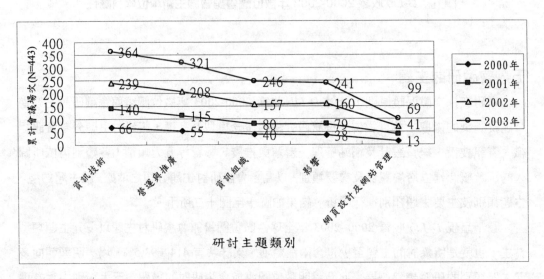

圖十一：*D-Lib* 收錄 2000-2003 年數位圖書館會議研討主題類別

　　雖然數位圖書館會議研討的主題以多元主類型為主，呈現大部分會議探討資訊技術、營運與推廣、資訊組織及影響等主題類別，但以會議的目的進一步分析各會議主要主題類別，得到如圖十二之分佈情形。影響、資訊組織及資訊技術為各會議主要之研討類別。其中，「影響」累計之會議場次為 160 場（36.1%），居五大主題類別之冠，有逐年增加的趨勢，顯示探討數位圖書館對機構、學科、社會、文化等各方面的影響議題逐漸受到重視；「資訊組織」在 2000 及 2001 年為主要研討類別，所佔比例超過 30%，為

各類別之冠，但 2002 年起有下降的趨勢；「資訊技術」在 2000 及 2001 年為主要之研討主題類別，所佔比例在 26%~30%之間，20002 年起也有明顯下降趨勢，這種現象再次說明資訊技術在數位圖書館發展議題上雖然是核心議題，但必須配合其他主題類別進行研討始能發揮效益；而以「營運與推廣」為主要研討類別，所佔的比例整體而言偏低，換言之，也必須配合其他主題類別進行研討，但自 2001 年起有逐漸增加的趨勢；「網頁設計及網站管理」較難成為一會議的主軸議題，雖然成長量逐年增加，但相當有限。

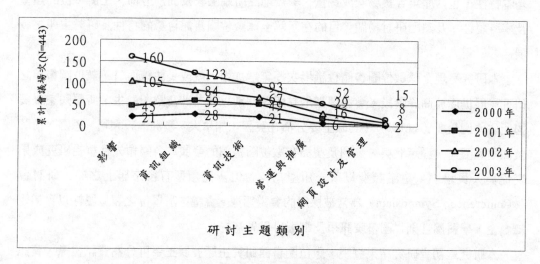

圖十二：*D-Lib* 收錄 2000-2003 年數位圖書館會議主要主題類別

以上依據 *D-Lib* 收錄 2000-2003 年數位圖書館會議之五大主題類別進行分析，呈現各類別的分佈情形及歷年成長趨勢。進一步從研討議題關鍵字加以彙整，將 2000-2003 年全球數位圖書館相關會議之熱門議題依五大類別歸納如下，這些熱門議題將持續帶領數位圖書館的研究與發展。

1.資訊組織：多媒體、後設資料、知識管理、語意網（Semantic Web）、知識本體（Ontology）、內容管理、XML、索引典。

2.資訊技術：資料倉儲（Data warehousing）、資料探勘、網頁探勘、OAI、資訊檢索、整合資訊查詢、資訊安全、GIS。

3.網頁設計及網站管理：視覺化介面、入口網站。

4.營運與推廣：數位落差、電子商務、數位學習、電子出版、電子書、法律相關議題、隱私、計畫管理、協力合作、評估。

5.影響：圖書館的轉型與其內部所受的影響及其對社會、文化的影響；高等教育應用數位典藏資源及受資訊科技的影響。

陸、結論

本研究以 *D-Lib* 所收錄之 2000 年 1 月至 2003 年 12 月世界各國舉辦之數位圖書館相關會議為研究對象，融合內容分析與資訊計量分析方法，分析各年度數位圖書館會議的基本特性，包括歷年會議場次成長量、舉辦地點所屬國家及洲別分佈、主辦單位的類型及學科屬性、及熱門研討議題，目的在了解全球數位圖書館會議的特性及研討主題之發展。

本研究發現全球數位圖書館會議場次逐年增加中，就成長曲線而言，數位圖書館之研究發展仍處於高峰階段。會議舉辦地點所在洲別以北美洲及歐洲為主，所屬國家以美國所佔比例最多（44.8%），其餘主要分佈在英國、加拿大、澳洲、義大利、德國、荷蘭及法國等國家，顯示北美、歐洲及澳洲在數位圖書館的發展較各國領先且重視研究成果交流與人員培訓。會議類型以單一類型為多，但多元類型有後來居上之勢，研討會（Conference、Symposium）為常被採用的會議類型。會議主辦單位之類型屬性以專業組織為主，學科屬性則以圖書資訊學及電腦科學界為主。

本研究之初步研究結果發現，數位圖書館研究主題發展主要可分為資訊組織、資訊技術、網頁設計及網站管理、營運與推廣、影響等五大類別，各類別有其發展之基礎與重點。在資訊組織方面主要朝向知識管理及主題詞庫方向發展；資訊技術方面，以知識探索、資訊安全、多媒體、無線網路及整合資訊查詢等相關技術之發展為主；網頁設計及網站管理方面，朝視覺化介面、入口網站等議題發展；在營運與推廣方面，則朝向數位財產權之管理、數位學習、電子商務、使用者研究及跨學科協力合作等方向發展；影響方面則以圖書館及教育之應用與影響為主。

本研究取得之資料以 *D-Lib* 所收錄之數位圖書館相關會議為主，可能受限於 *D-Lib* 的編輯政策、非英文會議訊息較不易掌握、以及各國地方性的會議訊息如未上網等因素，實無法涵蓋全球各地所舉辦的會議。因此，對於會議場次、舉辦地點所屬國家之分析可能有偏誤。此外，*D-Lib* 收錄的研討會訊息部分有不一致的情形，例如某些研討會每年均舉辦，但 *D-Lib* 不一定每年均予以收錄，在資料分析上僅能呈現部分現象。最後，本研究因限於時間，僅以 *D-Lib* 所收錄之 2000~2003 年資料為樣本，只縱跨四個年度，就發展趨勢而言，較難呈現其變化。未來研究如能克服上述問題，對數位圖書館相關會議之

特性及研究議題將能呈現更真實的研究發展現象。

參考書目

陳昭珍（民 89）。〈電子圖書館概論〉。在《電子圖書館整合檢索之理論與實作》（第一章，頁 1-16）。台北市：文華圖書館管理。

宋雪芳（民 88）。〈網路化會議資訊型態探析〉。《大學圖書館》，3（2），114-127。

傅雅秀（民 88）。〈科學傳播〉。在《從圖書資訊學的觀點探討科學傳播》（第二章，頁 13-42）。台北市：漢美。

數位典藏國家型科技計畫（2003）。《數位典藏國家型科技計畫簡介》。

數位典藏國家型科技計畫。上網日期：93 年 05 月 10 日。

網址：http://www.ndap.org.tw/

數位典藏國家型科技計畫——內容發展分項計畫。上網日期：93 年 05 月 10 日。

網址：http://content.ndap.org.tw/

Borgman, Chiristine L. et al.(1996). *Social Aspects of Digital Libraries: UCAL-NSF Social Aspects of Digital Libraries Workshop Invitational Workshop held at UCLA, February 15-17, 1996, Final Report to the National Science Foundation.* Retrieved May 22, 2004, from http://www-lis.gseis.ucla.edu/DL/UCAL_DL_Report.html

Borgman, Chiristine L.(2000). *From Gutenberg to the Global Information Infrastructure: Access to Information in the Networked World*, Cambridge, Massachusetts: The MIT Press, 33-52.

Borgman, Chiristine L.(2002). Challenges in Building Digital Libraries for the 21st Century, in Ee-Peng Lim et al.(Eds.), *Digital Libraries: People, Knowledge, and Technology: 5th International Conference on Asian Digital Libraries, ICDAL 2002, Singapore, December 11-14, 2002, Proceedings*, 1-13.

Chen, Su-Shing(1998). *Digital libraries: The Life Cycle of Information*. Columbia: BE, 1.

Coleman, Anita(2002). Interdisciplinary: The Road Ahead for Education in Digital Libraries. *D-Lib Magazine*, 8 (7/8). Retrieved June 18, 2003, from http://www.dlib.org/dlib/july02/coleman/07coleman.html

Cunningham, Shally Jo(2001). The Birth of a Field: An Analysis of the 1994-2000 ACM Digital Libraries Conferences. In *ISSI 2001 8th International Conference on*

Scientometrics and Informetrics Conference Proceedings, 139-146.

D-Lib- Meetings, Conferences, Workshops. Retrieved March 15 to December 30, 2003, from http://www.dlib.org/groups.html

D-Lib, Digital Library Research. Retrieved May 22, 2004, from http://www.dlib.org/projects.html.

Fellner, Dieter W.(2001). Research Issues for Digital Libraries Time Frame:0-10 Years. Retrieved May 23, 2004, from http://graphics.tu-bs.de/Dlresearch/issues/Dlresearch-sl-010313.pdf

Fox, Edward A, Akscyn, Robert M., Furuta Richard K., Leggett , John J. (1995). Digital Libraries. *Communications of the ACM, 8(4)*, 23-28.

Goncalves, Macos Andre et al.(2004). Streams, Structures, Spaces, Scenarios, Societies(5S): A Formal Model for Digital Libraries. *ACM Transactions on Information Systems*, 22(2), 270-312.

Herring, Susan Davis(2000). Journal Literature on Digital Libraries: Publishing and Indexing Patterns, 1992-1997. *College and Research Libraries*, 6(1), 39-43.

Ingwersen, Peter(民 92 年 8 月 20 日), Information Science in Context, 「*The Information Science Foundation*」座談會綱要。臺灣大學圖書資訊學系、臺灣師範大學圖書資訊學研究所，台北市。

Library and Information Science Abstract (LISA). Retrieved June 16, 2003, from http://csa.e-lib.nctu.edu.tw/htbin/ids65/procskel.cgi?fn=f_quick.html&db=lisa-set-c&ctx=/csa/ids/context/ctxRBaGHL

Lynch, Clifford, Garcia-Molina, Hector(1995). *Interoperability, Scaling, and the Digital Lbraries Research Agenda: A Report on the May 18-19, 1995, ITTA Digital Libraries Workshop, August 22, 1995.* Retrieved May 22, 2004 from http://www-diglib.standford.edu/diglib/pub/reports/iita-dlw/main.html.

Schauble, Peter, Smeaton, Alan F. ed. (1998). *An International Research Agenda for Digital Libraries: Summary Report of the Series of Joint NSF-EU Working Groups on Future Directions for Digital Libraries Research.* Retrieved May 22, 2004, from http://www.iei.pi.cnr.it/DELOS/NSF/Brussrep.htm

王振鵠教授與我國圖書館事業
Professor Chen-Ku Wang:
A Great Contribution to Library Services

宋建成
Jian-cheng Sung

摘　要

王振鵠教授居我國圖書館事業導航地位，自美國返國後，接掌臺灣師範大學圖書館及社會教育學系圖書館組教師，自此與圖書館事業結緣。其主政國立中央圖書館 12 年間，帶領我國圖書館服務現代化，居功厥偉。

Abstract

Professor Chen-Ku Wang occupies a leading pioneer position in our country's librarianship. After his return from the United States, he has been at the helm as professor at the National Taiwan Normal University Library and Adult and Continuing Education Department, Library Section. From then on, his relationship and involvement with the library services became inseparable. During his 12 -year term as director of the National Central Library, he lead our country's library services towards modernization. The contributions he rendered to our country are indeed great and significant.

關鍵詞：王振鵠；圖書館人物；國立中央圖書館；圖書館事業；國家圖書館

Keywords: Wang Chen-ku; Library Personage; National Central Library; Librarianship in Taiwan; National Library

一、前言

王振鵠教授，民國 37（1948）年畢業於中國大學中文系。38（1949）年臺灣省立師範學院圖書館落成，係一棟興建仿文藝復興時期建築的二層樓獨立館舍。時劉真校長重視圖書館，稱「學校之有圖書館，猶國家之有府庫，而其取給資用之效，殆尤過之」①。44（1955）年該校改制為臺灣省立師範大學。王教授接掌該館，不久赴美留學②；48（1959）年於美國範德比大學（Vander bit University）畢包德教育學院（George Peabody College）獲圖書館學碩士學位。「在美期間曾以三個月旅行參觀全美近 100 所大小圖書館，並逐一誌下參訪心得報告，用力精勤，令外籍師長印象深刻」③。回臺後仍在該館服務，並為該校社會教育學系（44 年成立）孫邦正系主任聘為該系圖書館組講師，自此與圖書館界結下不解之緣。「長久以來，王教授在我國圖書館事業中擔任教育、行政、組織領導及學術研究等不同的職務與角色」④。近四十年來，我國圖書館事業的發展，王教授居導航地位，對「圖書館事業的奉獻，帶動了我國圖書館服務現代化」⑤。

二、對圖書館教育貢獻

王教授在我國最早的圖書館學校，國立臺灣師範大學社會教育學系圖書館組教書迄今，現為該系名譽教授。其間，曾擔任社會教育學系系主任；先後擔任國立臺灣大學及輔仁大學圖書館系所、中國文化大學史學研究所圖書博物館組等校系所兼任教授，也曾擔任各種圖書館人員在職訓練研習班講座。除了教學外，對學系核心課程的擬訂及修正，新圖書館學系所的籌辦及設立，莫不鼎力相助，以促成實現。王教授也曾擔任考試院典試委員，為全國性公務人員普通及高等考試圖書館人員掄才，使有志優秀者能被延攬進入文官體系，為圖書館事業注入基層幹部。如今許許多多的圖書館界的工作者，包括館長、主任及中堅幹部；圖書資訊系所的教師，包括系所主任，若不是出於王教授的門牆，也都接受過他的春風化育，可以說為國內培養了一批優秀的圖書館專業人員，為我國圖書館事業奠定了紮實的基礎。可以說王教授是「臺灣圖書館事業發展的動力泉源」⑥。

三、對國立中央圖書館的貢獻

民國 66（1977）年 3 月底教育部借調王教授擔任國立中央圖書館館長；71（1981）年 6 月復聘為第一任兼任漢學研究資料及服務中心主任。他主政該館十二年間建樹良多。

㈠完成中央圖書館新館遷建工程

國家圖書館是一個國家圖書館事業核心，其重要性不言可喻。國立中央圖書館（以下簡稱「國圖」）自民國 43（1954）年 9 月在臺恢復設置，遷入南海路原臺灣省國語推行委員會舊址，該地原為日本建功神社，並非圖書館建築，雖逐年加以修茸、改建、擴增，仍難適應圖書館業務所需。為適應未來發展需要，充分發揮國家圖書館功能，並維護國家文化瑰寶安全，圖書館界始終期望興建一座現代化國家圖書館。

王教授就任「國圖」（第六任）館長，乃積極規劃該館新館籌建事宜。在 66 年至 67 年兩年間，先後在「國圖」館務會議指示同人積極辦理。如 66 年 7 月，「新建館舍問題，本館宜提出具體規劃資料以供教育部參考，請就本館館舍之基本要求，未來需要之空間面積等，列舉統計，慎擬規劃」⑦、同年 8 月「本館新館建築參考資料，於昨〔15〕日面陳李部長〔煥〕參考，今計畫既經提出，即須儘力爭取」⑧、同年 11 月「以爭取在信義計畫中指撥 5,000 坪供本館建造新館為目的。部長指示預定總建坪為 10,000 坪，請按此項目標進行規劃」⑨。

適 66 年 9 月　蔣經國總統在當時行政院長任內向立法院施政報告，宣布推動文化建設，將「建立每一縣市文化中心，包括圖書館、博物館及音樂廳」。67 年 2 月「國圖」館務會議紀載：「關於文化中心建設計畫，有關圖書館方面，本館可先邀集國內圖書館界人士舉行討論會，擬具方案以確定圖書館之功能以及本館在輔導全國圖書館事業與各文化中心所居之地位、職責等，以提供教育部參考」⑩。67 年 7 月教育部文化中心指導及規劃委員會研訂「教育部建立縣市文化中心計劃大綱」；同年 10 月提報行政院院務會議通過，包括遷建國立中央圖書館、臺灣省各縣市建立文化中心（以圖書館為主）、北高兩市每區設分館。「國圖」興建新館案始告定案。其後經過三年多的努力，辦理土地徵收，地上物拆遷⑪、徵圖、設計、招標等項工作，新館於 71（1982）年 10 月動土興工，迄 75（1986）9 月落成啟用。「國圖」在臺復館，四十餘年一直企盼有一所自己的館舍，至此終能實現。

「國圖」遷建定案，實屬不易，賴王教授縝密規劃，掌握文化建設的時機，獲教育

部支持與臺北市政府無償撥用土地，籌編預算支應。「國圖」遷建，在本身的需求方面，規劃該館「新館營運計畫」，除揭示新館的服務特質及服務要項外，並臚列今後致力推展的重要業務，如(1)配合新館的遷建，充實館藏，提升服務品質；(2)推動圖書館自動化作業，謀全國圖書資訊的共享；(3)建立全國統一圖書編目制度，謀圖書館事業的合作發展；(4)蒐集漢學研究資料，提供研究環境，以促進漢學的研究風氣；(5)研究圖書館學術，辦理在職人員訓練，以提升圖書館管理技術與方法，有助全國圖書館事業的發展；(6)推展出版品國際交換工作，以增進國際文化交流關係。為「國圖」營運掌舵定了發展方向。在文化建設圖書館的經營方面，更謀全國圖書館事業的發展。他以文化建設中圖書館的整體規劃為考量，在業務合作與聯繫方面，考慮全國圖書館組織體系中，中央、省市與地方圖書館的地位與職掌，將各館納入組織體系中分工合作，建立一完整館藏及服務系統。此種輔導與合作的原則，在王教授主持的「國立中央圖書館組織條例」、「圖書館法」兩草案中均可發現。

㈡推動全國圖書館自動化作業

民國 69（1980）年 4 月，「國圖」與中國圖書館學會為改進圖書資料管理作業，提高資訊服務品質，合作組織「圖書館自動化作業規劃委員會」，針對國內圖書館自動化作業整體性發展的需要，研訂「圖書館自動化作業計畫」，報請教育部核定並補助經費，分三個階段進行。第一及第二階段計畫，包括研訂中文及西文圖書資料自動化作業規範，並建立中文及西文圖書資料庫；第三階段計畫在引進與建立圖書館管理系統及規劃全國資訊網。

該規劃委員會的任務為研究、制訂、推展、執行各規劃事項，置委員 20 餘人，由圖書館界及電腦專案組成，所獲主要成就為(1)國家標準格式的制訂，包括中文圖書資料建檔標準規格，如中國機讀編目格式（Chinese MARC Format）、中國編目規則、中文圖書標題總目；及中文資訊交換碼（CCCII）；(2)國家書目資料庫建立。[12] 71（1982）年 12 月「國圖」裝設王安 VS100-16F 機型電腦成立電腦室，開始建立書目資料庫，展開書目資訊服務（NCLAIS），並為早日實現「集中建檔，資源分享」的目標，發起合作編目，增長機讀書目資料庫。

本項圖書自動化作業，成功的帶領我國圖書館中文圖書作業，由人工轉換為自動化；且順應時代潮流，利用電腦，進行合作與資源分享。這是華文世界（包括港澳星及大陸在內）第一個中文圖書資料自動化作業成功的範例。Chinese MARC（C MARC），CCCII

深受國內外圖書館界注目，是一個漂亮的文化出擊。當時（載止 76 年 6 月），中央圖書館書目資料庫，有中西文書刊、期刊論文索引、政府公報索引、善本書總計 24 萬 5 千餘筆，奠定期刊論文索引系統及全國圖書資訊網路系統等索引目錄系統的基礎，使「國圖」一方面逐漸成為全國國內出版物最大的書目資料庫，提供民眾檢索的需要；一方面由書目索引摘要資料庫逐漸發行電腦卡片目錄、光碟及全文數位化，提供文獻網路傳遞服務。另由於圖書館自動化作業的需要，新編目規範替代傳統的規則，成為大專院校圖書館系科「中文圖書分類編目」授課核心，包括中國編目規則、中國機讀編目格式等，使我國圖書館事業與發展，向圖書館自動化的目標推進。

　　民國 70 年 2 月在臺北市特舉辦「中文圖書資料自動化國際研討會」，公開發表我國圖書館自動化的成果，普獲各國資訊電腦及圖書館界與會人士的讚評。71 年 8 月澳洲國立大學及香港大學共同舉辦「中文書目自動化國際會議」力邀「國圖」遴荐代表參加會議[13]；同年 10 月在教育部、外交部、行政院文建會、中美會及資策會等支持下，為宣揚我國中文圖書資料自動化處理技術及研究成果，由王教授特組團參加美國資訊科學會第 45 屆年會，在大會期間舉辦一項「中文資料處理及電腦輔助華文教學」專題研討會，由國內與會代表發表相關成果報告 10 篇，各方反應熱烈，被大會譽為該會歷屆年會專題討論會少有的現象[14]。影響所及，72 年 3 月中旬在臺北舉行「亞太地區第一屆圖書館學研討會」，經「國圖」發出第一次會議通函後，各國相關人士反應熱烈，紛紛來函要求出席會議[15]。該會議開幕由嚴家淦總統致詞，美國資訊科學會會長戴維斯（Charles H. Davis）專題演講，在會議主題「圖書館自動化與資源分享」下，共發表 45 篇論文，閉幕時由朱匯森部長致詞。凡此，在在提升了我國圖館界的形象。74 年「國圖」與 OCLC 簽約，進行中西文書目資料的交換工作，期為爾後國際資訊網路連線作準備，以促進科技進步與文化交流。

㈢創設漢學研究中心

　　行政院順應學界有識之士多年來的呼籲，以及配合國際間漢學研究的發展，為加強對國內外漢學研究人士的服務，乃於民國 68（1978）年指示教育部研議協助漢學研究辦法。「國圖」因館藏豐富的宋元明清各朝古籍，且蒐集漢學研究資料向為重點之一，多年來亦具規模，乃奉部示提出籌設「漢學研究資料及服務中心」計畫，經教育部報奉行政院於 69 年 4 月核定，其業務遂交「國圖」兼辦。70 年 6 月由部聘「國圖」館長兼任中心主任。75 年 9 月奉部令改名「漢學研究中心」。中心主要工作項目包括 1.調查蒐集

漢學資料；2.報導漢學研究動態；3.編印各種漢學書目索引 4.出版漢學研究論著；5.建立學人專長資料；6.提供影印代購服務；7.協助國外來華研究漢學人士的研究工作等[16]。

　　漢學研究中自 71 年元月創刊「漢學研究通訊」；72 年 6 月創刊「漢學研究」（Chinese Studies）及「臺灣地區漢學論著選目」外，並出版各種專書，以提升並促進國內外聯繫及漢學研究。另舉辦國際性會議，並出版論文集，以加強學術交流，提升研究風氣。如 73 年 12 月「中國思想史國際研討會」（與清華合辦）、74 年 4 月「方志學國際研討會」、75 年 8 月「敦煌學國際研討會」、76 年 8 月「明代戲曲小說國際研討會」（與清華、政大合辦）、77 年 11 月「漢學研究資源國際研討會」、78 年 9 月「民間文學國際研討會」等。

　　「國圖」自 69 年起亦先後辦理國際會議，包括 69 年 12 月「圖書館事業合作發展研討會」、70 年 2 月「中文圖書資料自動化研討會」、72 年 3 月「亞太地區第一屆圖書館學研討會」、72 年 12 月「圖書館建築設計研討會」、73 年 11 月「古籍鑑定與維護研習會」、75 年 8 月「圖書館事業合作發展研討會」、76 年 5 月「現代圖書館光學記憶應用研討會」、77 年 6 月「圖書館自動化與資訊網研討會」。「國圖」與漢學研究中心所舉辦者，主題不同，相輔相成。

　　為促進國際漢學的研究與交流，漢學研究中心擬訂「協助漢學研究人士來華研究計畫」及其實施要點，陳報教育部，並經行政院於 77（1988）年 5 月核定，自 7 月起實施。此項計畫以國外大學相關系所的教授、副教授、助教授、博士候選人，以及研究構機的研究人員為對象，自是歷年補助國外人士漢學家來臺，以漢學範疇進行研究，進行學術交流，倡導漢學研究風氣，發揚中華文化，深受學界重視。

㈣創設資訊圖書館

　　民國 71（1982）年初，行政院於規劃科技大樓時，李國鼎資政特核撥第 13 樓半層指示「國圖」籌辦資訊圖書館，對大樓內各單位及資訊界人士提供服務。在籌劃其間，「國圖」鑒於該大樓有資策會「資料服務組」對該會同人服務，成立有年，為謀集中雙方資源，避免資料上蒐集的重複，經雙方協議同意設聯合服務處，對資訊界服務。77（1988）年 9 月啟用典禮，教育部施金池次長、李國鼎資政、資策會王昭明董事長、何宜慈執行長均蒞臨致詞。王教授曾說：「中央圖書館在全國圖書館網路發展中，扮演著統籌規劃、協調、聯繫的積極角色，資訊圖書館的啟用，在我們對『自動化』的堅持和努力上，又朝前邁進一步」[17]。資訊圖書館的設立，有利對資訊界提供服務。

(五)實施中華民國國際標準書號

　　國際標準書號（ISBN）的推行是出版事業蓬勃發展的國家的必然措施。70 年 8 月在世局艱難，處險惡的國際環境之際，「國圖」利用參加國際書展之便，前往西德國際書號中心總部洽商，取得臺灣地區出版品的國別代號——957，實屬不易。惟推展工作事涉萬端，同時未能確定主管機關，以致編號工作不能及時推行。經 77 年 6 月教育部、行政院新聞局先後兩次召集有關單位研商國際標準書號推廣工作事宜，會中決議由「國圖」擔任國內標準書號的主管機關，同年 10 月由行政院核備在案。「國圖」鑒於標準書號的實施在國內尚無前例，乃先進行向出版界協調及宣導工作。並擬訂「國際標準書號實施及推展工作研究計畫」[18]，期在五個月內完成：(1)編訂出版社代碼檔（依出版社出版量）做為「國際標準書號」編碼依據；(2)研擬「國際標準書號編碼中心」組織型態及作業功能；(3)研擬「國際標準書號」相關作業流程；(4)編印國內出版機構指南，積極推動。

　　自 1972 年國際標準組織通過 ISBN 標準（ISO-2108）以來，ISBN 在國際上已被廣泛應用，至 1986 年已有 61 個國家或地區的 15 萬多家出版機構參加，我國取得國別代號後，「國圖」自是全力以赴，加緊對我國出版界提供 ISBN 服務，此項服務日後又與「出版品預行編目」結合而提高了出版界出版品送存率，有助於全國出版物的保存。也因為「957」國別代號的獲得，使我國出版品獲有我國的標準書號，又是一個漂亮的文化出擊。

(六)舉辦臺北國際書展

　　「國圖」一向重視出版品國際交換工作，以增進國際文化交流。國際書展實為介紹「國圖」讓國際人士瞭解的良機，不但可展示「國圖」為國際漢學研究重鎮的實力，同時也是「國圖」身為國家圖書館責無旁貸的重任之一。因此向教育部申請經費積極爭取參展。「國圖」每年參加的國際書展少則 4 個，多則 7 個，地點則遍及全球，如比利時布魯塞爾、新加坡、巴西聖保羅、象牙海岸、德國法蘭克福等，其他還有美國圖書館協會、美國亞洲學會、全美中國研究協會（AACS）等學會年會書展。民國 70 年「國圖」參加國際書展的籌辦單位由閱覽組改為出版品國際交換處，即以國際書展的目的在促進國際文化的交流與瞭解。

　　在「國圖」新館落成搬遷之際，就有國際書展在臺北舉行，作為新館落成啟用舉辦系列活動之一，惟受限於時間及經費未果。由於新館建築的理念及設施深受國內外好評，在全新的設備及安靜、優美、和諧的環境，更富學術氣氛條件，行政院新聞局向「國圖」洽商，希望在 76 年度配合金鼎獎的時間在國內能舉辦一項國際書展及出版事業研討會。

76 年 12 月 15 日至 21 日「中華民國臺北第一屆國際書展」假「國圖」舉行，揭幕典禮由行政院俞國華院長、行政院新聞局邵玉銘局長、國際出版協會會長 Somerwil 博士、歐洲展覽組織執行長 Dr. H. Liebaers 蒞臨致詞，參展者計有 11 個國家、1 個地區，共 67 家出版社 85 個攤位。本屆國際書展的實質意義有四：(1)藉國際書展的舉辦，達到文化的交流與觀摩，建立我國出版業者新價值觀與扮演角色的自立；(2)增進國際出版界與我國出版界的交流，進而拓展國際市場；(3)激起全民讀書的風氣，推展「書香社會」運動；(4)加強國內外資訊交流，提升我國出版品品質[19]。「臺北國際書展」年年持續舉辦迄今未輟。

(七)促進人文及社會科學資料單位合作

王教授掌「國圖」，66 年 5 月在第四十四周年館慶頒獎典禮暨第十七次擴大館務會議稱「行政院國科會對於自然及應用科學資料單位的合作發展曾大力推動，頗具成效。但目前在人文社會科學方面尚未能組織一合作體系，推動各項合作。本館在此一方面蒐藏豐富，應當研擬一可行辦法，聯合有關資料單位謀求進一步發展，以配合研究」[20]。

67 年 12 月大專院校及學術圖書館年會決議「推選台大、師大、政大、東吳大學、中央圖書館、中央研究院、國科會科資中心等七單位研究籌劃推動人文暨社會科學圖書館館際合作，並由中央圖書館召集之」，依據這個決議「國圖」乃擬訂「中華民國人文暨社會科學圖書館暨資料單位館際合作組織簡則（草案）」，70 年 8 月在「國圖」召開成立大會，修正通過組織簡則，正式將組織定名為「中華民國人文暨社會科學圖書館及資料單位館際合作組織」，「以建立館際合作關係，促進圖書資料之交流與利用」為宗旨。除圖書資料互借影印，期刊複本交換外，還有編製聯合目錄（如中華民國中文期刊聯合目錄、人文及社會科學西文期刊聯合目錄等）、舉辦研討會、合作拍攝報紙微捲、合作編目建檔、向國外申請複印資料及出版等活動。本合作組織的成立，讓許多非以科技資料為重點的圖書館，如文化中心圖書館、師範學院圖書館等得以加入，透過各種合作活動，互通有無，資源共享，館員獲得在職訓練的機會，提升其服務水平。

(八)舉辦「全國圖書館會議」

自民國 67 年文化建設推展後，圖書館事業即全面快速發展。圖書館事業亟需有一恢宏的觀念及具體作法，以適應變遷社會的需要，來迎接未來廿一世紀的發展。爰於 78 年 2 月舉行「全國圖書館會議」，參加人員包括教育主管單位代表、圖書館行政人員、圖書館教育人員、資訊界相關人員、圖書館從業人員等，共計 154 個單位，214 位出席代

表。會議主題係研討圖書館事業有關問題及未來發展方向，落實全國教育會議有關圖書館部分的決議。會議計分圖書館組織與管理、圖書館服務與合作制度、圖書館資訊服務、圖書館員教育與任用。經過兩天熱烈討論，獲致三十一大項決議，俾供決策單位採行實施，並為全國圖書館努力的目標。如能落實發展，必能使國內圖書館事業向前邁進，並擴大利用圖書館的風氣，造福讀者民眾。從而帶動國內學術研究水準，推動文化發展。

王教授曾說：「中央圖書館其肩負之責任至為艱鉅。其本身除承擔政府所指定有關圖書文獻之蒐集、整編、考訂、閱覽、展覽及交換等職責外，更具有全國圖書館事業之規劃與輔導之重責。今後本館在有限人力物力條件之下，各項工作究應如何推展？如何提高中央圖書館的領導地位，積極輔導全國圖書館事業？以上種種應為本館努力之方向」[21]。

王教授對我國圖書館事業的發展，具有前瞻性、整體性、國際性的觀念。在中國圖書館學會先後擔任委員會召集人、理監事、理事長；也擔任教育部圖書館事業委員會委員、行政院文建會語文圖書委員會召集人，始終以「國圖」對館際責任，應以規劃全國圖書館事業整體的發展為要務，然此一問題涉及全國圖書館事業未來發展的方針大計，必須聯合有關單位與各類圖書館切實研究，共同策劃始能有成。曾推動「圖書館事業發展白皮書」的擬訂工作，對各類型圖書館的發展，均寄以關心，期能發展並與時俱進。

「國圖」在王教授的精心策劃之下，遷建、自動化、漢學中心、圖書館事業和國際地位五大努力方向，均卓有成效。

四、結語

王教授極力提升圖書館學術研究，先後創編「圖書館學與資訊科學」刊物，並擔任主編；及「漢學研究」、「中華民國圖書館年鑑」。他的著作包括「學校圖書館」、「圖書選擇法」、各種專題研究報告（如行政院研考會、行政院國科會、教育部圖書館事業委員會）如「建立圖書館管理制度之研究」、「建立全國圖書館合作服務制度促進資源共享政策」、「全國圖書館館際互借規則擬定之研究」以及相關各類論述、期刊論文等300餘篇。

王教授脫卸圖書館界大家長重責後，基於民族文化關懷，乃促進兩岸圖書館人員交流，以增進雙方相互瞭解，圖書館學術交流，俾利日後的合作與發展。

從民國66年到78年，這12年由於王教授主政「國圖」，不僅帶給「國圖」輝煌的成果，也是臺灣圖書館事業重要關鍵時期。今天我國圖書館邁入「現代化圖書館建築與

圖書館」、「圖書館自動化」、「全國書目資訊網」、「全國性各種圖書館技術規範」，均對數位圖書館及知識管理奠基，與國際接軌。最重要的是圖書館員養成教育的建立，使有了經營圖書館及研究圖書館學的人才。

1988 年 6 月俄亥俄大學頒授名譽法學博士給王教授，所頒榮譽頌詞[22]：

> 作為中華民國圖書館界卓越的領導者及學者，您對圖書館事業的奉獻帶動了中國圖書館服務的現代化。
>
> 國立中央圖書館在您擔任館長以來成為世界上最佳的國家圖書館之一，而且是研究中國文化的中心。
>
> 身為國際間圖書館合作的先導，您贏得了國際圖書館界的讚揚和欽佩。

王教授使國立中央圖書館在業務工作上得到長足的發展，在全國以至世界享有聲譽，成就了「國圖」史上發展繁榮局面，是我國圖書館事業的導航者，也是大家共同崇敬的圖書館學家。

註釋

① 國立臺灣師範大學圖書館館史 http://www.lib.ntnu.edu.tw/Tour/A-Samp/al.htm（2004.6.22）。

② 王振鵠撰〈省立師範大學圖書館概況〉乙篇，載《中國圖館學會會報》6 期（民國 45 年 8 月）。

③ 雷叔雲，〈謙抑應世協和容眾──館長王振鵠教授〉，《國立中央圖館館訊》9 卷 1 期（民國 75 年 5 月），頁 13。

　 顧力仁，〈王振鵠教授與圖書館事業〉，《中國圖書館學會會訊》11 卷 4 期（民國 92 年 12 月），頁 13。

④ 〈美國華人圖書館協會獎詞〉，在李華偉，〈我所認識的王振鵠教授〉，《當代圖書館事業論集》（臺北：正中，民國 83 年），頁 5。

⑤ 〈俄亥俄大學在 1988 年 6 月 10 日頒贈給王振鵠的榮譽頌詞〉，同註④。頁 7。

⑥ 盧荷生，〈壽序〉，同前書，頁 1。

⑦ 國立中央圖館 66 年第 27 次館務會議紀錄。

⑧ 國立中央圖館 66 年第 31 次館務會議紀錄。

⑨ 國立中央圖館 66 年第 41 次館務會議紀錄。

⑩ 國立中央圖館 67 年第 6 次館務會議紀錄。

⑪ 王振鵠，〈遷建委員會工作小組報告〉，《國立中央圖書館館訊》5 卷 4 期（民國 72 年 1 月），頁 246 載：

　 臺北市府原撥用的信義計畫項下土地，因計畫變更，68 年 8 月另撥中山南路西側土地 3,000 坪作為館地。惟地上有建築物百餘所，有關土地之轉撥，地上物之拆遷，現住戶之安置補償，至為複雜。經一年八個月之努力，始於 70 年 11 月底全部地上物拆除。

⑫　胡歐蘭，〈圖書館自動化作業〉，在《第二次中華民國圖書館年鑑》（臺北：國立中央圖書館，民國77年），頁83-87；91-95。

⑬　〈圖書館及資訊界學者專家參加澳洲中文書目自動化國際會議〉，《國立中央圖書館館訊》5卷3期（民國71年10月），頁234。

⑭　〈我國圖書資訊界組團參加美國資訊科學學會45屆年會〉，《國立中央圖書館館訊》5卷4期（民國72年元月），頁246-247。

⑮　〈亞太地區圖書館學研討會國內外圖書資訊界反應熱烈〉，同註⑭，頁248-249。

⑯　王振鵠、王錫璋，〈圖書館事業發展概述〉，在《第二次中華民國圖書館年鑑》，頁6-7。

⑰　顧力仁，〈合作啟新頁·資訊謀共享──資訊圖書館啟用綜合報導〉，《國立中央圖書館館訊》10卷4期（民國77年11月），頁1-3。

⑱　林呈潢，〈我國實施國際標準書號的探討〉，同註⑰，頁9-11。

⑲　汪雁秋，〈中華民國臺北第一屆國際書展舉辦的經過及其實質意義〉，《國立中央圖書館館訊》10卷1期（民國77年2月），頁6-8。

⑳　國立中央圖書館66年第17次館務會議紀錄。

㉑　同前註。

㉒　同註⑤。

館員對圖書館標示系統建置之認識與準備
Librarians' Preparations for
Sign Systems in Library

陳格理
Ko-li Chen

王振鵠教授曾主持國家（前中央）圖書館的遷建工程，該館之工程無論是在作業過程或成果方面對我國大型圖書館的現代化影響均極為深遠。本人有幸多次聆聽王教授對圖書館建築方面的箴言，受益良多。適逢王教授八秩華誕，特呈研究心得，敬表祝嘏賀壽之忱。

摘　要

標示系統是圖書館中很重要的服務設施，由於較具專業性而易為館方所忽略。從一份對國內六所大學圖書館各樓層標示系統的現況調查中，分析出標示系統在位置設定和內容安排上的一些缺失。並藉此提出館方（員）在從事標示系統的設置之前對此一系統應有的基本認識，以及一些實際的準備項目，以便使該服務系統的設置工作更為圓滿成功。

Abstract

Sign systems are friendly service facilities in library, especially for the new-come patrons. According to a blueprint survey in the configuration of sign systems in the floor of six university libraries in Taiwan, it is revealed that some errors have been made in the arrangements and contents of sign board . Some suggestions have offered to librarians to enrich their conceptual ideas in sign systems and preparations before the actual planning work.

關鍵詞：標示系統；尋路；大學圖書館；圖書館建築
Keywords: Sign Systems; Wayfinding; University Library; Library Building

一、緒言

在電子科技與電腦網路的影響日益增加的情形下，圖書館的資訊服務功能已突破時間與空間的限制，使受惠者往往可以不必進入館內亦能得到完善的服務；由此而造成讀者來館率的下降，使很多專業工作者頗為憂慮。讀者不來圖書館並不代表他們不重視圖書館的資訊服務。但是，當讀者不來圖書館的藉口是館舍在硬體或軟體服務上的缺失時，慎重的檢討一下圖書館在硬體方面的服務是否切合讀者的需求是有必要的（Radford，1983）；特別是硬體設施的人性化方面，而標示系統正是其中重要的項目之一（Kaser，1995）。

二、研究工作

在館舍的各種硬體設施中，標示系統是最直接、明顯和必要的人性化服務項目。它的表現直接反映出館方對讀者（特別是那些第一次來或對環境頗為陌生的讀者）的服務態度，它的服務成效可從使用者的反應來認定。過去，本人也曾經從圖書館使用者的行為註記（mapping）和問卷中去探詢館內標示系統的服務成效。調查的結果顯示了兩個要點，第一，圖書館的使用者對標示系統的使用性不高，這受到個人因素及使用行為的影響；一旦發生了尋路（物）問題，讀者也不一定會尋求「標示」的協助。第二，使用者所指出標示系統的缺失，是一種模糊而綜合的印象，其往往不易明確地指出缺失的部分。如看不清楚標示內容時，其原因可能是位置太高、字體太小、不夠明亮、內容不清等等，因此想要認真的檢討造成缺失的原因時，常常不容易找到問題的確切所在，因此也就不容易指出標示的問題究竟是出在規劃、設計還是施工方面；在做結論和建議時，也不容易提出較明確可行的解決方案（建議）（Budd and DiCarlo，1982）。從另一方面來看，問題的癥結亦在於國內無論是在圖書館界或設計專業界都沒有對圖書館的標示系統建立

一些理念上的共識和施用時的法則。近年來國外對標示系統的研究常著重在規範或理念的施用性、新材料（裝置）的使用、電子環境下的新需求、建築環境變遷（調整）所帶來的影響、使用者與環境互動的新模式及對使用行為的再認識等等（Bosman & Rusinek，1997；Johnson，1993；Ragsdale，1995；Wogalter and Langhery，1996）；凡此種種均以提昇標示系統的服務性為主，研究重點已非單純的設計問題而涉及到管理和規劃的層次。

　　本人藉著一次研究機會，將全國較具規模的 6 所公私立大學圖書館的標示系統做基本資料的紀錄，其中包括詳細紀錄各樓層中各種標示設施的位置、高度、距離，並用圖片紀錄各個標示板的內容、形式及其與環境的關係（如明亮性）。在研究方式上，先就各樓層中設備與傢俱的陳設和建築特徵，說明各種標示設施的內容和設置方式，再依人與環境的互動模式（Beck，1993）、尋路行為的本質（Eaton，1991）及國外標示系統的規範和案例（Smith-Jackson and Hall，2002；Passini，1984）等資料對各案例的現況加以比較分析。研究結果顯示各案例的標示系統都有不少缺失，這些缺失可分成觀念和技術的兩個部分。

三、問題的所在

　　從圖面資料的分析上發現三個主要的問題：標示位置的設定、標示內容的安排及標示系統與環境的關係。

　　㈠標示位置的設定。這是標明尋路（物）對象的位置或須方向的標示牌，它們的放置（或懸吊）位置。從圖面資料的分析中發現各館標示的設置非常混亂，看不出它們在設置上有什麼重要的原則或主要的影響因素。在學理上，標示是幫助人們解決尋路時對方向或位置的困惑。因此，它們的位置安排應有二個主要條件：一是安排在人們對方向或位置產生疑慮的地點，二是放在醒目的地方提醒人們一些物件的位置，其中以前者較為重要。這些產生疑慮的地點也就是人們要對進行方向做成決定的地點，因此也被稱為「決策點」，決策點的認定與路徑的條件有關（O'Neill，1991）。館內路徑的設定在圖書館建築的初期就有了一些想法（建築師的構想），待建築工程進行中，館方又會再對路徑做較仔細的討論與安排。

　　一般而言，路徑的安排除了受建築空間（平面）如大小和形狀的影響外，在設定時應考慮到三個重點：

　　1.服務區域的分佈。即樓層中各種服務區域性的安排，如書架區、閱覽區、休息區、檢索區、閱報區、新書展示、影印區等等；其中書架區又可分成高書架、低書架、展示

（期刊）書架、合訂本書架、膠片櫃、視聽資料架等等，服務區的位置即影響著路徑的安排，這方面的工作多由館員來主導。在安排樓層中區域的分佈時，較容易發生的問題有下列幾種（圖1、2）：

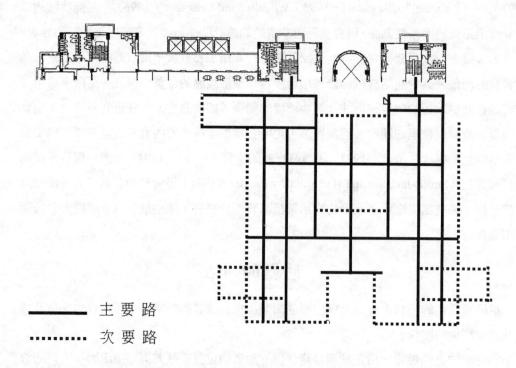

━━━━━ 主 要 路

┅┅┅┅┅ 次 要 路

圖1　某大學圖書館空間安排形成主要通道過多，造成決策點複雜化

(1)區域間的關係不夠清楚。它們之間是以什麼樣的關係來區分，如傢俱排列、走道大小或行進方向等。

(2)和既有設施，如廁所、逃生梯、電梯等的關係不夠清楚。特別是常會忽略了對逃生梯（門）的重視性。

(3)未從尋路（物）的行為上思考區域間的關係（特別是書架區）。在找書的行為中，找到書的人多會依原路（走道）回到書桌前或樓梯處，找不到書的人會在區域間來迴穿梭，因此應特別注意區域中走道的安排。

　2.傢俱的安排。閱覽區的形式常受閱覽桌椅和書架位置的影響。現刊書架和閱覽桌椅（包括沙發）的關係比較密切，它們之間常不會以明確的走道區隔。在一般書架和閱覽桌椅之間則會有較明確（或寬大）的走道，但問題常出在許多圖書館會在不同形式的

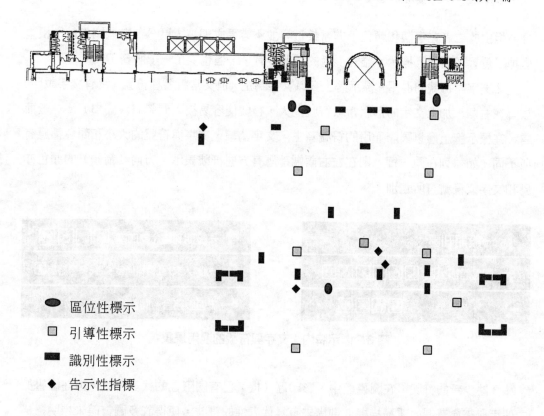

圖2　某大學圖書館中，各種標示未依決策點與路徑關係來安排，呈現混亂的現象

閱覽桌（4 人或單人或圓桌）之間以較寬大（如 150 公分以上）走道相隔，這不但會使區域間的分割和走道的屬性不明顯，也容易造成走動者對閱讀者（坐者）的干擾。

　　3.走道的寬度。館內走道的寬度最容易反映出空間佈置（區域安排）的特徵及決策點的位階和位置。一般而言，走道的寬度會受到兩側空間的使用性和端點設施的影響。問題在於設計者和館方對於走道尺寸的認定，在各館之間有相當大的差異，最小的尺寸（書架間的寬度）自 70 公分到 150 公分都有，這個尺寸不但直接影響到樓層中書架的數量，並且會影響到肢障者使用輪椅時的方便性，這卻是很多圖書館所忽略的。此外，同一走道在不同區域間寬度的改變常會影響到讀者對環境和決策點的辨識，及標示牌的設置。

　　㈡標示牌的內容。這方面的問題甚多，除了涉及到技術層面外，其中不少是屬於認知方面的問題。

　　1.方向標示和位置（區域）標示應有所區別。有的館舍利用方向符號（箭頭）來區

分，但由於二者在字體和顏色上非常接近，並不容易立即被人區分。有些圖書館則根本省掉了位置（區域）標示，雖然混淆的問題沒有了，但也少了一項服務工具。

2.文字與符號的混用。標示牌上多以文字為主，但又常將各種符號（沒有文字說明）放置在右側，加上文字的形狀常較符號為大，符號便容易被人們忽略（圖 3）。一般而言，在標示牌上應以國際通用的符號為主，文字為輔，文字與符號的大小和顏色都應有所不同。如並列在同一行，則在左右兩端都應有方向符號表示，方向（箭頭）的顏色亦應和文字或符號有所差別。

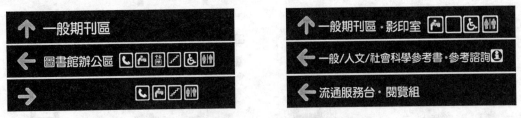

圖 3　標示牌內，文字與符號的混用現象

3.缺少新的符號。在圖書館中，影印區（機）已有國際性的代表符號。但在圖書館中使用愈來愈普遍的「掃描機」則尚未有具代表性的符號，使得許多圖書館未標明掃描機的位置。

4.易混淆的符號。國際通用的育嬰室（餵乳室或換尿片室）的符號和館舍中常用的飲水機符號甚為相似，若非細看不易辨識出其差異。

5.排列方式的不同。在標示牌上，同一行中是否應只指明一個區域（或設施），當多個重點同時在同一行中出現時，容易造成人們對後側內容的忽略，而全部內容如皆以橫向縱排的方式又會因標示牌太長而影響觀瞻。

6.不同方向的箭頭符號應可放置在文字符號的兩端以減少在認知上的混亂（圖 4）。依中文由左而右的排法，表示左向的箭頭應放在文字之起始點前（左方），而表示右向的箭頭符號應置於該行文字之後，如此一來，會因易於分辨而達成服務的功效。

㈢如與現場的狀況做一對比，更容易發現標示牌在安置上的幾個重要問題。

1.標示牌和燈具幾乎完全沒有配合，以致標示牌表面的照度大部分都很低，直接影響到人們對標示牌內容的辨識和閱讀。

2.標示牌的顏色和天花板顏色過於接近，難以利用顏色的對比性來凸顯標示牌上的內容。

圖 4 標示內容與方向符號之排放混亂

3.位在走道交叉處的標示牌極少有共同的設計，在位置上易造成一種混亂，影響著空間景觀也影響著服務的成效。

四、問題的原因

各館的標示系統在設置方式和內容上有不少相同的問題，從館員的訪談中了解標示系統的建立過程和調整狀況後，將問題的原因歸納成以下幾點：

㈠過程匆促。設計和施工的時間均甚短且急促，施工時多已接近室內裝修的尾聲或已進行書籍設備的安置，甚至僅在開幕（館）的前幾天。

㈡經費少。標示系統的經費來源有的是工程費、傢俱費、設備費、工程結餘款或工程管理費。因為費用的來源並不確定，數目多少就會受影響，在此情形下要將標示系統做的很完善是很不容易的。

㈢成品粗糙。標示系統的設計和施工常是以統包的方式委託某公司或事務所代為一起進行。因為沒有真正負法律責任的設計者（沒有設計委託書），也無所謂設計費，因此承包者也難以針對各個圖書館在環境與需求上的差異費心的加以處理，標示物的品質自然不夠理想。

㈣館方的參與性低。一則是因為時間很趕，館方無暇多管，一方面是經費太少館方也無從要求品質。館方在交付工作之前多會提交簡單的工作計劃（需求），但這份計劃書上既無數量上的要求，也缺品質上的說明。使得在製作過程中，館方能參與的部分至多也僅是對材料顏色、標示內容和位置進行諮詢而已，至於標示系統和環境條件的配合則很少能做到。

五、館員應有的認知

圖書館中標示系統的設置工作，館方（館員）和工程單位都有相當的責任。設計者和製作（安裝）廠商的工作較偏重於技術層面，但與技術層面有關的許多因素仍有賴館方的資訊及決策。因此在從事設置工作之前，館員對此工作應有一些重要和基本的認識。

㈠應準備標示系統計劃書。館方應根據管理理念和對服務品質的要求，參考館內各種圖書資源和設備的空間安排，編訂「標示系統設置計劃書」，供設計者在了解需求及解決各種問題時的參考，雙方亦可根據此一文件對設計成果做進一步的溝通，以期達到最理想、實惠與經濟的目的（Hall，1985）。

㈡了解館舍本身的條件。了解及掌握好館舍本身的狀況是實踐計劃書的先決條件。例如有多少時間來做此一工作？設計的時間（應有一個月）？施工時間（至少應有一週，視館舍面積而定）？經費有多少和可運用的方式？工程由誰來負責？館內是否有工作小組來推動和負責此一工作？館內閱覽空間天花板的高度、顏色和材料？天花板上燈具的位置、安裝方式及可調整程度？館內的色彩計劃？

㈢標示系統的服務性必須以「好管理」為根本。所謂的好管理就是易於調整與增減。雖然有的標示是不需要更換的（如廁所），但還是有一些標示會隨著館內空間（區域）的調整與設備的更替而有所變動。因此，對於標示的更動館方應有能力自行處理。意思是館方可自行使用材料或委請一般材料廠商來處理變更的工作，而無須再花錢用特殊材料再重新製作一些標示。因此，標示系統的材料或做法不可太特殊，而造成不易調整的困擾。

㈣標示系統也需要更新。館舍除了在空間、資源、服務項目或設施上因有變動而需對標示物做一些變更外，經過一段時間（約五年左右）館方宜對館內的標示系統進行全面的更新工作，一方面可利用新的材料和表達方式提昇服務效能，一方面亦可藉此解決新的需要，更新後的標示系統會為館舍的形象與服務（使用）氣氛注入一股新的活力。

六、工作上的準備

除了前述在「認知」上應有的準備外，館方（員）亦應在從事於（參與）標示系統工作之前，有一些「行動」上的準備，以期將行動配合認知，使標示系統的籌劃工作做的更周詳，成效也會愈明顯。應有的準備工作有下列幾項：

㈠慎重擬定計劃書。計劃書本身並不難擬定，而難在讓設計者可充分的加以運用。因此，在擬定時除了要有充分的資料外，亦應請有經驗的館員或專家從旁協助，使計劃

書的內容有較高的可行性。計劃書本身在「定性」的分析上愈明確愈好,在「定量」的說明上愈清楚愈好。計劃書反映了館方對此服務系統的要求,也代表著使用者對它的期望。有在完成計劃書後,館方才真正知道自己對這套服務系統的了解和期待。

㈡對它館的觀摩。對標示系統最好的了解方式就是去其它館舍做實地的使用和觀摩。惟有實際的使用才能真正了解它館標示系統的優缺點,有了觀摩才知道標示系統在設計和安置上的差異及其影響性。觀摩的對象應該是在標示系統方面有較高聲譽的館舍,除了表面的現象(狀)外亦應深入了解他們之所能做到此一成果的原因(如預算、計劃或設計等)。除了觀摩其優點外,對於它館在這方面的缺失亦不可忽略,因為在標示系統的設置上,避免重蹈他人的錯誤是非常重要的。

㈢模擬工作。在具備了完整的計劃書和觀摩經驗後,可將館舍中某一區域或某一活動對標示系統的使用性(或依賴性)做一次模擬的工作,這種工作現在已經可以借重電腦 3D 的功能做相當清楚的呈現。在設計工作還沒有開始前,這樣的模擬可以用來評估或檢測計劃書的內容與要求,及可能出現的設計成果,其功效和影響性是不可忽略的(O'Neill,1986,1992)。

㈣溝通的工作。溝通的對象是標示系統的設計者,溝通的目的在於一方面使設計者了解館方與使用者對此服務系統的期望(這最好是借重計劃書的內容),另一方面也在於從設計者那裡了解一些現實的困難或是一些理念上不完備的部分,溝通的結果可以使標示系統的設置工作更為圓滿。

七、結論

標示系統為館內重要的服務設施之一,也是圖書館在講求人性化服務的重要表現。過去的研究多著重在從使用者的反應中了解標示系統的服務成效,但是因為使用者本身的條件和使用狀況的影響,不易直接的判斷出標示系統的誤失性,以致影響到結論和建議內容的實用性。如果對標示系統的設置狀況直接進行分析和比較,則較易找出標示系統在內容與放置上的問題,究竟是規劃上的問題或技術方面的疏失。根據對幾所大學圖書館的標示系統進行圖面和現況的分析後,提出幾點建議供館方(館員)參考,如確切了解館舍本身之條件、應準備標示系統的計劃書、以管理為基礎的服務工作、以及重視標示系統的更新和調整工作等。除此之外,在進入正式工作前,館方(員)亦應有一些工作上的準備,除了必須有完備的計劃書外,對它館標示系統的觀摩、系統的模擬工作以及與設計師進行溝通前的準備都是不可或缺的。

參考文獻

1. Beck, Susan, (1993) Wayfinding in Libraries. *Library Hi Tech*, 14:1, 27-36.

2. Bosman, Ellen and Carol Rusinek, (1997) Creating the User-friendly Library by Evaluating Patron Perceptions of Signage. *Reference Service Review*, Spring 1, 71-82.

3. Budd, John and Mike DiCarlo, (1982) Measures of User Evaluation at Two Academic Libraries: Prolegomena. *Library Research*, Spring 4, 71-84.

4. Eaton, Gale, (1991) Wayfinding in the Library: Book Searches and Route Uncertainty. *RQ* summer 30(4).

5. Hall, Richard, (1985) Communicating with Graphics in the Library Building Program. *Illinois Libraries*. November 69(9), 777-786.

6. Johnson, Carolyn, (1993) Signs of the Times: Signage in the Library. *Wilson Library Bulletin*. November, 40-42.

7. Kaser, David, (1995) The "User-friendly" Academic Library Building.《資訊傳播與圖書館學》, May 1(4), 9-16.

8. O'Neill, Michael, (1986) Effects of Computer Simulated Environmental Variables on Wayfinding Accuracy. *Proceedings of EDRA*, 55-63.

9. O'Neill, Michael, Effects of Signage and Floor Plan Configuration on Wayfinding Accuracy. Environment and Behavior. (1991) 23(5), 553-574.

10. O'Neill, Michael, (1992) Effects of Familiarity and Plan Complexity on Wayfinding in Simulated Buildings. *Journal of Environmental Psychology*. 12:319-327.

11. Passini, Romedi, (1984) Wayfinding in Architecture. Van Nostrand Reinhold Co. New York, p.74.

12. Radford, Neil, (1983) Failure in the Library-A Case Study. *Library Quarterly*. 53(3), 328-339.

13. Ragsdale, Kate, (1995) Effective Library Signage. KIT 208. ED-385288, May, 166-170.

14. Smith-Jackson, Tonya and Troy Hall, (2002) Information Order and Sign Design: A Schema-Based Approach. *Environment and Behavior*. July 34(4), 479-492.

15. Wogalter, Michael and Kenneth Laughery, (1996) Warning! Sign and Label Effectiveness. *Current Directions in Psychological Science*. April 5(2), 33-37.

論大陸地區刑法之單位犯罪問題
Legal Person Crime in the P.R.O.C: from a Perspective of Managerial Perspectives

廖又生
Yu-sheng Liao

摘　要

　　單位犯罪在一國經濟發展策略上，扮演著極為重要的角色，本文嘗試從大陸地區刑法檢證相關爭議問題，並進一步描述現代化過程中之成文法律及其亟待澄清的關鍵問題，同時並探討現存的國家目標發展和大陸地區經濟活動之遊戲規則等熱門議題。

Abstract

It is now widely accepted that legal person crime is a key part of economic development strategies. The purpose of this is to examine issues related to the China Criminal Law. The paper begins by describing the uses of written law and clarifing key concepts of modernization process then moves into the development of existing nation-state goals and the rule of game in the People's Republic of China.

關鍵詞：市場經濟；一事不再理；意識型態；資本主義
Keywords: Market Economy; Ne Bis in Idem; Ideology; Capitalism

一、引言

　　大陸地區於一九五四年九月二十日頒布「中華人民共和國憲法」，明定仿效蘇俄之法律制度，其所追求的無產階級專政、生產資料公有利的社會主義經濟與政府，一如匈牙利、南斯拉夫、阿爾巴尼亞、羅馬尼亞、捷克、波蘭、古巴及北韓等國家，世人慣將大陸地區所建立的法律模式歸類為「社會主義法系」一員，其與大陸法系、英美法系之法律制度有別[①]，其後隨蘇聯崩潰、東歐瓦解，占有全世界四分之一人口的大陸地區，其現代化法制建設則是以建構一個具有中國特色的當代社會主義法系國家為依歸。

　　大陸地區之刑法移植於前蘇聯犯罪客體理論，該法保護者即為犯罪行為所侵害的社會體系，故大陸地區之刑法首條開宗明義定明：「為了懲罰犯罪、保護人民，根據憲法，結合我國同犯罪作鬥爭的具體經驗與實際情況制定本法」；第二條賡續規定：「中華人民共和國刑法的任務，是用刑罰同一切犯罪行為作鬥爭，以保衛國家安全、保衛人民民主專政的政權和社會主義制度、保護國有財產和勞動群眾集體所有的財產、保護私人所有財產、保護公民的人身權利、民主權利和其他權利，維持社會秩序、經濟秩序，保障社會主義建設事業的順利進行。」在在顯示大陸地區刑法的基本思想為馬克思列寧主義、毛澤東思想及鄧小平理論，因之，健全社會主義法制只是實現這些思想指導的必要過程[②]。

　　邇來中國大陸改革開放潮流蔚為風尚，中共早在第十五次代表大會即指出：「社會主義的根本任務是發展生產力，在社會主義初級階段，尤其要把集中力量發展社會生產力擺在首要地位。刑法作為上層建築，它的根本任務就是為解放和發展生產力服務，為加快改革開放和加快社會主義經濟建設服務，為建立和發展社會主義市場經濟服務。」由此可知，唯物史觀、經濟至上思想反映於大陸地區刑法等實定法內乃大勢所趨，大陸地區刑法於一九七九年七月一日公佈，嗣於一九九七年三月十三日初修，一九九九年十二月二十五日第二次修正，二○○一年八月三十一日及十二月二十九日兩次修正，該法二修時第二章第四節明定「單位犯罪」（第三十條、第三十一條），並於同法分則規定各種具體的單位犯罪之構成要件與法律效果，堪稱現行亞洲國家之創舉，本文謹就該法規定之基本思考、總則立法例、分則處罰規定、刑事處罰政策及單位犯罪各國立法趨勢等問題，逐一解析如次，俾使世人瞭解大陸地區從計劃經濟（Planned Economy）轉向市場經濟（Market Economy）之際，有關自然人以外之法人團體的犯罪問題。

二、犯罪之主客體基本理論探討

㈠犯罪主體以自然人為主[③]

犯罪乃人之行為，故犯罪之主體為人。人有自然人與法人之分，刑法規定雖未明定犯罪之主體以自然人為限，但法人等團體單位為一組織體，其本體無實際行為之可能，法人等團體單位之行為必假手於自然人，且世界各國之刑法手段以其中生命刑（死刑）、自由刑（無期徒刑、有期徒刑、拘役）、名譽刑（褫奪公權）等，皆無從對法人等團體單位加以執行，縱令財產刑中之罰金易服勞役亦無適用餘地，因此，單位犯罪不得為刑罰對象，亦無犯罪能力，自不能為犯罪之主體，從而犯罪主體原則上以自然人為限，此為歐陸法系學者一貫的主張。

㈡犯罪主體以法人團體為輔[④]

由於文化的發展、經濟工商組織的進步，法人單位活動日趨廣泛，為促進其正常營運以保障全民所有的財產、勞動群眾集體的財產、公民私人所有的合法財產，公民的人身權益和其他權益，正常的社會秩序、生產秩序、工作秩序、教學科研秩序和人民群眾的生活秩序等（大陸地區刑法第二條、第十條可資參照），自一九七九年刑法典公佈以降，有關經濟、財政等行政刑法之單位法律，為貫徹統治行政目的，例外別有處罰法人等團體單位之規定，舉其犖犖大者如下[⑤]：

1. 一九八八年七月一日施行之企業法人登記管理條例

依該條例第三十條第二款規定：「對企業法人按照上述規定進行處罰時，應當根據違法行為的情節，追究法定代表人的行政責任、經濟責任；觸犯刑律的由司法機關依法追究刑事責任。」

2. 一九八八年七月一日施行之私營企業暫行條例

其中第四十六條定明：「管理機關的工作人員違反本條例規定，濫用職權、徇私舞弊、收受賄賂或者侵害私營企業合法權益的，有關主管機關應當根據情節給予行政處分、經濟處罰，觸犯刑律的，依法追究刑事責任。」

3. 一九八九年十月十三日施行之社會團體登記管理條例

依該法第二十七條規定：「登記管理機關處理社會團體的違法行為，必須查明事實，依法辦理，並將處理決定須書面通知社會團體法定代表人或者負責人。」

㈢犯罪之行為客體涵蓋被害人及被害法益

被害人包括自然人及法人等團體單位，乃被害法益所屬之人，被害法益係指因犯罪而直接受侵害的法益，又可分為公法益（國家法益、社會法益）與私法益（一般法益、專屬法益），依大陸地區刑法第一百零一條規定：「本法總則適用於其他有刑罰規定的法律，但是其他法律有特別規定的除外。」基於特別法優於普通法原則，犯罪之客體及被害法益若其他行政刑法未作特別除外規定者，則應適用刑法總則有關單位犯罪之基本規定。

三、法人團體能否為犯罪之主體的基本思考

㈠法人本質說

關於法人團體應否視為刑法之犯罪主體，基本思考點顯與法人之本質有關。惟法人團體之本質為何？學說不一，因之學者見解亦不同：

1. 否定說——即否認法人團體等具有人格，以為其不過為一定目的而存在之無主體財產，或多數受益人之權利義務之集合。此說既不承認法人之存在，則法人自不能成為犯罪主體。

2. 擬制說——即認為法人為法律所擬制之人格，非實際存在，故法人團體本身不能為固有之行為，僅依法律之規定，將代表人之行為，視為其自己之行為；若代表人之違法行為，因非法律所認目的範圍內之行為，則其效果自不及於組織體本身，故對法人團體自無承認其為犯罪主體之必要。

3. 實在說——主法人團體實在說者，認為其組織有實體之存在，故有獨立之人格，因而以法人團體資格所為之意思表示與行為，不能認為係組織之自然人之意思與行為，此在民法上已為當然之事實。法人團體在民法上既有為法律行為及不法行為之能力，在刑法上自亦應有犯罪能力，當然得為犯罪之主體。

㈡大陸地區刑法的規定

1. 原則上採實在說——依一九八七年一月一日起施行之中華人民共和國民法通則，其中第三十六條第一款規定：「法人是具有民事權利能力和民事行為能力，依法獨立享有民事權利和承擔民事義務的組織。」若法人團體因過錯（故意或過失）或無過錯侵害社會主義公共財產，包括國家的、集體的財產及侵害公民個人的財產，人身的行為，皆

須承擔侵權行為責任（大陸地區民法通則第一百零六條及第一百四十六條可資參按）。加以大陸地區刑法第三十條、第三十一條絕無僅有明定單位犯罪之刑事責任，足徵中國大陸關於法人團體的能力與自然人相同，亦即兼具有民事權利能力、民事行為能力、侵權行為能力及犯罪能力。大陸地區刑法有關單位犯罪之規定，已大幅緩和傳統擬制說所主張犯罪主體已自然人為限的觀點，其主要理由為：

(1)法人團體並不是法律虛構的，也不是政府權力所創設或擬制，其是有團體意識和利益，是一種客觀存在的主體[6]，大陸法律學者對於法人團體的本質係多採法人實在說之組織體說。

(2)依大陸地區刑法第三條所揭示「罪刑法定主義」原則：「法律明文規定為犯罪行為的，依照法律定罪處刑；法律沒有明文規定為犯罪行為的，不得定罪處刑。」參酌同法第三十條後段規定：「法律規定為單位犯罪的，應當負刑事責任」故若刑法分則或其他特別行政刑法有處罰之明文者，單位團體仍應負刑事責任[7]。

(3)就刑罰本質，前已言之，如死刑、徒刑，一關於生命，一關於自由，均不適合於單位犯罪之本體。蓋此種刑罰，對於自然人可以執行，對單位犯罪則不能也。故刑法第三十一條前段明定：單位犯罪的，對單位判處罰金。至於其他刑罰方法則對自然人為之，申言之，大陸地區刑法對單位犯罪性質雖採法人實在說見解，但刑法非難方式對單位本身則採財產罰方式。

2.輔之得為科罰——自刑事政策立場觀察，單位雖不能直接為犯罪的主體，其往往透過自然人為之，然法人等團體單位並非完全不得為科罰之對象。如美國各州刑法即有對於法人團體科以罰金，沒收者[8]，大陸刑法總則有原則性規定單位犯罪外，刑法分則及行政刑法中則間有處罰單位犯罪之規定。

四、大陸地區刑法總則有關單位犯罪之立法例

大陸地區單位犯罪之立法例，依該法第三十條、第三十一條規定，可分為例示主義及概括主義兩種，茲分述如下[9]：

(一)例示主義——例示主義者，係就各種可能為犯罪主體之適格行為人，以法律一一加以列舉之規定。凡不在例示之規定內者，均不屬之。法諺有云：「明示其一，排除其他（The expression of thing is the exclusion of another）」、「省略規定之事項，應認為有意省略（A case which is omitted is purposely omitted）」，斯為此理，大陸地區刑法為了預防法規再適用時發生疑義，特於第三十條具體的事例「公司」、「企業」、「事業單

位」、「機關」及「團體」實施的危害社會的行為，法律規定為「單位犯罪」的，應當負刑事責任，繼則在第三十一條說明五種犯罪主體實施危害社會的行為，所判處的罰金及其他刑罰之法律效果。

㈡概括主義——概括主義者，亦稱定義主義或概念主義，及在法律上作一適當之定義，凡與定義之條件相符者，方為適用的對象。大陸刑法例示之五種犯罪主體，可分別作下列文義解釋：

1.公司——位以營利為目的，依照公司法組織、登記成立之企業法人，依一九九九年十二月二十五日公佈之中華人民共和國公司法第二條、第三條所規定：指有限公司和股份有限公司。

2.企業——係以營利為目的的經濟組織，可獨立從事產品生產和經濟活動的組織體。包括全民所有制企業、集體所有制企業、聯營企業、中外合資經營企業、中外合作經營企業、外資企業、私營企業及其他企業等八種（企業法人登記條例第二條規定）。

3.事業單位——係指從事各項業務而擁有獨立經費或財產的各種組織，如中央與地方的新聞、出版、廣播、電影、電視機構、圖書館、博物館、藝術館、學校、研究機構及衛生體育單位，依法不需要辦理法人登記者，從成立之日起，具有法人資格，依法需要辦理法人登記的，經核准登記，取得法人資格（大陸地區民法通則第五十條第二款規定）[10]。

4.機關——係指從事國家領導與行政管理，以國家預算撥款為獨立活動之經費的中央與地方各級機關或黨的機關[11]，含人大常委會、地方各級人民政府及其所屬各工作部門、各級人民法院、人民檢察院、中央軍事委員會和人民解放軍各級機關等，上開機關從成立之日起，具有法人資格（大陸地區民法通則第五十條第一款規定）。

5.團體——是指除企業法人、事業單位以外擁有獨立財產或經費的各種社會組織，諸如工會、共青團、婦聯、行業學會、學術研究團體、宗教團體及基金會等，依其民法通則第五十條第二款規定，亦分別從成立之日或核准登記起，取得法人資格。

揆諸中國大陸自二十一世紀以來，社會變遷迅速而複雜，實定法難以適應社會之需要，故大陸地區刑法在第三十一條規定單位犯罪刑罰效果之後，於同法第九十三條第一款立法解釋：「本法所生國家工作人員，是指國家機關中從事公務的人員。」同條第二款尤擴大適用範圍，規定：「國有公司、企業、事業單位、人民團體中從事公務的人員和國家機關、國有公司、企業、事業單位委派到非國有公司、企業、事業單位、社會團體從事公務的人員，以及其他依照法律從事公務的人員，以國家人員論。」大陸刑法在

第九十三條立法技術採用了引用性的擬制規定，使自然人在單位犯罪中被判處刑罰的機會大為增加，職是，該法第三十條所指的五種犯罪主體，無論是公司、企業、事業單位、機關及團體現行法制均予以「法人化」的地位，故中國大陸單位犯罪等同於法人犯罪，同時第九十三條視同國家公務人員的範圍又何其的廣泛，因此，亦有人認為大陸地區刑法總則所規定的單位犯罪係偏於概括條款取向[12]。

　　㈢折衷主義——上述二種主義，大陸地區立法例就採何者？論者不一，管見認為兼採例示主義及概括主義，就總則篇第三十條、第三十一條及第九十三條整體之規定觀之，蓋大陸地區刑法制定早於民法，刑法第三十條五種法人犯罪的主體，乍視之，雖採例示主義，然若將各犯罪主體參酌相關法律加以研究，則不難窺見其規定內容雖然詳盡，但其用詞含義卻十分廣泛，賦予立法機關高度自由形成空間，似有概括主義之實。

五、大陸刑法分則有關單位犯罪之處罰規定

　　現行大陸刑法乃是一九七九年刑法典為基礎，歷經三次補充、修改，故現行大陸刑法第二篇分則，計分十章，從第一百零二條至第四百五十五條，是刑法典「抽象」規定的對一個或數個法益造成實害或危險的行為形式，依分則構成要件對單位犯罪處罰的有下列三種不同方式：

㈠自然人為處罰對象

　　如該法分則第三章破壞社會主義市場經濟秩序罪之第三節妨礙對公司、企業的管理秩序罪，其中第一百六十七條規定：「國有公司、企業、事業單位直接負責的主管人員，再簽定履行合同的過程中，因嚴重不負責任被詐騙，致使國家利益遭受重大損失的，處三年以下有期徒刑或者拘役；致使國家利益遭受特別重大損失的，處三年以上七年以下有期徒刑。」等屬之；該類此犯罪祇處罰其直接負責的主管人員和其他直接負責人員，並判處各式刑罰。

㈡以法人團體為處罰對象

　　即僅處罰法人團體，凡單位不法違反行政法規時，法律明定處罰法人等團體單位。如一九八四年五月所公佈之中華人民共和國水污染防治法第三十八條規定：「造成水體嚴重污染的企業事業單位，經限期治理，預期為完成治理任務的，除照國家規定徵收兩倍以上的超標準污染費外，可以根據所造成的危害和損失處以罰款或者責令其停業或者

關閉。」嚴格而言，該行政不法與刑事不法有程度上之差異，一般以罰鍰為主之秩序罰規定等屬之；該類型不法通稱法人責任，大都見諸於行政法規當中[13]。

㈢兼罰自然人及法人之態樣

此在大陸地區刑法分則之處罰方式居大宗，其體例再分兩種：

1.同條異款規定者——如該法分則第二章危害公共安全危險罪，其中第一百二十五條規定：「非法製造、買賣、運輸、郵寄、儲存槍支、彈藥、爆炸物的，處三年以上十年以下有期徒刑，情節嚴重的，處十年以上有期徒刑、無期徒刑或者死刑。（第一款）非法買賣、運輸核材料的，依照前款的規定處罰（第二款）。單位犯前面款罪的，對單位犯處罰金，並對其直接負責的主管人員和其他直接負責人員，依照第一款的規定處罰（第三款）。」顯見本條採同條異款之立法例。

2.同條同款規定者——次如同章第一百二十六條規定：「依法被指定、確定的槍支製造企業、銷售企業，違及槍支管理規定，有下列行為之一的，對單位判處罰金，並對其直接負責的主管人員和其他直接負責人員，處五年以下有期徒刑，情節嚴重的，處五年以上十年以下有期徒刑；情節特別嚴重的，處十年以上有期徒刑或者無期徒刑：『一』以非法銷售為目的，超過限額或者不按照規定的品種製造、配售槍支；『二』以非法銷售為目的，製造無號、重號、假號的槍支的；『三』以非法銷售槍支或者在境內銷售為出口製造的槍支的。」本條與前一條文立法例迴然有別，其是採同條並同款之立法體制。

六、大陸刑法有關單位犯罪處罰制度之檢討

我國學者林紀東先生從行政犯或刑事犯性質不同出發，主張法人等團體單位不僅在行政罰上當然得作處罰之對象，即在刑罰上法人亦有負擔刑事責任之能力，縱因自由刑等其性質上不適合對法人科處，亦不妨以科罰金或沒收為處罰手段，殊不必假借代理責任或轉嫁責任為說辭[14]。此種理論與現今中國大陸法人犯罪處罰之制度若合符節，除特別刑法或採行法人責任外，原則上大陸地區刑法有關法人得為處罰之對象，恒游走於「併罰主義（Kumulationsprinzip）」與「吸收主義（Absorptionsprinzip）」兩大主要制度之間：

㈠併罰主義——即「兩罰責任」，指法人違反刑法分則構成要件時，除處罰法人等團體單位外，並處罰其直接負責的主管人員和其他直接負責人員，大陸地區刑法第三十一條及同法分則相關法條，皆以法人與行為人同負其責為最主要的處罰方式。

㈡吸收主義——即「代罰責任」，基於無責任即無處罰（Keine Verwaltungsstrafe ohne Verschulden）、法無明文不處罰（大陸地區刑法第三條規定），大陸地區刑法分則始終對單位犯罪行為，涉及判處刑罰者，以處罰其章程或組織法規上所定之法定代理人或代表人為主，僅在法律另有特別規定時，從其規定。

同理，衡酌大陸地區刑法第三十七條規定：「對於犯罪情節輕微不需要判處刑罰的，可免予刑事處罰，但是可以根據案件的不同情況，予以訓誡或者責令具結悔過、賠禮道歉、賠償損失，或者由主管部門予以行政處罰或者行政處分。」易言之，若法人犯罪情節輕微而有產生刑罰與行政罰、懲戒罰或民事損害賠償責任之競合情形，本於一事不再理（ne bis in idem），在刑事訴訟程序進行之中要避免被告同一行為受兩次以上之追訴處罰（Nemo debet bis vexari pro una et eadem cause），此即美國憲法早已揭櫫的雙重危險保護條款（Double jeopardy protection clause）之法理。苟刑罰與行政罰競合，或者免於刑罰，然而會有其他責任競合之可能，馴至引發同一行為可否科處二次罰則？學理上見解不一，實務上處理方式亦未能一致，乃一項法律上之難題。上開「併罰主義」與「吸收主義」足可提供大陸地區各級法院審判官適用刑法第三十七條之際作為判斷基準，爰扼要敘明之。

七、比較法上單位犯罪立法趨勢之檢討

綜觀各國之法制史及法律制度，對於單位犯罪或法人違法應否施以刑事制裁，既有三種不同制度[15]：

㈠否定法人之刑事制裁

傳統之大陸法系國家在基礎上，大多嚴格遵守自羅馬法以來即確立之法人不能違反犯罪行為（societas delinguere non potest）原則，而認為只有自然人才能予以刑事制裁，法人等團體單位則不能使用刑罰加以制裁。義大利憲法第二十七條第一項即依此見解而明定：「刑事責任乃個人之責任。」又如德國自十九世紀初以來，純個人刑法觀（rein individulstrafrechlichen Auffassung）大為盛行，只有自然人才能負擔刑事責任之主張為多數學者所採，故無論學說或立法，均否定法人之刑事制裁。

㈡肯定法人之刑事制裁

在英美法系國家，就實用之觀點，一向即肯定法人之刑事責任能力，而認為法人可

於刑罰之制裁。由於英美法並非如歐陸刑法係建立於倫理基礎上之罪責刑法（schuldstrafrecht），且無清楚之刑法論理體系，故使用刑罰手段，制裁法人，並不致發生如歐陸刑法之理論問題。

㈢折衷式法人之刑事制裁

有些歐陸刑法，在英美刑法之影響下，原則上仍受傳統觀念之支配，認為法人並無犯罪能力，故於主刑法中，不設法人之處罰規定。惟刑法之目的觀以及有效遏阻法人違法之必要性，乃例外地依附規定於各種民商法、行政法、經濟法、貿易法與租稅法等之輔刑法中，設有法人之刑罰制裁規定。例如荷蘭刑罰雖規定只有自然人才能違犯可罰行為。法人為法律所擬制之人格，故不能適用刑法之規定，加以制裁。惟在其經濟刑法第十五條則明定法人可予以刑事追訴，並科處刑罰。此外，在租稅刑法上，亦肯定法人之正犯資格與可罰性。再如日本刑法亦不認為法人有犯罪能力，但亦在其行政法規上設有法人之處罰規定。

環觀上揭三種制裁方式，得之大陸法系著眼於倫理的非難性，法人因欠缺倫理之主體性，而不能自然犯之犯罪主體。反之，英美法系強調社會之非難性，法人乃社會之存在體，自得成為法定犯之犯罪主體而令負社會之刑事責任。在原則上無論是固有刑法或實質刑法（即主刑法或輔刑法）均係以刑事刑罰為法律效果之刑事刑罰，其適用同一刑法總則乃無分軒輊（大陸地區刑法第一百零一條前段），大陸地區刑法總則第三十條及第三十一條所明定的單位犯罪係屬刑事犯中之法定犯，其與直接負責的主管人員和其他直接負責人員乃具有自由意思之自然人而具可責性不同，故大陸地區刑法對單位犯罪的判處罰金（大陸地區刑法第五十二條、第五十三條）科予附加刑（同法第三十四條第一項可資參照）；另對單位所屬人員則因其為自然人，若從事單位犯罪判處刑罰，科予主刑或附加刑（同法第三十二條、第三十三條可資參照）皆可[16]。

據上論結，大陸地區法制乃社會主義法律，基於企業的發達、實際的需要，採肯定法人犯罪能力及刑事責任能力之見解[17]，其主要理由如次：

1.法人犯罪現象是一種客觀存在的事實，其對社會公益危害性很大，有必要予以刑事制裁。

2.承認並懲罰法人犯罪不違反法人的特質與本性，且有利於法人制度的健全和鞏固。

3.法人既可作為違法行為主體，也就可以行為犯罪主體。

4.法人的決策機關反映法人的意志，反映法人的主觀心理狀態，故見備有犯罪的主

觀要件。

5.肯定法人犯罪，不違背刑法中罪責自責的原則。

6.通過懲罰法人犯罪可使社會主義的社會關係更趨健全，是符合刑罰的目的。

7.對於犯罪的法人處以刑罰是可行的，且法人之能否犯罪與法人之能否接受刑罰是無絕對的關係的。

8.近代英美法系國家的刑事立法都有法人犯罪及制裁的規定，再者大陸法系國家近年來亦提出法人犯罪的主張[18]，為了中國大陸本身經濟體制的改革和整個社會主義現代化順利進行應可加以參考和借鑒。

八、結語

一九七九年大陸地區公佈之中華人民共和國刑法，其第二章犯罪規定，僅有「犯罪和刑事責任」、「犯罪的預備、未遂和中止」及「共同犯罪」三節，迨至一九八五年七月八日由大陸地區最高人民法院、最高人民檢察院聯合公佈的「關於當前辦理經濟犯罪案件中具體應用法律的若干問題的解答（試行）」中提及關於國家機關、團體、企業、事業單位和集體經濟組織收受賄賂、投機倒把等問題在司法實踐中的處理方式，旋於一九八六年六月二十七日發布「關於依法嚴肅懲處國家機關、企業事業單位走私犯罪活動的通知」，於此命令的解答中確認了法人犯罪的客觀事實，迨一九八六年六月二十二日第六屆全四人大常委會第十九次會議通過「中華人民共和國海關法」，在該法第四十七條第四項規定：「企業、事業單位、國家機關、社會團體犯走私罪的，由司法機關對其主管機關和直接責任人員依法追究刑事責任；對於單位判處罰金，判處沒收走私貨物、物品、走私運輸工具和違法所得。」此為大陸地區最先明文確認法人犯罪及其處罰的實定法；嗣後在一九八八年六月二十一日第六屆全國人大常委會第二十四次會議同時通過「關於懲治走私罪的補充規定」及「關於懲治貪污罪賄賂罪的補充規定」，皆承繼了海關法第四十七條之意旨，採取對法人團體判處罰金並對法人的直接負責人員處以刑罰的兩罰制原則，正因法人犯罪多種多樣且層出不窮，中國大陸當局在一九九七年刑法修正時，在總則篇第二章第四節明確增訂「單位犯罪」，並在同法分則各章中規定單位犯罪之處罰具體規定。

中國大陸地區自一九九七年開始改革開放以來，經濟發展成為成為建設具中國特色的社會主義最重要的指標，因此，改革開放與吸引外資需求，中國大陸已出現許多深具市場經濟精神的法令，其嘗試吸收西方資本主義（Capitalism）經營理念，可由「權利下

放，地方色彩濃厚」、「國營事業之營利化」及「對中外合資、外資、中外合作經營之三資企業予以重新修訂路線」等政策變遷軌跡[19]，不難得知大陸地區之企業經營指導權上，大抵上官方以不採干預制度，實則等同間接默許市場經濟的存在。由於營利法人（普通企業及涉外企業）建置如雨後春筍般，非營利法人（機關、事業、團體）運作機能增加，隨著經濟體制的蛻變與革新，法人制度的建立及法人刑事責任的探討，以是大陸地區刑法與他國刑法之最大不同點，稱「單位犯罪」制度為大陸地區刑法的特色，並不為過[20]。

　　縱觀以上所言，中共自一九四九年在北京成立人民政府，繼受蘇聯社會主義法制，即以計劃經濟、財產公有和無產階級專政作為立法的核心價值，此從一九五〇年至一九八〇年間所頒行的一切法令，皆認定其本質上為國家統治階級意志的反映，法律只是國家用來控制和壓迫被統治者的工具，觀大陸地區刑法第一條、第二條所揭示的任務，可知刑法的目的旨在懲罰犯罪，進而保護人民，該二目的息息相關，如車之二輪、鳥之雙翼，相輔相成、並行不悖；刑法既是以刑罰同犯罪行為作鬥爭，其乃為保護國家社會人民之利益而制定，一九七九年制定的大陸地區刑法延續這種主政者對意識型態（Ideology）的堅持，迨至八〇年代之後對內改革、對外開放的運動如火如荼般的開展，為預防及消弭規模大、金額大、危害性大，且具複雜性的法人犯罪，一九九七年第一次修正刑法時第八屆全國人大第五次會議正式增訂單位犯罪於刑法典之中，亦由中國大陸學者對法人的本質理論採實在說中的組織體說，並承認法人有犯罪能力得為犯罪之主體，傾向於英美法系之肯認法人之刑事制裁，茲對中國大陸之經貿發展與政府再造將有正面的助益。英美哲學家梅因（Henry Maine）名言：「由身分到契約（from status to contract）」，展望可預見的未來刑事犯中之法定犯必多於傳統自然犯；單位犯罪問題將成為二十一世紀刑法研究的熱門課題[21]。

註釋

① 沈宗靈，《比較法總論》（北京：北京大學出版社，1978年11月），頁39。學者慣將世界上法系分為中華法系、印度法系、阿拉伯法系、大陸法系及英美法系五個，其中前三者僅存在歷史上之意義，第二次世界大戰後以共產國家為主形成社會主義法系，中國大陸為其一員；大陸法系、英美法系及社會主義法系鼎足而立，並稱今日世界三大法系。

② 陳健民，《大陸刑法之理論與實務》（台北市：著者自刊本，2003年），頁壹/二/12。

③ 黃仲夫，《刑法精義》（台北市：三民書局，1996年），頁40。我國學者承襲大陸法系通說以法人無固有意思；法人無固有之行為；其人格為法律所擬制；法人無刑罰之適應性等，否定法人為犯罪主體。

④ 蔡墩銘，《中國刑法精義》（台北市：漢林出版社，1980年），頁34。氏主張就法人本質、倫理與道

德性、行為要件、刑名適用、參與行為者觀察，法人（Juristische personen）或人合團體（Personen vereini gungen）不能成為適格的行為人。

⑤ 黃友信，〈中共刑事立法之發展與刑法之頒行——兼論中共刑法之立法體例〉，《共黨問題研究》21 卷 1 期（1995 年 1 月），頁 28-50。

⑥ 何秉松，〈關於法人犯罪的初步研究〉，《法律月刊》，中國人民大學書報資料中心刊行（1986 年 4 月），頁 112。

⑦ 李維宗，〈中共刑法本質及其基本原則之研究〉，《國防管理學院學報》16 卷 1 期（1995 年 1 月），頁 69-85。

⑧ 袁伯平，《中共民法通則法人之研究》（台北市：嵩山出版社，1990 年），頁 155。

⑨ 趙秉志，〈中國刑法的最新改革〉，《中國研究雜誌》1998 年春季號（1998 年 3 月），頁 16-22。單位犯罪或者法人犯罪及其立法模式，是近來大陸法系國家刑法例所面臨的一個課題。在承認法人犯罪的大陸法系國家，目前一般都還是再附屬刑法條款中予以規定，但法人犯罪刑事責任法典化已成為趨勢，1994 年 3 月 1 日生效的法國新刑法典即在其總則第二編「刑事責任」和第三編「刑罰」中規定了法人犯罪及其刑事責任，使法人與自然人刑事責任制度在刑法典中一元化。

⑩ 趙長青，〈社會主義市場經濟與刑法改革走向〉收於《市場經濟與刑法》一書（北京：人民法院出版社，1994 年），頁 53。中國大陸刑法中的「單位犯罪」之「單位」，依刑法第三十條例示理論上已概括非自然人犯罪而與「法人犯罪」範疇一致，參諸同法第九十三條以國家工作人員論之適用範圍，自可作如是解。

⑪ 楊仁生，〈論中共刑法中的瀆職罪〉，《共黨問題研究》20 卷 11 期（1994 年 11 月），頁 43-54。

⑫ 顧肖榮、林建華，〈社會主義初階段的法人犯罪及其防治對策〉，《中共社會科學月刊》8 期（1988 年），頁 16。

⑬ 韓忠謨，〈行政犯法律性質及其理論基礎〉，《國立台灣大學法學論叢》10 卷 1 期（1980 年 12 月），頁 67。時至今日強調行政犯與刑事犯乃「質」的差異已逐漸消失，而確認二者常屬「量」的不同，殆以成為通說，何種違法行為構成行政罰；何種違法行為構成刑罰，主要繫於立法政策的考慮。

⑭ 林紀東，《行政法》（台北市：三民書局，1990 年），頁 30。

⑮ 林山田，《刑法通論》（台北市：三民書局，1986 年），頁 365-370。氏對折衷式刑事制裁有所批判，渠主張依秩序違反法（Gesetz über ordungs widrigkeiten）對法人或人合團體科處罰鍰即可，此便能達到剝奪法人或人合團體違法而獲得之不利益，故不必以刑罰適用於法人犯罪，以破壞罪責刑法之論理體系。

⑯ 褚劍鴻，〈中共刑法分則研究（上）〉，《法令月刊》42 卷 7 期（1991 年 7 月），頁 3-11。中共刑法以兩個條文規定單位犯罪的刑事責任範圍即採取雙罰制之原則。氏另著，〈中共刑法分則研究（下）〉，《法令月刊》42 卷 8 期（1991 年 8 月），頁 3-9。該法第三十條、第三十一條配合分則相結合規定單位犯罪之立法模式。

⑰ 王作富，《中國刑法研究》（北京：中國人民大學出版社，1986 年 7 月），頁 143。關於法人犯罪的處罰，在大陸法系國家多採代罰制，如 1979 年施行刑法第一百二十七條之規定；在英美法系國家則採純粹轉嫁制，只處罰法人組織本身。

⑱ 梁根林編譯，〈英美法人刑事責任理論簡介〉，《法律月刊》，中國人民大學書報資料中心刊行（1986 年 8 月），頁 63。

⑲ 陳長文主編，《中國大陸法規彙編（一）（二）（三）（四）（五）》（台北市：五南圖書出版公司，1996 年），序言部分。該彙編大分六編共收入一千七百二十一種法令，達二千七百條頁。案筆者查考

自海關法公佈迄今，陸續有六十多種單行法有單位犯罪之規定。

⑳　鄭昆山，〈論東歐民主化及其刑法改革——兼論我國及中共刑法改革展望〉，《東海社會科學報》12 期（1993 年 6 月），頁 551-568。

㉑　羅結珍譯，《法國刑法典》（北京：中國人民公安大學出版社，1995 年），頁 7.23-24。

參考書目

中文部分

王作富。《中國刑法研究》。北京：中國人民大學出版社。1986 年。

沈宗靈。《比較法總論》。北京：北京大學出版社。1978 年。

何秉松。〈關於法人犯罪的初步研究〉。《法律月刊》，中國人民大學書報資料中心刊
　　　行（1986 年 4 月），頁 112。

李維宗。《中共刑法總則之研究》。台北：政戰學校法研所碩士論文。1990 年。

李維宗。〈中共刑法本質及其基本原則之研究〉。《國防管理學院學報》16 卷 1 期（1995
　　　年 1 月），頁 69-85。

林山田。《刑法通論》。台北市：三民書局。1986 年。

林紀東。《行政法》。台北市：三民書局。1990 年。

高銘暄。《刑法總則要義》。天津：天津人民出版社。1986 年。

徐逸仁。〈中國刑法原則與普通法系、大陸法系之比較〉。《澳門政府雜誌》15 期（1992
　　　年 5 月），頁 225-235。

馬克昌、江任天。《刑法》。北京：法律出版社。1985 年。

馬漢寶。〈論中共的社會主義制〉。《東亞季刊》12 卷 1 期（1980 年 7 月），頁 17-18。

陳長文主編。《中國大陸法規彙編【五】》。台北市：五南圖書出版公司。1996 年。

陳健民。《大陸刑法之理論與實務》。台北市：自刊本。2003 年。

袁伯平。《中共民法通則法人之研究》。台北市：嵩山出版社。1990 年。

梁根林。〈英美法人刑事責任理論簡介〉。《法律月刊》，中國人民大學書報資料中心
　　　刊行（1986 年 8 月），頁 63。

黃友信。〈論中共刑法上之犯罪認定〉。《共黨問題研究》20 卷 4 期（1994 年 4 月），
　　　頁 31-41。

———。〈中共刑事立法之發展與刑法之頒行——兼論中共刑法之立法體例〉。《共黨
　　　問題研究》21 卷 1 期（1995 年 1 月），頁 28-50。

———。〈中共刑法上之罪刑法定原則與類推制度〉。《共黨問題研究》21 卷 6 期（1995

年 6 月），頁 23-38。

黃仲夫。《刑法精義》。台北市：三民書局。1996 年。

楊春洗、甘雨沛、楊敦先、楊殿升合著。《刑法總論》。北京：北京大學出版社。1990
年。

楊仁生。〈論中共刑法中的瀆職罪〉。《共黨問題研究》20 卷 11 期（1994 年 11 月），
頁 43-54。

褚劍鴻。〈中共刑法分則研究（上）〉。《法令月刊》42 卷 7 期（1991 年 7 月），頁
3-11。

———。〈中共刑法分則研究（下）〉。《法令月刊》42 卷 8 期（1991 年 8 月），頁
3-11。

趙秉志。〈中國刑法的最新改革〉。《中國研究雜誌》1998 年春季號（1998 年 3 月），
頁 16-22。

趙長青。〈社會主義市場經濟與刑法改革走向〉。載於《市場經濟與刑法》。北京：人
民法院出版社。1994 年。

蔡墩銘。《中國刑法精義》。台北市：漢林出版社。1980 年。

———。〈論中共刑法與刑事法令之關係〉。《國立台灣大學法學論叢》22 卷 1 期（1992
年 12 月），頁 149-166。

———。〈中共刑法分則上規範構造之分析〉。《國立台灣大學法學論叢》23 卷 1 期（1993
年 12 月），頁 87-98。

鄭昆山。〈論東歐民主化及其刑法改革——兼論我國及中共刑法改革展望〉。《東海社
會科學報》12 期（1993 年 6 月），頁 551-568。

韓忠謨。〈行政犯法律性質及其理論基礎〉。《國立台灣大學法學論叢》10 卷 1 期（1980
年 12 月），頁 67。

羅結珍譯。《法國刑法典》。北京：中國人民公家大學出版社。1995 年。

顧肖榮、林建華。〈社會主義初階段的法人犯罪及其防治對策〉。《中共社會科學月刊》
8 期（1988 年），頁 16。

外文部分

淺井敦。〈中國の刑事法特色問題〉。載於《中國の刑法と刑事訴訟法》。東京：東京
大學出版社。1982 年。

Chen, Phillip M. *Law and Justice -- The legal system in China, 2400B.C. to 1960A.D.* N.Y.: the

Dunellen Publishing Company, Inc, 1973.

Cohen, Jereme Alan. *The criminal process in the People's Republic of China, 1949-1963,* Massachusetts: Harvard University Press, 1968.

Hsia, Tao-tai & Zel & din,Wendy I. "Recent Legal Development in the People's Republic of China," *Harvard International Law Journal* 28:2 (spring, 1987), p.251.

Spindlge J.W. & H.J. Berman. *Soviet Criminal Law and Procedure.* Massachusetts: Harvard University Press, 1972.

河內越南國家圖書館介紹
A Brief Introduction of the
National Library of Vietnam

劉春銀
Ophelia Chun-yin Liu

摘　要

　　因執行「越南漢喃文獻目錄編譯計畫」，筆者於去（2003）年十二月上旬有機會參訪了位於越南河內的越南國家圖書館，特將參訪時攜回之簡介資料，併同於網路所查詢的資源而撰成此文。全文分為六部分，首先分別敘述國家圖書館的起源、定義、設立意義、功能與任務；其次簡述我們的國家圖書館；再次從組織結構、館藏資源、圖書館服務等面向，詳細介紹越南國家圖書館；最後為結語。

Abstract

The author had an opportunity to visit the National Library of Vietnam located in Hanoi in December 2003. The paper is written and divided into six parts according to the briefing of the Library (brochure) and the electronic resources from the world wide web. At first, the origin, definition, founding significance, missions of national library are described. Secondly, a very short introduction of the National Central Library is provided. Thirdly, the detailed description of the National Library of Vietnam is stated from various aspects of library, including its organization, collection, services, etc. The last is remarks and delivery of the congratulation to the Professor Cheng-ku Wang for his 80's birthday.

關鍵詞：國家圖書館；越南國家圖書館

Keywords: National Libraries; National Central Library; National Library of Vietnam

引　言

　　中央研究院中國文哲研究所自民國 89 年 10 月起執行「越南漢喃文獻目錄五年編譯計畫」的中程計畫，旨在以現代目錄體例，將原越法文版《越南漢喃遺產目錄》（1993年由越南漢喃研究院與法國遠東學院出版），及該套書之越文版補遺（2002 年由越南漢喃研究院出版）二套書重新編譯為漢文版，俾為國內外漢學界與亞太區域研究學界，提供域外漢籍與越南喃文古籍的藏書目錄，並建置成「越南漢喃文獻目錄資料庫系統」，希冀提供較為便捷的網際網路資料庫檢索服務。本人因執行此項計畫，自民國 91 年 8 月迄今，曾前往越南河內洽公、學術單位參訪及進行田野調查工作，共計三次。

　　去（92）年 12 月上旬，有幸在越南學者與友人的安排下，參訪了位於河內市的越南國家圖書館，現依據所攜回的英文簡介及查找所得的網路資源，撰寫此文，旨在為臺灣圖書館同道揭開該館的神秘面紗，並作為振鵠吾師八十壽慶之賀禮。因為老師榮任國家圖書館館長及兼任漢學研究中心主任，向來極為關切存藏於日本、韓國、美國及歐洲等地之域外漢籍文獻目錄，而典藏於越南與法國的域外漢喃籍目錄，則因越法文囿限而學界難以使用。本所有鑑於此，特責成晚生著手規劃一項五年中程計畫，逐年完成漢文版的漢喃古籍文獻目錄，方便漢學界使用。晚生因計畫而參訪了越南的國家圖書館，擬以短文作一紹介。全文自國家圖書館起源談起，接著引述國家圖書館的設立、意義、功能與任務，再次分為幾方面敘述越南的國家圖書館，最後為結語。

一、國家圖書館的起源

　　國家圖書館的設立歷史已二百多年，我們可由以下幾點說明，回顧國家圖書館的肇始，並得知其肩負任務的演進：

　　1.國家圖書館的起源可追溯至 1789 年，當年法國國家議會（French National Convention）將原屬於該國國王的皇家圖書館改名為「國家圖書館」，並授權該館有權

蒐集全國的所有印刷出版品。在 19 世紀間,各國已設立了二十餘個國家圖書館。①

2.法國於 1537 年 12 月 28 日通過 Ordonnance de Montpellier 規定,當時的皇家圖書館依法接受呈繳本(即指國內出版品寄存制度)。現今約有八十餘國的國家圖書館,依法蒐藏寄存本,以典藏國家文獻。

3.根據 *UNESCO Statistical Yearbook 1999*(2003 年 7 月出版)一書之統計資料,全球計有 157 所國家(立)圖書館(其中埃及高達 55 所)及 559 所分館(含多明尼加兼具公共圖書館功能之 153 所國立圖書館)。②

4.各國國家圖書館的藏書量,則因各國之設立歷史、規模與年代久遠而迥異,據上述統計資料可以窺之,從數千冊至數千萬冊不等。其中藏量最多者為蘇俄的國立列寧國家圖書館。但實際應為美國國會圖書館,因其藏量以逾一億冊(件)。③

5.目前全球的國家圖書館經營,以美國國會圖書館、大英圖書館、法國國家圖書館、日本國立國會圖書館、韓國中央國立圖書館、蘇格蘭國立圖書館、威爾斯國立圖書館、美國國立農業圖書館、美國國立醫學圖書館、北京圖書館等較具規模。

二、國家圖書館的定義及其設立的意義

1.依聯合國教科文組織(UNESCO)採用之 ISO 圖書館統計(Library Statistics)標準之定義,「國家圖書館是指負責蒐集與保存本國所有重要出版品,並肩負國家總書庫(National Collection)的功能」。此即,國家圖書館肩負典藏國家文獻的人類文化傳承任務。

2.依國際圖書館協會聯盟(International Federation of Libraries Associations and Institutions, IFLA)於 1973 年大會之共識,國家圖書館為了後世子孫的利益,有責任蒐集並保存整個國家的圖書出版品(The national library of a country is the one responsibility for collecting and conserving the whole of the country's book production for the benefit of future generation),由此一說,我們可以深切知悉各國國家圖書館的設立意義。④

三、國家圖書館的任務與功能

依據胡述兆教授發表於《國立中央圖書館館訊》大作所整理的 IFLA 1973 年大會資料,國家圖書館的功能與任務,共計十四項。但晚生於民國 82 年,為祝賀國立中央圖書館六十週年慶撰寫之〈各國國家(立)圖書館巡禮〉一文時發現,根據問卷表與各國回答問卷表所附寄的書面資料顯示,各國國家圖書館的任務與功能,會因時代變遷而略作

調整，而且因經營規模大小不一，所肩負的任務與功能不盡皆具。⑤茲將十四項錄於下，以供參考。⑥

1.蒐集和保存國家文獻（Collecting & preserving the Nation's literature）。（即典藏國家文獻）

2.蒐集國外研究與教學資料（Collecting foreign literature for research & teaching）。（即蒐藏國外重要文獻）

3.維護特殊形式的資料，如地圖、音樂、圖片、電影片等（Caring for special forms of records such as maps, music, pictures, films and so on）。（即典藏其他媒體形式資料）

4.保存維護對國家遺產有重要價值的手稿與珍善本（Maintaining a collection of manuscript and rare book bearing on the nation's heritage）。

5.編製適切的書目資料（Preparing appropriate bibliographic information）。

6.編製全國文獻索引及出版國家書目（Indexing the national literature and publishing a national bibliography）。

7.分送編目卡片（Distributing catalogue cards）。

8.維護全國集中式目錄（Keeping a national central catalogue）。

9.掌理全國借閱服務（Controlling the nation's lending service）。

10.參與國際出版品交換（Participating in the international exchange of publications）。

11.對國內其他圖書館提供諮詢服務（Providing advisory service to other libraries）。

12.訓練全國圖書館員（Training the nation's librarians）。

13.協調全國性採訪政策、文獻處理計畫與自動化作業（Coordinating acquisition policy, documentation project and automation at the national level）。

14.推動超區域性的國際合作（Fostering international cooperation at the supraregional level）。

四、我們的國家圖書館

謹簡述其沿革與任務，詳細請參考該館之簡介與網頁，本文不再贅述。

1.民國 22 年設立於南京，民國 43 年在臺復館，於 75 年 9 月遷入新館，77 年 9 月附設資訊圖書館成立於科技大樓，85 年依組織條例改稱為國家圖書館。分館一所（國立中央圖書館臺灣分館）。

2.依據民國 85 年 1 月 31 日公佈之國家圖書館組織條例第一條條文「國家圖隸屬於

教育部，掌理關於圖書資料之蒐集、編藏、考訂、參考、閱覽、出版品國際交換及全國圖書館事業之研究發展及輔導等事宜」。

3. 對一般民眾、圖書館界、學術界、出版界及政府機關提供服務，並兼辦漢學研究中心業務。

4. 主要任務：編製書目索引、提供參考閱覽與資訊服務、辦理出版品國際交換、加強與國內外圖書館的交流與合作、研究與輔導圖書館事業的發展。

五、河內越南圖書館（The National Library of Vietnam, NLV）介紹

分為幾項敘述之，有興趣者可至以下網址（http://www.nlv.gov.vn/english/default.htm）遨遊及巡禮一番，相信會有不同的收穫與感受。[7]

(一)簡史（History in Brief）

1. 1917 年由法屬印度支那總督署簽署法令後成立，當時稱之為 The Central Library of Indochina，並於 1917 年 9 月 1 日正式對外開放服務。

2. 1935 年以當時法國總督 Pierre Pasquier 之名，重新命名。

3. 1945 年 10 月 20 日越南民主共和國臨時政府將該館更名為國家圖書館。

4. 1954 年 10 月北越解放以來，該館仍為越南國家圖書館（The National Library of Vietnam, NLV）。

5. 該館之法律位階等同於「文化與資訊部」（The Ministry of Culture and Information）。

6. 該館館舍主體為二棟全新的建築，於 1996 年開始興建，2001 年落成啟用。全部圖書館建築面積為 12,500 平方公尺，新建館舍為一融合古典與現代建築風格的建築。

(二)功能與任務（Function and Tasks）

越南圖書館肩負以下任務：

1. 法定蒐集與典藏越文之國內出版品、博士論文與專利資料，與越南有關之國外出版品，國外越南人之著作，著名作家手稿；以及蒐藏國外的重要文獻。

2. 編製國家書目及其他目錄。

3. 對全國圖書館提供專業輔導與技術支援。

4. 辦理出版品與目錄的國際交換工作，推行全國圖書館與資訊中心之國內外館際互借服務。

5. 提供圖書館事業發展資訊，以及進行圖書館學與目錄學研究。

6. 在文化與資訊部督導下，建置與管理全國公共圖書館之區域網路（LAN）與廣域

網路（WAN）系統。

　㈢館藏資源（Collection and Resources）

　　1.館藏統計（截至 2003 年）：

　　⑴圖書：1,300,000 冊。

　　⑵漢喃典籍：2,700 冊。

　　⑶博士論文：9,000 種。

　　⑷期刊：8,898 種（其中越文 1,417 種、英文 2,143 種、法文 976 種、俄文 785 種
　　　　及其他語文 790 種）。

　　2.該館為法定寄存圖書館，因此擁有法屬時期（1922-1945）與獨立建國（1945 年迄
今）以來的圖書、期刊與報紙等之典藏量甚為豐富。

　　3.資料庫建置：分為以下四個系統

　　⑴ SACH（圖書）：174,000 筆紀錄。

　　⑵ JM（期刊）：6,093 筆紀錄。（尚有 500 種中文期刊與報紙未建檔）

　　⑶ NCUU（法屬印度支那時期的報紙與期刊）：1,712 筆紀錄。

　　⑷ LA（學位論文）：9,372 筆紀錄。

　　4.微縮報刊資料：

　　⑴ 35 mm 負片 1,812 捲

　　⑵ 35 mm 正片 2,895 捲（600 種報刊，其中 278 種可借閱？）

　　⑶ 1954 年以前之法屬時期一萬種期刊現正微縮攝製中。

　㈣國際合作

　　1.與全球 32 個國家，122 個圖書館建立國際書刊交換關係。

　　2.為東南亞國家圖書館組織（National Libraries Group -- Southeast Asia, NLG-SEA），
亞洲與大洋洲國家圖書館館長會議（Conference of Directors of National Libraries in Asia
and Ocean, CDNLAO），東南亞圖書館長會議（Congress of Southeast Asia Librarians,
CONSAL）及國際圖書館協會聯盟（International Federation of Library Associations　and
Institutions, IFLA）等會員。

　㈤組織結構（Organizational Structure）

　　該館全館人員為 127 人，其中館員 80 人。內部行政組織分為理事（設有科學顧問諮
詢會）、行政處、國際關係處、參考服務處、期刊閱覽室、圖書閱覽室、研究與專業輔
導處、典藏管理處、自動化作業處、編目處、採訪與國際圖書館交換處、法定寄存處等

十四個部門，以下分項說明之：

　1.理事會：由館長及二位副館長組成。

　2.法定寄存處：

　　⑴依出版法規定蒐集全國出版品，以落實保存與發展全國文獻之政策；

　　⑵編製每月與年度國家書目。

　　⑶依法寄存徵得之出版品登錄及其處理事宜。

　3.採訪與國際圖書交換處：

　　⑴落實館藏資源發展政策，選擇與徵集不同形式的國內外圖書資料；

　　⑵與世界各國圖書館進行出版品國際交換工作。

　4.編目處：

　　⑴處理外文與越文出版品；

　　⑵書目資料庫建立與維護；

　　⑶研擬與編訂分類表、編目規則，以供越南全國公共圖書館系統使用。

　5.期刊閱覽室：

　　⑴處理連續性出版品（含報紙、期刊與雜誌）；

　　⑵提供資訊檢索服務（含線上查詢與開放閱覽服務）。（現刊開架服務）

　6.圖書閱覽室：

　　⑴提供圖書之在館閱覽服務（學位論文以影印本供眾查閱）；

　　⑵辦理書報宣傳活動（包括書展、講演等）；

　　⑶讀者需求研究；

　　⑷核發閱覽證（平均每年製發 8,000 枚閱覽證）。

　7.自動化作業處：

　　⑴研擬圖書館自動化作業系統；

　　⑵國家圖書館網路建置，以及全國公共圖書館網路系統建置；

　　⑶區域網路與廣域網路之營運與管理；

　　⑷資料庫品管與維護；

　　⑸提供廣域網路服務（包括電子郵件、檔案傳輸，及線上查詢）。

　8.參考服務處：

　　⑴規劃與推動圖書館之資訊與參考活動，提供選題性資訊服務，以及改進資訊參
　　　考系統；

　　(2)編製專題目錄；

　　(3)讀者利用指導。

9.典藏管理處：

　　(1)館藏發展政策訂定與典藏空間管理；

　　(2)館藏資源保存與維護；

　　(3)防止館藏損毀之方法研究；

　　(4)善本古籍之微縮攝製。

10.（圖書館）研究與專業輔導處：

　　(1)進行圖書館學理論之協調與研究；

　　(2)執行研究計畫及已委託科研計畫之推動；

　　(3)會同其他部門研訂訓練計畫及編製專業文獻；

　　(4)在「文化與資訊部」及其他部會指導下，進行公共圖書館調查，對越南公共圖
　　　　書館系統提供專業輔導，並舉辦全國圖書館事業會議。

　　(5)編印圖書館刊物。

11.國際關係處：

　　(1)越南國家圖書館與海外圖書館之國際關係建立與發展；

　　(2)會同其他業務部門辦理資料交換工作；

　　(3)研訂與國內外圖書館之短程與長程合作計畫。

12.行政處：

　　(1)理事會之協助事宜；

　　(2)國家圖書館月報、季報與年報繕製；

　　(3)圖書館短程與長程計畫推動；

　　(4)規劃與執行圖書館人力、財務資源，以及專業人員事宜。

六、結語

　　目前本所尚在繼續執行「越南漢喃文獻目錄五年編譯計畫」中程計畫的第二階段工作，共計二年（民國 92 年至 93 年）。第二階段之研究計畫經費係由本院亞太區域研究專題中心之研究計畫經費支應，預計於今年底前可出版《越南漢喃文獻目錄提要補遺》套書，以及經由已建置完成的專屬網頁，開放增收錄越南地方文獻目錄後之 Web 版資料庫系統檢索服務，冀望漢學研究與亞太研究學界，經由此項參考工具或網路檢索系統，

可以一窺越南漢喃研究院圖書館所存藏漢喃文古籍與文獻的全貌,而學者則可以經由本
所建置的資料庫系統查找到原典,並且深入探究漢文化長久以來在越南的傳播與影響。

　　本人因執行此項計畫,許久以來,幾乎無暇可閱讀及撰寫圖書資訊本業的論文,勉
強謹以此短文湊數賀壽,敬祈方家見諒與不吝指正。振鵠吾師榮任國家圖書館館長達十
三年之久,他在去(92)年 2 月中旬看到本所於民國 91 年 12 月所出版的《越南漢喃古
籍文獻目錄提要》套書後,隨即為晚生飛來鼓勵與讚賞的大鴻,讓我在瞬間紓解了藏於
心中近三年的編輯壓力與不安。此一目錄係依經史子集四部分類而重編的漢文版,它促
使典藏於越南漢喃研究院的域外漢籍,終於以嶄新面貌的漢文版供學界使用。為感念老
師對國家圖書館的經營與管理的卓越貢獻,以及深切關注域外漢籍目錄的編製,而勉力
完成此一短文。此文,同時也填補了晚生於當年為慶賀國立中央圖書館六十週年館慶未
克蒐得及撰寫完成第三十所國家圖書館巡禮的小小心願。

註釋

① 　胡述兆講:〈易克明記錄〉(民 78 年 8 月)。《淺談國家圖書館的功能(上)》。國立中央圖書館館
　　訊,11:3(=42),20。

② 　取材自 *Unesco Statistical Yearbook 1999* (July, 2003) 網路資源之統計表,由 http://www.uis.unesco.org/
　　TEMPLATE/html/Exceltables/culture/LibaraiesTertiary.xls (Table IV)網址查得。

③ 　同註②。

④ 　同註①,21。

⑤ 　劉春銀。(民 82 年 4 月)。各國國家(立)圖書館巡禮。國立中央圖書館館刊,26:1,64。

⑥ 　同註①,20-21。

⑦ 　依該館之書面英文簡介摺頁、網路資源(http://www.nlv.gov.cn/english/default.htm)整理及翻譯而成。

建置國家資訊政策的幾點思考
Considerations in Establishing a Framework
for National Information Policy

林呈潢
Cheng-huang Lin

摘　要

「資訊政策」一詞包括各種不同的內涵，惟一相同的是各種不同的資訊政策都與我們的日常生活息息相關，也都深深影響整體社會、國家的發展。同樣的，國家資訊政策通常反應出各種不同利益關係人（團體）複雜的角色和行為或政治折衝的結果。本文從傳播方式的改變、整體法規環境、普及服務、電子商務、電子化政府、國內外政策環境，思考如何建置國家資訊政策。

Abstract

The term of information policy has a variety of connotation. All of them, however, have one thing in common-they deal with the policies which govern the way of information affects our society in the aspect of daily life.[1] There are many, intricate aspects of national information policy, including the role and activities of various stakeholders or actors in the political process. This article intends to discuss some important considerations in establishing a national information policy from the changing ways of communication, comprehensive legal environment, universal service, electronic-commerce, E-government, and the domestic and foreign environment of information policy.

關鍵詞：國家資訊政策；資訊基礎建設；資訊高速公路；國家資訊基礎建設；行政院國家資訊通信發展推動小組；普及服務原則；虛擬機關

Keywords: National Information Policy; Information Infrastructure; Information Superhighway / Information Highway; National Information Infrastructure, NII; National Information and Communication Initiative Committee, NICI; Universal Service; Virtual Agencies

一、緒論

1993 年 9 月，美國政府宣示「國家資訊基礎建設行動綱領」（The National Information Infrastructure: Agenda for Action）後，資訊基礎建設（Information Infrastructure）立刻成為各先進國家在資訊科技建設上的首要之務。「資訊高速公路」（Information Superhighway/ Information Highway）也成為全球最熱門的話題之一。世界各先進國家無不群起效尤，積極打造各自的「國家資訊基礎建設（National Information Infrastructure，簡稱 NII）」；我國政府有感於 NII 的重要性，於 1994 年 8 月在行政院下成立「國家資訊通信基本建設專案推動小組」（簡稱 NII 小組），全力推動此一受國際矚目、與人民生活息息相關的全方位國家建設；2001 年 4 月行政院並進一步將 NII 小組和原行政院下的「資訊發展推動小組」、「產業自動化及電子化推動小組」整併為「行政院國家資訊通信發展推動小組（National Information and Communication Initiative Committee，簡稱 NICI 小組）」，希望藉資訊科技加強整體國家競爭優勢，以提昇國家整體競爭力。[2]

科技的發展，快速推動著人類社會的資訊化，確實給人類帶來無數的方便與美好的憧憬；然而，隨著資訊科技的發展，傳統的資訊環境問題，如資訊資源分布不均、資訊流通不暢等變得更加嚴重，這些問題都不是單純的科技問題，而是應用資訊科技於社會時，與人文和社會現況互動所產生的結果。此等因資訊科技所帶來的社會問題，從國家的角度觀察，必須有一周全的政策引導國家資訊資源有效使用，以及保證社會資訊系統內部的有效運作，並與系統外諸因素協調發展，同時亦可引導資訊的普及使用、提昇全民的資訊素養、建立國民的網路倫理；否則，資訊科技所帶來的將不會是光彩炫耀的美

景，而是足以破壞社會安定、影響社會秩序的厄夢；NII 所建構的資訊社會產生之貧富不均問題，將不亞於 18 世紀工業革命所製造的社會貧富差距問題。③

從科技進步的軌跡觀察，國際社會近年來的 NII 建設亦可謂「水到渠成」，許多電腦與通訊技術的發展正達到一定程度的成熟。網際網路走向商業化也是遲早的事，NII 計劃對技術發展的貢獻也許不大，卻是整個國家體制與文化反省的契機。因為人類的生活型態與社會文化，已經因資訊化與網路化而處於結構性的重組過程，國家體制與法制結構必須有相對應政策妥善因應，否則其後果恐不堪設想。因此，世界各國在規劃 NII 建設同時，無不從經濟、法制、政治、甚至國際資訊交流的檢討做為工作項目。因應國際趨勢，1994 年我國 NII 小組也特別設置資源規劃組，負責「研（修）訂相關法令規章及標準（含費率）」。資策會市場情報中心即在資源規劃組的委託下進行 NII 相關法律規劃的研究。④

目前我國社會、產業、政府正值轉型邁向數位經濟之際，民國 90 年政府提出「數位台灣（e-Taiwan）計畫」，並於民國 91 年 6 月納入行政院「挑戰 2008：六年國家發展重點計畫」⑤，希望藉由國家資訊基礎建設，厚實國力、掌握國際經濟發展趨勢，做為未來我國推動國家資訊政策與網際網路應用之方向。因此，在建立「數位台灣計畫」，以建構寬頻、高速及多元化的電信網路，創造 e 化的生活、商務、政府與交通等環境的同時，擬定公共資訊政策，針對未來科技發展趨勢以規劃政府政策目標、建構整體國家資訊發展政策，便成為推動國家邁向資訊社會的迫切任務。⑥本文從資訊傳播、法規環境、普及服務、電子商務、電子化政府以及國內外政策環境等面向，探討建置完整國家資訊政策的必要性。

二、傳播方式的改變

如果說土地革命（Agrarian Revolution）和產業革命（The Industrial Revolution）是人類二個重要的紀元，資訊革命可以說是人類的第三個偉大紀元。⑦當然，每一個人類的新里程碑，都存在其代表技術。以人類歷史的的第一個新紀元而言，當人類開始從游牧、狩獵的聚落社會到稍具穩定的農耕社會，土地革命即已開始，此一時期的代表技術是犁（plough）的發明，但是，有人認為車（Wheel）的發明是更重要的發展，誠如我們所見，車實際上是交通工具，是人類間傳播與溝通的工具，縮短了人與人間的距離。第二個紀元是產業革命，當人類開始將自然資源轉化為商品，同時開始從事科學和工程的研究與發展，便開始步入第二個人類的新紀元，一般認為蒸汽機的發明是這個時期的代表產品，

蒸汽機促進了工廠的興起以及產品的大量生產。但是，火車和運河在這個階段所代表的意義不亞於蒸汽機的應用，火車的運行和馬車一樣，也是人與人間傳播與溝通的工具；第三個人類紀元是資訊革命，資訊革命築基於知識和智慧的工作方式及產品，第三波革命的代表性技術是電腦，但同樣的，通信的基礎建設——網路，在人類邁入所謂資訊社會中，所扮演的重要角色也是無庸置疑。

王明禮在《資訊高速公路的衝擊》論文中，強調網際網路對個人明顯可見的影響，在於人與人間溝通方式的改變[8]，電子通信技術的發明，改變人類只能利用文字從事無法面對面溝通的傳播方式，特別是電話，延長了人類語言溝通的有效距離。網際網路世界中，最廣泛使用的應用是電子郵件，藉由融合文字與語言兩種傳播方式的長處，電子郵件透露出傳統郵遞所無法企及的魅力。電子郵件雖以文字為主要傳播工具，但其文法卻比較接近口語，其互動性雖不及即時的對談，卻遠勝傳統的信件往來。有經驗的網路族都知道，使用電子郵遞不必太講究修詞用語，錯別字也不太忌諱，塑造出不同於傳統信件的電子郵件文化[9]，影響所及的不止是人與人之間的溝通，對人類社會文化也逐漸產生影響和改變。

三、整體資訊法規環境的建置

1998 年 11 月 23 日，美國維吉尼亞州羅登郡公共圖書館（Loudom County Public Library, Virginia）因過濾上網資訊，被控侵害言論自由，地方法院宣判圖書館敗訴，理由是圖書館過濾上網資訊，侵害了「美國憲法第一修正案」（The First Amendment to the US Constitution）對言論自由的保障，關於「公共圖書館上網電腦裝設過慮軟體之合憲性」引發全美廣泛討論。[10]圖書館服務所產生的資訊倫理問題，只是資訊倫理問題的一小部份，從資訊循環週期的角度觀察，不論是資訊生產者、資訊傳播、儲存者與資訊的利用者都會觸及智慧財產權、資訊公開、資訊完整性、電腦病毒、資訊犯罪、個人隱私、國家安全等資訊倫理的問題，尤其當政府積極推動網際網路到中小學之際，增加資訊倫理的認知能力、資訊倫理問題的判斷、分析能力，可以解決資訊倫理的困境。

2003 年 12 月底，我國網際網路用戶數達 883 萬人，網際網路普及率為 39%。網際網路市場開始進入高速寬頻時代，各項應用內容服務將更為熱絡。[11]但是，網路使用者可能發現正面臨與現實生活中不同的規範。網路上的一切似乎都不能以正常的標準來衡量：部分使用者仗著網路的匿名性，勇於以身試「法」；一般人雖然想要利用電子商務從事交易，但是網路消費受騙的個案層出不窮。這代表的是網路相關法律和使用者法律

素養之欠缺,故相關政策之訂定及資訊素養教育,仍有待大力持續積極推動和加強。資訊社會對人類生活與思考產生整體性的影響;對個人而言,將導致生活和工作方式的改變;對機構而言,意味著組織和經營管理方式的改變;對社會而言,社會形態和依存關係將會改變。換言之,網路縮短人與人間的距離,網路營造一個全新的社會,傳統社會的結構可能因而重組,民眾因著資訊素養的能力有不同的社會地位;資訊科技發展擴大了倫理的範圍,產生新的倫理與道德問題,創造新的價值觀並改變道德規範的決定方式[12],而使用資訊的秩序混亂和電腦犯罪的猖獗,更促使資訊倫理受到重視[13]。因此,在建設國家資訊政策的同時,資訊倫理的相關議題,如資訊隱私權、資訊的正確性、資訊產權、資訊使用權,甚至資訊倫理的教育問題都是重要的議題。

　　政府大力推動 NII 建設以來,對網路硬體建設、資訊相關法規的制定與修改,網路安全環境的規劃,甚至資訊內容的擴充,無不全力以赴;以健全法規制度而言,是我國政府在推動 NII 的重要策略之一,歷年來已針對《刑法》等廿二項法律及十一項行政法規命令予以修正或制訂。其中《刑法》、《有線廣播電視法》、《電腦處理個人資料保護法》已修法完成並公布實施,為加入 WTO 立法院在 2001 年 10 月 31 日修法完成《電子簽章法》、《光碟管理法》等和資訊政策相關法案、2002 年 7 月 10 日通過《電信法》;《政府資訊公開法》、已送立法院審議中。另外,在「電信自由化」的推動工作方面,已完成開放我國固定通信網路業務。我國電信服務市場已全面開放競爭,透過自由競爭的機制確保消費者權益,提昇通信服務品質,促進產業發展。這些法律與規章制度對整體國家資訊服務的推動是否能產生相乘的效果?亦或互相矛盾、衝突?端賴在資訊政策的制定過程能否全方位思考影響資訊政策的各種因素,換言之,唯有利用完整的國家資訊政策模式,才能針對社會需求建置全方位的國家資訊政策。

四、普及服務原則（Universal Service）的落實

　　普及服務是國家資訊基礎建設的基本精神,普及服務可以從眾多不同領域探討,台灣地區國民教育的普及率是政府引以自豪的政績,在電信領域,普及服務一般所指為電報及電話的普及率,然而,隨著電腦加入通信的行列,電信網路提供給客戶的服務不再侷限於語音電話,電信網路所提供的服務已然成為資訊服務的主要供應者。[14]

　　資訊時代,國家的經濟力既是取決於資訊,則資訊的取得就格外重要,社會上因財富、權力、聲望等不平等,使擁有社會優勢地位的族群能夠憑藉既有的優勢取用先進的資訊與資訊設備,繼而擴充自己的利益與財富;相反的,社會弱勢團體卻由於本身條件

的不足，造成兩者在資訊取用上兩極化的情況，資訊落差於焉產生。一旦資訊落差情況產生，將會導致社會資源分配不均以及社會不平等的惡化，原本社會不平等所導致的資訊落差，將更為加遽。因此，強調知識至上的資訊時代，不僅無助於消弭社會上的不平等，反而挾藉著資訊科技的威力，擴大既有的不平等。所以，在人類的三個紀元，不論每一個時代的代表技術為何，重要的是資訊做為人類溝通的工具。而網際網路則是人類溝通的基礎建設，目的在建立人與人之間快速的溝通管道。隨著社會數位化、資訊化的程度日益增加，資訊科技的發展已經改變人類既有的生活模式，一旦社會全面資訊化，人類對於資訊仰賴的程度將更為提升，屆時資訊取用不平等所衍生的社會問題將成為社會動盪的根源。資訊差距議題亦屬於公共政策的範疇，是在資訊社會下所衍生出來的社會問題，政府有必要在兼顧公平、正義的原則下，制訂相關資訊政策予以因應。[15]

五、電子商務的蔚然成形

電子商務是資訊國力的策略構面之一，隨著經濟和科技的迅速發展，資訊技術日新月異，資訊產業已然成為國民經濟重要的基礎建設和支柱產業，其發展水準成為國際上衡量一個國家現代化和綜合國力的重要指標。[16]經濟全球化和社會資訊化的趨勢日見明顯，特別是隨著資訊基礎建設在全球興起，進一步帶動資訊產業的發展，資訊化已成為經濟全球化的迫切需要和必要的保證。換言之，一個國家的資訊基礎建設影響其網路和通信技術的應用普及率，而網路和通信的應用普及率愈高，其經濟成長潛力也愈高；反之，若一國在資訊基礎建設不足或長期缺乏明確推動政策以引導網路在當地政府施政、企業營運乃至民眾生活的全面應用，將與具備資訊基礎建設和網路普及應用程度高的國家形成明顯的數位落差，而頓失經濟成長的動力。

當然，資訊技術和資訊社會所帶給一個國家的，絕不僅止於經濟的發展與生活水準的提高，同時也帶來法律以及社會的新問題、新困擾，諸如，網際網路上國家主權的定位、資訊安全的保障、網路環境下的著作權保護、網路言論的法律責任、電子商務的立法、網路犯罪的界定和制裁等，此類問題不勝枚舉；1940 年代美國廣建資訊高速公路，奠定美國為工業強國的基礎[17]，1993 年美國政府提出國家資訊基礎建設（NII）的國家資訊政策，推動企業及政府加速應用資訊技術，帶動資訊科技研發與應用，以確保該國能在下一世紀維持強大的競爭力。我國於 1994 年 8 月在行政院成立跨部會的推動小組主司推動國家資訊基礎建設，同時遴聘產業界領導人士及學者專家組成「民間諮詢委員會」參與規劃，確立由民間主導和參與，結合民間力量來共同推動的原則。過去數年間，我

國的 NII 建設已有具體進展，政府提出的資訊高速公路應用雛形已在網際網路上逐漸成型，2001 年，政府開始推動「數位台灣計畫」，以建構寬頻、高速及多元化的電信網路，創造 e 化的生活、商務、政府與交通等環境做為建構整體國家資訊發展政策，這些陸續推出的經濟建設，都必須有明確、穩固的資訊政策為後盾，方不致於前後重覆，遭致一事無成。

國家經濟發達的條件除商務活動的方便與順暢外，經濟活動尚包括資源開發、利用與分配，因此，所謂資訊政策的體系應由各個不同分支政策所構成，如資訊產業政策、資訊技術政策、資訊市場政策、資訊投資政策、資訊人才政策以及國際資訊交流政策等。各子政策本身所涉及的除相關資訊法規外，並受到社會、文化、政府行政、政治、經濟等因素之影響，因此，國家資訊政策的全方位思考就有其絕對的必要性。

六、電子化政府的推動

電子化政府最重要的內涵及精髓在建構「虛擬機關」（Virtual Agencies），即政府利用資訊和通信科技，形成網網相連，並且透過各式各樣的服務設施，如自動電話語音、提款機、網際網路、公用資訊站等，提供各界不受時間、地點限制，主動完整的整體服務概念，其目標有：[18]

(一)建立暢通及安全可信賴的資訊環境

(二)政府機關和公務人員全面上網。

(三)政府機關全面實施公文電子交換。

(四) 1500 項政府申辦服務上網。

(五)跨機關整合服務，免除書證謄本。

行政院研究發展考核委員會（以下簡稱研考會）並從健全「基礎環境建設」，加強「資訊應用發展」，普及「資訊流通共享」，推廣「上網應用服務」等四個層面推動各項「電子化政府」具體措施。政府政策有延續性與整體性的特性，資訊基礎建設是推動電子化政府的必要措施，政府資訊電子化程度更是國際間衡量一國資訊國力的重要因素。電子化政府內涵的深度與廣度是決定計畫是否能持久的重要關鍵所在，隨著政府資訊的電子化程度，資訊在社會所扮演的權力角色是否會加速擴大資訊貧富間的落差、改變社會的平衡就需要有一個完整性為目標的國家資訊政策。

2002 年 12 月 17 日，美國總統 George W. Bush, Jr.簽署《2002 年電子化政府法案（e-Government Act of 2002）》，宣布美國將成立電子化政府基金，四年內將花費 3 億

4,500 萬美元的預算，以提供更完善的電子化政府服務。[19]

我國研考會從 1997 年全面推動「電子化/網路化政府中程推動計畫（1998 年至 2000 年）」，並於 2001 年 4 月，繼續推動「電子化政府推動方案（2001 年至 2004 年）」，積極推動電子化政府服務。2002 年 5 月行政院的「挑戰 2008：國家發展重點計畫」中正式將電子化政府納入國家發展重點計畫，未來如何經由網路落實單一窗口的共同平台，普及提供整合政府資訊服務，縮短資訊貧富之間的落差，將成為電子化政府的重要指標。

七、國內外政策環境的整體思考

美國憲法第一修正案陳述「國會不能立法限制言論及出版自由」，是美國立國的精神，也是民主政治的基礎[20]，在言論及出版自由的保護下，提供美國人民資訊自由流通的保證，也成為美國國家資訊政策的基磐。在憲法第一修正案的精神下，美國資訊產業一向採用自由競爭的傳統，不論是政府的資訊系統，大學、研究機構或企業的資訊機構，大都採取自行發展資訊系統的模式；但此種方式因國際政治、經濟和技術的發展，以及美國在國際優勢地位日漸受到威脅而有所改變。1957 年 10 月 4 日，前蘇聯第一顆人造衛星發射成功，促使美國政府進行一系列關於資訊政策的研究，並採取各種行政或法律的措施促進國家資訊的發展，此即美國資訊政策的發端。1958 年，美國制定了《國防教育法（The National Defense Education Act of 1958）》，首次提出探討資訊服務和技術開發的計劃。根據該法，國家科學基金會（National Science Foundation，簡稱 NSF）建立了「科學資訊服務處（Office of Scientific Information Service，簡稱 OSIS）」，主要提供或安排索引、摘要、翻譯和其他資訊服務，以利科學資訊的傳播及科學技術研究的推動。[21]同年，著名的「貝克報告（Baker Report）」更進一步強化美國科學資訊服務的功能，該報告主張聯邦政府應經援大型集中式的科學資訊服務機構，以協調和發展既有的資訊服務系統，並認為美國社會的進步有賴科學資訊的自由流通，美國政府必須在現有的資訊機構和資訊計劃的基礎上，將政府和非政府的資訊機構合併成統一的資訊網路，由聯邦政府支持、協調現有的資訊服務計劃與系統提供科學資訊服務。[22]

上述美國第一部專門的資訊政策報告，奠定美國資訊產業在國際領先的基礎。此後，在美國政府的支持下，完成一系列資訊政策研究報告，包括 1963 年的《溫伯格報告（Weinberg Report)》[23]，1969 年的《科技交流委員會（Committee on Scientific and Technical Communication，簡稱 SATCOM）報告》[24]，1976 年的《洛克菲勒報告（Rockefeller Report）》[25]等。其中《洛克菲勒報告》建議改善美國科技資訊傳輸的效率，直接為制訂美國國家資

訊政策提供背景和建議。[26] 1982 年，V. Rosenberg 發表《國家資訊政策（National Information Policies）》一文，評述國際上的資訊政策，強調資訊保密對國家安全和經濟利益的重要性。[27] 1990 年 6 月「美國圖書館暨資訊科學委員會（National Commission on Libraries and Information Science，簡稱 NCLIS）」制定一套政府資訊建立、使用及傳播的原則指南，主張民眾對公共資訊享有最大可能的利用權。[28]

美國政府對資訊政策的各項研究，顯示美國的國家資訊政策分散在各個相關資訊領域，制定資訊政策的目的是希望建構能提供全民資訊服務的資訊高速公路、公平存取資訊的網路環境、容納各種資訊技術的透通性（Interoperability）資訊環境、保護全體國民安全與隱私的資訊法規環境、促進社會民主的政府資訊公開環境、提昇國民資訊素養的資訊教育環境並具有各種完善資訊服務的研究環境。總之，美國國家資訊政策的相關研究報告或文獻，大都以資訊問題為導向，透過問題的探討，引導政府及人民對資訊政策的重視。歐洲國家的資訊政策大體和美國國家的資訊政策類同，論及國家資訊政策的文獻大都涵蓋電腦、通訊網路、電腦儲存、電子傳播媒體、圖書館政策、出版政策、和資訊公開政策等。[29] 這些資訊政策或資訊問題的探討，看似各自獨立，實則形成一整體的國家資訊政策。更重要的是資訊服務的概念均存在於各類資訊政策問題之中，亦即任何國家的資訊政策均需建立在國家的資訊服務政策之上，缺乏有效的資訊服務，國家資訊政策將成為空談。當然，所謂國家資訊服務政策不等同於國家的圖書館資訊服務政策，雖然圖書館資訊服務是國家資訊服務的主要部份，但前者尚包括各種公私資訊產業所提供的資訊服務。同時，在 NII 的架構下，地球村的雛形隱然若現，任何國家資訊政策的建置將無法自絕於國際環境之外；因此，國家資訊政策的研究必需及於國際資訊政策的範疇。

我國的政治、經濟以及社會環境有異於美國，於國家資訊政策的研究，自不能直接移植美國的各種制度規章。美國在三權分立的憲政體系下，行政、立法、司法單位各自訂定其資訊政策，換言之，美國國家資訊政策散見於各行政體系之中。因此，前述 1976 年美國內政委員會向福特總統所提的國家資訊政策報告（即洛克菲勒報告）指出美國有「國家資訊政策」，但缺乏「完整的國家資訊政策」。美國人所要關心的不是有無國家資訊政策，或需不需要國家資訊政策，美國人所需要關心的是完整的美國國家資訊政策，也就是要有從整體面所建置的全方位國家資訊政策。美國 1995 年制定《文書減量法案（The Paperwork Reduction Act of 1995）》適用於所有聯邦政府各級政府機構，開始建立美國國家資訊政策的整體觀。我國的國家資訊政策，一如美國，亦散見於各行政系統之

中，如資訊法規方面，不論是保護智慧財產，如《著作權法》、《專利法》等，防範電腦犯罪，如《營業秘密法》、健全資訊安全，如《國家機密保護法》、維護個人隱私，如《電腦處理個人資料保護法》、《通訊保障及監察法》、流通文書資料，如《行政機關電子資料流通實施要點》以及促進電信自由化的電信三法等都是資訊法規工具。

　　除制定相關法規，1982 年我國成立「資訊發展推動小組」，完成全國資訊體系的規劃工作，此項資訊體系包括「國情資訊」、「一般行政資訊」、「經濟建設資訊」、「國防安全資訊」、「科技發展資訊」、「交通建設資訊」等六個體系以及三個資訊網路系統，以提供資訊服務。㉚

八、結語

　　NII 的本質是資訊科技政策，NII 將對人類生活帶來極大的衝擊與影響，此種衝擊正考驗人類智慧，未來它將運用新的工具，發展出新的運用方式，但新工具和新方式也將陸續為人類社會帶來新的衝突，當社會發生利益衝突，資訊政策就不再是單純的資訊科技政策，資訊政策就得融入更多人文和社會的價值觀，政策將是個不斷循環改善自我的全方位資訊政策。因此，在 NII 的建設過程中，應注意防範負面效應的發生，以政策研究為主要任務，提醒、建議行政、立法採取適當的步驟引導 NII 的健全發展。

　　總之，NII 是國家資訊政策的基本政策，國家的資訊政策將引導 NII 的發展，NII 政策則是推動國家資訊政策的基礎建設；NII 的建設，如果缺乏完整的國家資訊政策指導，將徒具軀殼：資源分配不均、資訊安全堪慮、電子商務無法推動，則 NII 資訊、電信網路的意義將喪失殆盡，因此，藉由 NII 探討資訊政策建置之流程與整體架構和影響因素，以因應政策的多元、多變來建構國家資訊政策，就成了重要的思考問題。

註釋

① National Commission on Libraries and Information Science. National Information Policy. Washington, DC: GPO, 1976.

② 〈國家資訊通信推動小組當前三大課題〉，《資訊傳真周刊》593 期（2001 年 4 月 9 日），頁 10。

③ 謝清俊等，《資訊科技對人文社會的衝擊與影響》（行政院經濟建設委員會研究報告，民 86 年）。http://www.stic.gov.tw/stic/1/home_test/scitech/（1999 年 12 月 12 日）。

④ 王明禮，〈國家資訊基礎建設的法律衝擊——以行政程序為中心〉。（國立台灣大學法律學研究所，碩士論文，民國 84 年 6 月），頁 105。

⑤ 〈挑戰 2008：六年國家發展重點計畫〉http://www.rdec.gov.tw/mis/eg/e-taiwan/eg.htm（2003 年 4 月 21 日）。

⑥ 牛萱萍，〈公共資訊政策之探究——理論與議題〉（國立政治大學公共行政研究所，碩士論文，民國88年），頁1-2。

⑦ S. Duff Alistair., *Information Society Studies* (London: Routledge, 2000).

⑧ 同註④。

⑨ 同上註。

⑩ 〈美國首宗圖書館裝設過濾軟體案被宣判違憲〉。《資訊法務透析》（民國88年2月）：頁3-4。

⑪ 〈2003年底我國寬頻用戶數達289萬戶〉（2004年3月17日）。
http://www.find.org.tw/0105/howmany/howmany_disp.asp?id=70（2004年5月8日）。

⑫ 沈清松，〈科技發展的倫理問題〉，《中央日報》，民國81年8月18日，第17版。

⑬ 謝清俊，〈資訊社會與倫理〉，《新聞學研究》46（民國81年）：頁1-15。

⑭ 如意森，〈電信普及服務的發展〉，《通訊雜誌》87期（民國91年3月11日）<http://www.grandsoft.com/cm/087/atr876.htm>（2003年4月11日）

⑮ 林偉加，〈資訊差距的探討——兼論我國資訊差距之現況〉（東海大學公共行政學系，碩士論文，民國89年），摘要。

⑯ 龔仁文（總編輯），《2002網際網路應用及發展年鑑》（台北市：經濟部技術處，2002年），頁2。根據世界經濟論壇（World Economy Forum，簡稱WEF）每年所公布的經濟成長指數（Growth Competitiveness Index，簡稱GCI）顯示，一國經濟成長的動力，主要來自於政府施政效能、整體經濟環境表現和科技創新能力，其中在科技創新能力方面，又以網際網路和通信科技的普及應用與一國經濟的正向成長有絕對的關聯。

⑰ 經濟部技術處，《世界主要國家網際網路應用政策觀測報告》（台北市：經濟部技術處/資策會推廣服務處FIND中心，民國89年11月），頁1。

⑱ 行政院研究發展考核委員會。〈電子化政府創新便民服務〉，民國91年3月。<http://www.rdec.gov.tw/home/egov.htm>（2003年4月1日）。

⑲ 劉芳梅，〈美國總統簽署「2002年電子化政府法案」，FIND網路脈動〉（2002年12月20日），<http://www.find.org.tw/0105/news/0105_news_disp.asp? news_id=2443>（2003年2月28日）。

⑳ 彭芸，〈美國國家資訊基磐上的言論自由〉，《新聞學研究》54期（1999年1月），<http://show.nccu.edu.tw/mcr/mcr054/mcr5400.htm>（2000年10月3日）。

㉑ *The National Defense Education Act of 1958* was encated to creat the Science Information Council and the Office of Science Information Service in the National Science Foundation, and the Act approved on Sept. 2, 1958 was assigned Public Law no.85-864.

㉒ Wliam O Baker,. *Improving the Availability of Scientific and Technical Information in the United States.* (Washington, DC: GPO, 1958). (ERIC reports; ED 048 893).

㉓ United States. President's *Science Advisory Committee. Science, Government, and Information: the Responsibilities of the Technical Community and the Government In the Transfer of Information: a Report.* (Other Titles: Weinberg Report: Responsibilities of the Technical Community and the Government in the Transfer of Information (Washington, D.C.: GPO, 1963).

㉔ Committee on Scientific and Technical Communication, *Scientific and Technical Communication, a Pressing National Problem and Recommendations for its Solution.* (Washington, D.C.: National Academy of Sciences, 1969. (SATCOM Report).

㉕ United States. Domestic Council. Committee on the Right of Privacy. *National Information Policy: Report to the President of the United States* (Washington, DC: National Commission on Libraries and Information Science, 1976 (Nelson A. Rockefeller is the chairman).

㉖　樑俊蘭，〈國外信息政策的發展道路〉，《國外社會科學》（1997 年 2 期）：頁 19-24。

㉗　Victor Rosenberg, "National Information Policies," *ARIST* 17 (1082):1-32.

㉘　同註㉖。

㉙　Harry Collier, "Information Policies in European," in Wendy Schipper And Ann Marie Cunningham, ed. *National and International Policies*. (Philadelphia, PA: The National Federation of Abstracting and Information Services, 1991), 84-85.

㉚　王振鵠，〈我國資訊服務政策初探〉，《國立中央圖書館館刊》21 卷 2 期（民國 77 年 12 月）：頁 11。

圖書資訊學碩士生專業學習之探討
Professional Learning for Library and Information Science Master Degree's Students

王梅玲
Mei-ling Wang

摘 要

圖書資訊學碩士學位為美國圖書館專業人員的必備資格，可見圖書資訊學碩士教育的重要。然而從圖書館學改名為圖書資訊學後，由於學校名稱與課程內涵分歧，圖書資訊學碩士生在學習時常有無所適從的困擾。本論文旨在探討圖書資訊學碩士生的專業學習，從三大圖書資訊學教育標準以及圖書館專業人員知能研究，探討圖書資訊學碩士班課程設計以及專業學習活動。

Abstract

The article mainly discusses how master degree's students in library and information science study. Three standards are firstly reviewed, including ALA Standards for Accreditation of Master's Programs in Library and Information Studies, IFLA Guidelines for Library/Information Educational Programs, and CILIP Procedures for the Accreditation of Courses. Then, based on above standards as well as some competencies researches, the article investigates curses designing, and learning activities of master's programs in library and information science.

關鍵詞：圖書資訊學教育；專業學習；專業知能；圖書資訊學教育標準；碩士教育；課程設計

Keywords: Library and Information Science Education; Professional Learning; Professional Competencies; Standards for Library and Information Science Education; Master's Programs; Curriculum Development

一、前言

　　圖書資訊學教育始於 1887 年美國杜威（Melvil Dewey）在哥倫比亞大學成立第一所圖書館學校，1923 年，威廉生報告建議圖書館教育應定位在專業教育，以通識背景的大學生為招生對象，專門施以研究所教育。受到此報告的影響，1926 年，美國芝加哥大學（University of Chicago）成立第一所圖書館研究所（Graduate Library School），主要為領導圖書館教育之發展。我國在 1980（民國 69）年在台灣大學成立第一所圖書館學碩士班，如今已發展成 9 所圖書資訊學碩士班。

　　1990 年代開始，因為資訊與通訊科技的發達，一個新資訊時代來臨，社會發生重大變革。圖書館也受到資訊社會與資訊科技的影響，美國圖書館學會對於圖書館學校認可的標準有了重大改變，在 1992 年將「圖書館學」（Librarianship）改為「圖書館與資訊研究」（Library and Information Studies），圖書館主體開始轉向「資訊的研究與應用」，這開啟後來圖書資訊學變革之門。台灣地區輔仁大學率先改名為「圖書資訊學系」，係圖書館與資訊科學簡稱，意為「以圖書館學為主體，以資訊科學為應用」。2002 年，百年學會英國圖書館學會（Library Association）宣布與資訊科學家學會（Institute of Information Scientists）合併成為圖書館與資訊專業學會（Chartered Institute of Library and Information Professional，簡稱 CILIP），這個「圖書館」加上「資訊」的新學會，象徵圖書館與資訊科學的結合，也為圖書資訊學教育內涵憑添許多變數。

　　在圖書館學系時代，各校開設的課程範圍與科目明確一致。1989（民國 78）年，胡述兆教授歸納當時圖書館學系的課程大分為五個領域：圖書館學基礎，圖書館管理，圖書館技術服務，圖書館讀者服務，與資訊科學相關科目。這些課程在當時是圖書館教育界的共識。[①]而今圖書資訊學時代，各校名稱分歧，國外或稱 Information Science,

Information Studies, Information Management, Information System；在台灣地區或稱為圖書資訊學系、資訊傳播系、資訊與圖書館學系、數位圖書資訊等。名稱不一致使圖書資訊學學程與課程內涵呈現多樣與分歧。究竟在現代圖書資訊學課程應如何設計？研究生要修些什麼課才符合圖書館與資訊服務工作需求？這些問題隨著學系的改名而引發許多缺乏焦點的討論與爭議。

碩士教育在美國圖書資訊學門視為專業教育，即學生獲得美國圖書館學會認可學校的碩士學位即自動取得圖書館員專業資格。我國也視碩士教育為圖書館與資訊服務中堅人才以及圖書資訊學研究人員的養成教育，同樣重視圖書資訊學碩士教育。然而面對這樣變革的時代，什麼是圖書資訊學碩士生需要學習的專業知識？以及專業課程如何規劃與設計？均成為當今重要探討課題。本論文旨在探討圖書資訊學碩士生的專業學習，從三大圖書資訊學教育標準以及圖書館專業人員知能研究，探討圖書資訊學碩士班課程設計以及專業學習活動。

二、圖書資訊學碩士教育現況

圖書資訊學碩士教育是研究所教育也是專業教育，不僅提供研究生教育也是未來圖書館與資訊專業人才的養成教育。究竟圖書資訊學碩士教育的目標為何？回顧 1931 年韋伯斯（Douglas Waples）對於當年芝加哥大學圖書館研究所任務的陳述，其任務涵蓋：(1)達到一般研究所的學術與研究水準；(2)研究為其主要任務，開拓現有圖書館價值與實務知識，並發展研究方法以徵集、檢測、與應用此領域的重要資料；(3)協助其他圖書館學校傳授學生圖書館重要的原則與實務知識；(4)招收對大學研究活動有興趣、曾經參與學術研究、並有才能的學生；(5)幫助學生整合圖書館領域的各種知識；(6)訓練具有研究精神的學生加入圖書館專業陣容；(7)發揮其他重要的功能，如：準備、收集、與出版圖書以推動圖書館事業的研究。[2]該研究所的設立擺脫了杜威時代以技術教育（Technical Education）為導向的型態，而將圖書館教育定位在專業/研究所（Professional/Graduate）新模式，引導後來圖書館學校發展的方向。

經過近八十年的歷程，現今美國、英國與我國圖書資訊碩士教育已開花結果。美國各大專院校設立的圖書資訊學學院、所、系、科約 190 餘所，學位的層級分為學士、碩士、高級碩士或超碩士、及博士四級。美國圖書資訊學教育是以碩士學程為專業教育，凡是修習經美國圖書館學會（American Library Association）認可的圖書資訊學碩士學程的畢業生，才獲承認具備專業圖書館員的資格。根據 2004 年統計，經美國圖書館學會認

可的學校，計有美國本土 48 所，波多黎各 1 所，與加拿大 7 所，合共 56 所。③

1990 年代開始，美國許多圖書館學校改名，名稱相當分歧，反映出各校對於圖書資訊學有著不同看法，並且影響學程與課程發展。分析現今美國圖書館學會認可的 48 校校名，名為 Library and Information Science 有 20 校；名為 Library and Information Studies 有 10 校，仍稱為圖書館學系甚少，僅 Clarion University 1 校。其餘為反映資訊科學與技術發展趨勢而改稱為 Information Studies 有 5 校，Information and Library Science 3 校。其他名稱尚有 Information；Information Resources and Library Science；Library and Information Management；Information Science and Learning Technologies；Information Science and Policy, Information Science and Technology；Information Sciences 等。

美國各校更名行動以 University of Michigan 的 School of Information 名稱最受注目，該所將學門領域擴大為「資訊與資訊系統」（Information and Information Systems），視圖書館成為資訊系統一種，新名稱的研究所以融合人類、資訊系統與資訊組織三者為主旨，致力於改善人類生活品質為教學目標。這是圖書資訊學校從圖書館主體轉為「資訊研究與應用為導向」一個具體實例。

英國自 1919 年，倫敦大學院（University of College London）創立第一所圖書館學院（School of Librarianship）以來，至 2004 年為止，英國圖書館與資訊專業學會認可的圖書資訊學系所共 18 所。就學位的層級而言，英國的圖書資訊學教育可分為學士（BA, BSc）、高級文憑（Postgraduate Diploma）、碩士（MA, MSc）、哲學碩士（Master of Philosophy，簡稱 MPhil）與博士（PhD）5 級。④美國圖書資訊學教育以研究所為主，但是英國不同，大學部的學生仍占有相當的比例。

英國圖書資訊學系所名稱改變更大，新公布的「英國圖書館與資訊專業學會的認可課程清單」（A List of Courses Accredited by CILIP），共認可 18 校課程。其中僅 1 校名稱保有 Library 一詞，即 University College London，系名為 School of Library, Archive, and Information Studies。其餘各校名稱大不相同，稱為 Information Studies 3 校，Information Management 3 校，Information Science 3 校。餘者為 Information and Media；Information and Library Management；Communication and Information Studies；Information and Library Management；Information Services Management；Information and Communications；Information and Communication Studies 等。英國學校現今名稱以資訊管理，資訊研究，資訊系統為多，此也影響該國圖書資訊學校教育與課程發展趨向。

台灣地區圖書資訊學教育從 1961 年台灣大學設立圖書館學系以來，已建立起大學

部、碩士班、博士班三層級完整的體系，共有 9 所圖書資訊學校。碩士學程自 1980 年開辦以來，目前有 9 個研究所，包括臺灣大學圖書資訊學所、臺灣師範大學圖書資訊學所、輔仁大學圖書資訊學所、淡江大學資訊與圖書館學研究所、政治大學圖書資訊與檔案學研究所、中興大學圖書資訊學所、世新大學資訊傳播所、交通大學電機資訊學院碩士在職專班數位圖書資訊組、與玄奘人文社會學院資訊傳播所。

台灣地區圖書資訊學研究所名稱仍以圖書資訊學為大宗，但以資訊傳播為名有兩校，資訊與圖書館學有 1 校，圖書資訊與檔案學有 1 校，數位圖書資訊有 1 校。台灣的碩士教育的目標為何？以最新成立的台灣師範大學圖書資訊所為例，該所以培養資訊行為研究人才，圖書資訊服務機構和學習中心經營人才，以及資訊社會研究人才為教學目標，正說明碩士教育以培養圖書館與資訊服務經營以及資訊科學研究人才為主。而資訊傳播、數位圖書資訊、與檔案學等發展也說明圖書資訊學延伸的次領域與跨學門的特質。綜上所述，美國、英國以及台灣地區圖書資訊學門名稱分歧，正說明這個時代圖書資訊學教育的多元化與不確定。

圖書資訊學教育是在大學環境提供專業教育，因此引發了二種爭議，即專業教育的本質是學術性（Academic）或專業性（Professional）？主張為學術性的教育者認為：「專業性知識與技能的獲得比事務性操作還更重要，高等教育適足以提供專業實務的良好理論基礎，俾使專業教育更能傳授專業的知識與技術以培育優秀的專業人才」。但是另一派主張專業性為重者則認為：「專業教育的目標應在於專業的本身，大學所傳授的知識與理論無法充份表達專業人員的需求，專業人員才是專門技藝的真正主宰。學術的標準無法用以評估專業性領域的智識內涵。」長久以來此二派始終在專業教育是「培育大學畢業生」或為「培養圖書館專業人員」二者間不斷交戰。這二股力量也持續對圖書資訊學教育發生影響，在高等教育方面，有些圖書資訊學教育標準監督教育的質量發展；在圖書館專業方面，近年來出現許多專業人員知能研究以檢討教育是否配合業界需要。以下從圖書資訊學教育標準與圖書資訊專業人員知能研究探討其對圖書資訊學碩士教育的影響。

三、圖書資訊學教育標準

圖書資訊學教育標準向來是教育發展的指南與教育評鑑的依據，目前國際間研訂三份重要標準，包括美國圖書館學會標準、國際圖書館協會聯盟標準、以及英國圖書館與資訊專業學會標準，均是圖書資訊學教育的最佳指南。以下析論這三標準的要義與課程

設計原則，以為探討碩士生專業學習的參考。

㈠美國圖書館學會標準⑤

　　1992 年，美國圖書館學會理事公布新修訂之「圖書館與資訊研究碩士課程認可標準」（Standards for Accreditation of Master's Programs in Library and Information Studies），最重大改變是將傳統的「圖書館學」（Librarianship）領域，改為「圖書館與資訊研究」（Library and Information Studies）。此新名稱充分反映了美國圖書館教育對於資訊社會發展之回應，而在圖書館學的領域中添加資訊研究的新內涵。

　　本標準首先界定「圖書館與資訊研究」意義：「係專指研究記錄性資訊與知識，及便於其管理與利用之服務與技術的一門學科，涵蓋資訊與知識之創造、溝通、辨識、選擇、徵集、組織及描述、儲存及檢索、保存、分析、解釋、評估、綜合、傳播與管理。」其次，本標準文件依下列六大項目羅列圖書資訊學教育的重要標準：⑴任務、目標與宗旨；⑵課程；⑶教師；⑷學生；⑸行政與經費支援；⑹建築資源與設備。

　　本標準主張課程應依下列重點設計：⑴著重圖書館及資訊專業人員的發展，以期望其未來能在服務機構中扮演獨立的角色；⑵相關學科在本專業學科之應用；⑶整合科技的理論與應用；⑷充份反映多文化、多種族及多語言的社會需求；⑸回應日益趨向科技及全球性的社會需求；⑹提供專業領域未來發展的方向；⑺致力於專業人員的繼續教育。這份標準打破傳統圖書館學以圖書館為範疇，而改變名稱與內涵，融入資訊環境、資訊問題、與資訊研究，將圖書館學從更寬廣的範疇來解釋。但本標準對於課程僅提出原則性要求，並未提出具體規劃，而國際圖書館協會聯盟與英國圖書館與資訊專業學會標準有關課程的建議可為參考。

㈡國際圖書館協會聯盟標準

　　國際圖書館協會聯盟（International Federation of Library Associations and Institutions，簡稱 IFLA）鑑於資訊社會時代來臨，圖書館實務與圖書館學內涵大幅改變，以及反映時代需求，在 2000 年修訂「圖書館與資訊專業教育指南」（Guidelines for Library /Information Educational Programs-2000）。本指南涵蓋課程、教師、學生、行政管理與財務支援、教學資源與設施五方面標準。在課程方面主張應包括一般通識教育、核心課程、資訊課程、實習課程、可轉移技能與繼續教育等要點。

　　本指南主張圖書館/資訊核心課程應涵蓋下列要件：⑴資訊環境資訊政策與倫理；⑵

資訊產製、傳播與使用；⑶評估資訊需求與設計回應服務；⑷傳播與資訊轉換程序；⑸資訊的組織、檢索、保存與維護；⑹資訊研究、分析與解釋；⑺資訊與傳播科技應用於圖書館與資訊產品與服務；⑻資訊資源管理與知識管理；⑼資訊機構之管理；⑽資訊與圖書館使用績效的量化與質化評鑑。此核心課程範圍顯示了圖書資訊學教育應以「資訊環境與研究」為主的發展方向。⑥

㈢英國圖書館與資訊專業學會標準

英國圖書館與資訊專業學會主司該國圖書資訊學課程認可，其 2002 年修訂公佈的〈課程認可程序〉（Procedures for the Accreditation of Courses）係英國圖書館與資訊（Library and Information）大學部與研究所相關課程的認可標準。本標準要求圖書館與資訊研究（Library and Information Studies）教育課程應涵蓋下列五大領域與相關內容：資訊產製、傳播與利用；資訊管理與組織情境脈絡；資訊系統與資訊傳播科技；資訊環境與政策；管理與移轉技能，詳細課程內涵參見下表。⑦

表 1、英國圖書館與資訊專業學會認可課程一覽表

領域	課　程
A.資訊產製、傳播與利用	A1 圖書館與資訊科學原則；A2 資訊流動與資源的確認與分析；A3 館藏與資料管理原則；A4 知識組織、記錄、與檢索；A5 資訊評鑑；A6 資料重組與資訊展現。
B.資訊管理與組織情境脈絡	B1 資訊服務與產品的發展與提供；B2 資訊服務的策略與財務規劃；B3 資訊服務的行銷與商學發展；B4 品質問題與可信度；B5 資訊服務績效評量；B6 資訊系統組織分析；B7 使用者資訊需求分析；B8 使用者研究與教育。
C.資訊系統與資訊傳播科技	C1 人工或電子系統或電子工具的規格需求、確認、分析、執行、評鑑與運用。
D.資訊環境與政策	D1 合法與法規問題；D2 專業與倫理問題；D3 國際與跨國資訊轉換；D4 區域、國家、與國際資訊政策與問題
E.管理與移轉技能	E1 人力資源管理；E2 訓練與發展；E3 財務與預算管理；E4 統計分析；E5 研究方法；E6 專業計畫管理；E7 本國與外國語文技能；E8 溝通與其他人際關係技能

四、專業人員知能需求

專業教育（Professional Education）係為專業提供之教育與訓練，主要培養專業人員所需的工作知能（Competencies）。具體而言是指從專業學校接受專業教育，而使得專業得以保存、累積、傳播、與擴展其經驗，並保證該專業不斷地適合社會目的與配合社會之需要。[8]圖書資訊學教育是培養圖書館與資訊服務人才，因此圖書館與資訊界也常要求教育要符合專業人員能力需求。從二十世紀末葉以來，圖書館員專業能力研究蔚為風潮，也對圖書資訊學教育產生反思與檢討。

專業知能依其內容可分為專業知識（Professional Knowledge）、專業技能（Professional Skills）、與專業態度（Professional Attitude）。[9]若依其性質又可分為一般能力與專業能力兩方面，先說明一般能力要求再探討專業能力的研究。現代人在面臨資訊社會的變革，為應付多變與挑戰的社會，需要不斷學習與培養一般能力。美國 21 世紀勞動委員會主張現代公民應具備「二十一世紀能力素養」，包括學業能力、一般能力與公民能力三方面。一般能力包括基本學習技能，思維、推理能力，團隊協作精神、資訊技術的熟練掌握與運用，以及終身學習能力。美國教育技術 CEO 論壇第四年度（2001）報告具體指陳一般能力素養應包括下列五方面：(1)基本學習技能，(2)資訊素養，(3)創新思維能力，(4)人際交往與合作精神，以及(5)實踐能力。[10]這些應是碩士生基本要培養的一般能力。

圖書資訊學門向來最常應用資訊科技，因此在一般能力方面，碩士生尚應加強電腦與傳播技術以及高級資訊素養的學習。電腦與傳播技術包括電腦硬體、與文書軟體、網路與通訊、網頁製作與維護、以及資料庫管理等技術。而高級資訊素養則是具備：「能夠確認其資訊需求之特性與範圍；能有效能又有效率地取得所需資訊；能批判性地評估資訊及其來源，並將所篩選的資訊融入其資訊庫或價值系統中；都能夠有效利用資訊，以達成特定目標；能夠瞭解資訊使用之經濟、法律、與社會相關議題，合理合法的使用與獲取資訊等能力」。不僅具備上述能力，並且應是高級應用與教育能力，熟練地應用在組織、創作、批判新的資訊與知識上，進而達到知識管理，以及規劃與教授資訊素養學習活動。

有關碩士生應具備什麼樣的專業知能？可參考近年多項圖書館員專業知能的研究報告。最早為 1986 年，金氏發表的〈圖書館與資訊科學教育新方向〉報告（New Directions in Library and Information Science Education），受到高度的重視。[11]作者對 100 餘個圖書館與資訊單位進行調查，分成學術圖書館、公共圖書館、學校圖書館、專門圖書館、資

料庫製作者、資料庫發行/服務、資訊中心/交換中心、紀錄與資訊管理師、檔案/博物館/特種館藏、資訊分析中心、資訊服務公司、圖書館自動化供應廠商 12 類圖書館與資訊工作；就 22 種圖書館與資訊作業功能，從不同的圖書館員層級，再依專業能力與一般能力，共列舉出圖書館與資訊人員 8,800 項專業能力的文字說明，最後並對美國圖書資訊學教育新方向提出檢討與建議。

1996 年，美國專門圖書館學會首次提出廿一世紀專門圖書館員應具備的能力報告，界定知識與技能，並建議專門圖書館員應具備的專業知能。2003 年，該學會修訂新版的〈二十一世紀資訊專家應具備知能〉（Competencies for Information Professionals of the 21st Century），主張資訊專家要具備三種知能：專業知能（Professional Competencies），個人知能（Personal Competencies），與核心知能（Core Competencies）。[12]

新時代資訊專家「核心知能」包括二項：其一是資訊專家可以藉經驗與實務的分享對專業的知識庫有所貢獻；其二是對專業卓越表現與倫理，以及專業的價值與原則有所貢獻。「專業知能」係指具備資訊資源、取用、科技、與管理的實務知識，及以這些知識為基礎提供高品質資訊服務；包括四類知能：資訊組織管理，資訊資源管理，資訊服務管理，以及資訊工具與技術的應用。資訊專家的「個人知能」係指實務工作者可以有效工作並對於機構貢獻的一系列態度、技能、與價值，包括優秀溝通，展現附加價值以及有彈性應付不斷變革環境等能力。

1999 年，美國圖書館學會鑑於圖書資訊學教育與圖書館界需求漸行漸遠，遂召開專業教育研討會（Congress on Professional Education），探討專業價值與專業核心能力。其後進一步提出〈圖書館員專業能力草案〉（The Librarian's Competencies Draft），建議二十一世紀圖書館員需具備的專業能力（competencies），應包括七類能力：知識資源的組織、資訊與知識、服務—連結人與概念、促進學習、管理、科技能力、研究等。主要核心能力涵蓋：組織與選擇知識資源的原則與方法；了解資訊創作、傳播與利用；多元資訊需求的評估；資訊素養模式的設計與發展；策略的領導；評鑑技術趨勢與在圖書資訊學應用；研究程序的基本知識等。[13]

2001 年，筆者發表〈一世紀我國學術圖書館館員應具備的知識與技能的研究〉論文，以問卷調查全國 110 所大學圖書館的 854 位館員看法，研究獲得我國學術圖書館員應具備的專業能力清單，分成六類群、48 項專業能力。六類群包括：資訊資源管理類、資訊服務類、資訊系統與資訊科技類、管理與行政類、溝通與人際關係類、以及教學與學術研究支援類。[14]此份清單可作為學術圖書館員工作能力評鑑以及圖書資訊學教育與課程規

劃的參考。

2001 年，知識管理大為風行，英國 Angela Abell 出版《與知識競爭：資訊管理時代的資訊專業人員》（*Competing with Knowledge, The Information Professional in the Knowledge Age*）一書，探討知識管理時代資訊人員的角色與專業能力。知識管理（Knowledge Management）係為了促進知識創造、分享、學習、加強與組織以助益組織及其客戶而建立與維護的環境，所以每個人要增長知識管理技巧與能力。知識管理技巧能力包括三種：⑴專業與技術核心能力；⑵組織技能；⑶以及提升知識管理技能。「組織技能」包括：溝通、團隊合作、協調、誤判、推動、教授、輔導、商業運作理解等。「知識管理技能」包括：商學作業辨識與分析、商學運作的知識處理、知識與資訊價值與脈絡、知識轉換、知識比對與流動、變革管理、運用有效資訊與通訊科技加強知識管理、了解與支持社群與國際、專家管理、資訊結構與架構、文件與資訊管理、了解資訊管理原則、了解出版程序、了解科技產業機會。⑴⑸

Angela Ablle 對於知識管理時代圖書館與資訊服務資訊人員的核心技能，建議包括：⑴確認與徵集內部資訊資源；⑵組織內部資源；⑶徵集與評估外部資源；⑷整合內部與外部資訊；⑸傳遞資訊；⑹應用資訊；⑺內容管理；⑻策略性資訊服務。總之，圖書館與資訊服務專業人員必須要了解所工作機構的商業動力與營運；認識組織的整體與各部門業務；建立策略性合作伙伴以及跨學科團體合作；創新資訊管理技能以充分應用在工作上；認識與加強與他人合作；不斷學習與發展；從服務心智轉向伙伴合作方式；加速機關中資訊素養發展；策略性思考資訊服務與內容管理的發展；冒險開創；享受變革過程。這是從知識管理觀點探討資訊專業人員應具備的專業能力，有別於前述圖書館員專業能力的研究。

2002 年，Sajjad ur Rehman 等人發表〈從國際觀點探討將能力應用在資訊研究課程〉論文（Coverage of Competencies in the Curriculum of Information Studies: An International Perspective），對美國、東南亞、與阿拉伯灣地區 144 位圖書館專業人員與主管實施問卷調查，研究他們對 69 種專業能力的看法。並歸納為九大類作為課程規劃參考，包括：知識與資訊管理、社會資訊學、資訊經濟學、資訊資源發展、資訊組織以及資訊資源組織、資訊服務、資訊科技應用，資訊系統與網路科技、網際網路與虛擬圖書館、資訊組織管理以及人力資源發展等。研究結果並獲致課程最需要培養的知能，包括：資訊理論知識，資訊使用與使用者，資訊社會脈胳，資訊需求，資訊倫理，資訊資源發展概念與處理，資訊組織與處理，資訊查詢與檢索，取用服務，自動化與網路科技，網站設計與查詢，

研究能力，規劃與評鑑，人力資源技能，與溝通傳播等。⑯

五、碩士生專業學習規劃芻議

在資訊時代中圖書資訊學校要培育學生什麼能力以適應多元與多變的就業市場？基於上述圖書資訊學教育標準與圖書館員專業知能研究成果，本論文試圖為碩士生專業學習提出初步規劃，分為專業課程設計、與專業學習活動二方面探討。

㈠專業課程設計

圖書資訊學課程是培養碩士生專業知能的主要途徑，也是學習的核心。威廉生報告最早對圖書館學校課程的建議應以二年為修業年限，第一年的教育為一般性及基礎性，第二年開始提供專門化與高級的課程。本論文據此模式將圖書資訊學的課程設計分為核心課程與專門領域二個層級來探討。

首先探討圖書資訊學核心或必修課程設計。前節所述三項圖書資訊學教育標準，是從圖書資訊學門意涵的角度來規劃課程，國際圖書館學會聯盟建議課程應包括：(1)資訊環境資訊政策與倫理；(2)資訊產製、傳播與使用；(3)評估資訊需求與設計回應服務；(4)傳播與資訊轉換程序；(5)資訊的組織、檢索、保存與維護；(6)資訊研究、分析與解釋；(7)資訊與傳播科技應用於圖書館與資訊產品與服務；(8)資訊資源管理與知識管理；(9)資訊機構之管理；(10)資訊與圖書館使用績效的量化與質化評鑑。英國圖書館與資訊專業學會建議涵蓋五大面向：(A)資訊產製、傳播與利用，(B)資訊管理與組織情境脈絡，(C)資訊系統與資訊傳播科技，(D)資訊環境與政策，(E)管理與移轉技能。

另一方面，在專業館員專業知能研究方面，專門圖書館學會主張資訊人員的專業知能應包括四大類知能：(1)資訊組織管理；(2)資訊資源管理；(3)資訊服務管理；(4)資訊工具與技術的應用。筆者在學術圖書館員專業能力研究發現六大類專業知能需求：資訊資源管理類、資訊服務類、資訊系統與資訊科技類、管理與行政類、溝通與人際關係類、與教學與學術研究支援類。

本論文綜合上述教育標準與專業知能研究，嘗試提出適合我國發展的圖書資訊學核心課程架構。首先將五標準與知能研究的課程要點列如下表，五類課程中以 IFLA 標準與 CILIP 標準課程架構相近且較能反映現代資訊環境需求，其餘三項知能研究也可納入 CILIP 架構。但美中不足的是圖書資訊學是一學門，應有相關資訊社會、資訊科學、圖書館學理論與研究課程，似有缺漏，故建議此與資訊環境與政策整合成為「資訊社會、

資訊科學以及圖書館學的理論與研究」類。綜合上述，本論文建議理想圖書資訊學課程架構涵蓋下列五領域：(1)資訊產製、徵集、組織與管理，(2)資訊利用、傳播與服務，(3)資訊系統、資訊科技與傳播科技，(4)資訊社會、資訊科學與圖書館學理論與研究，(5)管理與輔助技能等。

表2、圖書資訊學教育標準與專業知能研究的課程範圍一覽表

理想專業課程架構	IFLA 標準	CILIP 標準	專門圖書館學會研究	王梅玲研究	Rehman 研究
資訊產製、徵集、組織與管理	資訊資源管理與知識管理；資訊產製、傳播與使用；傳播與資訊轉換程序；資訊的組織、檢索、保存與維護；	資訊產製、傳播與利用；	資訊組織管理；資訊資源管理	資訊資源管理	資訊組織管理以及人力資源發展；資訊組織以及資訊資源組織、資訊資源發展、
資訊利用、傳播與服務	資訊研究、分析與解釋；	資訊管理與組織情境脈絡	資訊服務管理	資訊服務	知識與資訊管理；資訊服務
資訊系統、資訊科技與傳播科技	資訊科技應用於圖書館與資訊產品與服務；	資訊系統與資訊傳播科技	資訊工具與技術的應用	資訊系統與資訊科技	資訊科技應用；資訊系統與網路科技；網際網路與虛擬圖書館、
資訊社會、資訊科學與圖書館學理論與研究	資訊環境與政策	資訊環境與政策			社會資訊學；資訊經濟學
管理與輔助技能	資訊機構之管理；評估資訊需求與設計回應服務；資訊與圖書館使用績效評鑑	管理與移轉技能。		管理與行政；溝通與人際關係；教學與學術研究支援	

　　基於上述課程五大範圍架構，各校可依需要與特色規劃必修與選修科目。課程設計原則可參考英國圖書館與資訊專業學會課程標準各領域涵蓋課程科目，以及 Sajjad ur Rehman 歸納的現代課程需要培養的重要知能，如資訊理論知識，資訊使用與使用者，資訊社會環境與政策，資訊需求，資訊倫理，資訊資源發展，資訊組織與處理，資訊檢索，取用服務，自動化與網路科技，網站設計與查詢，研究能力，規劃與評鑑，人力資源發展，與溝通傳播等。

　　另一方面，談到專門或高級領域課程的設計，可以參考 University of Michigan CRISTAL-ED（Kellogg Coalition on Reinventing Information Science, Technology and Library Education）計畫經驗，該校自 1995 年開始進行，由該校邀集圖書館界與其他相關科系共同規畫，研究重點主要在融合資訊科學、資訊技術、與圖書館學設計課程，分為核心課程（Foundations）與專門領域課程（Specialization）二層級。該學院要求碩士生畢業條件為修滿 48 學分。在核心課程方面，設計下列四門必修基礎課程：(1) The Use of Information；(2) Choice and Learning；(3) Search and Retrieval；(4) Social Systems and Collections，每課程 3 學分，共 12 學分。在專門領域課程方面，規劃四類專門領域，提供學生修完必修課程後從下列四專門領域擇一進行系列選修與學習：(1) Archives and Records Management；(2) Human-Computer Interaction；(3) Information Economics, Management and Policy；(4) Library and Information Services。[⑰]

　　美國 University of Michigan, School of Information 課程分核心課程與專門領域的設計，可提供參考。我們在核心課程確定之後，各校可依其特色規劃專門方向與系列課程，如檔案管理、數位圖書館、出版、資訊傳播、數位學習等，以培養專門能力的圖書館與資訊服務人員，以及區隔各圖書資訊學校的市場。

㈡專業學習活動

　　圖書資訊學既是學門也是專業，故碩士生的學習應兼顧理論與實務。除了專業課程，另外還有三種課程與學習活動必須考量，是為實習課程、數位學習、以及研究方法與論文寫作。

　　實習課程是碩士生在課程修習理論之餘，有機會與圖書館與資訊界實際接觸，利用實習課程與建教合作機會以印證學理與實務，是最佳理論與實務合一的學習。二年碩士學程最好安排一學期，至少零至一學分的實習，在教師與專業館員指導下，參與以及研究圖書館與資訊服務實務運作，從學習中發現問題與找尋答案，並在過程中檢討與提出

建議方案。實習課程不僅使得理論與實務整合，增長碩士生解決問題與批判思考能力，並且及早為他們在進入職場前預作準備，實在有多項好處。

在數位學習方面，圖書資訊學經常應用資訊科技，近年來歐美圖書資訊學積極發展遠距教育、網路教學、與數位學習計畫。數位學習係通過網際網路或其他數位內容進行學習與教學的活動，它充份利用現代資訊科技提供全新溝通機制與豐富資源的學習環境，實現一種全新學習方法，改變教師功用、師生關係、教學結構和教育本質。未來數位學習將大量應用在圖書資訊學教育、圖書館服務、資訊素養教育、以及數位圖書館的教育與推廣。因此，應鼓勵碩士生選修遠距教育課程以及參與數位學習活動。

研究與發展能力是圖書館員與資訊專家的核心能力，因此碩士生應加強碩士論文或大型報告撰寫的訓練。在撰寫能力增長方面，應修習研究方法課程，學習各種社會科學或行為科學的重要質化與量化研究方法，如問卷調查法、訪談法、焦點團體法、疊慧法、內容分析法、個案研究法、歷史研究法、比較研究法等，並重視論文註釋與參考書目格式的訓練。另一方面，碩士生應修習統計方法與電腦統計套裝程式課程，以加強資料蒐集與推理分析的能力。學校與學會應經常舉辦論文研討會以鼓勵碩士生多發表論文。

六、結論

台灣地區在 1990 年代圖書館學校開始改名為圖書資訊學，並開辦碩士班。碩士教育為專業教育，其攸關圖書館與資訊事業的發展，甚為重要。1990 年代之前圖書館學系課程較有共識，包括：圖書館學基礎，圖書館管理，圖書館技術服務，圖書館讀者服務，與資訊科學相關科目。隨著 1990 年代圖書資訊學改名，並且名稱分歧，使得課程發展多元但缺少一致。

本論文從圖書資訊學教育標準與圖書館員專業能力研究來探討圖書資訊學碩士生專業學習問題。台灣地區對於圖書資訊學門的意涵普遍缺乏共識。本論文較傾向於採用 1992 年 ALA 認可標準對「圖書館與資訊研究」名稱與定義，以「資訊研究與應用為導向」，圖書館為資訊系統與服務應用的機構。

基於上述基礎，本論文對於圖書資訊碩士生專業學習，在一般能力方面，建議加強資訊與傳播科技能力、高級資訊素養能力、創新力、以及學習能力。碩士班課程規劃分核心課程與專門領域二層級，在核心課程方面，本論文建議涵蓋下列五大範疇：(1)資訊產製、徵集、組織與管理，(2)資訊利用、傳播與服務，(3)資訊系統、資訊科技與傳播科技，(4)資訊社會、資訊科學與圖書館學理論與研究，(5)管理與輔助技能等。在專門領域

課程方面，各校可依其特色規劃專門方向與系列課程，如檔案管理、數位圖書館、出版、資訊傳播、數位學習等，以培養專門能力的圖書館與資訊服務人員，以及區隔各圖書資訊學校的市場。

在專業學習活動方面，圖書資訊學碩士生應修習實習課程，以整合理論與實務，以及積極參與數位學習與網路教學，以應用於未來的圖書館與資訊服務上。另一方面，碩士生應修習研究方法與統計課程，以及撰寫碩士論文，加強問題解決與研究發展能力。

最後，本論文對未來碩士生專業學習提出下列建議：

1. 建議台灣地區圖書資訊學系所共同探討 21 世紀圖書資訊學意義與內涵。

2. 圖書資訊學系所基於前述基礎，規劃課程範圍以及核心課程。並就各校的特色與資源規劃專門領域課程，如檔案學、出版、資訊傳播、數位圖書資訊等。

3. 持續從事圖書館與資訊專業能力研究以應用在課程的規劃與設計。

4. 及早訂定我國圖書資訊學教育標準以為各校發展指南與教育評鑑的參考依據。

5. 建議圖書資訊學相關學會提倡遠距教育，鼓勵教師與學生參與數位學習活動學，以引導圖書館與資訊服務開拓數位學習與服務的境界。

6. 建議圖書資訊學相關學會定期舉辦研究生論文發表研討會以提升研究生的研發潛力，並促進圖書資訊學門研究與創新風氣。

註釋

① 胡述兆、吳祖善，《圖書館學導論》（台北：漢美，民國 78 年），頁 11。

② Douglas Waples, "The Graduate Library School at Chicago," *Library Quarterly* 1:30 (Jan. 1931): 26-27.

③ "2004-2005 Directory of Institutions Offering, ALA-Accredited, Master's Programs in Library and Information Studies," http://www.ala.org/ala/accreditation/lisdirb/lisdirectory.htm (retrieved March 05, 2004).

④ CILIP, "A list of Courses Accredited by CILIP: the Chartered Institute of Library and Information Professionals," http://www.cilip.org.uk/qualifications/where.html (retrieved Nov. 18, 2003).

⑤ ALA, "Standards for Accreditation of Master's Programs in Library and Information Studies 1992," http://www.ala.org/Content/NavigationMenu/Our_Association/Offices/Accreditation1/standards4/standards.htm (retrieved Nov. 18, 2003).

⑥ "Guidelines for Library/Information Educational Programs-2000," <http:www.ifla.org/VII/s23/bulletin/guidelines.htm> (retrieved Oct.1, 2003).

⑦ Cilip: Chartered Institute of Library and Information Professional, "Procedures for the Accreditation of Courses," Approved Oct 1999, Rev. March 2002 http://www.cilip.ukb, (retrieved July, 2003).

⑧ 王梅玲，〈英美圖書館與資訊科學碩士教育之比較研究〉，《台灣大學圖書館學研究所博士論文》，民國 85 年，頁 10。

⑨　同上註。

⑩　陳德懷，《邁向數位學習社會》（台北：遠流，民 92 年），頁 175。

⑪　Jose-Marie Griffiths and Donald W. King, *New Directions in Library and Information Science Education* (Greenwood Press, American Society for Information Science, 1986), 42.

⑫　Special Libraries Association, "Competencies for Competencies for Information Professionals of the 21st Century". http://www.sla.org (Update 2003) (retrieved Nov. 14, 2003).

⑬　Leigh Estabrook, "Library and Information Science Education" *Encyclopedia of Library and Information Science* (Marcel Deklcer, 2003), 1646-1652.

⑭　王梅玲，〈廿一世紀我國學術圖書館館員應具備的知識與技能的研究〉，《資訊傳播與圖書館學》8 卷 1 期（民國 90 年 9 月）：41-58。

⑮　Angela Abell, Nigel Oxbrow, Competing with Knowledge: The Information Professional in the Knowledge Age (London: Library Association Publishing, TFPL Ltd, 2001), pp.114-116, 147-163.

⑯　Sajjad ur Rehman, Husain AI-Ansari and Nibal Yousef, "Coverage of Competencies in the Curriculum of Information Studies: An International Perspective," Education for Information 20 (2002): 199-215.

⑰　"CRISTAL_ED," http://www.sils.umich.edu/publications/CRISTALED/KelloggHomePage.htm. (retrieved March 10, 2004).

從圖書館事業的盲點綜論
圖書館員的權威失落及自處之道
An Overview of Librarians' Tunnel Vision
and Authority Lost and the Possible Strategies
for the Future

葉乃靜
Nei-ching Yeh

賴鼎銘
Ting-ming Lai

摘　要

　　本文的撰寫動機肇因於 Wayne Wiegand 在 1999 年 Library Quarterly 的一篇專文。在這一篇論文中，Wiegand 探討圖書館事業的未來發展，因為圖書館員的盲點和管窺之見，受到嚴重的限制。因為 Wiegand 的文章，引發 Library Quarterly 於 2003 年一月出版專刊，刊載四篇呼應 Wiegand 論點的文章。筆者有感於上述五篇文章的重要，加上長期觀察及憂心台灣圖書館事業的發展狀況，乃引發撰寫本文的動機。本文以上述的事件為基礎，試圖重新審視圖書館員現有的優勢及劣勢所在，最後提出可能的對策，包括結合民眾的生活世界、發揮文化霸權的力量、拋開既有的論述慣習、廣泛應用已有的理論、培養反思能力及特質等五點建議，希望幫助圖書館員

從權威失落中走出來。

Abstract

In his article in January 1999 of the Library Quarterly, Wayne Wiegand claimed that librarianship is afflicted by tunnel vision and blind spots. Wiegand's paper initiated four reflexive articles in Janauary 2003 of the Library Quarterly to respond his argument. Based on the issues raised in the above papers, this article attempts to analyze the image of librarians in media and people's mind, and to discuss the issuees of authority lost in librarianship. Finally, the authors offer several possible strategies, which include integrates people's life world, elaborates the power of cultural hegemony, transforms the habitus of discourse, applies other disciplines' theories, cultivates the ability of reflexive thinking, in order to help librarians to reclaim their power.

關鍵詞：刻板印象；權威；文化霸權；圖書館員；圖書館事業
Keywords: Stereotype; Authority; Cultural Hegemony; Librarian; Librarianship

楔 子

Wayne Wiegand 在 Library Quarterly 1999 年一月號的專文，論述圖書館員的盲點（blind spots）和管窺之見（tunnel vision），可能限制了圖書館學的發展。該文引發了不少回響，促成 2001 年 11 月 2-3 日在美國馬里蘭大學召開的一次研討會議，其中的一場小組討論會，更有四篇針對 Wiegand 論點回應的論文發表。Library Quarterly 最後更將該四篇回應文章，收錄於 2003 年一月出版的專刊中。本文以上述的事件為基礎，試圖重新檢視圖書館員已掌握的優勢及劣勢，並申論圖書館員該如何由失落中走出來。

前 言

Wiegand（1999）分析了自 1893 年來美國圖書館學的發展簡史後指出，圖書館在美國是重要的機構之一，也有悠久的服務歷史，但是，該領域的研究人員，卻無法舉證圖書館對社會的重要性，及對使用者的深層意義，並且陷入自我建構的論述中。Wiegand 就以個性（character）、機構（institution）、專業能力（expertise）、權威（authority）

等四個概念為表徵，論述十九世紀以來美國圖書館事業的發展。「個性」指的是圖書館員扮演的角色及具備的特質；「機構」指的是圖書館的經營和管理；「專業能力」指的是圖書館員具備的分類、編目等技能，是非領域成員所缺乏的能力；「權威」指的是決定何種書該收或不該收的選擇權，它是一種權力的表徵。

這四種表徵中，圖書館員最缺乏的就是權威，也就是決定書刊是否該入藏的能力。傳統上，這些權力的展現是由大學的教師、出版業等認知權威所定義的，圖書館員一直都只是被動的接收者。Wiegand（1999）認為圖書館員會落入這種權威失落的局面，是因為圖書館員歷年來所累積的的盲點及管窺之見所致。Wiegand 指出這些盲點和管見，包括對資源的興趣大於對人的興趣，即忽略服務對象的重要性；盲目的擁抱新科技，缺乏考量科技應用的目的、費用、價值等問題；缺乏傾聽專業以外的聲音，而滿足於自己專業的論述；無法透過提供服務對象所需資源，將這群人整合為一個社群，協助資源的分享。

造成圖書館員會有盲點或管窺之見等現象的原因，除了歷史認知（historical awareness）外，主要是圖書館學一直無法應用其他學科的理論來關照本身學門所碰到的問題或現象，例如 Michael Foucault, Antonio Gramsci, Jurgen Habermas, Helen Longino, Margaret Jacob, Sandra Harding 等人的論點。而圖書館學缺乏由批判性觀點來分析圖書館員的角色，更是其無法向前躍進的原因之一。

除了 Wiegand 所探討的問題以外，台灣長久以來圖書館事業一直不為社會重視，公共圖書館尤其是鄉鎮圖書館經費屢遭刪除，空有建築沒有被充分利用的鄉鎮圖書館大有所在[1]，大學相關系所培育的圖書館員人才，無法找到適當的圖書館員工作。這樣的現象不僅讓人憂心，也是關心圖書館事業的人努力思考解決方法的問題。

本文先由圖書館員掌握的優勢談起，再由反面思考說明圖書館員可以做到卻沒有掌握的部分，並因此造成社會大眾對圖書館員的刻板印象；最後，整合回應 Wiegand 四篇作品中探討的圖書館員由失落中走出來的可行方向，提出筆者的看法。

圖書館員掌握了什麼？

自第一所圖書館學校成立百餘年來，圖書館有其功不可沒且發揮良好功能的地方，例如 Wiegand（2003）指出的，長久以來提供館藏資源的供閱服務，在資訊傳遞上扮演重要的角色；其次是圖書館提供讀物給使用者，滿足部分人士的閱讀需求；其三則是圖書館是有助於社群建構（communities constructed）的場域。最後一點指的是，若由 Jurgen

Habermas 的公共領域（public sphere）論點來看，公共領域提供了非政府組織和市民機構（civil institution）的成員，建構民意（public opinion）的機會，圖書館即屬於市民機構之一。接下來，以上述三點為基礎，闡述圖書館員已掌握的優勢。

在「以最少的經費，提供最好的圖書，給最多數讀者」這個信念下，圖書館員為扮演好資訊提供者的角色，發展出圖書資料的組織方式，無論是圖書的分類、編目，或是索引、摘要的製作，目的不外是為了透過系統化的資源整理方式，以提供快速的檢索服務，協助使用者在最短的時間內，找到所需的資料。這一套套圖書資源的組織規則，例如 DDC、LCC、MARC、AACR2、中國圖書分類法等，都是該專業建構起來的特有的應用於資源加值，也是非專業人員無法了解的語言系統。這是圖書館員已掌握的優勢之一。

其次，圖書館為提供讀物給使用者，掌握龐大的圖書資源購置費，換句話說，握有圖書資源的選擇權。圖書館員了解如何去評估資源的品質，判斷資源內容的好壞，這項特色也是其他非專業人員所欠缺的。圖書館員掌握的第三個優勢與第二個優勢密切相關，圖書館做為一個公共機構，若由公共領域的觀點來看，它可以是一個提供人們自由的討論或理性論辯的場合，真正發揮自由與民主，民眾不為「利益」、「偽裝」、「操縱」所影響，而且所有的論述可以相互檢驗，形成真正的民意（Webster, 1999）。因為這群人的聚集，或是提供服務對象所需的資源，圖書館具有協助社群建構的功能，影響社群的價值觀外，也提供社會資本（social capital）交換的機會。

圖書館員失落的更多！

在上段提到了圖書館員掌握的三大優勢，但是圖書館員失落的是什麼呢？換句話說，圖書館員擁有的特質中，那些是圖書館員沒有把握或好好發揮的呢？我們先由媒體或社會大眾對圖書館員的刻板印象談起，再由這些刻板印象的出現，來思考為什麼圖書館員會讓社會大眾或媒體有這樣的認知，圖書館員的專業失落了什麼，而造成這種認知的出現。

在 Radford & Radford（2003）回應 Wiegand 的文章中，他們應用 Stuart Hall 的文化研究理論，闡述媒體建構女性圖書館員刻板印象的意識形態，並以影片"Party Girl"為例說明。該影片描述年輕、童真、自我、沒有責任感的女孩 Mary，因為祖母一句話的刺激，決定成為圖書館員的轉變歷程。其間的轉變反映在穿著（由時髦的打扮改變為穿黑色套裝）和個性上（由活潑好動改變為喜好秩序，又如將當 DJ 室友的唱片全按 DDC 排列，以及糾正沒有依圖書類號歸架的讀者）。片中有一位與 Mary 對照的角色是 Wanda 這個

人物，她是圖書館員，白天在圖書館上班時，穿著整齊安靜的做事，下班後喜歡以時髦打扮，在酒吧中消磨時間，酒吧的 DJ 甚至為之傾倒。由此影片的故事，Radford & Radford 認為可以看出媒體呈現出來對圖書館員的意識形態是：喜好秩序（order）、性壓抑（sexual repression）、外表威望凜然（matronly appearance）、穿著刻板、個性挑剔、表情嚴肅、音調單一。圖書館員的工作是重複的上架、蓋章和向讀者發出噓聲。

事實上，好萊塢出品的影片中，有不少主角的職業背景是圖書館員，如「神鬼傳奇」中的女主角瑞秋懷茲，是個性柔弱膽小的圖書館員，在第二集中角色轉變為允文允武，精通打殺的用刀高手（湯志堅，民 90）。國片「黑俠」的主角李連杰飾演在城市邊緣維護正義的敦厚人，平日以圖書館員掩飾自己的身分。此外，還有日劇「再見您好！」、「美麗人生」、「情書」等。但這些影片的情節不在闡述圖書館員的職業狀況或特徵，而只是一種背景的交待，但由此已可瞥見他們對圖書館員的刻板印象的建構。

小說中也可以看到類似的情景，如美國著名的恐怖小說家 Stephen King（1992）的小說《圖書館警察》（*The library police*），暗指圖書館員的功能，特別發揮在圖書到期未還時，會闖入家中取回圖書的角色；在圖書館中若忘了身處何處而大聲說話，圖書館警察會用蒼白的長指甲捏住讀者的手背，發出「噓！噓！」聲音等。另外，香港小說家董啟章的作品「名字的玫瑰」，也是以圖書館員為主角（聯合知識庫）。

除了由電影和小說來看媒體中的圖書館員影像外，筆者檢索「聯合知識庫」及「中國時報五十年」等資料庫，試圖找出台灣平面媒體對圖書館員的描述。「中國時報五十年」該資料庫對圖書館員相關報導只有兩筆，「聯合知識庫」蒐藏較多，歸納這些報導對圖書館員描述的類型如下[2]：

一、圖書館員的穿著古板

聯合報（民 91 年 8 月 18 日）轉載「華爾街日報」的一則報導，內容大意如下：因為經濟低迷不振，影響民眾習慣輕鬆自在氣氛的心境，因此，2002 年秋裝配合民眾的心情，推出嚴謹風尚，上班和休閒服都一本正經，如銀行家的嚴肅西裝、圖書館員的古板長裙大行其道。而紐約市公共圖書館同年也規定員工穿著標準衣著，可能助長服裝的保守風氣。

二、圖書館員的職位卑微

張作錦（民 87 年 8 月 2 日）描述兩位圖書館員的兩條路一文中，引述毛澤東回憶錄

中所說的話：「我的職位卑微，大家都不理我。我的工作中有一項是登記來圖書館讀報人的姓名，可是對他們大多數人來說，我這個人是不存在的。」當時，毛澤東在北京大學圖書館擔任助理員，月薪是人民幣八元。

三、圖書館員的服務不佳

余友梅（民 84 年 6 月 5 日）在一則有關電子圖書館計畫的報導中，開門見山的指出：「如果你對以前到圖書館借書總是要經過一連串的手續，並看到圖書館員的晚娘面孔，感到不耐；那麼現在要恭喜你了，今後不但不必曠日廢時在圖書館等工作人員將手續辦好，只要透過網路就可以在自家電腦上『閱讀』圖書館中的典藏。」

由上述三則來看，約略可以勾勒圖書館員在社會上的形象是「古板」、「職位卑微」、「態度不佳」。若是加上電影和小說中的情節，可以反映出媒體對圖書館員的刻板印象是：個性古板、喜好秩序、安靜、表情嚴肅、不通人情，這樣的個性反映在穿著上是一陳不變的呆板服飾。這些媒體呈現的是圖書館員的外在形象，專業的內涵及其對民眾的重要性則顯然未被觸及。正如曾任圖書館員的名人事實上並不少，例如美國現任總統夫人羅拉、毛澤東、中研院院士曹永和、作家袁瓊瓊，只是他們的成就並非彰顯在圖書館事業方面，圖書館員的背景帶來的影響力是潛藏不見的。

圖書館員為什麼會造成社會大眾這樣的刻板印象？我們的專業特質為什麼不被重視？筆者認為圖書館員尚未將專業特質充份展現，以致於讓社會只由外表來建構刻板印象。另外，圖書館員與民眾生活結合的努力也嫌不足，更沒有發揮已掌握的文化霸權力量。

就圖書館無法與民眾的生活世界息息相關來看，過去圖書館歷經典範轉移，已了解應由系統導向的服務策略走向以使用者為導向，多數圖書館員也體會要提供使用者所需的資源與服務，但是，圖書館與民眾的生活世界無法連繫，是她不被重視的主要原因。圖書館無法發揮公共領域的功能，協助社群意識的建構，提升民眾的文化資本和社會資本，以致於她的價值無法獲得肯定。

其次，由圖書館無法發揮文化霸權的力量來看，自從圖書館發展以來，在一次世界大戰前，圖書館界由於服膺「好書」的信念，由出版社聘請文學家等學界人士，編輯好書索引，圖書館再透過此指引買書，唯一例外的是兒童書，是由圖書館員扮演選書的角色。雖然美國屬於家長式社會（patriarchal society）[3]，在 1920 年前有 88%的美國圖書館員是女性，他們覺得女性天賦特質適合扮演挑選兒童讀物的角色（Wiegand, 1999）。可

以說，圖書館員本該有挑書的權利，但卻將這樣的權利讓渡予出版社及其他認知權威。

更進一步說，Budd（2003）由 Pierre Bourdieu 的文化生產（cultural production）及符號權力（symbolic power）的觀點指出，圖書館做為一個社會文化機構，不能徒具文化生產的機制，也應致力於文化生產。之所以如是說，一來是因為圖書館的使用者是文化產品的消費者，二來由圖書館蒐集（資源的選擇權）、組織（分類表是一種特定的語言）及傳播資料等性質來看，圖書館從事的是文化生產。由掌握資源的選擇權，以及採用特定的語言，傳播的管道等面向來看，圖書館處理的是符號，是掌握符號權力的表徵。加上圖書館以全民為服務對象，具有市民社會（civil society）的理念，可以形成一個歷史集團（historic bloc）。只是，在過去圖書館員雖然掌握了符號權力（指圖書等館藏資料），但並沒有應用這種權力，以致於無法反映或了解人們的實踐（practice），包括很多社會和道德的應用，即人的行動受到社會或道德等因素的規範，這是單憑技術也無法化約的。

圖書館員如何從失落中走出來

那麼，圖書館員該如何從失落中走出來呢？圖書館員該如何發揮專業的特質，扭轉上述的刻板印象，重塑正面的形象呢？筆者認為，可以分為兩部分來看，第一部分是由圖書館員的專業來思考，第二部分則由服務的理念出發。前者是回應 Wiegand 等人的論述，由學術角度思索圖書館員缺乏的特質或可以加強的部分，尤其在知識經濟時代，強調知識的價值時，以知識內容為行業軸心的圖書館，自是不能忽視自己專業的強化，及發揮圖書館典藏的知識對社會及民眾的影響力。後者則是基於以現今社會而言，任何一個行業都不能自外於服務，強調服務的行業，將使該行業的專業更為突顯。只是限於本章的篇幅，以及考慮將論述的焦點更為集中，本段將以第一部分圖書館員的專業為論述的主軸。筆者認為，未來圖書館員可以由以下幾點方向，重塑專業的形象：

一、結合民眾的生活世界

日常即一切，生命正是由日常生活實踐所構成的（轉引自 Scheibe, 2001）。也可以說，生活即文化，文化是人們生活經驗的統稱；任何一個族群的文化，就是由其生活世界的種種所構成的。因此，社會中任何類型的機構，如果能與民眾的生活世界結合，必能發揮力量並受到重視。圖書館為社群（community）提供服務，社群各有其不同的理念、目的、品味和行動。圖書館不僅要被動的回應社群的需求，也要積極的協助建構社群的期望。換句話說，圖書館具有型塑文化的功能（Budd, 2003），其中包括精英文化和大

眾文化。這也是 Zweizig（1973）所說的，圖書館學應擴展其專業的論述，觀點應由使用者在圖書館生命中角色，轉變為圖書館在使用者生命中的角色。

雖說圖書館應與民眾的生活結合，但是，圖書館也不能只是扮演民眾生活中的「場合」（指建築物本身）角色，換句話說，她應發揮圖書館典藏知識的功能，將知識內容與民眾生活世界結合。Bourdieu, Passeron & Martin（1994）曾針對大學生使用圖書館的情況進行研究，結果顯示除了作作業以外，大學生認為圖書館是一個約會的地方（meeting-place），遠甚於研究的場合。這種現象若由符號學的角度來看，圖書館對大學生而言，代表著一種「約會場合」的符號，這與圖書館成立時的理想並不符合，也可能是一種文化進展的阻礙。

二、發揮文化霸權的力量

為了發揮文化霸權的力量，圖書館員可以參酌 Antonio Gramsci 有關霸權（hegemony）的論述，扮演有機知識份子（intellectuals organic）的角色，維護文化霸權，進而影響社會對圖書館此一公共領域的觀點。

這可以由幾方面著手，例如掌握資源的選擇權，當然前提是圖書館員應具備某學科的專業知識，不能只是仰賴出版社出版的目錄或索引。也許有人認為這是專業教育上的問題，教育無法賦予學生具備某學門的專業素養，但是，已在工作崗位的圖書館員不妨由自己有興趣的部分著眼，不一定在某學科上具豐富的學養，只要在某主題上很熟稔，對出版品能充分掌握，且具分析判斷出版品品質的能力，日積月累，應可以發揮其在出版品選擇上的影響力。

在資訊傳播部分，圖書館員如何表現自己的專業呢？尤其當今日的資訊檢索系統，高親和度的使用介面設計，加上民眾對電腦使用的熟悉度，例如搜尋引擎和網頁瀏覽的使用經驗，使用者將不如早期需透過中介者或圖書館員的協助才能使用資訊系統。在此情況下，圖書館員應如何做才能讓社會大眾感受到其重要性呢？筆者認為不論在參考諮詢服務，或一般諮詢服務上，圖書館員要思考如何提供知識的內容，且是經過整合、分析等深度加值處理過的資料，將是可行的方向。

過去使用者在圖書館進行諮詢服務時，常見的景象是，圖書館員「指引」使用者可以往那個方向找資料，或是教導、協助資訊系統的使用。有些資訊中心為了滿足企業界競爭的需求，真正能提供企業所需資訊的作法，也許值得圖書館界參考。總之，圖書館員在致力於應用新科技，縮短資料的整理流程與時間，提供更快速的檢索服務外，應思

考如何才能做到 Budd 的建議，扮演有機知識份子的角色，以維護文化霸權，並發揮影響力。

三、拋開既有的論述慣習

Bourdieu（1984）的慣習說（habitus）指出，慣習是一種性情傾向，呈現出群體的行動以及行動背後代表的信仰和意義，由此群體共享的慣習，也可以看出其未來發展。慣習也是一套分類的原則，是秀異（distinct）的基礎，由人的品味差異，我們可以將人區分成不同的類型。可以說，慣習是一種無形的導向系統，影響個體在特定場域中，評估擁有的資本，設定價值目標，及發展行動策略。性情傾向系統具體化在人的行為中，例如在行動者與他人的談話或與環境的互動中，透過說話、移動、做事等方法呈現出來（Jenkins, 1992）。

由此慣習的定義來檢視，圖書館員的日常實踐也有其既定的一套慣習。「圖書館慣習」指的是圖書館員對自我的認同，以及圖書館員據以認同自己的一套實踐過程（a set of practices）或實踐的性情傾向（dispositions to practice）（Budd, 2003）。這部分，我們可以圖書館的資料處理方式來說明。

圖書館學中的分類，實際上就是一種符號權力，因為她應用特有的分類語言，是非圖書館員所不了解的。語言即論述，Michel Foucault 在《知識考古學》（*The Archaeology of Knowledge*）一書中提到的「論述形成」（discursive formation），指的是一套文本（在此包括以對話、或文字呈現）被組織的方式。我們可以透過期刊文本寫作、會議、社群討論或對話等方式形成論述。以圖書館為例，書架中每本書的位置，及其所以放置在該位置的原因，與其他圖書的關係，圖書館有自己的一套說詞，此即論述的形成。由圖書館的分類作業，可以看出圖書館員的論述慣習。

圖書館現有的分類作業，除了考慮資料屬性外，缺乏 Foucult 強調的，組織知識時應考慮到文本間的關係，以及作者寫作當時社會的時空背景。如果能將文本創作的社會脈絡（context），整合在知識組織中的話，這樣一來，不再是將資訊（分類的標的物，指圖書館蒐藏的圖書等資源）視為物件，而是視為一種論述活動（discursive acts），由資訊所處的時空背景意義，即人們的社會世界，來審視並予以適當類目（Budd, 2003）。同樣的看法也出現在 Radford（2003）的文章中，他認為圖書館慣用的分類法，依「語言」、「哲學」等來歸類，沒有考量種族等因素，並非因為這些因素不重要或圖書館員不感興趣，而是因為這些因素非依物件、文本中陳述的概念或主題等形式出現。這也意味著分

類作業,沒有考慮文本呈現時的脈絡。同樣的,圖書館學中的引用文分析,如果也可以考慮到這一點,作為一種論述的形成將更為完整。這個主張,也可以與本段圖書館員可能的做法第一個建議「結合民眾的生活世界」相呼應。

以 Radford（2003）指稱的,圖書館學專業給人的一種印象是,似乎落入自己建構出來的論述之陷阱中,專業的成員多數只與圈內人對談,忽略了該專業掌握的知識與權力的關係,帶來的對種族、階級、年齡、性別等議題的影響。由此,我們可以整合前三個建議,希望圖書館員以新的角度重視審視自己既有的論述,思考圖書館如何與民眾的生活世界結合,發揮知識力量掌握文化霸權,重建圖書館員的形象。不要落入 Butler（1933）批評的,圖書館員孤單的站在自己簡化的典範中,合理化自己認為以技術就可以滿足民眾的知識興趣中（cited from Budd, 2003）。

四、廣泛應用已有的理論

除了由前述提及部分社會學領域的理論,審視圖書館員的變革之道外,回應 Wiegand 的看法,筆者提出除了四篇文獻中提及的之外,其他學門可以應用的研究成果。更終極的目標,當然是希望圖書資訊學界能建構出屬於自己的理論,並為其他學門所看重。可應用的研究成果例如,近幾年來文化研究盛行,圖書館本屬文化機構,文化研究的成果卻少為圖書館界應用,更不用說,圖書館員或圖書資訊學界學者參與文化研究的進行。以 Hall 的看法,文化研究與權力、政治,邊緣社群的再現有關,特別是階級、種族、族群等議題有關（或由年齡、國族、能力匱乏（disability）等來區分）（Barker, 2000）。

圖書館以全民為服務的對象,自然不能自外於對上述議題或族群的關懷。此外,由文化的觀點著眼,圖書館也應協助各族群建構集體記憶,這由歷史的角度而言,是深具意義的。此外,不論國內外,圖書館界長久以來的現象是女性圖書館員居多數,不免有人會由性別的角度來看圖書館的現象。在本文第三段有關「圖書館員失落的更多」中,可以發現部分媒體的論述是由生物決定論來看圖書館員的表現。女性主義的研究成果,也許可以帶給圖書館員一些思考,尤其是長久以來圖書館事業中女性圖書館員佔多數,但是,女性圖書館員的地位卻受社會性別角色期許所影響（葉乃靜,民 82）。女性主義相關論述的提出,也可能有助於媒體或社會大眾對圖書館員的意識形態的扭轉,讓社會大眾由專業角度,而非生物決定論,來評論圖書館事業。以兒童書的選購為例,圖書館員是因為具備掌握且判斷內容優劣的能力,而非因為女性天賦育兒的特質,讓她們適合挑選兒童書。

五、培養反思能力及特質

除了上述四點外，最後筆者要提出的呼籲是，圖書館員應有反思（reflective）能力和習慣，這是比較重要的。因為唯有具備反思能力，才能對自己所學、所為持有批判的態度，並由不同的學術傳統吸取另類經驗，而不為慣生的思維與認知模式所困住（葉啟政，民92）。換句話說，具有反思能力的人，才能對他人的不同於自己的論述，敞開胸懷聆聽並省思，也才有可能做到所謂的，扭轉他人對圖書館事業、圖書館員形象的認知。

結　論

本文以 Wiegand 在 Library Quarterly 1999 一月號的專文，以及後續回應的四篇文章為基礎，探討圖書館員已掌握的優勢、尚未把握的特質，並申論圖書館員該如何由失落中走出來。在專業知識部分，筆者提出結合民眾的生活世界、發揮文化霸權的力量、拋開既有的論述慣習、廣泛應用已有的理論、培養反思能力及特質等五點建議。

雖然說，由 Althusser 的意識形態角度來看，媒體不只是鏡射或反映真實，而是介入生產民眾同意的行動，能夠生產共識、製造民眾同意（唐維敏等，民83）。不論媒體呈現的社會真實的狀況，或是創造出來的假象，就圖書館員的影像部分來說，如何終結社會大眾或媒體對圖書館員負面的刻板印象，並重塑正面的形象，仍是關心圖書館事業的人所應思考的問題。更何況，一般人總是習慣使用或接受文本形式，習慣使得無視於或掩飾對文本限制的了解（Radford, 2003），在這種情況下，民眾受媒體在文本中蘊含意識形態的影響將更明顯。

最後，就服務或經營管理部分而言，雖非本文的重點，但與專業知識的提供也息息相關，因此，借此結論一角，提出可以加強的地方。以筆者長久觀察圖書館的現象為例，即使使用者最簡單的期望，只是希望透過公用目錄的查詢，順利找到圖書館未外借的圖書，卻常常都無法獲得滿意的結果。對此問題，圖書館一直無法提出解決方案，讓使用者感受不到圖書館解決問題的誠意和能力，縱然圖書館員不斷為自己的作法和政策辯護，但不僅無助於圖書館服務的提升及專業的進展，更無法扭轉圖書館員的形象及該行業的職業聲望，久而久之，圖書館員也容易因為無法由工作上獲得使用者的肯定，以及重複且無意義的辯護動作，而精疲力竭。

註釋

① 　相關報導有興趣的讀者可以參考相關的文章，或民視異言堂於民國92年3月17日播出的節目中有關

鄉鎮圖書館單元（http://www.ftvn.com.tw/Onair/strange/index.htm）。

② 「中國時報 50 年資料庫」蒐藏的資料範圍為 1949-1999 年；「聯合知識庫」收錄 1951 年以來聯合報、經濟日報、民生報、聯合晚報及星報等五大報資料。

③ 家長式社會指的是父權制的社會制度，社會是由以男性為領導核心而擴大的家庭制度所組成。

參考書目

Scheibe, Karl E.（2001）。《人生，非常戲劇：日常生活心理學》（鍾清瑜譯）。台北市：究竟。（作者引用 Joan Didion 的話）

Gurevitch, Miahcel., Tony Bennett, James Curran, Woolacott Janet.（民 83）。《文化、社會與媒體：批判性觀點》＝Culture, society and the Media（唐維敏、程宗明、黃麗玲、蔡崇隆、戴育賢、鄧宗德等譯）。台北市：遠流。

Webster, Frank.（1999）。《資訊社會理論》＝Theories of the information society（馮建三譯）。台北市：遠流。

Stephen King（1992）。《史蒂芬金的午夜禁語：午夜三時──圖書館警察》＝Four past midnight（陳蒼多譯）。台北市：時報。

林芳玫等（民 89）。《女性主義理論與流派》。台北市：女書。

余友梅（民 84 年 6 月 5 日）。《電子圖書館博覽群籍不出門》。經濟日報，第 30 版。

張作錦（民 87 年 8 月 2 日）。〈兩位圖書館員的兩條路〉。《聯合報》，第 37 版。

湯志堅（民 90 年 6 月 13 日）。〈瑞秋懷茲派翠西亞神鬼鬥技〉。《星報》，第 6 版。

〈景氣低迷今年秋裝有點嚴肅〉（民 91 年 8 月 18 日）。《聯合報》，第 12 版。

葉啟政（民 92）。〈台灣社會學的過去、現在與未來〉。《2003 年「社會學與心理的對話」學術研討會論文集》。世新大學社會心理學系主辦，民國 92 年 10 月 18-19 日。

葉乃靜（民 82）。〈圖書館事業中女性的角色與地位之探討〉。《書苑》，第 17 期，頁 31-51。

Barker, Chris. (2000). *Cultural studies*. London: Sage Publications.

Bernard,Waites, Benn Tony & Martin Graham. *Popular culture: past, and present*. London: Routledge, 1982.

Bourdieu, Pierre. (1984). *Distinction: a social critique of the judgment of taste*. Cambridge, Mass.: Harvard University Press.

Bourdieu, Pierre., Jean-Claude Passeron & Monique de Saint Martin. *Academic discourse:*

linguistic misunderstanding and professorial power. Cambridge: Polity Press, 1994.

Budd, John. (2003). The library, praxis, and symbolic power. *Library Quarterly*, 73, 19-32.

Butler, Pierce. (1933). *An introduction to library science*. Chicago: University of Chicago Press.

Jenkins, Richard. (1992). *Pierre Bourdieu*. London: Routledge.

Raber, Douglas. (2003). Librarians as organic intellectuals: a Gramscian approach to blind spots and tunnel vision. *Library Quarterly*, 73, 33-53.

Radfor, Gary. (2003). Trapped in our own discursive formations: toward an archaeology of library and information science. *Library Quarterly*, 73, 1-18.

Radfor, Marie & Radford, Gary. (2003). Librarians and party girls: cultural studies and the meaning of the librarian. *Library Quarterly*, 73, 54-69.

Wiegand, Wayne. (1999). Tunnel vision and blind spots: What the past tells us about the present; reflections on the twentieth-century history of American librarianship. *Library Quarterly*, 69, 1-32.

Wiegand, Wayne. (2003). Broadening our perspectives. *Library Quarterly*, 73, v-x.

Zweizig, Douglas. (1973). *Predicting amount of library use: an empirical study of the role of the public library in the life of the adult public*. Ph.D. Dissertation, Syracuse University.

從課程的觀點探討比較圖書館學的內容趨勢
The Trends of Comparative Librarianship:
the Perspectives of Curriculum

林雯瑤
Wen-yau Cathy Lin

摘　要

　　本文概述比較圖書館學與國際圖書館學之定義、範圍、研究方法及相關爭議，並分析美國圖書館學會認證的圖書資訊學研究所中，與比較圖書館學及國際圖書館學相關的課程名稱、課程內容，希望透過這些名稱與內容的更迭能窺探比較研究在圖書資訊領域的未來發展，並提供國內圖書資訊學教育之參考。本文建議將國內相關課程改名為國際與比較圖書資訊學，並將課程內容擴充為對圖書館與資訊兩大領域具有國際觀、全球觀的探討，以符合研究的趨勢。

Abstract

The controversies in the definition, scope and research methods of comparative and international librarianship hade been discussed in this paper.　Directions of comparative librarianship study was analyzed from the viewpoint of course name and course descriptions from ALA-accredited programs.　This paper suggested expanding the field scope by changing the course name from "Comparative Librarianship" to "Global Comparative Librarianship and Information Studies".　Also, the curriculums have to be expanded to include more international and information subjects.

關鍵詞：比較圖書館學；國際圖書館學

Keywords: Comparative Librarianship; International Librarianship

壹、前言

關於比較圖書館學的定義、範圍、屬性等等各種爭議從 1954 年 Dane 在 "Comparative Librarianship" 與 "The Benefits of Comparative Librarianship" 兩篇文章首先提出 "comparative librarianship" 這個詞以來（Simsova & MacKee, 1975），似乎從來沒有間斷過。至於比較圖書館學與國際圖書館學之間的關係是平行或從屬、可否相互取代等問題，各派學者也各擁其論。

縱使諸多爭議歷經超過半個世紀以來尚無定論，各種比較圖書館學、國際圖書館學的研究卻從不間斷，亦無損圖書館學中比較研究或跨國、跨區域研究的重要性。在許多圖書館學校皆納入資訊學的相關研究，並將圖書館學校改名為圖書資訊學校、資訊學院（例如美國 Florida State University 的 School of Information Studies、University of Michigan 的 Information School 等）之際，傳統上「比較圖書館」的課程名稱也有重大的改變許多學校紛紛採用「國際與比較資訊服務」、「國際資訊議題」、「圖書館與資訊科學之國際議題與比較研究」、「圖書館與資訊科學之全球觀點」等更多元的課程名稱，不僅在原來的各國或各區域比較中更強調國際研究，甚至將視野擴展到全球的層次。學科的範圍則跨出傳統「圖書館學」的藩籬，拓展到「資訊科學」或「資訊」的領域。

本文除概述比較圖書館學與國際圖書館學之定義、範圍、研究方法及相關爭議外，重點將在於分析美國圖書館學會認證的圖書資訊學研究所中，與比較圖書館學及國際圖書館學相關的課程名稱、課程內容，希望透過這些名稱與內容的更迭能窺探比較研究在圖書資訊領域的未來發展，並提供國內圖書資訊學教育之參考。

貳、定義與範圍

在中文的世界中，「比較圖書館學」一詞最早出現於程伯群在 1935 年所編寫的「比較圖書館學」，作者在書中指出，「中西各有所長……取名比較圖書館學，所以示其綱領而作綜合之比較，以為研究圖書館學之門徑」。（鍾守真，1992）在西方，Edward Edwards 早在十九世紀中期，就曾調查歐洲圖書館的狀況，並以研究結果支持其對英國公共圖書館立法的論據，Simsova（1974）認為雖然當時 Edwards 並不自知，但這個調查研究就是

比較圖書館學。而英文的"comparative librarianship"一詞最早是由 Dane 在他所發表的兩篇文章中提出，但自此往後的十年中，未有其他人士提到此一特有名詞，直到 1964 年 Foskett 在美國密西根大學的一場演講中再度提到比較圖書館學。1979 年嚴文郁將"comparative librarianship"譯為比較圖書館學，至此中文與英文的比較圖書館學在用字上有了正式的連結。

雖然對於名詞並無太大的歧異，但專家學者們對於比較圖書館學的定義、涵括的範圍卻有許多不同的看法。表一將六位學者在不同年代所提出的比較圖書館學定義、範圍與目的加以整理比較。

表一　比較圖書館學之定義、範圍與目的

學者（年代）	定義	範圍	目的
White (1964)	是一門以不同地理區域與政治區域中的理論和實踐上的材料為對象的學科	不同地理區域與政治區域	
Shores (1966)	對不同國家圖書館學理論及實務工作的研究	世界上各個不同國家	廣泛且深入地對圖書館事業的特質與應用進行了解
Collings (1971)	有系統地對不同環境中圖書館的發展、運作或問題進行分析	通常在不同國家	正確獲知圖書館的實際運作狀況，並能有系統地研究因不同文化背景所產生的結果
Danton (1973)	真正的比較、並列且分析相似的圖書館、圖書館系統、圖書館事業	二個或多個國家、文化或社會環境之	了解其異同處，對不同的解釋得到一般的通則
Harvey (1973)	是層次明確的領域，針對兩個或以上國家的某一主題客觀、有系統的比較與對比	兩個或以上國家	以達成對問題的結論，有助於了解
鍾守真 (1992)	不受時間限制的比較研究不同國家、不同民族的圖書館現象的相互影響、差異與同一圖書館學與其他學科相互關係的學科	不同國家、不同民族	

參、研究方法與步驟

　　雖然圖書館學到底是不是一門科學的爭論至今學者們仍無共識，但圖書館學大部分的研究方法都是借自其他社會科學卻是不爭的事實。舉凡歷史法、調查法、實驗法、個案法、統計法、比較法、描述法、歸納法、演繹法皆可用到圖書館學中的比較及國際圖書館學之研究，在研究過程中，這些方法是交互作用且交織在一起的（傅雅秀，民 81）。Harvey（1973）認為，在比較圖書館學中，比較法並非唯一的研究方法，研究人員仍可利用統計比較、問題分析、趨勢鑑定、因素與分析法、規範分析、發展準則鑑定（developmental criteria identification）與歷史分析等方法進行比較圖書館學研究。Krzys（1983）也認為在比較圖書館學中可用的研究方法為歷史法、調查法、個案法、統計法、實驗法、上述方法的混合法、比較法。

　　雖然學者們列舉的研究方法有所差異，但卻無損主要的原則，換言之，在整體的圖書館學中，比較法仍是一個獨立的研究方法，但在「比較圖書館學」中，比較成了目的，而達成這些目的的研究方法仍有許多種。Harvey（1973）也提出，每一個研究的主題都應該針對其本質、目的、起源、類別、變項、發展、消滅等要素進行分析。縱使在進入資訊時代後，圖書館學的內涵與服務項目已經有許多改變，但這些基礎的研究綱領與精神仍是不變的。

　　在研究進行的步驟上，Harvey（1973）曾綜合各家說法，將比較圖書館學的研究步驟歸納為十二個階段，分別是⑴推論，⑵初期描述階段，⑶初期分析階段，⑷第二期圖書館描述與分析階段，⑸比較階段，⑹相互關係擴展階段，⑺國家擴展階段，⑻預測階段，⑼方法論階段，⑽進一步研究階段，⑾系統分析階段，⑿定律形成階段。Krzys（1983）參考 George Bereday 的比較教育研究模式，將比較圖書館學的研究區分為四個步驟，分別是：⑴描述（description），⑵解釋（interpretation），⑶並列（juxtaposition），⑷比較（comparison）。其中描述係指有系統地收集和正確地描述有關問題的資料；解釋是由社會關係背景的角度，以可被接受的方法技巧來分析資料；並列是以一個環境中有關問題或情況的資料，和另一個環境的資料加以並列，以建立比較的架構；最後的比較則是比較所有的問題與情況。這些步驟中，如果缺乏了並列與比較就不屬於比較圖書館學的範圍，尤其並列是比較的前提與基礎，根據特定的條件將分析過後的資料予以並列，不僅可協助研究者發掘問題，也會讓問題的呈現有意義，如此將提高提出解決方法的可能性與可行性。

肆、比較圖書館學與國際圖書館學的爭議

在比較圖書館學的各種爭議之中，關於比較圖書館學與國際圖書館學之異同曾經引起非常廣泛的討論。Harvey（1977）曾明確地表明立場，他認為比較圖書館學是國際圖書館學的分支，其中國際圖書館學包括外國圖書館學、國際機構及比較圖書館學。Krzys（1983）則將國際圖書館學與比較圖書館學合併，提出「國際與比較圖書館學研究」，並定義為探討國際上、跨國或跨文化的圖書館現象，經由解釋、預測與控制來加強圖書館學，最後由全世界圖書館實務之變項之比較，而增進圖書館事業之發展。Jackson 認為比較圖書館學國際圖書館學沒有主從關係，是不同意義之不同名詞，比較圖書館學是一種跨文化之研究，不一定是國際圖書館學，而國際圖書館學只限於超越國界之圖書館事業，不包括比較（傅雅秀，民 81）。鍾守真與倪波（1986）則更清楚的指出，國際圖書館學的含意是指圖書館事業和理論的跨國度、跨民族範圍內的活動，通常指兩個或兩個以上國家中個人和團體間的各種聯繫，是指國際合作、交流的各種方法。鍾守真與倪波的論點來自比較教育學與國際教育學的論點，對於釐清比較圖書館學與國際圖書館學之間的差異極有幫助，但是近年來國際教育學與比較教育學已經逐漸靠攏，逐漸形成一種學科的兩個面向。

在各種比較研究中，與比較圖書館學最接近的，也常為專家學者借鏡的確實是「比較教育」。而「比較教育」、「外國教育」甚至「國際教育」、「全球教育」等名詞也都曾歷經涵意重疊的困擾，雖然許多學者試著為這些名詞定義與確認範圍，然而卻未能獲得共識。但從美國「比較教育學會」於 1960 年代更名為「國際比較教育學會」的例子顯示出國際教育益形受到重視（沈姍姍，民 89），而部份學者也傾向將「比較教育」與「國際教育」視為一個領域。

Halls 將比較教育研究分為四類，分別是比較研究（comparative studies）、外國教育（education abroad）、國際教育（international education）與發展教育（development education）四種型態，並以下圖表示各種型態的分類模式。其中比較教育旨在研究不同國家的教學及歷程；國際教育旨在對於多個國家、多元文化與多元種族的群體之教學進行研究（沈姍姍，民 89）。若依 Halls 對比較教育與國際教育的解釋，似乎完全與比較圖書館學及國際圖書館學之間的差異又完全不符。由此可見「比較」與「國際」之間的確有難以確實區分的灰色地帶。Watson 則認為比較教育學是學術的、研究為主的、科技整合的；然而國際教育學則是發展國際態度與知覺，並使用比較的資料，二者的目標均

是致力於教育改革（沈姍姍，民 89）。若接受 Watson 的解釋，對於「比較」與「國際」
的本質則有另一種角度的說明。

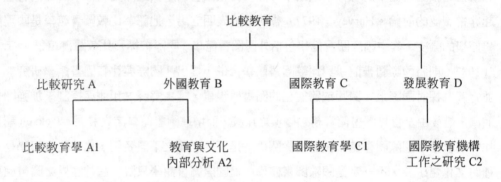

資料來源：沈姍姍，頁 19

圖一　Halls 的比較教育分類模式

　　若從比較教育的範疇回到比較圖書館的議題，本文較傾向接受鍾守真與倪波對比較
圖書館學與國際圖書館學之間差異的論點，亦即比較圖書館學著重比較，而國際圖書館
學著重的是跨國際的合作與交流。無論如何，這些爭議隨著許多圖書館學校已經將相關
課程名稱改為「比較與國際圖書館學」或「國際與比較圖書館學」而顯得沒有意義，因
為在跨國、跨文化、國際的、全球的議題中，不論是比較，或是合作與交流都是非常重
要的。圖書館學界現在面對的挑戰已經不是「比較」與「國際」這種範圍性的問題，而
是「圖書館事業」與「資訊」這種主題的論戰。在許多課程的名稱與內容都已經變動的
情況下，爭論的意義似乎也不存在。

伍、從國家與國家、國際到全球

　　不論關於名詞、定義、範圍的爭議有多分歧，我們都必須面對全世界圖書館事業已
經有了革命性改變的事實。因為資訊產業的蓬勃發展、資訊技術的日新月異，讓圖書館
數百年來的理念、工作程序與精神都遭受前所未有的挑戰。圖書館學如此，當然比較圖
書館學或國際圖書館學亦是如此。本文利用分析美國圖書館學會認可的圖書館學校之比
較圖書館學相關課程，期望從課程名稱與課程內容的改變，一探比較圖書館學研究的新
趨勢。

一、課程名稱的改變

根據調查，在美國圖書館學會認可的四十九所提供碩士或碩士以上學位的圖書館學校中，有二十二所在課程說明中有列舉比較圖書館學或國際圖書館學的相關課程，其中十七所在近兩年內曾開設比較圖書館學相關課程。若再詳細分析其課程名稱，可得知"International Librarianship"是最普遍的課程名稱，共有五所學校採用，合併 International 與 Comparative 使用 International Comparative 的則有四所。傳統上常用的"Comparative Librarianship"原本在 2003 年的調查中，還有 North Carolina Central University 的 School of Library and Information Science 採用，但是該校在不更動課程概述（http://www.nccuslis.org/courses/coursesd.htm）的狀況下，於 2004 年將該課程名稱改為 Global Library and Information Systems。因此目前在美國圖書館學會認可的圖書館學校中，並無任何採用 Comparative Librarianship 為課程名稱者。

就課程的範圍而言，強調探討國際問題的有十八所。值得注意的是，有五所學校的課程名稱與全球、全球化有關，可見不僅國與國之間的問題受到重視，更擴大到從全球的角度來研討圖書資訊學相關議題。另外，還有零星的學校是針對單一國家的研究（例如英國）、特定區域（例如東南亞、亞太地區）、跨文化、國家與國際等來設定課程的範圍。詳細分析請見表二。

表二　ALA 認證學校之相關課程名稱分析（範圍）

課程範圍	學校數量
International	18
Global / Globalization	5
British studies	1
International & cross-cultural	1
Multiculturalism	1
National and international	1

若從課程主題的角度而言，有九所學校仍採用"librarianship"為研討的主題，將資訊科學或資訊系統納入與圖書館並列的則有四所，以資訊政策、資訊傳播、資訊經濟等相關議題為主的則有三所，其他則是散布在資訊資源、服務、圖書館甚至出版與書目等。從表三的分析可以得知，目前雖然大多數學校還是以圖書館事業為課程的主題，但仍從有比較圖書館學逐漸轉型為比較圖書資訊學，或國際圖書館學轉型為國際圖書資訊學的

趨勢，因為二十二所學校中，已經有半數的學校在課程名稱中出現"information"這個字，而且探討的層面從資訊經濟，到資訊的服務、資源、政策、傳播、管理皆有之，可說是非常豐富。

表三　ALA 認證學校之相關課程名稱分析（主題）

課程主題	學校數量
Librarianship	8
Library and information science (system)	4
Information policy / transfer / economy	3
Information management	1
Information resources and librarianship	1
Information science / information	1
Information services	2
Libraries	1
Publishing and bibliography	1

二、課程內容的改變

　　課程名稱的改變毋庸置疑是觀察學科發展的重要依據，但是若要能探查其實質變異，對課程內容的深入研究更是值得研究者投注心力。透過從各校官方網頁上所蒐集到的課程說明（course description）與老師們所建置的課程網頁中的課程大綱（course syllabus），可更真切地看出比較圖書館學或國際圖書館學在內容上的質變與面臨的困境。

　　課程內容的改變比起名稱的更動幅度更為劇烈，許多仍維持傳統名稱的課程其實內容已經都與過去大不相同。以 2003 年唯一還保有"Comparative Librarianship"課程名稱的 North Carolina Central University 為例，其課程內容在於「研討其他國家與國際間，圖書館在全球性的基礎上以合作的方式提高資訊取得服務」的議題，這樣的課程內容強調的是圖書館的資訊取得、全球性的基礎等，與傳統上的國與國之間整體或單一圖書館事業的比較已有所相當的差異。有趣的是，該校已經在 2004 年將課程名稱改為 Global Library and Information Systems，而課程內容概述則完全不變，新的課程名稱明顯更符合其課程內容的描述。

　　另外，許多課程除圖書館事業的比較之外，還加入資訊的相關議題。如果把資訊當

成一門自然科學，「比較」的可能性與合理性即大幅降低，因為自然科學講究的是真理，不論在地球的哪個角落都應該可以重複驗證。但是資訊也有其社會科學的一面，例如制度、法律、經濟、政策等層面，這些層面都與其大環境息息相關，也會因社會、國家、文化、環境等條件而有所差異，自然也產生了可以「比較」的基礎。

以 Florida State University 的課程"International and Comparative Information Services"為例，該課程強調的是在國際層級的資訊相關議題，例如資訊科技的角色、資訊的使用、資訊流、資訊社會的特色等。（https://courses.lis.fsu.edu/courses/summer2004/common/infoView/index.cfm?cID=su04_5241_01&myLisUser=GuestUser&myLisPwd=guest）另一個較為特別的是 University of Washington 的 Information School，在該學院中，與比較圖書館學或國際圖書資訊學相關的課程有兩個，分別是開設於社會資訊內容的特別主題之下，直接以國際圖書館學命名的"Issues in International Librarianship"，以及強調從組織、社會、世界觀的角度來看資訊系統的"Organizational, Societal, and Global Perspectives on Information Systems。前者的課程內容是探討在提高識字率、書籍出版、圖書館管理保藏與書目控制等議題中，國際組織與圖書館組織的角色（http://courses.washington.edu/lis559u/）；後者則是著重從社會、倫理、經濟、政治、跨文化等角度來研究現在及未來的資訊系統，並研討在不同群體、組織與文化間，資訊的傳播與使用，也關注新知識經濟、國家與國際政策、資訊隱私權、智慧財產權、檢查制度與資訊自由等議題。（http://www.washington.edu/students/crscat/info.html）

除了課程的主題從僅對圖書館事業的關懷擴展到資訊的種種議題之外，課程的範圍也從國與國之間的比較擴張到國際間的研究，甚而在全球化的風潮下，研討的視野更擴大到應該具有全球觀點。如前所述，目前有五所學校的課程是以全球的角度來探討圖書資訊學比較的問題。以 University of Illinois at Urbana-Champaign，Graduate School of Library and Information Science 的課程"Global Perspective in Library and Information Science"為例，其研討的內容即是從宏觀的角度來看國際資訊界、圖書館教育國際化的重要性、國際資訊組織的角色、資訊政策制定的重要性等。（http://leep.lis.uiuc.edu/spring03/lis450il/450ilsyl-detail.htm）

另外，由於比較研究通常需要有外國經驗與外語能力，因此合適的師資難求是開設比較課程常見的困難。Danton（1973）曾提出，一個合格的比較圖書館學教師應具備以下條件：(1)懂外國語言語文化、(2)具備圖書館史及圖書館學知識、(3)具有社會科學方面的研究方法知識、(4)對世界知識、意識形態和社會力量有見解。以 Emporia State University

的 School of Library & Information Management 為例，由於 2003 年該系邀請到一位來自奈及利亞的訪問學者，因此連續兩個學期與暑假，訪問學者得以為該系開設了三個與國際比較研究相關的課程，然而一旦該學者返回母國，原來在美國開設的課程即無以為繼。

在 ALA 認證的全美四十九所圖書館學校中，僅有不到半數（二十二所）制定與「比較」相關的課程，其中更只有百分之三十五（十七所）在近兩年內曾經開設或正在開設該課程，合適師資難覓的問題應是其中難以克服的主要困難。這樣的困難尤其容易發生在以英文這種強勢語言為官方語言的國家，若是在其他非英語系國家，由於多半基於研究的需要，老師與學生皆熟悉至少一種的外國語，且通常是英文，因此對於比較研究的進行與教授反而障礙較少。不過如果「比較」的目標是相對弱勢的國家或語言，那麼因語言文化所產生的阻礙仍是存在的。

三、「新」比較圖書館學

綜合上述對各學校在比較相關課程內容與名稱變革的分析，我們可以宣告「『新』比較圖書館學」的時代已經來臨，但是由於在主題與範圍皆有所變化，因此建議將學科或課程名稱改為「國際與比較圖書資訊學」，並定義為：

> 利用比較的方法，透過描述、解釋、並列與比較等步驟，針對不同國家、國際間或全球性的圖書館及資訊相關議題進行研究，其目的在增加對彼此的了解，強化合作的機制與可能性，以促進整體的進步。

其中在圖書館學與資訊方面涉及的比較項目皆非常豐富，在圖書館方面包括對各國圖書館類型、系統、技術、服務、管理、法規、標準、教育、政策、國際圖書館合作、國際活動的比較研究；在資訊方面則包括各國及全球層次的資訊政策、資訊經濟、資訊環境、資訊標準、智慧財產、資訊隱私權、資訊檢查、資訊自由等。為力求清晰表達本文之理念，茲以下圖示之。

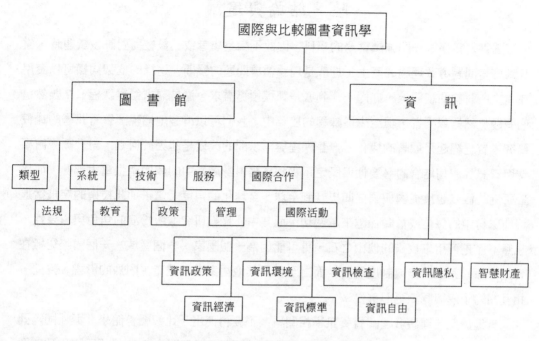

圖二　國際與比較圖書資訊學內容項目

　　根據調查，目前我國圖書資訊科系所開設的比較相關課程大多沿用傳統的名稱（詳見表四），除了世新大學資訊傳播學研究所針對出版事業開設「國際出版事業研究外」，僅有政治大學圖書資訊學研究所採用「國際圖書資訊學」，其他系、所皆囿於圖書館事業的比較或國際研究。本文建議各系、所在開設比較圖書館學相關課程時，考慮將課程名稱改為「國際與比較圖書資訊學」，並將課程內容擴充為對圖書館與資訊兩大領域具有國際觀、全球觀的探討，以符合研究的趨勢。

表四　我國圖書資訊科系所「比較」相關課程名稱

學校名稱	系所名稱	課程名稱
中興大學	圖書資訊學研究所	國際圖書館學 (2)
世新大學	資訊傳播學研究所	國際出版事業研究
台灣大學	圖書資訊學研究所	比較圖書館學研討 (2)
玄奘人文社會學院	圖書資訊學系	中外圖書館比較研究 (2)
政治大學	圖書資訊學研究所	國際圖書資訊學 (2)
淡江大學	資訊與圖書館學研究所	比較圖書館學 (2)

陸、結論與建議

　　圖書資訊學是一門強調實務的學科，因此不論是學者或館員在面對許多議題時，常有到底是問題導致理論的產生，抑或是理論領導問題的疑問。這樣的框架同樣可以套用在本文所討論的議題上，亦即，「到底是課程領導需求，還是需求領導課程」？雖然這個問題仍然難以回答，但至少從課程的變革中，我們可以清楚地知曉圖書資訊學的比較研究本質已經起了顯著的變化。無論課程與需求間的改變是起因於何處，對於圖書館事業與資訊界密切結合的必要性與既定事實都已經對身處其中的我們產生重大影響，而比較研究的觀點也應從國與國之間提升到全球、全球化的角度。電子通訊技術的突飛猛進讓地球村中的每位成員關係越來越密切，而其中「比較研究」所扮演的角色與重要性，也應不僅是可用來攻錯的他山之石，更可能因為一個國家、一個區域、一個國際組織在資訊方面的某個動作或制度改變，而對全世界其他國家或個體產生劇烈的影響，爰此，相互間的了解與認識更形重要。

　　有鑑於此，建議我國圖書資訊學相關科系不要再使用「比較圖書館學」與「國際圖書館學」的課程名稱，以免圍限了課程的廣度、視野及前瞻性，而改以「國際與比較圖書資訊學」取代之，並在課程中加強資訊的相關議題，如此將更能符合時代的變化與需求。

參考文獻

Collings, D. G. (1971) "Comparative Librarianship." In：Kent, A & Lancour, H. (eds.) *Encyclopedia of Library & Information Science.* V.5 New York: Marcel Dekker, pp. 492-502.

Danton, J. P. (1973) *The Dimensions of Comparative Librarianship.* Chicago: ALA

Harvey, John F. (1973) "Toward a Definition of International and Comparative Library Science." *International Library Review* 5(3)： 289-319.

Harvey, John F. (1977) *Comparative & International Science.* N.J.: Scarecrow.

Krzys, Richard. (1983) "Research Methodology: a General Discussion." In Richard. Krzys & Gaston Litton (ed.s) *World Lirarianship: a Comparative Study.* New York: Marcel Dekker.

LIS 450IL Global Perspectives in Library and Information Science - Spring, 2003. Retrieved

April 22 2004, from http://leep.lis.uiuc.edu/spring03/lis450il/450ilsyl-detail.htm. Retrieved January 16 2003.

LIS 5241-01,02,03: International and Comparative Information Services. Retrieved April 22 2004, from https://courses.lis.fsu.edu/courses/summer2004/common/infoView/index. cfm?cID=su04_5241_01&myLisUser=GuestUser&myLisPwd=guest. Retrieved April 29 2001.

LIS 559 Issues in International Librarianship. Retrieved April 22 2004, from http://courses.washington.edu/lis559u/

Shores, L. (1966) "Why Comparative Librarianship?" Wilson Library Bulletin 41: 200-206.

Simsova, S. & MacKee, M. (1975) *A Handbook of Comparative Librarianship*. Rev. ed. London: Linnet ooks & Clive Bingley.

Simsova, S. (1974) "Comparative Librarianship as an Academic Subject." *Journal of Librarianship*. 6(2): 115-125.

The Information School. Retrieved April 20 2004, from http://www.washington.edu/ students/crscat/info.html

沈姍姍（民 89）《國際比較教育學》。台北市：正中。

傅雅秀（民 81）〈比較與國際圖書館學概說〉，《國立中央圖書館館刊》25(2)：3-22。

鍾守真（1992）《比較圖書館學引論》。天津市：南開大學出版社。

鍾守真、倪波（1986）〈比較圖書館學導論〉，《津圖學刊》2：129-138。

附錄：ALA 認證之圖書館學校「比較圖書館學」相關課程資訊

學校名稱	系所名稱	課程名稱（學分數）（最後開課時間） 課程說明網頁 或 課程網頁
Dominican Univ.	Graduate School of Library and Information Science	International Librarianship (3) (Fall, 2003) http://domin.dom.edu/faculty/adjunct/wjackson/lis760/
Emporia State Univ.	School of Library & Information Management	International Information Policy (2)；International Information Transfer (2) ；International Information Economy (2) (Fall, Summer, Spring2003) http://slim.emporia.edu/Forms/syllabus/syllabus_display.cfm?CourseCode=821xr20031
Florida State Univ.	School of Information Studies	International and Comparative Information Services (3) (Summer, 2003. Web) http://apps.lis.fsu.edu/courseListings/schedule/schInstructor.cfm?semester=su2003
Indiana Univ.	School of Library and Information Science	International Information Issues (3) (Spring, 2004) http://mypage.iu.edu/~ccourtri/L610b.html
Louisiana State Univ.	School of Library and Information Science	Special Topic: International Library and Information Systems (2) (Summer, 2003) http://slis.lsu.edu/syllabi/7911.pdf
North Carolina Central Univ.	School of Library and Information Science	Global Library and Information Systems (3) http://www.nccuslis.org/courses/coursesd.htm
Rutgers, the State Univ. of New Jersey	School of Communication Information and Library	Special Topics I : International Librarianship (3) (Spring., 2004) http://www.scils.rutgers.edu/~chaparro/intlib3.html
Simmons College	Graduate School of Library & Information Science	International and Comparative Librarianship (2-4) (Spring, 2004) http://www.simmons.edu/gslis/academics/courses/all.shtml
Syracuse Univ.	School of Information Studies	National and International Information Policies (3) http://www.syracuse.edu/publications/gradcat/ist.pdf
UCLA	Dept. of Information Studies	International Issues and Comparative Research in Library and Information Science (4) (Spring, 2004) http://polaris.gseis.ucla.edu/labuse/Courses/CourseName.html
Univ. at Buffalo	School of Informatics（Master of Library Science）	International Publishing and Bibliography (3) http://informatics.buffalo.edu/programs/mls/courses/index.asp
Univ. of Arizona	School of Information Resources & Library Science .	Issues in Global Information Resources and Librarianship (3) (Summer, 2003) http://timon.sir.arizona.edu/sm03/588b/
Univ. of Hawaii at Manoa	Library and Information Science	Seminar in International Librarianship (3) (Spring, 2003) http://www2.hawaii.edu/slis/courses/descriptions.html

Univ. of Illinois at Urbana-Champaign	Graduate School of Library and Information Science	Global Perspectives in Library and Information Science (3) (Spring, 2003) http://leep.lis.uiuc.edu/spring03/lis450il/450ilsyl-detail.htm
Univ. of Maryland	College of Information Studies	Seminar in International and Comparative Librarianship and Information Science (3) http://www.clis.umd.edu/courses/course_descriptions.html
Univ. of Michigan	School of Information	Special Topics: Globalization and the Information Society -- Information Systems and International Communications Policy (3) (Winter, 2002) http://www.si.umich.edu/Classes/607/
Univ. of North Carolina at Chapel Hill	School of Information and Library Science	International & Cross Cultural Perspectives on Information Management (3) (Spring, 2002) http://ils.unc.edu/inls204sp02/204main.htm
Univ. of Rhode Island	Graduate School of Library and Information Studies	Multiculturalism in Libraries (3) (Summer, 2003) http://www.uri.edu/artsci/lsc/coursedescription.html
Univ. of Southern Mississippi	School of Library and Information Science	British Studies: Studies in Librarianship (3) British Studies: Seminar in Children's and Young Adult Literature (3) British Studies: Historical Studies in Children's Literature (3) British Studies: Research (3) http://www.usm.edu/slis/courses.htm#courses
Univ. of Washington	Information School – Library & Information Science	Issues in International Librarianship (2) (Spring, 2003) (Special Topics in the Social Context of information) http://courses.washington.edu/lis559u/ Organizational, Societal, and Global Perspectives on Information Systems (5) (Spring, 2004) http://www.washington.edu/students/crscat/info.html
Univ. of Wisconsin, Madison	School of Library and Information Studies	International Librarianship (Brown Bag Lunch Series on) (Fall, 2002)
Univ. of Wisconsin, Milwaukee	School of Information Studies	Seminar in International and Multicultural Information Services http://www.uwm.edu/Dept/SOIS/directory/amanlinks/840_MA.pdf

比較圖書館學之基本原理與爭議
The Fundamental and Controversial Issues of Comparative Librarianship Study

張瀚文
Han-wen Chang

摘 要

為釐清比較圖書館學在定位、範圍及方法論上的根本問題，本文特別就比較圖書館學的基本原理及若干爭議加以探討，並依其研究性質、研究範圍、與相關學科之關係以及研究模式等不同面向分析之。有鑑於國內外研究者均曾系統化地介紹比較圖書館學之相關論述，本文不再說明該研究之起源、目的、功能等背景資料，而將重點放在各家對其基本原理的歧見與爭議。文中除引證各學者對比較圖書館學所持的認知與看法外，並據此提出己見，以思考比較圖書館學未來發展的願景。

Abstract

The purpose of this paper is discussing the fundamental and controversial issues of comparative librarianship study. By reviewing and citing some others' view of points, the author concludes several issues, which give rise to contention toward comparative librarianship study, and analyses the criteria for comparison. First, debating the comparative librarianship is a methodology or a discipline; second, the scope of research is one country or international; third, the relationship among comparative librarianship, international librarianship, and library history; and finally, if comparative librarianship concludes area study and case study. The result of this article would be useful for the understanding of the field of comparative librarianship.

關鍵詞：比較圖書館學；國際圖書館學；比較研究；圖書資訊學
Keywords: Comparative Librarianship; International Librarianship; Comparative Study; Library and Information Science

一、前言

比較研究雖源於十六世紀的比較解剖學，且陸續在醫學、生物學、政治學、文學、語言學、法學、教育學等研究領域中發展出新興的主題領域（Wang, 1985），然而「比較圖書館學」一詞卻至二十世紀中葉才出現，相較於淵源甚深的比較教育學遲了將近一百年[①]（鍾守真，1993）而在圖書館學的發展歷程中，自十九世紀杜威創辦圖書館學校有系統地教授圖書館學程開始，至比較圖書館學研究概念的提出，亦經歷長達半個世紀之久。因此無論對比較研究或圖書館學而言，比較圖書館學均為一項年輕、有待開發的新興領域，值得吾人投入其相關的研究。

然而，正因為比較圖書館學的發展尚未成熟、穩定，所以許多學者仍對比較圖書館學保持不同的觀點及看法，甚至在研究的基本原理及定義上產生各門各派的意見；其中最常引起爭論的議題包括：比較圖書館學的研究性質係屬於「學科」或「方法」；研究範圍應涵蓋「各國」或「一國」；以及研究模式是否必須包含「比較」成份等。而隨著基本原理的爭擾未休與曖昧不明，比較圖書館學也面臨其發展上的障礙——何為該門研究最根本的理論基礎。這或許是所有社會科學普遍存在的問題；尤其對比較研究而言，其採用的研究方法——「比較」即包含相當抽象的概念，其不僅是一種普遍的心理運作，亦為科學探究的方法，而兩種層次的差別又可能導致不同比較類型（戴曉霞，民85），因此在研究過程中，往往難有明確的定義與規範清楚區隔比較研究與其他研究之不同。事實上，比較教育學的發展歷史較比較圖書館學早約一百年，但時至今日，各國比較教育學家對該領域之研究對象與範圍的看法仍然不一，其中最大的爭議即在於「比較教育學是不是一個獨立的學科」（王家通，民81年）（戴曉霞，民85）；而該項爭議亦為比較圖書館學在發展過程中所面臨的重要問題。

　　為釐清比較圖書館學在定位、範圍及方法論上的根本問題，本文特就比較圖書館學的基本原理及若干爭議加以探究，針對其研究性質、研究範圍、與相關學科之關係以及研究模式等不同面向深入探討。鑑於國內外研究者均曾以系統化方式彙整、介紹比較圖書館學之相關論述，本文將不再細說其起源、目的、功能等背景資料，而以各家對其基本原理的歧見與爭議為重。文中除引證各學者對比較圖書館學所持的理論外，並據此提出己見，思考比較圖書館學未來的發展方向。

二、比較圖書館學之研究性質

　　在比較圖書館學的發展歷程中，其於定義形成時不免面臨與比較教育學同樣的根本問題──比較圖書館學是圖書館學的一門分支學科或只是一種研究方法？贊同「學科」的一派認為，比較圖書館有其特有的研究意義、研究範圍、研究目的與研究方法，因此性質上應為一門獨立的學科；而贊同「方法」的一派則認為，比較圖書館學所強調的比較方法並非為其獨有，且其研究議題往往只是圖書館學的比較研究，因此性質上僅是一種研究方法。雖然絕大多數學者在提出對比較圖書館學定義之看法時，往往僅概述其研究目的與意涵，而未針對研究性質或屬性加以定義，但我們仍可將相關爭議歸納出三種類型，包括：學科派、方法派、折衷派，茲分別將其主要論述摘錄如下：（鍾守真，1993）（薛理桂，民83年）

1.學科派──圖書館學為圖書館學的一門分支學科

　　贊同此論點的學者包括：Dorothy G. Collings、Sylvia Simsova、陳傳夫以及吳慰慈等。其說法摘錄如下：

◆Collings（1971）──「作為一門學術性學科的比較圖書館學，其基本宗旨在於……解釋有關圖書館事業或圖書館問題……」〔Collings, D. G. (1971). Comparative librarianship. In: Kent, A. & Lancour, H. (eds.) *Encyclopedia of library & information science.* V.5 New York: Marcel Dekker, pp. 492-502.〕

◆ Simsova（1974）──「比較圖書館學是指圖書館事業中，以一切可比事物為研究內容的一門學科」〔Simsova, S. (1974). Comparative librarianship as an academic subject. *Journal of Librarianship* 6(2): 115-125.〕

◆陳傳夫（1983）──「比較圖書館學……是對不同環境下受各種因素影響或制約的圖書館事業和工作進行系統比較評價……歸納制定圖書館各種準則的一門圖書

館學分支學科」〔陳傳夫（1983）。〈倡導創立中國式的比較圖書館學理論——比較圖書館學體系初探〉。《圖書館學研究》5: 34。〕

◆吳慰慈（1987）——「比較圖書館學是從圖書館學中分化出來的一門最年輕的學科」〔吳慰慈（1987）。〈論比較圖書館學的特徵、目的、內容和方法〉。《大學圖書館通訊》1: 14-19。〕

2.方法派——比較圖書館學為圖書館學的一種研究方法

贊同此論點的學者包括：程伯群與程磊。其說法摘錄如下：

◆程伯群（1935）——「取名比較圖書館學，所以示其綱領而作綜合之比較，以為研究圖書館學之門徑……」〔程伯群編著（1935）。《比較圖書館學》。上海：世界書局。〕

◆程磊（1987）——「比較圖書館學……就是選用比較法對圖書館進行研究……」〔程磊（1987）。〈關於比較圖書館學的困惑〉。《圖書館工作與研究》2: 20。〕

3.折衷派——比較圖書館學為圖書館學的一門分支學科，也是一種研究方法

贊同此論點的學者以 White 為代表。其說法摘錄如下：

◆Carl M. White（1964）——「比較圖書館學是一門以不同地理或政治區域……為對象的學科，它不僅是一門學科，也是一種研究方法」〔White, C. M. (1964). *Bases of modern librarianship*. London: Pergamon Press.〕

雖從上述分析來看，似乎有較多學者傾向「學科派」的觀點，但筆者以為，「學科派」與「方法派」間的界限其實很模糊，彼此亦無對立、衝突之處；況且兩派學者之論點均有助於釐清比較圖書館學所蘊含的意義及性質——因為就研究主題來看，比較圖書館學係以圖書館學相關議題為基礎，其研究主題不外乎為圖書館事業與圖書館學關心的問題，當然可視為圖書館學的分支學科；若就研究方法來看，比較圖書館學係以比較研究為根本大法，「比較」乃其研究過程中不可或缺的重要步驟，當然可視為一種以比較方式進行的研究；故茲以為「折衷派」的研究理念似可融合其他兩派論點。然而與折衷派代表 White 不同的是，筆者認為比較圖書館學的學科性質與方法性質應會隨著時間推演而產生變化；亦即，當比較圖書館學開始萌芽、處於理論建構的階段時，比較圖書館學應較偏向於提供圖書館學者一種新的研究方法，讓研究者藉由比較過程及結果獲得知

識的啟發；當隨著時間演進，相關研究愈來愈多時，比較圖書館學則將逐漸變得豐富且充實，並藉由經驗與成果的累積找到該學科的定位與特性，進而發展成一門學科。換言之，由於比較圖書館學既無法脫離圖書館學的範疇，又以比較法為基本研究方法，故須同時兼具學科與方法雙重性質；惟兩者比重將隨時間推演有所移轉——比較圖書館學的研究性質將從方法導向逐漸轉化為學科導向。

　　因此若以宏觀的角度來看，「學科派」與「方法派」的爭議似乎不應存在，造成兩派論述差異的主因乃受到不同學者對名詞認知的影響；只不過其認知差異的關鍵並不在於「學科」與「方法」，而是對「比較」一詞的模糊解釋。以中文為例，若將「比較圖書館學」的「比較」二字當成動詞，可將該詞分解為「比較圖書館＋學」，解釋為「（專門用來）比較圖書館（的）學科」；而若將「比較」二字改以形容詞視之，則又可分解為「比較＋圖書館學」，解釋為「（利用）比較（法的）圖書館學」。由此可知，比較圖書館學的研究性質實不應以學科或方法等單一名詞定論之，而是要配合其多元的特色與內涵，接納其為一種學科，也是一種研究方法的本質。

三、比較圖書館學之研究範圍

　　在比較圖書館學研究範圍方面之爭議，主要來自「一國派」與「多國派」之歧異。主張「一國派」的研究者認為，比較圖書館學不應限定於不同國家圖書館事業的比較，即使是國內發生的情況，只要是可比較之議題，均應包含在比較圖書館學的研究範圍內，例如：一國之內城市與鄉鎮圖書館的比較；而「多國派」的研究者則認為，比較圖書館學最初的發展係為了解各國圖書館事業的異同之處，以找尋一套可行準則，作為改善本國環境的參考，因此在研究範圍上應嚴格界定為不同國家的比較研究。由於研究範圍對一門學科發展有直接的影響，其存在價值與範圍的獨特性密切相關，所以絕大多數研究者在提出其對比較圖書館學的看法時，均會對此加以說明。然而因篇幅有限，以下將僅列舉若干具代表性學者的說法，作為筆者進一步探討之依據：（王振鵠，民 92 年）（立頓，1980）

1.一國派——比較圖書館學的研究範圍應包含國內圖書館學的比較研究

　　贊同此論點的學者包括：Louis Shores、Sylvia Simsova、J. Periam Danton 等。其說法摘錄如下：

　　◆Shores（1966）——「一國之內的比較和各國之間的比較同樣重要」〔Shores, L.

(1966). Why comparative librarianship. *Wilson library Bulletin*. 41: 200-206.〕

◆Danton（1973）——「同一國家不同形式下的研究。……不可能是多國的研究。」
〔J. Periam Danton. (1973). *The Dimensions of Comparative Librarianship*. Chicago:
American Library Association.〕

◆Simsova（1974）——「『比較的』不是『國際的』同義語，比較圖書館學應該是
整個軀體與其主要組成部份的比較，即整體與部份之間的相互關係」〔Simsova, S.
(1974). Comparative librarianship as an academic subject. *Journal of Libraryianship*
6(2): 115-125.〕

2. 多國派——比較圖書館學的研究範圍只針對多國的比較研究，而不包含國內圖書館學的比較研究

贊同此論點的學者包括：Chase Dane、Dorothy G. Collings、Miles M. Jackson 以及吳
慰慈等。其說法摘錄如下：

◆Dane（1954）——「『比較圖書館學』是對許多國家圖書館發展情況的研究，以
發現哪些發展是成功的，可以供他國效法。它是以國際範圍對圖書館原理與方針
所作的考察……是對全世界圖書館發展的原因和效果的研究」〔Dane, C. (1954).
The benefits of comparative librarianship. *Austrian library* J(3): 89-91.〕〔Dane, C.
(1954). Comparative librarianship. *Librarian* 43: 141-144.〕

◆Jackson（1966）——「對不同國家圖書館學的理論和實務比較研究的領域」
〔Jackson, M. M. (1982). Comparative librarianship and non-industrialized countries.
International library Review 14(2): 101-106.〕

◆Collings（1971）——「比較圖書館學可定義在不同環境中（通常是在不同國度中）
的圖書館發展、實踐或不同問題的分析。」〔Collings, D. G. (1971). Comparative
librarianship. In: Kent, A. & Lancour, H. (eds.) *Encyclopedia of library & information
science*. V.5 New York: Marcel Dekker, pp. 492-502.〕

◆吳慰慈（1987）——「比較圖書館學具有……跨國性：研究兩個或兩個以上國家
的圖書館事業。同時，它是跨文化的，即研究不同文化的國家的圖書館事業……」
〔吳慰慈（1987）。〈論比較圖書館學的特徵、目的、內容和方法〉。《大學圖
書館通訊》1: 14-19。〕

根據上述分析可知，目前對比較圖書館學研究範圍的認知尚未取得共識；惟因

《*Encyclopedia of library & information science*》採用 Collings 的定義，故一般研究者多接受「多國」為比較圖書館學之研究範圍。然而即便如此，我們也發現 Collings 對研究範圍的看法亦隨時間變化而有所修正。按 Collings 於 1958 年的定義，其認為比較圖書館學是「將幾個國家圖書館的體制、問題和解決方法與該國社會、經濟、政治與其他因素聯繫起來進行的比較研究」，故強烈主張比較圖書館學應具有「多國」的特質；至 1971 年 Collings 為《*Encyclopedia of library & information science*》撰寫比較圖書館學的定義時，卻又將比較圖書館學定義為「在不同環境中（通常是不同國度中）的圖書館發展、實踐或不同問題的分析」，雖仍強調"通常"為不同國度，但在語氣上已明顯和緩許多。由此可知，即使是單一學者亦可能對此議題產生想法上的改變，故比較圖書館學之研究範圍究竟應包含一國或多國仍頗具爭議。

王振鵠（民 92）則是將比較圖書館之研究則定義為：「從社會、政治、經濟、文化、意識形態和歷史的觀點，分析兩個或多個國家、文化或社會環境的圖書館、圖書館系統、圖書館事業或圖書館問題」。從該定義可知，其雖同意比較圖書館學為兩個國家的比較，但卻未強調一國或多國的問題，因為就「比較圖書館學」一詞的表面意義來看，並未強調研究者應將範圍限制為「多國」，所以不宜將其列入比較圖書館學的必要條件。雖然，贊成「多國派」的學者係由「目的論」觀點出發，認為比較圖書館最初是為了從比較各國的狀態中學得新知，以改善本國圖書館事業與圖書館學發展，但誠如筆者一再強調，比較圖書館學不同於其他圖書館學分支學科的獨特處，即在於「比較」二字，故無論比較對象為何，均應將所有以比較法進行的圖書館學研究列入比較圖書館學之範疇，不應再規範比較的對象與範圍。

至於「一國」或「多國」的條件則應作為「比較圖書館學」與「國際圖書館學」（international library science）兩者的區隔。顧名思義，比較圖書館學所著重的部份為「比較」研究，而國際圖書館學所偏重視的領域自然是「國際」研究，因此有關"國家"的範圍限制或許應於國際圖書館學中探討將更有意義。（有關兩者關係，將於下一部份討論）此外，除空間範圍，亦有學者對時間範圍加以探討，例如：是否應將比較條件限定於同一時期或不同時期的比較，惟絕大多數學者對此看法均較一致——無論是一國派或多國派學者大多同意只要建立在可比較的基礎上，比較圖書館學應該是跨越時間因素的研究。

四、比較圖書館學之相關學科

在探討比較圖書館學之空間與時間定義時，若干學者亦提出其他學科之範圍意義以

示區隔。其中最常被提及者莫過於「國際圖書館學」（王梅玲，民86年），因為在比較圖書館學中有關一國研究與多國研究的論述，往往涉及國際圖書館學的研究範疇；究竟兩者間關係為何、彼此有何區隔等，均為比較圖書館學者關心的議題。而另一方面，在時間範圍的限定下，與比較圖書館學密切相關的學科領域則為「圖書館史」，因為在進行任何研究時，研究者均須對其時間因素所有掌握；若某項研究係比較兩國（或地區）在過去一段特定時期之圖書館事業發展歷程，則範圍上比較圖書館學便很容易與圖書館史產生關連，使兩者間的分野變得模糊。因此為進一步了解比較圖書館學研究之基本原理，以下將依空間與時間之範圍，分別探討「比較圖書館學」與「國際圖書館學」及「圖書館史」三者關係：

1.依空間來分──比較圖書館學與國際圖書館學之關係

　　一般研究者雖以「國際圖書館學」代表所有相關概念之集合，但事實上過去仍有不同學者對此提出不同的名詞，例如：世界圖書館學（World librarianship）及泛圖書館學（Metalibrarianship）等[2]由於三者均以研究世界各國圖書館事業為範疇，彼此所代表的意義差異不大，因此本文中將以國際圖書館學統稱之，探討其與比較圖書館間的關係。

　　大體而言，有關比較圖書館學與國際圖書館學的關係可分為三種類型，包括：同義關係、平行關係以及從屬關係。其中，贊成同義關係者認為，兩者均以國際觀點探查事務、目的相近，故可視為一體；贊成平行關係者認為，國際圖書館學雖針對兩國以上的國家進行圖書館事業與理論之研究，但並不存在比較特性，故與比較圖書館學是主題相似、互有不同的兩個分支學科；至於贊成從屬關係者則又分為「比較圖書館學隸屬於國際圖書館學」以及「國際圖書館學隸屬於比較圖書館學」兩派，前者認為比較圖書館學包含所有圖書館學可比較的研究，國際圖書館學亦不例外，而後者認為比較圖書館學係以兩國以上圖書館事業研究為主，比較之前須充分了解兩國的背景資料，故應包含於國際圖書館學之內。（薛理桂，民83年）而大陸學者蕭力則彙整各家說法，為兩者間的關係進一步提出四種模式，包括：(1)比較圖書館學與國際圖書館學為平行關係，同樣隸屬於世界圖書館學之下；(2)比較圖書館學隸屬於國際圖書館學之下，與外國圖書館學、國際機構圖書館學平行；(3)比較圖書館學與國際圖書館學為平行關係，直接隸屬於圖書館學之下；(4)比較圖書館學包含國際圖書館學，與普通圖書館學、專門圖書館學平行。（蕭力，1989）如圖一所示。

I. 比較圖書館學與國際圖書館學為平行關係，同樣隸屬於世界圖書館學之下

II. 比較圖書館學隸屬於國際圖書館學之下，與外國圖書館學、國際機構圖書館學平行

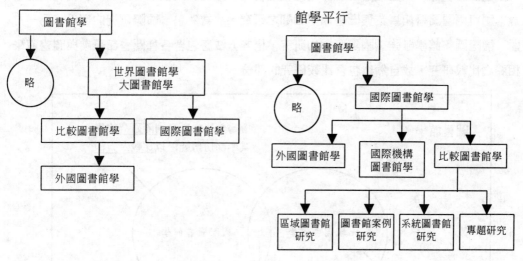

III. 比較圖書館學與國際圖書館學為平行關係，直接隸屬於圖書館學之下

IV. 比較圖書館學包含國際圖書館學，與普通圖書館學、專門圖書館學平行

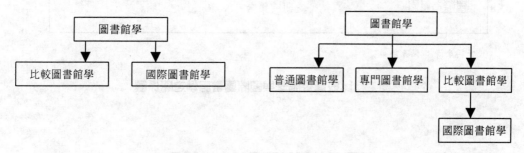

資料來源：蕭力，「比較圖書館學研究現況綜述」，大學圖書館學報 42 期（1989 年 2 月）：頁 31-32。

圖一 比較圖書館學與國際圖書館學之四種關係圖

　　在上述四項模式中，以模式 III 較接近筆者心目中的理想模型，此或許與筆者對比較圖書館學之研究範圍傾向廣義的解釋有關。茲以為，比較圖書館學與國際圖書館學均為圖書館學的分支學科，惟其側重的地方各有不同——比較圖書館學強調的特色為比較研究，故其重視「方法論」的描述；而國際圖書館學強調的特色為跨國研究，故其重視「範

圍論」的描述。事實上，筆者認為比較圖書館與國際圖書館學之間應屬「既為平行又互相重疊」的關係，如圖二所示；因為比較圖書館學雖強調比較法的研究，但其範圍應包含本國與兩國圖書館事業與圖書館學相關之研究，故當然包含國際研究的部份；另一方面，國際圖書館學雖強調國際範圍的研究，但其方法應包含各種圖書館事業與圖書館學相關之比較研究，故自然也包含比較研究的部份。

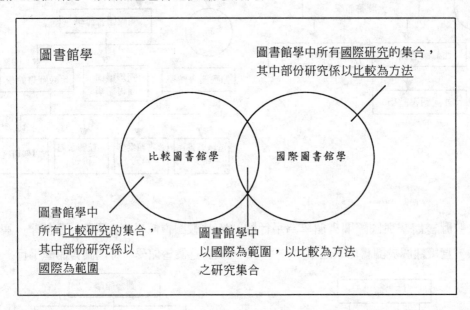

資料來源：本研究。

圖二　比較圖書館學與國際圖書館學之關係圖

2.依時間來分——比較圖書館學與圖書館史之關係

　　另一個容易與比較圖書館學產生混淆的名詞為「圖書館史」（或「圖書館學史」）。所謂圖書館史之研究，係利用歷史研究方法來分析圖書館事業的進程，可視為一門探究圖書館事業歷史發展規律的科學。雖然一般認為，比較圖書館學與圖書館史之間的關係較其與國際圖書館學間的關係來得明確，而少引發學科關係之爭議；但由於比較圖書館學仍針對各歷史時期或階段的圖書館活動進行分析、比較、綜合，與圖書館史之間有相當密切的關連性，因此兩者間亦產生不同的關係模式，包括：⑴比較圖書館學與圖書館史為平行學科，隸屬於理論圖書館學之下；⑵比較圖書館學隸屬於圖書館事業史之下，包含於中國與外國圖書館事業史兩子項。（蕭力，1989）如圖三所示。

I. 比較圖書館學與圖書館史為平行學科，隸　II. 比較圖書館學隸屬於圖書館事業史之
　　屬於理論圖書館學之下　　　　　　　　　　下，包含於中國與外國圖書館事業史
　　　　　　　　　　　　　　　　　　　　　　　　兩子項

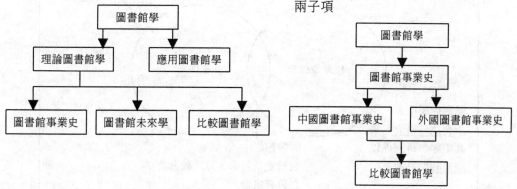

資料來源：蕭力，「比較圖書館學研究現況綜述」，大學圖書館學報 42 期（1989 年 2 月）：頁
　　　　　31-32。

圖三　比較圖書館學與圖書館史之兩種關係圖

　　然上述模型卻與筆者的想法略有不同。茲以為，比較圖書館學與圖書館史同樣為圖書館學的分支學科，故兩者地位應為平行，只不過彼此間仍互有重疊之處。因為若從比較圖書館學的觀點來看，其包含的是所有圖書館之比較研究，自然應涵蓋不同時期圖書館的比較；而當研究者將範圍限定於過去某特定時期時，便須先對該時期的歷史有所掌握，此為圖書館史研究之所在。另一方面，若從圖書館史的觀點來看，將過去不同時期圖書館事業發展歷史加以比較的研究，則亦應列為比較圖書館學的範疇，因為無論時期早晚，只要是具有比較性質的研究，均符合比較圖書館學之意義。換言之，只要是比較歷史上相同或不同時期圖書館發展歷程的研究，均可視為比較圖書館學的相關研究之一；且由於該研究者需對過去的歷史有所了解，故亦為廣義圖書館史的一部份。

　　同樣地，筆者亦可將比較圖書館學與圖書館史的關係以圖四表示。雖然其顯示比較圖書館學與圖書館史之間亦存在著「既為平行又互相重疊」的關係。但事實上，比較圖書館學與圖書館史間的關係則不及與國際圖書館學關係之密切；因為畢竟在比較圖書館學的發展過程中，各學者在面臨空間與時間的研究範圍時仍較關切其空間方面的限制（例如：是否須為跨國研究），而在進行圖書館學之比較研究時，仍多以不同空間為主要的比較對象。

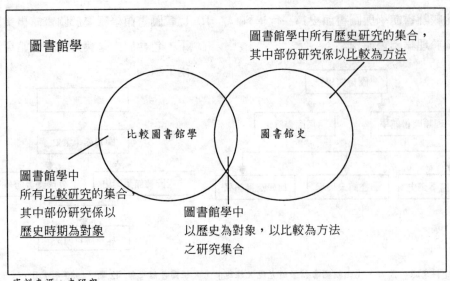

資料來源：本研究。

圖四　比較圖書館學與圖書館史之關係圖

　　綜合上述之所言，筆者認為比較圖書館學、國際圖書館學及圖書館史三者均屬圖書館學研究的分支學科，其關係則應以圖五表示。不僅三者之間各有所長、均有特色——比較圖書館學的特色為其研究方法，國際圖書館學的特色為其研究範圍，圖書館史的特色則在其時間序列；學科與學科間亦有重疊之處。特別是今日分工細微卻強調科際整合的年代，一個學域也許能分出許多相關學科，但學科間的界限很快地又將變得模糊，因此比較圖書館學、國際圖書館學以及圖書館史三者既然同屬圖書館學的範疇，其學科之間自然不可避免有所重疊。

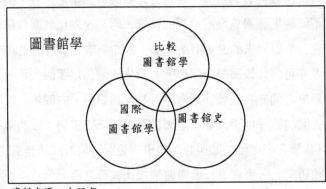

資料來源：本研究。

圖五　比較圖書館學、國際圖書館學、圖書館史之關係

五、比較圖書館學之研究模式

一般而言，比較圖書館學的研究模式大致可分為區域研究（Area study）、個案研究（Case study）、比較問題研究（Comparative problem study）及整體比較（Total comparison）四種類型。其中，區域研究係針對單一地理區域整體圖書館的研究；個案研究係以特定圖書館的單一問題為主；比較問題研究係針對兩種或兩種以上不同環境中圖書館問題的研究；整體比較則是指兩個或多個環境中整體圖書館學的研究。（Sylva, 1982）

至於上述四種研究模式所引發的爭議，其關鍵即在於不同學者對於「區域研究」與「個案研究」是否應納入比較圖書館學範疇的認知產生差異。因為若從比較觀點來看，區域研究與個案研究係以「某單一區域的特定問題」以及「某圖書館的單一問題」為主要研究範圍，故其並未進行真正的比較，而是偏重描述性與評論性的調查、分析；相較之下，比較問題研究與整體比較的模式則較強調比較的過程，藉由比較分析的方式深入了解圖書館事業或圖書館學的現象。然而亦有學者認為，在進行比較研究之前必須對研究對象的資料、背景有所掌握，才能進入比較階段，因此區域研究與個案研究仍是比較圖書館學必要的前置作業；況且，在比較圖書館學的四個重要步驟中──描述、解釋、並列、比較，前半段仍停留在敘述階段，至後半段才將研究對象的資料加以比較，所以其自然屬於比較圖書館學的研究模式。由此可知，比較圖書館學研究模式所引發的爭議大致有廣義派與狹義派兩種不同意見，分別說明如下：（林素甘，民89）

1.廣義派──區域研究與個案研究應屬於比較圖書館學之研究模式

支持廣義派的學者認為，區域研究與個案研究可視為比較之預備階段；即進行比較之前，應該對想要研究的區域或是個案進行深入的描述與分析。這兩項研究模式最主要的功能，在於敘述和解釋所要研究的問題或現象，以方便進行比較方法中的並列和比較程序；換言之，區域研究與個案研究乃是進行比較研究的前置作業，目的在於準備充足的事實資料，為比較研究提供一個穩固的基礎，因此就廣義的角度而言，區域研究與個案研究應可視為比較圖書館學的研究模式。

2.狹義派──區域研究與個案研究應不屬於比較圖書館學之研究模式

贊同狹義派的學者則認為，區域研究與個案研究並不屬於比較圖書館研究範圍，而必須是經過比較過程的研究才是比較圖書館學研究的範圍；故其對一國或多國圖書館事

業與問題的研究,與比較圖書館學的本質是有區隔的。換言之,區域研究與個案研究和比較圖書館學的差異在於前者不涉及比較、對照的步驟,而僅作描述與評論的分析,因此就狹義的角度而言,區域研究與個案研究不應被視為比較圖書館學的研究模式。

筆者以為,區域研究與個案研究是否屬於比較圖書館學之範疇端看其是否進行後續的比較研究,故與狹義派的想法較為接近;因為比較圖書館學的重要意義即在其所運用的專門方法——比較方法,若研究過程中未包含比較的步驟,則當然不宜列入比較圖書館學的範疇。換言之,當某研究為便於比較而對研究對象施以區域或個案研究時,其應屬於比較圖書館學的一項研究;當某研究只是為了解現況而對某地區或某問題進行區域或個案研究時,其便不屬於比較圖書館學的領域。然而在範圍的判斷及界定上,茲認為不應以絕對的二元方式(是或否)決定,而是從研究目的、方法與結論了解某區域或個案研究是否屬比較圖書館學範疇。

六、結論

對一門學科而言,基本原理的釐清與定義關係著該學科受到重視的程度及其未來發展的方向。尤其是對比較圖書館這項新興研究領域來說,不僅面臨幾乎所有比較研究均可能遭遇的定位問題,亦受到本身發展歷程尚短的影響,使其在研究過程容易產生若干基本的理論爭議。而綜觀過去比較圖書館基本原理的相關文獻,引起學者間不同意見廣泛討論的議題包括:比較圖書館學的研究性質為一門「學科」或是一種「方法」;研究範圍應包含「一國」或必須為「多國」;與國際圖書館學及圖書館史為「平行」或「隸屬」的關係;其研究模式是否應包含「區域」與「個案」研究等。從這些議題中不難發現,比較圖書館學研究者產生歧見的關鍵仍在於其對研究範疇的闡述;無論是任何學派或是支持不同意見的學者,均希望透過對研究範圍、學科關係或研究模式反覆論證的過程,為比較圖書館學提出一個可被廣泛接受的模型,作為其未來相關研究遵循的目標。

然而在本文分析過程卻發現,絕大多數研究者對比較圖書館學之基本原理均抱持太強烈的主張,使其爭議往往流於非甲即乙、非東則西的二擇一情境,造成各家意見無法整合,甚至形成矛盾、對立的局面。不過筆者以為,之所以造成爭議的主因還是在於詮釋角度的不同——事實上每種說法都有其道理,均有助於比較圖書館學理論問題的釐清;只是若能以更宏觀、開放的角度視之,則將發現許多爭議其實在本質上都是相近、互補的,最終還是回歸於對比較圖書館學「比較」特色的強調。況且,今日學術界已走向科際整合的年代,學科間的界限既然已變得模糊,那麼同一學科中的不同流派自然應

以更寬廣心胸面對差異、互相融合。因此筆者認為,比較圖書館學的研究性質可以是「學科」也是「方法」;研究範圍可就「一國」而論也包含「多國」的部份;與圖書館學及圖書館史之間更是既「平行」又「重疊」的關係;在研究模式上是否包含「區域」與「個案」研究,則端視該研究後續是否具有「比較」與「圖書館學」的性質。研究者實無須賦予嚴格限制,阻礙其未來可能的發展。

在目前仍然紛紜的局面下,比較圖書館學真的能為自己找到定位以及未來發展的方向嗎?答案當然是肯定的。由於受到資訊時代以及全球化趨勢的影響,圖書資訊學與國際研究將不僅只是受到相關研究者的關切,而是引起各界廣泛的矚目;(彭俊玲,1996)尤其是像比較圖書館學這樣藉由比較研究擷取他人所長以為自身改進參考的本質,更加深其在全球化資訊社會的重要性。雖然短期內,有關比較圖書館學基本原理的分歧與爭議可能仍無法有一致結論,但透過更多理論及實證的研究卻有助於其基本原理的確立。因此筆者認為,對於比較圖書館學這樣一個新興學科而言,唯有進行更多相關研究,豐富其研究成果,才能幫助其在發展過程中找尋自己的定位,加速其邁向穩定、趨於成熟的腳步。

【後記】

王振鵠老師在台大博士班教授「比較圖書館學」課程多年,吾人有幸修習該課程。從王老師認真的教學中不僅能增進學生對圖書館學理研究的認知,更自老師豐富的經驗傳承了解國內外圖書館事業的發展;而王老師長者的風範尤其讓學生感佩、難忘。在恭逢王老師八十大壽之際,除藉此文感謝老師的提攜指導外,更祝福老師身體健康、平安喜樂。

註釋

① 在中國,比較圖書館學最早出現於 1935 年由程伯群編寫的《比較圖書館學》一書;在西方,有些學者認為首次提出比較圖書館學名稱者為 1936 年發表「American Librarianship from a European Angle」的挪威奧斯陸大學圖書館館長 Wilhelm Munthe。然更多學者認為從學科定義來看,Chase Dane 應為比較圖書館學始祖,特別是其 1954 年發表的「The Benefits of Comparative Librarianship」,不僅使用比較圖書館學名稱,亦嘗試為其定義提出解釋。(鍾守真,1993)

② 根據 Krzys &Litton 於 1983 年在《World librarianship: a comparative study》的論述,將「世界圖書館學」定義為「在某一時期(現在或過去),有關世界各地圖書館事業狀況之濃縮」;而將「泛圖書館學」定義為「研究全世界圖書館事業之哲學與理論,經由調查來檢視此一概念,亦即從事圖書館事業之世界性研究」。(薛理桂,民 83 年)

參考書目

Collings, D. G.. (1971). Comparative librarianship. In: Kent, A. & Lancour, H. (eds.) *Encyclopedia of library & information science* (pp.492-502). New York: Marcel Dekker.

Danton, J. P. (1973). *The Dimensions of Comparative Librarianship.* Chicago: American Library Association.

Simsova, S. (1974). Comparative librarianship as an academic subject. *Journal of Libraryianship*, 6(2), 115-125.

Simsova, S. (1982). *A primer of comparative librarianship.* Lodon: Clive Bingley.

Wang, Chih. (1985). A Brief Introduction to Comparative Librarianship. *International Library Review*, 17, 107-117.

丹頓(Danton, J. P.)著(1980)。《比較圖書館學概論》（*The Dimensions of Comparative Librarianship.*）（龔厚澤譯）。北京市：書目文獻出版社。（原作 1973 年出版）。

王家通（民 81 年）。《比較教育學》。台北市：五南書局。

王振鵠（民 92 年）。九十一學年度第二學期「比較圖書館學」上課講義。

王梅玲（民 86 年）。〈比較圖書館學與資訊科學教育初探〉。《圖書館學刊（輔仁大學）》，26，頁 22。

呂春嬌（民 90 年）。〈比較圖書館學綜述〉。《國立中央圖書館台灣分館館刊》，7(3)，38。

林素甘（民 89 年）。〈比較圖書館學研究模式之探討〉。《國家圖書館館刊》，89(2)，148-149。

彭俊玲（1996 年）。〈信息時代比較圖書館學的發展前景〉。《圖書館》，1996(2)，15-17。

楊曉雯（民 84 年）。〈論比較圖書館學〉。《國立中央圖書館台灣分館館刊》，1(3)，25。

蕭力（1989 年）。〈比較圖書館學研究現況綜述〉。《大學圖書館學報》，42，31-32。

戴曉霞（民 85 年）。〈比較教育之特質及其困境〉。《比較教育通訊》，42，6-7。

薛理桂（民 83 年）。《比較圖書館學導論》。台北市：台灣學生書局。

鍾守真（1993）。《比較圖書館學引論》。天津：南開大學。

數位典藏品在公共資訊系統之建置與應用
The Establishment and Application
of the Public Information System
in the Digital Archives

胡歐蘭
Nancy Oulan (Hu) Chou

摘　要

　　本文主要就我國國家型數位典藏計畫——國科會的「數位典藏國家型科技計畫」與文建會建置的「全國文化資料庫」計畫，探析其所產生的數位典藏品在全球數位典藏發展洪流中之趨勢。

　　該兩項計畫初期以典藏數位化工作為主，其次將其所產出的數位典藏品成為教育學習及產業經濟發展的核心。

　　在數位化環境中，傳統圖書館已逐漸轉型為數位圖書館，而數位圖書館為配合公共服務之拓展，宜建置公共資訊系統機制，並實際加以應用，以滿足廣大群眾使用資訊之需求。

Abstract

The paper is mainly an analysis of the trends of the digital archives in Taiwan Area in the global development of the digitalization on the basis of the two related programs prepared by the government organizations: The "National Digital Archives Program" by the National Council of Science and the "National Cultural Databases Program" by the Council of Cultural Affairs of the Executive Yuan. All the archives in the said two programs have been digitalized in the initial stage and have become later on the core products of the e-learning and economic and industrial development.

In the digitalized environment the traditionally operated libraries have been gradually transformed as digitalized libraries. To cope with the extension of the public services in the library development it is necessary to set up the public information system in the digital libraries and has it actually applied so as to meet the needs of the public for the information utilization.

關鍵詞：數位典藏；公共資訊系統；數位圖書館；數位內容產業；數位物件識別號

Keywords: Digital Archives; Public Information System; Digital Library; Digital Content Industry; Digital Object Identifier

一、前言

二十世紀末，國家資訊基礎建設（National Information Infrastructure，簡稱 NII）成為全球已開發國家最熱門的社會建設與資訊產業政策的新主題。我國行政院於 1994 年成立 NII 推動小組，主要目的是提升產業的生產力與競爭力，促進經濟快速發展；對民生相關資源作適當分配，達到提升國內人民生活品質；[①]而在 NII 的服務下，整個社會做到知識或資訊的充分共享及利用，無論任何人在何時何地，從任何終端裝置上，都可以搜尋到各人想要的資訊。近幾年來在產官學界合作下，廣建資訊網路，建設電子化及網路化政府，普及資訊網路在教育、商業及社會等多面廣泛地應用。並積極發展網路多媒體產業等，對於我國資訊產業奠下良好的基礎。進入二十一世紀後，在 NII 的架構上，以資訊技術來強化研發與應用創新，以提升產業競爭力與建設高品質的「數位台灣」為重點計畫推動典藏數位化，將國家帶入數位化的新紀元。

政府為發展知識經濟和綠色矽島願景，加速推動數位典藏計畫，於 2000 年 7 月行政院通過成立「國家典藏數位化計畫」。在國家科學委員會前主委翁正義的裁示下，將「國家典藏數位化計畫」整編為國家型計畫，並於 2001 年 1 月正式成立「數位典藏國家型科技計畫」。該計畫首要目標是將國家重要的文物典藏數位化，建立國家數位典藏；進而

以國家數位典藏促進我國人文與社會、產業與經濟的發展。主要參與機構有中央研究院、國家自然科學博物館、國立故宮博物院、國立台灣大學、國立歷史博物館、國史館、國史館台灣文獻館及國家圖書館等。[②]將其蒐藏文物、古籍等珍貴資料轉換成可辨識之文字、圖像、影像、語音等數位檔案資料。

另外，行政院文化建設委員會於 2001 年春季開始推動「全國文化資料庫」之建置，其資料範圍涵蓋各地方相關機構所蒐集的地方文獻資料，有照片、口述歷史、文物、方志、族譜、歌謠／諺語、私人文書、報告書、詩文、公文書、碑碣、繪畫、見聞、海報傳單、書簡、戲劇、戰記、競選資料、日記、訃文、備忘錄等。其藏品內容所包括的資料類型有：音樂資料、美術資料、戲劇資料、舞蹈資料、傳統藝術資料、文學資料、電影資料、建築資料等八大類，其原始資料來源有兩方面：㈠公藏資料：已由中央與地方文化機關／單位所收藏的公藏文化資料；㈡民間資料：藏於民間的文化資料。[③]

以上兩項國家型的數位典藏計畫，初期均以典藏品數位化工作及數位內容之詮釋資料整理為主，即利用數位化技術，保存各機構／單位的特殊典藏。而中、長期再以教育學習及產業經濟發展為主，即利用數位化技術，促進數位典藏內容產業的發展。因此，針對文物、資料數位化後，所衍生的數位內容的加值應用，以及提供文化創意產業的發展，開闢了產業界之商機，帶來圖書館資訊服務之衝擊。

二、數位內容產業與數位典藏品

行政院與 2002 年 5 月提出「挑戰 2008：國家發展重點計畫」的「產業高質化」計畫中，將數位內容產業設定為「兩兆雙星」產業中一項重點產業[④]，而數位典藏品為數位內容產業的核心，也是被列為最具有發展潛力的產業。因此，數位典藏在數位內容產業發展中，扮演着舉足輕重的角色；而數位典藏品附加價值之提升，成為國家經濟發展的重要策略。

㈠數位內容產業的定義與範圍

數位內容產業的定義與範圍，因各國發展背景、環境、時間與重點不同而有不同詮釋。英國數位內容產業界組織（Digital Content Forum，簡稱 DCF）之主席 Anthony Lilley 認為數位內容即是「媒體的另一種面貌」，強調將科技與創意的結合；韓國則將數位內容市場分為數位內容製作、數位內容傳輸及數位內容相關技術及服務的發展。至於我國根據經濟部於 2002 年「加強數位內容產業推動方案」中的描述為：「將圖像、字元、影

像、語音等資料加以數位化整合運用之技術、產品或服務」。⑤數位化內容將隨著數位典藏品的增加而繼續擴大，而根據陳雪華等之研究分析，數位典藏的產出，隨著產學界「靈感的啟發」與「素材應用」更加速增長。⑥因此，一個完整的數位內容產業，宜包括內容提供者、專業數位化加工者、各式的加值應用者、與最終使用者接觸的各式載具、平台、通路商，以及簡化交易活動的數位版權代理商及仲介機構等。⑦

(二)數位典藏品之分級與加值應用

國科會目前八個機構所進行之國家型計畫的產出，將被彙整為「台灣數位典藏資料庫」，依數位典藏品的特性，及可提供不同層面的應用分為三種等級：⑧

1.典藏級檔案：為精密、高解析度的數位化檔案；為保護國家利益，不予公開。

2.電子商務級檔案：公開出售並且合理定價，提供各界進行產業加值。

3.公共資訊級檔案：完全免費，開放供國人檢索利用。

數位典藏資料庫之典藏品，一般已超過五十年以上，經過數位化後更具有傳統文化的保存與發揚的功能。為普及精緻文化典藏的應用，「數位典藏國家型科技計畫應用服務分項計畫」於 2002 年底徵求產學及典藏單位共同執行「典藏創意加值計畫」，以產學合作方式，激發數位典藏加值創意，把數位典藏推往商品化的應用，並融入教學與研究，廣為社會大眾的普及使用。⑨因此，數位典藏加值應用，從民生需求，呈現三種加值產業：

1.文化產業：文化產業的範圍非常廣泛，涵蓋人民生活的各個層面，涉及學科廣，使用對象有兒童、青少年、成年，對於數位典藏之應用，可依其瀏覽者不同閱覽使用型態，而有不同的加值品。⑩

2.教育產業：在學校教育方面，由於教育水準的提高，父母對小孩教育的重視，教育的需求越來越大，教材運用數位典藏品越來越多，使得教育產業的範圍，從傳統的教科書、參考書，擴展為線上教學、電視教學等，而教學媒體多元化、各式學習教材多樣化，使數位典藏品的加值利用在教學活動中成為教師設計課程及學生學習的重要資源。此外，在繼續教育方面，各年齡層的民眾，無論在職場或生活中不斷追求新知，各層級學校或企業機構不斷開放推陳出新的課程或線上教學的開設，都需要加值利用數位典藏品，製作數位學習教材。⑪

3.圖書資訊服務業：圖書館是主要資訊服務機構，在社會中是蒐集、組織與傳播資訊的中心，除依法採集公共資訊級檔案，供民眾自由使用外，宜利用數位典藏品為素材，透過科技創意加值為各種資訊庫，供民眾瀏覽、研究，以滿足人民想用資訊的權利。

三、公共資訊與數位典藏

㈠公共資訊的意涵與範圍

國家資訊基礎建設（NII）是公共資訊的基本建設，目的是整個社會做到知識或資訊的充份共享及利用，主要的精神是民有與民享的意境。

根據美國圖書館與資訊科學委員會（National Commission on Libraries and Information Science，簡稱 NCLIS）於 1990 年 6 月制定一套指導政府資訊政策的原則——「公共資訊原則（Principles of Public Information）」，明確主張公共資訊沒有智慧財產權，其產權是屬於全國人民共有，民眾對於公共資訊宜有充分使用權，若需要收費亦應考慮公平的原則，要低廉到人人付得起。[12]謝清俊教授更進一步闡明：公共資訊是「國民在現代社會中求生存時，在民生方面，諸如食、衣、住、行、育、樂、就業、醫療、和各種生活規劃等，所必須的資訊」，也是維持每個國民其基本水準的生活，並使之能在迅速變遷的社會中，得到基本人性尊嚴保障的必須品。公共資訊應該是沒有智慧財產權，或者其產權是屬於全國人民共有的，應任由國民充份共享。[13]

值此數位化時代，政府釋出數十億經費發展數位典藏，供應學界推動文化產業加值，建立公共資訊系統，對於數位典藏品的所有權，使用的釐清非常重要。

㈡數位典藏品之使用權與保護權

目前政府所推動的數位典藏計畫，典藏品是各參與機構所有，而數位典藏品本身有極高的價值。數位典藏內容提供者最關心的是作品的保護及其擁有權之問題；因此，內容提供者與加值業者必須要有一個合理具有公信力的交易平台，使交易有保障，所有權與使用權得到保護。至於所有權的保護，主要是保護數位內容不易被非法複製；使用權的保護主要是保護數位內容被合法使用的範圍，並保護數位內容使用者的權利，以及使用者交易數位內容時，其相關隱私權安全保護。

1990 年代，由於電子能力高揚，數位典藏風起雲湧，智慧財產進入高風險的領域[14]，數位典藏資料庫為未具原創性之資料庫。1996 年 12 月底，世界智慧財產權組織，為解決未具原創性之資料庫保護問題，曾擬討論「保護資料庫之智慧財產之條約」（The Treaty on Intellectual Property in Respect of Databases），目前尚未討論定案[15]。我國對於資料庫之發展雖已有多年，但對於智財權資料保護之研究也仍在研討中。

⊜數位環境下公共資訊系統建置機制

　　就我國當前的國家型數位典藏科技計畫執行三年來（自 2002 年起），已日漸有不少數位典藏成果產出，而這些數位典藏品如何供更多民眾使用於教學、研究、欣賞、生活用品等民生層面，並且讓數位典藏計畫也可以永續經營下去，就必須要有一個成功的數位典藏經營模式與基本建設；此基本建設是建置在一個完整的公共資訊系統。⑯茲就建置公共資訊系統之管理與技術層面分述如下：

　　1.管理層面：從管理層面，一個健全的公共資訊系統之建置應涵蓋三個要素：

　　　⑴數位版權管理機制：主要是保護數位典藏成果的擁有者，也是典藏內容提供者，以及創意加值產業者有效管理數位典藏成果之運用。因此對於各種數位典藏智慧內容（intellectual content）做出唯一的命名與辨識，俾利於數位環境中提供互通識別與交換智慧財產機制。⑰美國出版商協會技術授權委員會（The Association of American Publishers Enabling Technologies Committee）於 1998 年在法蘭克福成立「國際數位物件識別號基金會」（International DOI Foundation，簡稱 IDF），設置註冊中心（Registration Agencies，簡稱 RA）向世界各國推動數位物件識別號（Digital Object Identifier，簡稱 DOI）之編製工作。簡言之，DOI 是代表任何智慧財產的數位物件識別號，如圖書的 ISBN，主要是為管理數位物件的智慧內容，能保護智慧財產及版權所有者的商業利益。⑱每個參與 DOI 編製的國家或機構，必須要成立註冊中心（RA）負責每個數位典藏物件的認證，維護數位典藏的版權。

　　　⑵運送機制：主要是讓數位典藏成果，可以更方便地交到一般民眾手上，讓民眾使用。⑲RA 認證後，即可藉由各種的流通管道，如製成磁片、光碟、有線電視頻道、數位電視頻道、網際網路，送至資訊服務機構或單位，民眾可藉由各種不同的終端設備，如個人電腦（PC）、個人數位助理（PDA）、電視（TV）等將數位典藏品表現出來供民眾欣賞或教學研究用。

　　　⑶完善的付費機制：主要是讓數位典藏成果的擁有者收到合理的報酬，藉以將更多文物數位化，並且傳送給更多民眾共享欣賞。⑳一般創意加值產品，訂出合理的價格供民眾選購消費。而加值產業者、網路提供者或電信營運商，將營利所得回饋數位典藏機構。如此一來，形成相互獲利的良性循環，才能使數位典藏工作「永續經營」下去。

　　2.技術層面：公共資訊處理系統（Public Information Processing System）是可充分做

好資料及處理功能的共享，具有檢索系統充份的資料共享外，並可對所取得的資料做常用之處理。[21]有充足的資訊以及強大的處理資訊能力是成功的公共資訊系統的必要條件。因此，公共資訊系統要在眾多的數位典藏系統及網路學習系統環境中建立共享的機制，要先制定一套可以共通的標準為公共資訊共享的平台。

美國白宮科技政策辦公室及國防部長辦公室於 1997 年底共同推動 ADL（Advanced Distributed Learning Initiative）計畫，於 1999 年初發表 SCORM（Sharable Content Object Reference Model）標準模式，為數位學習物件的交換共通規格，透過 SCORM，可促進數位學習產業上、中、下游的結合，讓各數位學習系統可共享數位學習元件；使用者僅須以瀏覽器便可進行數位學習，不需另安裝特定的軟體程式。在 SCORM 架構上，若加入數位版權管理的功能，讓分享數位學習元件的同時，也可以保障數位內容產業相關的權益。[22][23]SCORM 標準目前已成為各國採用或訂定標準時的參考依據。我國工業研究院電通所已深入探究 SCORM 的技術與管理機制，對於數位典藏公共資訊系統的建置，將有實質的貢獻。

四、公共圖書館與公共資訊系統

圖書館典藏保存文化資源的使命不會為電腦資訊的取代而有所改變，但圖書館面對數位時代的來臨，更須作好因應之道。善用科技、改善典藏保存、提供快速精確的資訊服務，仍為圖書館界共同努力的目標，尤其是扮演民眾生活活動中心的公共圖書館。本節就數位時代公共圖書館的特性，陳述公共圖書館在數位時代之任務。

㈠數位時代公共圖書館之特徵

數位圖書館普遍被認為是公共圖書館的電子版，以電子儲存資料取代紙面印刷資料，民眾可以直接拷貝複製資料。隨著數位科技應用，數位圖書館呈現三種不同特徵：[24]

1.典藏資料的創新：書籍、期刊、報紙、唱片、錄影資料等都以數位型式儲存；為處理多元化與複雜化的資訊而有新規格與標準的設計，以電腦排版來取代美學觀點的印刷排版。

2.溝通管道的創新：民眾可利用電腦來取得所需資料，而不必親自再前往圖書館獲取。資料可不必只存在一個地方，而可分散各地，不分遠近可由電腦連線取得，而出版者、編者、圖書館員及研究人員與線上服務結成一體。

3.檢索資料的創新：讀者可直接進入圖書館主檔檢索複製資料，不再有查詢出版與

印刷形式的目錄的問題，並可透過數位圖書館從多方面之來源選取處理所需的資料。著作者出版電子書縮短讀者取閱的時間。

上述三項演變，使圖書館的經營更加有果效。再者，圖書館匯集數位典藏品，可使圖書館館藏更豐富。當電子媒體普遍化之後，很多資訊的使用者就是資訊創作者和傳播者，因為民眾對於典藏的應用，而又產生更新的知識與資訊，並且本身就同時做了資訊傳播，進而使圖書館典藏更豐富。

㈡公共圖書館的角色——公共資訊中心

美國公共圖書館事業的建立，是以公共資訊共享的理念和民主的精神為基礎。公共圖書館主要的任務，是透過資訊共享來發展社區，包括：改善社區中人民生活品質，提高生產力，促進社區的進步，和維持社區生態的平衡等。[25]因此，公共圖書館建置公共資訊系統，可解決數位落差的問題；換言之，在資訊社會中，圖書館結合電腦與網路，組合成公共資訊中心，任何人不分時、地，均能以簡單、便捷、價廉的方式，取得所需的資訊[26]，因此可縮短城鄉差距與解決數位落差的問題。

五、結語

政府推動的「數位典藏國家科技計畫」與「全國文化資料庫」計畫的典藏品多半都有五十年以上的歷史。由歷史的角度或法理層面來看，還是民眾所有。數位典藏計畫的主要目的即在利用網路數位科技，建立數位典藏資料庫；利用網路加強民眾文化、藝術及科學方面的素養，主要還是民享。但在數位典藏計畫中，除了文化保存，為了典藏資料的利用，仍兼具推動相關文化產業、加值產業、內容產業與軟體產業的發展。因此，為了典藏資料庫之開發及交易流通，無論在公共資訊系統之建置與產品推廣應用，仍要回歸到法制與市場機制上植根發展。

現就當前我國數位典藏發展狀況，為建置建全之公共資訊系統，提出三點建議：

㈠訂定我國「公共資訊原則」：可由行政院高層單位，邀集圖書資訊的相關單位、及專家學者研訂。就我國公共資訊的範圍、人民使用公共資訊的權利與義務，資訊傳佈與保管等原則明訂「公共資訊原則」，以作為全國訂定資訊政策之基礎。

㈡成立「數位物件識別號」（DOI）註冊中心（RA）：可由行政院邀請智財局、工業技術研究院、中研院、教育部等相關機構研訂資訊（含數位典藏相關產品）的智慧財產權資料庫保護法，授權公共資訊服務機構執行數位識別號的登記，並打通與世界接軌

之管道。

　　㈢研訂「公共資訊共享平台」：鼓勵工研院電通所繼續研究「數位學習內容保護技術及數位版權管理機制」，供國人採用。

註釋

① 王松茂編，《NII 一百問》（台北市：行政院 NII 專案推動小組，民 84），頁 2-3。

② 謝瀛春編，《數位典藏國家型科技計畫簡介》（台北市：國科會，2003），頁 2-3。

③ 陳昭珍主持，《全國文化資料庫系統架構、詮釋資料規範及數位檔案格式研究計畫：期末報告》（台北市：行政院文建會，民 90 年 12 月），頁 8-9。

④ 《挑戰 2008：國家發展重點計畫（2002-2007）》（台北市：行政院，2002 年 5 月 31 日），頁 65-68。

⑤ 陳雪華、項潔、鄭惇方，〈數位典藏在數位內容產業之應用加值＝The Application of Digital Archives in Digital Content Industry〉，2002

http://asp.csie.ntu.edu.tw/document/aps_in_document_industry.pdf（撿索日期：2004 年 3 月 10 日）

⑥ 同上註。

⑦ 吳思華、許牧彥、賴鈺昌，〈開發數位內容平台技術以促進華文數位內容產業的發展〉，《2002 經濟部技術處學界科專非技術領域學術研討會論文集》（台北市：經濟部，2002 年），頁 81-94。

⑧ 謝瀛春編，《數位典藏樣品集 2003 年版》（台北市：國科會，2003 年），頁 4。

⑨ 同註⑤。

⑩ 施弘昌、林志全、曾尹君，〈台灣古蹟資訊數位化呈現之探討〉，《數位內容創意加值研討會論文集 I》（台北市：國科會，2003 年 11 月），頁 27。

⑪ 同註⑤。

⑫ 林呈潢，〈從國家資訊基礎建構我國國家資訊政策之研究〉，國立台灣大學圖書資訊學研究所博士學位論文，民國 92 年 7 月，頁 183。

⑬ 謝清俊，〈共資訊系統概說〉，《圖書館與資訊研究論文集》（台北市：漢美，1996 年），頁 169-174。

⑭ Peter E. Nathan,et.al., "Intellectual Property Rights in an Electronic Environment," *Management for Research Libraries Cooperation*, ed.by Sul H.Lee (New York: The Haworth Information Press, 2000), P159.

⑮ 章忠信，〈數位典藏國家型科技計畫中所涉及著作權問題研析〉，《數位內容創意加值研討會論文集 I》（台北市：國科會，2003 年 11 月），頁 56。

⑯ 黃台陽，〈科技發展與應用需求——未來系統內容與技術如何永續經營？〉，《數位典藏的意義與影響座談會》（台北市：資策會，2003 年 2 月），頁 25。

⑰ 歐陽崇榮，《數位物件識別號與圖書館相關議題之探討》（台北市：國家圖書館，2003 年），頁 12-13。

⑱ "The DOI Handbook -- The International DOI Foundation".

http://www.doi.org/handbook-2000/governance.html（撿索日期 2004 年 3 月 10 日）

⑲ 同註⑯，頁 26。

⑳ 同上註。

㉑ 同註⑬，頁 180。

㉒ 葉文熙等，〈數位學習內容保護技術及數位版權管理機制〉，《數位內容創意加值研討會論文集 I》（台北市：國科會，2003 年），頁 187-206。

㉓ "Advanced Distributed Learning -- SCORM," The Advanced Distributed Learning (ADL) Institute,2003.

http://www.adlnet.org/index.cfm?fuseaction=scorm（檢索日期 2004 年 3 月 10 日）

㉔　Wiedehold, Gio. "Digital Libraries, Value, and Productivity," *Communications of The ACM*, v.38. n.4 (April, 1995):86-87.

㉕　同註⑬，頁 175。

㉖　增田米二著，游琬娟譯，《資訊地球村》（台北市：天下文化出版社，1994 年），頁 89。

E 世代圖書館自動化、網路化之注意事項
The Fundamental Basis of Planning for Integrated Library Information Systems

李德竹
Lucy Te-chu Lee

摘　要

　　本文目的是探討圖書館作業自動化、網路化時之基本觀念和注意事項，分別以行政管理、溝通協調、心理建設、館員訓練、撰寫 RFP 和執行等六方面列條簡要說明。

Abstract

This paper intends to explore the basic concepts and fundamental issues of planning for integrated library information systems. It includes six major parts, such as, administration and management, communication and negotiations, psychological matters, staff and user training, preparing RFP, and system implementation.

關鍵詞：圖書館自動化；圖書館作業網路化；整合圖書館資訊系統
Keywords: Library Automation; Integrated Library Information Systems; Planning

前　言

　　21 世紀 e 時代，資訊科技之急速開發與應用，已成為人類生存之重要元素，自動化與網路化更是促使人類生活環境現代化和多元化之動力。對圖書館而言，圖書館自動化和網路化已不再是新潮流、新趨勢，而是圖書館業務之正規發展，是圖書館經營之基礎與核心，其目的是追求圖書館作業效率和效益之提高，服務品質及層面之改善。進一步地建立圖書館間之連線及全國圖書館資訊網路，並與世界各國系統接軌，以期擴增各種媒體資源之互惠互享，提高使用者滿意度，達到資訊地球村之理想目標。

　　規劃設計理想而實用的圖書館自動化系統是必要的，也是圖書館追求的目標。開發任何自動化系統，皆首先應對系統本身有深刻的認知，此包括現有人工系統及將開發的自動化系統，以樹立正確的觀念，建立正確的方向目標，並作有計劃、有系統的規劃，才能獲得預期之效果。因此，圖書館業務自動化網路化之觀念及注意事項應事先考量是必要的，以下分別對行政管理、溝通協調、心理建設、館員訓練、撰寫 RFP 和執行等方面之注意事項簡要說明。

一、行政管理方面（包含人事、政策、經費等）

1. 嚴忌將自動化計劃視為圖書館行政部門之「最高機密」，而只限少數人參與。

　　嚴忌將自動化計畫視為圖書館行政部門之「最高機密」，而限少數人參與。相反的，圖書館自動化關係到全館事務，圖書館自動化計畫開始即應公開讓全體同仁知曉與參與，集思廣益，並時常告知全體同仁進展的情形。讓大家有參與感、興奮感，同仁在心理上有認同感，在推展作業上將會得到同仁的之支持與協助。早期有些圖書館在設計自動化系統時常會將其視為最高機密，這常與主管心態有關，因此使館員除熟知自己工作範圍的狀況外，對於其他的自動化業務情形都不甚了解，是不正確的作法。

2. 成立圖書館自動化工作小組

　　一般情形，圖書館會成立自動化工作小組，由該小組負責規劃自動化相關業務。小組的成員多由各部門主管組成，主要原因是圖書館自動化是全面性的，如採訪、編目、期刊、出納等，因此自動化工作牽涉到各組主管業務內的工作項目，需要主管們的支持，不但各主管可藉機對其組內業務作全面的分析和考量，且經過主管們的相互討論，進而加強對全館的工作有全面的相互瞭解。必要時，亦可邀館內對自動化知識較強、有經驗的、有研究的館員加入小組。由於國內圖書館資訊系已將電腦網路與通訊、網路資源、

圖書館自動化等課程列為必修科目，新進之館員接受自動化教育和機會甚多，也比較具有自動化、網路化之知識、興趣和概念，也不妨藉助於他們對自動化之新知與幹勁共同為圖書館自動化業務效力。

3.指派自動化計劃負責人

自動化計劃負責人非常重要，計畫推展成功與否皆繫於此人。負責人應具有圖書館作業自動化及網路之知識與經驗、科學管理之技術與方法，以及處事嚴謹、頭腦清晰；其人格特質更應具是胸懷豁達開朗、易於接受他人之建議與批評，主動積極的廣徵意見，立即糾正錯誤及系統不當之處，以求協助達到自動化系統設計之完美與實用。

4.圖書館自動化所用時間常常超出預定計劃的時間

圖書館自動化系統是一個龐大複雜而耗時的工程，過程中不易控制進度。自動化從設計開始到完成，需要很長的時間，而常會超出預定的計劃時間。

5.踏踏實實的整體規劃

圖書館自動化之成敗，關鍵在於嚴謹的整體規劃／紮實計劃（solid planning）。美國圖書館自動化專家 Richard Boss 曾說："Planning is time consuming, but more time spend on planning, the better."，規畫時間花的越長越好，要踏踏實實的規劃。

規劃時應以整體考量為原則，以整體觀點考慮各項問題，分析可能的瓶頸，再以長期性的眼光擬定解決方案，不但避免流於頭痛醫頭，腳痛醫腳的毛病，更可避免因修正一項作業卻使另一項作業產生新的瓶頸。切記，整體規劃就是由大處著眼，小處著手的具體表現。首先找出並建立系統內各項功能及其間關係，整體考慮周密，建立整體觀念，對圖書館自動化業務擴展將更能得心應手。

6.圖書館自動化費用常常超出預算

根據多人經驗而言，自動化預算無論計算的如何周密，費用多會超出原估計費用。在工作進度中常有些意外的費用而還需增加經費。特別是在早期自動化時，因經驗不足而錯估或少估經費。

7.錢的問題（Cost）

自動化是很花費金錢（costly）的事。費用項目很多，應考慮軟體費、硬體費、資料轉換費、訓練費、裝置費、維護費、繼續開發費等。繼續開發是不可忽略的，圖書館自動化並非完成後就不再需要經費，隨著時代技術的進步，自動化系統會有繼續新增項目之必要。維護費是每年例行費用，佔所有經費的 8%-12%，可以說五年的維護費用就可以買一套新的自動化系統，如 Innopac 的維護費用每年 14%，很高；而維護費用並不包

括購買新軟體或更新軟體,兩者皆需額外付費。

8. 切忌將圖書館業務自動化系統當作「研究計劃」

　　早期國內常有其他科系教授們對圖書館自動化有興趣,便著手研究並設計圖書館自動化系統中某一模組,他們在研究中發現,圖書館自動化系統是自動化系統中最複雜的一種系統。因為圖書館業務自動化系統是「長期」的繼續發展計畫,要不斷發展、改進和多方面考量的「長期發展」的業務,而「研究計畫」則多是「短期的」。由於研究者常是資訊工程、電機或電子計算機方面學者專家,缺乏圖書館業務自動化方向的經驗,又非專職,時間與進度很難掌握,其結果與作法更不易控制,更重要的是研究結束即不再繼續負責研究開發,後續如何解決接管卻是問題,也是很冒險的作法。

9. 訂定各種標準

　　訂定標準是相當重要的。選擇採用何種標準,傳統圖書館採用之標準:如編目規則、標題、MARC Formats、各種編碼（codes）、字集等;網路上的標準:如傳輸標準、轉換標準、Z39.50、command language 等;數位化標準:如影音、圖片、器物、拓片、文件檔等標準,對網路化及數位化趨勢都是非常重要的。目前圖書館使用的標準在自動化以後,可能發現需要再修改。圖書館要採用大家共同認定的標準而達成統一化,一致化,而不要標新立異。在決定採用何種標準時應考慮自己館內需要,同時亦應考慮到建立網路,與他館連線的互通共享的功能。我國訂立國家標準的機構是「經濟部標準檢驗局」（Bureau of Standards, Metrology and Inspection, M.O.E.A, http://www.bsmi.gov.tw）,其前身是「中央標準局」,其所訂之國家標準業已建立國家標準資料庫,已放上網路,名稱為國家標準查詢系統（http://www.cnsppa.com.tw）,並有 CD-ROM 可供全文瀏覽。國外重要之標準如:國際標準組織（International Standards Organization,簡稱 ISO）,美國國家資訊標準組織（National Information Standards Organization,簡稱 NISO）,美國國家標準協會（American National Standards Institute,簡稱 ANSI）和 ISO MPEG 委員會（Motion Picture Expert Group,簡稱 MPEG）等。

10. 資料轉換與品質控制（Data Conversion and Quality Control）

　　在自動化過程中,資料轉換和品質控制（Data/Retrospective Conversion and Quality control）所花費的時間、金錢和精力是相當大的,要有心理準備。裝置新自動化系統時資料轉入系統內,還需一些前置手續。圖書館必須盡量在自動化前去除一些不需要的資料,首先要對館藏作盤點（清查）（inventory）工作,然後註銷（weeding）,才能使轉換工作迅速有效率,少用的資料可以暫緩轉換的腳步,待有人使用時再將這筆資料轉入

系統中，也就是明定資料轉換之先後順序。至於淘汰政策（Weeding Policy）則隨圖書館之大小和種類不同而定，通常 80%館藏可利用一般的註銷原則，20%則需要專業館員來判斷是否註銷。根據調查，國內圖書館甚少明定註銷政策。資料轉換時，同時應注意每筆資料轉換的資料品質，一般而言，資料轉換工作圖書館僅作一次，故品質控制特別重要。

11.釐清與電算中心間之資源管理問題

曾有一段時期兩者管理問題很混亂，圖書館很依賴電算中心的設備、人力和技術支援圖書館自動化工作。目前多由圖書館自己處理自動化相關事宜，惟在各種資源上仍需釐清採購和管理上的問題，但彼此保持良好關係。

12.聘請圖書館自動化顧問（Library Automation Consultant）和法律顧問（Legal adviser）

圖書館自動化進行中可聘請顧問，亦可不聘請。若聘請則要記得時時請益，邀請顧問參與所有活動，千萬不要當成裝飾品。聘請經驗豐富的顧問，他／她們是無盡的寶藏，善加利用顧問的專長，可以節省圖書館很多時間，對圖書館自動化之發展受益無窮。圖書館常有許多法律問題需要幫忙，圖書館購買資料亦常有版權、侵權、簽約等問題，故聘請法律顧問也是必要的。

13.注意圖書館自動化最新發展

看到圖書館系統的新功能新技術出現，而館內系統沒有，視需要而請廠商增加功能。且館員也要隨時注意自動化系統發展動向，並隨時學習。

二、溝通協調方面

1.單位主管之支持、態度及魄力是推展自動化成功之重要關鍵

無論是圖書館組長、館長、或更高層機構首長，都是相當重要的關鍵人物。首先要注意及考慮的是主管決策者的決心。自動化是一個持續的工作，並不是現在安裝好就結束，而是要持續多年的工作。圖書館館長的決心常來自於更高層主管的重視和支持，也就是需要母機構主管的支持。主管若了解自動化的重要性，在觀念上能支持，就會撥出經費，圖書館便可有充足的支援。特別是館長，他／她們的支持、積極態度，以及做事的魄力及決心是圖書館業務自動化成功與否之重要關鍵。

2.溝通（Communication）與同心合作

圖書館自動化的意見和消息的傳播、交換與溝通是必要的，並要時時注意到館員的反應。全體館員應共同合作努力、目標一致才是重要的成功要素。

3.善用人際關係／廣交朋友

廣交朋友，與館內外的相關人士保持良好關係，尤其與決策者，請教他們，請他們支持、協調事情應助益良多。

4.與電算中心建立良好關係

圖書館與電算中心應建立良好關係。不論是軟體、硬體及撰寫 RFP 時，皆需要電算中心的支援。一般圖書館館員對硬體網路設置等之認識較為欠缺，故在規劃自動化硬體及圖書館網路與未來校園或組織內網路融合的程度，甚至於自動化系統相關技術上處理問題，需要電算中心大力協助。

5.與廠商建立良好的溝通管道及關係

自動化系統開始啟用後，問題才開始。系統維護及功能換新皆需要與廠商密切合作，合作關係良好才能把系統問題降到最低。有許多系統本身設計不錯，但圖書館卻用不好，多因為與廠商關係與互動不夠密切。有時有些使用國外自動化系統的圖書館常抱怨廠商服務不好，有可能是因為館員英文表達能力欠佳致使溝通不良之故。

6.加強圖書館各部門間之溝通合作

圖書館內部組織間應互動互助同心推展自動化系統，如採訪、流通、編目、期刊、參考等工作皆息息相關。在撰寫圖書館自動化需求書時，必須將各部門間關係界定清楚，廠商才能清楚各模組間關係，做好系統軟體在各部門間之連結，將不浪費多餘的時間去溝通。圖書館各組間不合作和相互關係不溝通的情況會造成很多不必要的問題。

7.加強與其他圖書館間之溝通合作

現代圖書館強調無牆圖書館，任何圖書館皆不可能蒐藏所有的出版品（圖書、期刊、多媒體、資料庫等），必需仰賴他館的資源來支援讀者的需求，他館亦需要本館的協助，特別是館際互借（Inter-library loan）。因此館與館間之溝通合作是必要的。在不違背版權的狀況下，許多資源都可以放上網路，提供大家分享，成為資源的後盾。在資訊社會下，圖書館已不可能在獨立存在，必須仰賴他館，達成館際合作，互通有無，以擴大資源的目的。國內的例子如：師大、政大、中央三所大學圖書館聯合整理最新期刊目次，並配合全文（full text）連結，建立查詢系統，即是很好的例子。

三、心理建設方面

1.圖書館業務自動化並不「難」，視為正規之業務

一般人對圖書館自動化想像中是一件很「難」與「可怕」的過程，這是由於對自動

化不熟悉，會感到恐慌而排斥。1990 年以來，國內在政府大力鼓勵支持下，積極推動各類型圖書館自動化，目前圖書館自動化已經成為正規之業務了。館員經過多年的圖書館自動化熟悉工作，已不再感到圖書館自動化業務是很難的事，但在系統技術方面仍需加強。

2.切勿「閉門造車」

閉門造車心態最要不得，也行不通，應廣蒐意見，請教他人。館與館之間對於自動化業務最好能互相交流激盪，研擬出更好的方案。

3.自動化的早期，館員的工作是會增加

圖書館作業自動化早期進行中，因為很多業務是雙軌進行方式，應對館員多加疏導、鼓勵、溝通。此階段僅是一過渡時期，大家應有共識、合作和意願，一起渡過難關，但這也是館員排斥自動化的原因之一，因為工作加重。要使館員能迅速進入狀況，館員常需再教育，學習新科技和新事物，雖工作負擔會加大，但學習卻是好事，也可增加館員新知、新技術和新觀念。

4.軟體比硬體重要

瞭解自己的需求，知道所要的軟體是什麼。先決定軟體再考慮硬體。早期軟體只能專用於某一種硬體上，雖然現在的軟體甚多可以用在不同的硬體上（Transportable），但還是要先考慮軟體，然後再購買適切的硬體配備。在購買時經常會設定軟硬體功能各佔百分比，作為購買的預算。選擇軟體時要考慮：好用（User Friendly），適用性（Adaptability），活潑，有彈性（Flexibility），擴充性（Expandability）等特點。在選系統時要注意 3S：⑴ Specification（規格），一定要符合自己特別的需求、規格。⑵ Support（Support Service）指買了圖書館系統之後，廠商的支援、售後服務，系統支援一定要好，否則後患無窮。⑶ Site visit（現場展示），要實際操作系統，過去要到廠商系統展示處才能看到系統，而現在透過網路、或直接使用該系統的圖書館參觀訪談。

5.圖書館業務自動化是持續不斷改進之工作

圖書館作業自動化是一項長期工作，如一個活靶（moving target），隨時有新的功能、新的科技，甚至新的系統出現，不斷更新變動，自動化業務也因此需隨時改進，希望能命中目標，但很難。要切忌頭痛醫頭，腳痛醫腳的情況，若只針對問題解決，經常會出現這個問題解決了卻又引發出另一個問題，絕對要全面考量問題之關連性。

6.無十全十美的自動化系統

圖書館系統需求是相當理想化的（ideal），但事實上，甚少系統能達到圖書館百分

之百的需求。因此圖書館則依照需求書上所註明需求功能「必要」、「次要」，以及「可有可無」的等級，做為選擇自動化系統時的參考。事實上並沒有一個十全十美的自動化系統。

7.好的不一定合適，適合的才是最好的

Library Journal 期刊常有作系統市場評估，並為系統作排名，但第一名的系統未必適合所有的圖書館，應撰擇最適合自己圖書館的系統，才是最好的系統，千萬不要跟著別館走。

8.保持幽默感

圖書館的任何的工作，不論是自動化，或是普通的工作，都要保持一定的幽默感；因自動化事務比較瑣碎，圖書館需要花費很多時間與人力才能完成，在冗長的過程中，問題很多，容易心生倦怠、急躁，所以館員要保持適當的幽默感，才不致使問題更僵化而導致更大的危機。

9.具有「變」的觀念

圖書館作業自動化不是一成不變的。尤其現在網路時代，任何事務都在快速的變動，因此要接受變的觀念，才能跟上時代，圖書館自動化系統亦如此。

四、館員訓練方面

1.多學、多聽、多讀、多看、多問

館員訓練部份，除了由館內安排的訓練外，最重要的是需要靠館員自己多學、多聽、多看、多問。早期圖書館自動化作業是在摸索中學習的，館員幾乎都沒有經驗，也無處請教；只能靠館員自己多學、多讀、多看、多聽。多看書或是查看別館的自動化系統，或和有經驗的人交換意見、收集別館的資料，互相切磋，交換心得。目前，圖書館自動化系統已用之多年，館員已具有甚多經驗，何況網路上也可開放討論群，討論相關問題並切磋經驗，受益甚多，這些皆有利於圖書館自動化業務之順利推展。

2.加強館員自動化觀念及訓練

多給予館員機會學習和熟悉自動化作業之各種知識與技術，並不斷的讓他們知道最新自動化方面的發展趨勢，以健全館員的心理準備。"Keep Current is important, and must!" 可添購自動化系統方面之書籍及期刊，鼓勵館員參加圖書館自動化研討會及演講、參觀、訪問等。館員的訓練是相當重要的，同時也可讓他們明瞭自動化對他們帶來的好處及限制。

3.館員對讀者服務角色改變──Navigator, Cyberian, KM manager

自動化系統會影響圖書館服務性質，所以館員更需要接受訓練。因為圖書館自動化網路化後，館員的服務性質會是一個資訊導航者、網路館員和知識管理者的角色，要教導讀者如何利用網路、自動化系統蒐集和查尋所需資料等。

4.讀者教育訓練之重要性

選系統時，可參考讀者的意見。系統到館安裝後，要對讀者作教育訓練。在國外，圖書館自動化系統在正式啟用時，常會邀請圖書館相關人員來參加系統啟用雞尾酒會，並有館員指導如何使用新系統。此後還會定期或不定期指導讀者使用系統，如參考館員隨時準備指導讀者，並在線上目錄（OPAC）終端機附近準備使用系統的小手冊。讀者教育訓練也是一種行銷方式，一個好系統若無人使用，也是一個失敗的系統。

5.館員對專業的使命感

圖書館對館員而言，不只是一個工作，而是一個專業。館員不同於一般的工作人員，必需具備專業素養及使命感。若視其為一個專業，使命感才會油然而生，不但以身為圖書館之一員為榮，盡量對自己專業多做努力，熱誠的服務讀者。

五、撰寫自動化系統需求書（Request for Proposal，簡稱 RFP）方面

1.廣蒐資料，全館參與，多提供意見

自動化系統需求書（RFP）是圖書館在自動化時對欲購系統提出之功能需求項目之計畫書，希望能根據需求書選購適切的圖書館自動化系統。要廣蒐資料，無論由文獻中，或蒐集他館自動化需求書，（Requirements for Automated System）、RFP（Request for Proposal）、系統手冊（System Manuals）、系統需求資訊（RFI）等等，已出版之需求書有政治大學和中央研究院圖書館的 RFP。系統手冊詳細說明每個步驟，正好能瞭解系統詳細功能，亦可作為撰寫需求書時之參考。切記所蒐集之資料僅供參考，不能照單全抄，因為每個圖書館皆有自己的特色與需求。自動化是全館的工作，需要全館同仁共同參與，提供意見。

2.瞭解自己，瞭解自己的需求，瞭解自動化的目的及未來發展趨勢

圖書館先要能瞭解自己的需求，才能明定圖書館系統的需求。系統需求書是一個法定文件，步驟要詳細，廠商才有所依據，而且系統需求書也是簽約中的一份重要附件。因此要對圖書館本身有所瞭解，才能依此訂定一個符合需求的計畫書。

3.圖書館工作流程的審視與檢討（系統分析）

　　圖書館工作流程可籍由自動化作業做全面審視與檢討，重複的工作流程可借此機會予以修改。圖書館的各工作片段都是有相關性的，在撰寫需求書時將圖書館各工作流程圖串連起來，比較人工流程與自動化流程之異同，才能真正檢討工作流程。除簡省人工重複例行性的工作由自動化代勞外，更可以借由自動化作業增加許多工作項目及功能。

4.網路功能之重要性，Webpac...

　　早期談及圖書館自動化時，幾乎忽略網路功能。早期圖書館自動化系統是一個處理內部作業的系統，隨著時代的演進，網際網路產生，資訊共享成為潮流，由 OPAC 發展成 WebPac，可在網頁上查到圖書館資訊，亦可連絡他館資料等，查尋功能擴大，故在 RFP 上要考量這項功能。在現代資訊時代，網路功能是圖書館自動化作業必備的要項。

5.考量與其他資源之連接，MARC 856，Search Engines，IOD，OpenURL，Metasearching...

　　考量不同媒體與不同型態資源間的連結問題，這些皆可以網路方式呈現。館內各種資訊透過網路傳輸，依 MARC 856、Search Engines、IOD 等方式連結。所有連結軟體與功能應在需求書中說明。MARC 856 的 subfield 欄位已有 30 多項，現在還定有 URL，作為資訊銜接的標準。根據 Library Jouranl 2003 年 Automated System Marketplace 的報導，目前在圖書館界的趨勢將由多使用者系統（multi-user system）到數位圖書館系統（digital library system），對於圖書館資訊系統的要求則強調應具備 reference linking、matasearching、federated searching tools，以及支援多功能 web-based library portals 等，此外，還要有能支援聯盟式（consortia）的系統。因此，在選擇圖書館自動化系統時必須考量自動化系統是否具備這些發展趨勢的潛力。

六、執行方面

1.自動化作業內容與程序應週知全館：

　　圖書館可透過布告欄、發 e-mail 電子郵件或以 newsletter 方式，將圖書館自動化作業程序、工作進行項目、進度等週知全館，讓全館皆有參與感。

2.測試驗收的重要性

　　圖書館自動化需求書上列入的每一項目在自動化系統完成後必要接受測試與驗收，才能檢驗其缺失及是否依圖書館所提出之需求書而完成設計的自動化系統。並由各組驗收 RFP 所有項目，是否符合各項功能及反應速度。在資料轉換後，須檢驗資料庫是否沒有遺漏，並在尖峰時間測試，察看系統是否能負荷。在完整的測試後才能切實看出自動化系統的問題所在。關於測試出現的問題，應立即要求廠商修改。至於付費的問題亦應

在簽約時明定其條件，何時館方應付，所以在系統問題未完全測試和驗收結束滿意後，館方絕對不應全部付清款項，逾期未能完成系統所需條件應在合約書上明訂罰則。

3.對外宣傳及訓練

圖書館應對外宣傳已裝置圖書館自動化系統，若在校內，可在校訊通知上說明，並發文給各系所及單位，可舉辦啟用典禮、雞尾酒會等，邀請館內外人士參與；應讓多人知道，宣傳和廣告是不能缺少的，同時可定期或隨時訓練讀者系統使用方法與技巧，儘量讓讀者上手利用新的查尋資料途徑。

4.加強資訊倫理之觀念

為加強讀者使用圖書館自動化系統、網際網路、各種資料庫、資訊檢索方法等之正確行為，圖書館有必要建立讀者資訊倫理之觀念，除書面說明使用系統需知外，並可參考網路十誡、網路禮節或資訊相關法令，避免資訊犯罪之發生。

總之，圖書館業務自動化和網路化時所注意事項，最重要者莫過於主管之決心與全力支持、圖書館現有人力和館員自動化網路化的知識與能力，以掌握整體規劃之重要性、圖書館自動化網路化之工作重點及工作重心、考量圖書館全面性作業狀況、問題、瓶頸所在，系統之重要順序及未來發展，建立合理化之制度、行事規範、簡化作業流程，以及建立圖書館業務自動化網路化之標準作業基礎。圖書館業務自動化、網路化系統雖工程浩大，耗時耗錢，但以目前國內外圖書館自動化系統之狀況和圖書館館員對自動化網路化之認知、態度和經驗而言，已不如想像中那麼難為。因此，館長、館員、使用者和系統廠商之共同合作、決心、共識和努力，才是圖書館作業自動化系統成功之重要動力。

參考書目

1. 李德竹，〈圖書館業務自動化基本注意事項〉，《中國圖書館學會會務通訊》。63 期（民國 77 年 7 月）：頁 3-5。

2. 李德竹教授〈圖書館自動化〉課程講義（民國 89 年）。

3. Marshall Breeding & Carol Roddy, "Automated System Marketplace 2003: The Competition Heats Ups", *Library Journal* 128(6) (April 2003):52-64.

4. Marshall Breeding, "Automated System Marketplace 2004: Migration Down Innovation Up", *Library Journal* 129(6)(April 2004): 46-58.

數位資訊資源長久保存之探討
Preserving Digital Information Resources

陳雪華
Hsueh-hua Chen

洪維屏
Wei-ping Hung

摘　要

資訊科技帶來無比的便利，不但體積小、儲存量大，同時易於複製、傳播和再利用，越來越多資訊、甚至是知識、文化，原生且單純只以數位形式存在。然而資訊保存問題並未因資訊資源數位化得以完全解決，反而可能因而永久遺失，成為「資訊黑暗時代」。本文探討數位資訊資源長久保存議題，從長久保存的重要性談起，說明保存數位資訊資源的新挑戰，與學者專家們所提出的保存方法並重新思考數位化的意義和價值。

Abstract

Thanks to the handy information technology that is available in compact presentation, large capacity and easy to reproduce, relay and reuse, more and more information, know-how and even cultures were born digital and preserved in digital forms. However, information digitization does not solve the issue of its preservation and, on the contrary, permanent loss could be the result, triggering the so-called Information

Dark Age. In this article, we are to discuss issues regarding preservation of digital information resources and to begin with, we like to discuss its importance by checking out the new challenges preserving digital information confronts with, preservation methods proposed by scholars and experts and rethinking of meaning and value of digitization.

關鍵詞：數位典藏；長久保存；資訊黑暗時代；更新；轉置；模擬；典藏詮釋資料；技術保存

Keywords: Digital Archive; Long-term Preservation; Information Dark Age; Refresh; Migration; Emulation; Preservation Metadata; Technology Preservation

壹、數位資訊資源長久保存的重要性

隨著科技日新月異的進步，與網路技術的發展，人類歷史的發展來到了資訊時代。由於資訊科技帶來無比的便利，不但體積小、儲存量大，同時易於複製、傳播和再利用，越來越多資訊、甚至是知識、文化，原生且單純只以數位形式存在。據加州柏克萊大學於 1990 年代晚期所做的一項預測顯示：包括印刷、電影捲片、磁性或光學等形式的產品，全世界每年的總儲存量約有 15 億 GB，相當於每人（不論男女老少）的儲存量約為 250MB。[①]超過 93%的新資訊是直接以數位形式創造，或可以說是「數位原生」。[②]在發現資訊科技所帶來的益處之後，人們越加依賴，並誤以為資訊只要以數位形式儲存，便能一勞永逸，徹底解決資訊保存問題。然而，科技發展的速度越來越快，永遠都有新的格式、新的技術、新的軟硬體產生，而逐漸取代舊型的地位；因此，以舊的格式儲存，或是存在於舊式媒體上的資訊，極有可能再被讀取而使用。外國學者稱之為「資訊黑暗時代（information dark age）」，意指由於數位媒體的易碎、易變性，以及技術的老舊過時問題，導致儲存的資訊即使在毫髮無傷的情況下，仍無法加以讀取與解釋其中內容，提供資訊需求者取得和使用。

這對於肩負保存文化與人類知識、智慧的圖書館、博物館、以及檔案館工作人員而言，無疑是一項嚴重的挑戰。近年來，資訊資源的數位化在圖書館、博物館、以及檔案館等領域中，成為重要的發展趨勢之一，其主要的動機有二：一為保存，二為增加資訊資源的可得性。數位化保存是一項基礎工程，同時從長遠的角度思考，應將數位化保存

提升至數位資訊資源長久保存的層次，肯定其重要性，並給予相當程度的重視和嚴謹的研究，以避免類似資訊黑暗時代的情況發生，而造成永久的遺憾。

貳、數位資訊資源長久保存所面臨的挑戰

數位資訊資源長久保存所面臨的問題與挑戰，與傳統資源格式保存的不同。為了達到長久儲存、保存及取用的目標，傳統格式的保存、典藏所需要注意的，可能主要在於典藏環境的設定、資源的使用與管理等方面；然而，數位資訊資源的長久保存則還需要注意到關於媒體衰退、技術老舊過時、以及數位資訊資源過於依賴軟體等問題。以下就各項問題加以說明。

一、數位媒體易於損壞變質的特性

紙本資源已被證實的確可以保存很久，以手稿為例，在特定的條件與環境之下，手稿可以持續保存幾百年。[③]相對的，數位資源的載體是較易衰退、損壞或遺失的，即使在理想的環境條件下，它們的壽命還是較傳統形式的資源壽命為短。依推測，磁片的壽命約為 5 至 10 年，光碟的壽命則可能為 10 到 100 年。[④]由於這些數位媒體會快速衰退，與具有易損壞變質的特性，為避免資料內容遺失，需要做重新保存的決定和行動的時間單位為 1 年，而非 10 年。[⑤]

二、技術的老舊過時

比媒體衰退更為潛藏和更具挑戰性的問題為技術的老舊過時。在電腦世界裡，硬體、軟體、和儲存技術等的創新，持續以快節奏的步調進行。記錄和儲存的裝置、處理方法、和軟體等定期以約 3 到 5 年為週期，被新的產品和方法所取代。[⑥]在新技術不斷發展的同時，另一個值得關心的問題是相容性問題。依據不同的需求和資源類型，產生多種不同的資料格式，然而，新版本格式的出現，是否能與舊的格式相容，這點卻無法完全保證。[⑦]

另外，從技術的汰舊換新速度問題延伸探討，可以說是資訊科技典範轉移問題，此乃數位資訊資源不易長久保存的主因。所謂典範轉移是指某學科理論及作法產生結構性之重大改變，例如資料庫的設計從網路式資料庫、階層式資料庫轉移到關聯式資料庫或物件導向資料庫，這種轉移往往需要重新設計整個資料庫，以便轉移到新的典範。在新觀念、新技術一點一滴的突破下，迫使典藏單位或一般使用者必須經常進行更新媒體、轉置系統等動作，而耗費大量人力、時間、與經費。[⑧]由此可見，技術不斷推陳出新與資

訊科學的典範轉移，所帶來的影響更為廣泛而深遠。

三、數位資訊資源無法獨立存在，必需依賴軟體

　　數位資訊資源藉由軟體的存取、顯示，因而得以確定其「存在」。而最能讀取、解釋及顯示數位資訊資源的，自然是原始程式。然而這些程式的可用性又和儲存媒體及媒體讀取程式有關。所以，從典藏的角度來看，無法得知該如何用過時的原始程式，來讀取未來的媒體，或用未來的軟體讀取過時的媒體。[9]

參、數位資訊資源的保存方法

　　數位資訊資源長久保存問題，在國外已受到普遍的關心，亦提出許多可能的解決辦法，卻無一可一勞永逸。在面對數位媒體壽命短，而技術更替速度快的情況，也許最直覺的解決辦法會是將這些數位檔案再以紙本形式印製，或以其他傳統媒體儲存，但是不能否認的是，這種方法失去了數位典藏的意義，無法應用數位化的特性和功能。

　　此外，儲存多個複本也不失為一種解決方法。由 Sun 實驗室和 Stanford University 合作進行的 Lots of Copies Keeps Stuff Safe (LOCKSS)計畫，便是使圖書館能夠保存管理其訂購的原件，並且提供足夠的複本，讓全世界任何經過授權的使用者，都能有使用權使用其所需的文件。除此之外，當線上的複本被移除或有任何損壞時，LOCKSS 系統會隨時注意並更新取代之。[10]

　　由文獻探討可知，一般常被使用或討論的保存方法，包括更新、轉置、模擬、使用標準、以及技術保存。以下將就各種保存方法加以說明。

一、更新（refreshing）

　　更新是由複製（copying）的想法而來。誠如前述，目前尚未有永恆和持久耐用的媒體來儲存數位資訊資源，導致必須在適當的時間，進行資訊的測試與更新。更新資料到新的媒體上，便能重新開始資料的生命週期。以 CD 光碟為例，假設其保存期限為 20 年，則可以每 10 年便更新一次以保存資料。

　　新媒體的選擇不斷出現，而每一代新的版本出現時，會有更多的儲存量和更少的花費。在此趨勢之下，很可能資料都不再更新於同一種媒體之上，而改以另一種新的媒體儲存。實際的做法是複製到當下已普遍被接受的媒體、格式上。[11]以嚴格的角度來看，將資料更新到新的媒體或版本上的做法，可以說是「轉置」，而非單純的更新。

更新的觀念簡單易懂，在執行上也較其他方法單純，但此方法並不能確保資訊在未來能夠被檢索與處理。

二、轉置（migration）

轉置是比更新的內涵為寬廣而複雜的概念。依據 RLG/CAP 數位典藏報告書對於轉置的定義，轉置是指一套有組織的而被設計為達成數位資訊資源從一套軟硬體轉移至另一套，或是將其轉移到新一代電腦技術的方法。其目的在於：1.保存數位物件的完整性；2.維持讓使用者可以在技術不斷轉變之下，仍可以持續進行數位資訊資源的檢索、展示、與使用。[12]

由於新技術的發展和採用，以及媒體衰退等問題，故採用轉置的方法以應對。這看似容易，然而在規劃和執行上，卻可以發現其中的困難：無法預測新的技術何時會出現、成為市場主流；新的技術和媒體將為何、包括何種功能；是否與現有系統相容；以及該如何避免轉置所造成資料遺失的傷害。而不論進行更新或轉置，勢必會再次投入人力、時間和經費，為達到有效率且有效能的更新與轉置資料，事前細詳的規劃不能少，莽撞地汰舊換新並無濟於事。研究未來科技發展的趨勢，瞭解保存典藏和使用者的需求並加以調和，都有助於轉置的進行。而多從事各種可行性研究和成本效益分析，對於克服前述的困難仍有幫助[13]。

三、模擬（emulation）

數位資訊資源難以長久保存的原因之一，在於數位資訊資源越來越依賴軟體，唯有在有軟體可以讀取和顯示其中內容時，才是有意義而「存在」在的。現在已經發現有些資料格式無法存取解讀，儲存媒體沒有適當的硬體設備讀取其中內容等問題，在科技不斷發展的情況下，未來勢必亦面對相同的問題。而 Jeff Rothenberg 提出的解決方案是將檔案（如資料、文件等）和其應用軟體，包括支援該軟體的系統和硬體環境描述都一起儲存，以便能夠執行整套程式。未來，硬體環境描述將用來建構一個模擬器（emulator），模擬原始硬體環境，於是可以在任何電腦上執行，以讀取原始檔案（original records）。而這整套資訊，包括檔案、軟體和硬體描述，將被模擬以防損毀。[14]

這個方法即所謂的「模擬」，指在軟硬體中仿效或摸擬的過程，能在未來、未知的系統上模擬舊系統，使得數位物件的原始程式能在未來運作。模擬依賴於原始格式、原始資料的保存典藏，並非保存原軟體及硬體，乃軟體工程師撰寫摸擬程式仿效過時硬體

平台的行為與仿效相關操作系統。其中牽涉到三種技術的發展：⑮

   1.為特定的模擬器發展通用技術，使之能在未來的電腦上運作，且可抓取所有必要的屬性以重建目前及未來數位文獻行為。

   2.發展儲存詮釋資料的技術，此詮釋資料是用來找尋、存取與重建數位文獻，且是以人類可讀的格式呈現。

   3.發展壓縮文獻與其附隨的詮釋資料、程式、模擬器規範等之壓縮技術。

這在技術上相當有趣，但在實際執行上帶來了經常費用的支出以使其運作的議題。當決定要採用模擬策略時，假若相關參與者在意識上與標準上達成共識，此方案應被集中管理、進行，或是集中維護一套標準的軟硬體檔案。有了這些標準，每份文件或數位物件可能不僅需要在詮釋資料中包含一個「模擬編號（emulation number）」，以對應到特定的軟硬體檔案。⑯

不同的保存方法適用於不同種類的資料。根據 McCray 與其同事所進行的研究，他們認為模擬與轉置的不同，在於模擬所保存的，不只數位資訊資源的功能，還包括其「外觀」和「感覺」。由於模擬使電腦可以模擬出原本檔案的樣貌，增加生動活潑的價值，所以在應用上，遊戲、虛擬化或用電腦模擬的生物科技實驗等，都是很好的例子。而轉置的方法較適用於資料使用度高，以及保存內容為原始資料的情況。美國國會圖書館的資訊技術服務組自 1960 年代開始，負責圖書館目錄的維護，至今經過了三代軟體格式、三種磁帶格式和六種硬碟轉換。像這樣以保存原始資料為主的情況，便適合採用轉置的方式，以確保數位資訊資源長期得以取得、使用。⑰

四、使用標準

最重要的保存策略之一是利用適當的開放性標準和盡可能避免專有的資料格式。即使標準改變和演變，開放性的標準還是較專有的標準穩定而可靠，專有的標準可能會受限於某一廠商。

為確保數位資源能夠被長久保存與取用，發展結構化的方式描述與記錄用來管理典藏物件所需的資訊，此乃所謂的典藏詮釋資料（preservation metadata）。不同於 MARC、Dublin Core 等用於數位資訊資源發掘與識別的描述性詮釋資料，典藏詮釋資料被歸類於管理性詮釋資料的類別之下，或被稱為技術性的詮釋資料，主要在協助資訊的管理以及數位內容的取用。為達到數位資訊資源的長久保存目的，典藏詮釋資料應包括關於物件檔案與結構的技術細節、使用方法等資訊，還有執行該物件所有活動的歷史，管理者的

身份識別，與保留關於哪些人有責及有權執行物件典藏動作的資訊。[18]國外對於典藏詮釋資料的研究眾多，其中最具代表性的長久典藏模式是「開放性典藏資訊系統（Open Archival Information System, OAIS）」。此一架構由 NASA's Consultative Committee for Space Data Systems 所發展，並被認可為國際性的標準。雖然原先是為太空資料所設計，但 OAIS 被廣泛的接受與使用於更廣的資料類型。該模式定義了數位典藏庫的功能與需求，依據標準提供系統間詮釋資料與互通性的架構，讓不同類型的詮釋資料得以交換與再使用。[19]當我們從數位化的開端便以標準化的方式進行，原有的相容性、互通性等問題，都能一一解決，且遵循國際標準，便能與國際接軌，做更廣泛而普及的使用，發揮數位典藏最大的效益。

採用標準應是最理想的模式，然而說起來容易，實際實行上有其困難。由於標準牽涉層面多，其中任何一項都相當專業且複雜，不易處理；而使用者需求、組織目標、發展環境的不同，有關標準的共識並難以達成。最後，即使標準產生，亦受資訊科技轉移影響，仍需要轉移或更新，其相關的軟硬體仍需同步提升修正。[20]

五、技術保存（technology preservation）

除了將所需要的硬體資訊保存，以進行模擬之外，保存硬體本身亦為可行方案。這種方法應維護完整的過時設備，將任何老舊的軟硬體組態做複製。其中涉及原始應用程式、操作系統軟體以及硬體平台的典藏，強調原始運作環境的行為應被典藏，才能呈現數位物件的面貌。

這可能是一項昂貴的選擇，以長遠而言也是不實際的做法。為了保證每個時期的資料都能被存取、解釋，而保存了每個時期每種格式的硬體設備；但資訊科技的發展迅速，不斷累積各式硬體，於是乎，代表各種技術的硬體博物館儼然形成。當然其中的維護成本和所需的空間也相對地龐大。技術保存方法是否值得採行，值得大家深思。[21]

每種保存方法有其優點，亦有其缺點；更重要的是，在處理不同種類的資訊資源，或在不同的環境條件、需求下，為保證在未來能依舊取得使用，所採用的保存方法應有所不同。依據英國由 Tony Hendley 所主持，於 1995 年開始進行的一項計畫，將數位資源加以區分為十大類，包括資料組（data sets）、結構化文件（structured texts）、工作文件（office documents）、設計資料（design data）、圖表（presentation graphics）、影像（visual images）、演講與錄音資料（speech & sound recordings）、錄影資料（video recordings）、地理/地圖資料（geographic/mapping data）、互動式多媒體產品（interactive multimedia publications）等。再依 Daniel Greenstein 所提出的架構，將數位化工作分成七大模組，應用於該研究所界定的十大類數位資源之中，並考量資訊資源的種類、結構、所使用的應用程式，以及管理或使用的方式等情況，就轉置、模擬和技術保存三種方法相比較，發現該研究所建議的保存方法，仍是以資訊的轉置居多，而技術保存與模擬兩者在應用的時程上，多為短期而暫時的因應之策。[22]可能是因為技術保存與模擬這兩種保存方法，所牽涉的技術較為複雜，而在執行上的困難度較高，故在選擇保存方法時，除非有特殊的要求，如對於外觀和使用時的感覺的保存之外，否則以其複雜性，往往帶來許多限制而無法實行。

檔案局所的委託研究計畫——「電子媒體類檔案管理制度及保存技術之研究」，該報告彙整出九種不同的數位資訊資源保存策略，包括更新、標準化、詮釋資料、轉置、模擬、封裝、系統保存重複一套系統、及印成紙張或其他可瀏覽媒體等。該報告將此九種方法加以分類，歸納成三級不同的層次，如下表所示：[23]

類別	第一類	第二類	第三類
層次	基礎層	核心層	輔助層
保存方法	☐ 更新 ☐ 標準化 ☐ 詮釋資料	☐ 轉置 ☐ 模擬 ☐ 封裝	☐ 系統保存 ☐ 重複一套系統 ☐ 印成紙張或其他可瀏覽媒體

所謂「基礎層」是指隨著時間的展延，必須經常、定期的實施，是最基礎的工作；「核心層」是保存技術中最為核心與重要的部分；「輔助層」則是指在核心層技術保存數位資訊資源時，若有困難或其他特別因素的狀況下，所需使用的保存方法。[24]

總而言之，各種數位資訊資源保存的方法，不應被視為單一、各自獨立的策略，因應不同的情況與需求，加以配合應用，發揮各項技術的功能，整合出最適當、最佳的方案，以求完整地長久保存數位資訊資源。

肆、資訊資源數位化的省思

近年來，各項數位化工作積極的展開，不僅是為了保存知識和記憶，同時也是為了增加資訊資源的可得性。但已有研究和實際經驗顯示，數位化雖然帶來便利與無限的可能性，畢竟不是萬靈丹，仍需要搭配完善的策略和管理方法，以達到終極目標。一方面

回歸到原點，重新思考數位化的意義與價值，另一方面則應該積極面對數位化所帶來的挑戰，致力發展優良的數位典藏。從宏觀的角度來看，資訊資源數位化的工作為最基礎的部分，若能將根基打好，則對於後續的使用和應用，都能有所助益。建置優良的數位典藏，無疑是所有數位化計畫的首要目標。而所謂「優良」的意義，從早期環境的實驗性質高，偏重概念的驗證，到整體環境成熟階段，優良的意義提升到使用、可得性和適當性的層次；現在資訊科技和網路蓬勃發展，物件、詮釋資料和典藏不只為計畫所產生的成果，同時也是大眾可以重複使用、重新包裝、和發展服務的對象，所謂優良的指標相同地必須將重點置於促成互通性、重複使用性、持續、可證明（verification）、以及文件化（documentation）等部分，同時也必須符合版權和智慧財產權相關法律之要求。⑤

資訊黑暗時代是一項警訊，而非禁止大眾以數位形式儲存與典藏資訊資源，甚至造成不必要的恐慌。每個時代皆有其不同的發展、特性和需求，在資訊資源的使用和保存上亦是如此。既然資訊時代已然來臨，生活與資訊科技逐漸密切結合；也許科技並不完美，但相信在集合眾人的智慧與努力，必能找到所謂的「最佳方案」，長久保存文化遺產、人類的智慧結晶。

註釋

① Amy Friedlander, "Digital Preservation Looks Forward," *Information Outlook* 6:9 (Sep. 2002) Retrieved from Academic Search Premier database (3 April 2003).

② Bernard Smith, "Preserving Tomorrow's Memory: Preserving Digital Content for Future Generations," *Information Services & Use* 22 (2002): 133.

③ Marshall Breeding, "Preserving Digital Information," *Information Today* 19:5 (May 2002), p. 48-50.

④ 陳昭珍，〈電子資源的長久保存〉。<http://www.gaya.org.tw/journal/m25-26/25-main3.htm>

⑤ Margaret Hedstrom, "Digital preservation: a time bomb for Digital Libraries."
<http://www.uky.edu/iernan/DL/hedstrom.html>

⑥ 同上註。

⑦ 同註③。

⑧ 同註④。

⑨ 同註④。

⑩ LOCKSS <http://lockss.stanford.edu>

⑪ 同註③。

⑫ 陳和琴，「Metadata 與數位典藏之研討」，大學圖書館 5 卷 2 期（民國 90 年 9 月），頁 2-11。

⑬ 周欣嬌，「數位館藏的維護與保存」。
<http://public1.ptl.edu.tw/publish/suyan/51/72.htm>

⑭ Stewart Granger, "Metadata and Digital Preservation: a plea for cross-interest collaboration."
<http://dspace.dial.pipex.com/stewartg/metpres.html>

⑮　　同註③。

⑯　　同註⑭。

⑰　　同註①。

⑱　　Deborah Woodyard, "Metadata and preservation," *Information Services & Use* 22 (2002), p. 121-125.

⑲　　同註④。

⑳　　同註⑬。

㉑　　同註⑭。

㉒　　Tony Hendley, "Comparison of Methods & Costs of Digital Preservation."
　　　<http://www.ukoln.ac.uk/services/elib/papers/tavistock/hendley/hendley.html>

㉓　　歐陽崇榮，「電子媒體類檔案管理制度及保存技術之研究」（台北市：檔案管理局，民國 91 年 11 月），
　　　頁 57，國家檔案局委託研究報告。

㉔　　同上註，頁 74-75。

㉕　　"Guidelines for Developing Good Digital Collection Projects," *Online Libraries & Microcomputers* 20:3
　　　(Mar2002) Retrieved from Academic Search Premier database (3 April 2004).

華人族譜網站與目錄探討
A Study on Chinese Genealogical Websites and Catalogues

陳昭珍
Jau-jen Chen

廖慶六
Ching-liou Liau

摘　要

　　族譜也是屬於中文古籍之一種，此種文獻歷代所遺留下來的數量非常龐大。在過去封建時代以父系血緣為主的宗族社會裡，族譜內容是以記載姓氏家族的世系及家傳資料為主。由於它的編輯體例方式與特殊的人物資料等關係，族譜曾經遭受到一些人的誤解與批評。為了開發與利用這項珍貴的文化資產，在整理工作上我們必須多管齊下，不但要採取編輯總目，也要進行數位化處理；更要利用資訊科技新優勢，儘速將它朝向資訊化與網路化之目標邁進。

　　散佈全球各地的華人族譜網站，目前正處於蓬勃發展當中。綜觀現有之網站內容，大致可以分成二大類型；一是綜合索引型的族譜網站，一是單一姓氏型的族譜網站。由國家科學委員會補助、臺灣師範大學圖資所及社教系之研究團隊負責開發的「臺灣族譜資訊服務網」，目前在網站之內容結構與軟體功能上，都已顯現出不少特色，是一個內容規劃較為創新與豐富的綜合索引型族譜網站。

在不同時空背景影響下，海峽兩岸在族譜目錄之編印方面，可說著錄內容有別而成果各具特色。根據目前調查所得，臺灣地區至少已有 15 種族譜書目，而大陸地區也有 9 種族譜書目出版。對於中文族譜之整理工作，屬於摩門教會之美國猶他家譜學會，已拍攝過眾多的微縮膠捲族譜，其功確實不可小覷。另外由上海圖書館簽頭主編的《中國家譜總目》一書，亦將大功告成，預計著錄族譜書目將逾四萬種。

本論文主要在探討華人族譜網站與族譜目錄，最後共得出四大結論：一、網路與目錄幫助了族譜資料利用的可及性；二、古籍整理工作必須是延續性的；三、各種不同資訊可以進行整合與交流；四、族譜資源必須做到共建與分享之目標。

Abstract

The major target of this paper is to study the Chinese genealogical websites and catalogues, as well as to fulfill the following 4 findings:

1. The internet networks and catalogues increase the availability and the accessability of the genealogical information;

2. The organization work of these rare books should be a continuous plan work;

3. There are integration and interchange possibilities among different types of information;

4. The main objective of the genealogical system is to achieve the joint-construction and sharing of the genealogical resources.

關鍵詞：族譜；古籍；數位化；臺灣族譜資訊服務網；美國祖先網；中國家譜總目

Keywords: Genealogy; Rare Books; Digitization; Taiwan Genealogy Online; Ancestry.com; Chinese Genealogy Catalog

一、前言

族譜記載一家、一族、一姓之歷史，其內容關係著以人際關係為主的社會經濟、文化活動歷程，族譜資料可以幫助瞭解個人成就及社會發展，甚至對於認識一個國家的民族與文化，更是一種不可忽視的檔案文獻。

美國族譜網站資源相當豐富，加上西方人上網尋根者眾，很多人更把家族尋根

（tracing roots）當成業餘的樂趣之一，因此相關網站蓬勃發展。根據美國族譜網站內容與使用情況，可以發現族譜文獻資訊化與網路化的成果已相當豐碩，他們不但技術成熟而且內容豐富。到目前為止，經營最成功的族譜網站，一個月內就有高達一千萬人次、六億網頁（pageview）之閱覽數目，已建族譜相關資料庫量更超過 5,000 種，而數位化的祖先人名錄，也有超過 20 億個之多。①

　　華人是重視宗族關係的民族，族譜的修葺更是歷史悠久。本文主要之目的乃在探討目前國內外之華人族譜網站及族譜目錄建置情況，同時也介紹國立臺灣師範大學圖書資訊學研究所研究團隊所建立的「臺灣族譜資訊服務網」之成果。

二、華人族譜網站

　　華人建置族譜網站起步較晚，在目前所見華人族譜相關網站中，各家所建構的內容參差不齊，其中大部分的網站仍為傳統上宗親會或後代子孫個人為了緬懷先祖所建構的。在此類的網站中，網站內容大都為個別姓氏、宗親的源流尋根以及家譜文獻等等資訊，此類網站對於同姓同宗的個人對於自身世系的尋根溯源，不但簡化了族譜文獻上的抽絲剝繭與費時費工的搜集，亦深化了個人對於自身姓氏源流以及傳統文化的認同。另有一部份乃為綜合各家之族譜資訊索引的資訊服務網路平台，其中涵括了百家姓氏的世系字輩、源流、族譜文獻等相關資料庫，甚而有交友與婚姻介紹等相關服務，然此類網站主旨仍環繞著族譜或相關文獻所建構，依然具有懷宗憶祖以及族譜典藏的面貌，網站中雖說含有些許與族譜數位典藏無甚關聯的資訊，但並不會減損此類網站對於族譜典藏的貢獻與價值。

　　就整個華人族譜網站的呈現看來，可以發現且值得慶幸的是，族譜的典藏從傳統手抄、刊印……等版本的流傳，慢慢隨著時代的影響轉為數位化的典藏，而且資訊的多元使得族譜等不易保存的古籍成為知識分享的溝通平台。事實上，這也是近年來古籍典藏的趨勢，誠如中華佛典電子協會（Chinese Buddhist Electronic Text Association，簡稱 CBETA）將佛教《大藏經》龐大的資料數位化成為檢索資料庫；②故宮「寒泉」古典文獻全文檢索資料庫，也將中國傳統學術文獻建立為全文檢索資料庫。③然而，此種趨勢逐漸取代了傳統閱讀古籍的模式，正因為如此，古籍的數位化典藏已成為時代潮流下不可或缺的一環。另一方面，族譜典藏藉由資訊的便利喚起華人對與族譜的重視，此非但是科技與人文結合的時代趨勢，亦為華人傳統文化的深耕做出貢獻。

　　綜合分析目前網路上可搜尋到有關於華人族譜的網站，大致上可以區分為兩大類，

分別為：㈠綜合索引型的族譜網站；㈡單一姓氏型的族譜網站。大致說來，綜合索引型
的族譜資料庫大都是建立族譜文獻的多元資訊索引平台，並提供後人欲對自身先祖或文
化深刻認識的知識庫，也提供了後人尋根的場域。單一姓氏型的族譜網站則由某一姓氏
或宗親會所推動成立的，此類型的網站是一種群聚式的知識索引平台，它提供了凝聚族
人對自身傳衍之血脈及文化認同的互動機制。以下分別羅列介紹這些華人族譜網站：

㈠綜合索引的族譜資料庫

1. 家譜信息網。網址：http://www.jpwz.com/，此乃上海鳴鴻實業有限公司以及上海家
   譜資訊網路有限公司所建立，最主要的目的是在網路上提供家譜的相關服務，其網
   站資料內容的索引與服務，計有：我的家譜、創建家譜、家譜查詢、婚姻介紹、網
   路拍賣、傑出華人、姓氏簡要傳說以及家譜影院等等。

2. Netor 紀念網，網址：http://cn.netor.com/netorindex.asp，由 Netor 網同紀念所建立，
   此網站正式開站於 2000 年 3 月，是世界上第一家規模化經營線上紀念祖先的網路公
   司，目前在中國和新加坡兩地展開業務。其創立的源起與目的在於考量網路具有跨
   越時空和無限開放性，人類情感的表達和生命的展示將因此擁有新的形式和特質；
   其致力於一條與人類情感和生命相關聯的網路，以更方便、更高效、更深入地滿足
   人類精神領域的需求。其所提供的是文化的產品，探索的是全新的電子商務模式。
   至於其網站資料內容非常豐富，網上紀念已逝世親人、尋根問祖、族譜搜索、百家
   姓氏、家族登錄、人文知識以及搜尋引擎等。值得一提的是，中國大陸許多個別宗
   姓的網站也都可以在這個網站中找得到，而其中可以在網路上遙祭先祖的功能亦頗
   具創思。

3. 世界華人家譜總庫，網址：http://www.stemmatas.com/，由北京天創時代資訊技術有
   限公司建立，網站資料與內容包含中國家譜庫、亞洲家譜庫、歐洲家譜庫、大洋洲
   家譜庫、北美家譜庫、南美家譜庫、非洲家譜庫，不過現階段只有中國家譜庫中有
   一點資訊可供查詢，但從整個網站的架構可以看出此網站所欲建構的藍圖是相當具
   有野心的。其餘有關家譜的相關資訊如家譜概述、家譜新聞、家譜研究、家譜尋根、
   家譜與民族、家譜與姓氏、家譜論壇、網上家譜、修譜諮詢等在此網站上都可找到。

4. 中國家譜網，網址：http://www.china-stemmata.com/，創立者為浙江金華江源先生，
   網站成立的目的是藉由網路提供中國家譜相關資訊與服務，此網站以家譜為樞紐，
   介紹了全國近五百多個姓氏的源流及歷史人物、歷史典故、分佈範圍，家譜收藏研

究等多方面的內容。其中內容包含了百家姓、網上尋祖、家譜欣賞、家譜產生與發展、家譜鑑定、歷史名人、譜牒研究、取名技巧、宗族文化、風俗禮儀以及以姓氏為查詢項的國家譜目錄。但是此網站自開通以來，其內容卻很少進行更新。

5. 家譜網，網址：http://www.jiapu.net/index_1024.htm，由拓視網際所建立，此網站成立的目的與上述中國家譜網相同，皆為與中國家譜相關的資料庫服務與索引，網站資料內容包含提供建立族譜、線上交易、查詢百家姓、查詢歷史名人、尋根、古今地名對照等會員服務。

6. 中華大族譜——姓名之網，網址：http://www.mbcurio.com/li-net/root/，此網站成立最主要目的的亦是發揚我國族譜之根本文化；網站內的資料內容包含了歷史、地理、人文、姓氏、族譜等相關信息；亦可連結全球華人已上線各姓氏網站，並有尋根留言的服務等。

7. 地方誌家譜文獻中心，網址：http://www.nlc.gov.cn/newpages/serve/dfz.htm，中國北京國家圖書館地方誌和家譜文獻中心所建立，乃中國國家圖書館專藏中國地方誌和家譜文獻的學術服務機構，成立於 1990 年 4 月。其中地方誌的收藏冠於全國，舉世聞名。

8. 宏圖的收藏之窗——中國家譜，網址：http://zyljh.nease.net/f24/Default.htm，此網站內容是以筆劃為順序列出中國各姓氏之家譜。

9. 中華一家人，網址：http://www.prc.net.cn/items/xgwz/jpdq/jpdq.htm，此網站中列出各姓氏家譜、姓氏源由、歷史名人、現代名人、近代名人、姓氏分佈、當代名人之查詢等以供使用者查詢。

10. 百姓家譜，網址：http://www.baixun.com/，由海南華宇百訊網路有限公司建立，網站中主要的資料內容分別為姓氏來源、家譜產生、家譜體例、姓氏分佈、西洋星座屬相、姓氏研究等資訊服務。

11. 上海圖書館——家譜書目查詢，網址：http://www.digilib.sh.cn/jiapu/，由上海圖書館建立，主要內容為提供家譜書目之查詢服務。

12. 飛騆網——尋根問祖，網址：http://service.fc18.com/family_index.asp，主要提供姓氏查詢介紹以及尋根問祖等功能，網站內容包含百家姓查詢、族譜查詢與姓氏介紹等。

13. 滿江紅，網址：http://yzlmx.126.com, http://yzlmx.nease.net/，由北京網易公司提供，網站資料內容有姓氏神話、百家姓譜、大姓百家、中華民族、劉氏家族、自薦檔案、故鄉傳說、南國彬彬、龍城靚靚……等。

14. 中國姓氏文化，網址：http://aojiang.org/namesource/index-2.htm，網站內容由百家姓譜索引、百家姓筆劃索引為主要架構。

15. 樂地尋根網，網址：http://www.ourhappyland.net/，由北京樂地文化傳播有限公司建立；網站資料內容包含了樂地尋根、樂地文化、樂地人生、樂地論壇、各姓社區、尋根諮詢、尋根書店、族譜交易、尋根動態、尋根之旅、各姓天地、姓氏百科、線上調查、尋根文獻等。

(二)以姓氏或宗親會所建構的族譜資料庫

1. 蕭氏族譜，網址：http://www.xiao.idv.tw/index.htm,http://www.msws.idv.tw/~carl/，由蕭靖安土地代書事務所所建立，此網站主要的目的乃是藉由網站系統，以利各同宗對蕭姓之由來、源流、分佈、有所瞭解，進而能查詢個人之祖先姓名。網站資料內容包含有網站成立過程及資料來源、中華民族之源起、姓氏趣聞、何謂族譜、蕭氏始祖、蕭氏源流、蕭氏家規、蕭氏逸事、遷台分佈、書山宗祠、書山昭穆、書山祭祖以及相關文章等等。

2. 王氏家譜網，網址：http://www.numberwang.com/，由中華姓氏文化傳播有限公司建立，網站主要的資料內容王氏尋根、姓氏研究、王氏名人、王氏資料以及同姓交友等等。

3. 中華袁氏族譜網，網址：http://www.smartplan.com.cn/yuan/，由中華袁氏族譜編修聯會建立，此網站成立主要之目的乃是為了交流各地袁氏族史研究資料，全面研究袁氏源流以及發掘袁氏歷史文化等。網站內主要的資料內容為袁氏起源、遷徙、名人傳記、內地及海外支系、風俗文化、網連親情等。

4. 孔子家譜，網址：http://www.chinakongzi.net/2550/gb/wskl/kzjp.htm，由中國孔子網站所建立，網站的資料與內容分別為孔子家譜世系表資料、孔門名人、古時孔家發展史、孔姓典故來源等。

5. 小港李氏，網址：http://xgls.vicp.net/xgls/index.asp，由中國浙江寧波鎮海小港李氏乾坤亭建立，網站資料內容包含有小港李氏之家譜世系表、家鄉風情、名人逸事等。

6. 天目山丁家，網址：http://www.jia-ye.net/，由丁家後代丁可樂所建，其建立源由是因丁可人鑑於遷居國外的親屬也想瞭解一點自己家族的"根"，於是想到應在天目丁家網站中開闢個"問根"版塊，由此出發點建立了這個屬於丁家的網站。其中網站資料內容包含了尋根、家族聯繫、家譜、人文遺跡等。

7. 岳飛家譜，網址：http://cn.netor.com/pedigree/SerchFamily/netframe.asp?no=917&name =%E5%B2%B3，此網站建在 Netor 紀念網中，事實上有許多姓氏的族譜網都建構在 Netor 紀念網的架構上，此網站值得一提的是其中記載了岳飛一脈的世系，網站內容 包含了，世系表、姓氏介紹等。

8. 孔氏宗親網，網址：http://www.kong.org.cn/index.htm，與孔子家譜網略有不同，此 網站由孔子世家譜續修工作協會所建立，此網站成立的源起乃孔子家族鑑於自身歷 經二千五百多年世事滄桑，傳裔八十二代，子孫繁衍逾三百萬人。雖曾是全球有史 以來組織最為嚴密的家族，然而宗子孔德成現寓居臺灣，族人更是散居世界各地， 資訊聯絡多有不便。為方便各地宗親相互聯繫，紀念歷代先祖，激勵後人，特建立 此孔氏宗親網；至於網站資料內容則包含了孔氏起源、孔氏名人、遷徙狀況、家譜 續修、家族郵局等。

9. 黃氏族譜，網址：http://oio.com.tw/huang/，由黃秀隆所建，網站資料內容包含黃氏 族譜、黃族家譜、枝繁葉茂（黃氏各脈家譜銜接傳承）、黃氏由來之史料彙整等。

10. 寧氏全球宗親網，網址：http://www.ningcn.com/gn.asp，由寧氏全球宗親網以及中華 寧氏宗親聯誼建立。這個網站的完成，是由於應寧開鑫先生之邀，而後由寧志強先 生負責網頁的編寫。網站資料內容包含了全球資料、寧氏源流、宗親功德、寧氏名 人、寧氏文采、研究文摘、寧氏家譜、寧氏祖墓、史海鉤沉、網站信息、中華寧氏、 留言簿、寧氏社區以及中華姓氏網站的連結。

11. 天下易家人，網址：http://yiu.top263.net/left.htm，此網站成立是以交流家譜族史信 息和探討易姓起源為宗旨的。網站資料內容計有通譜導論（倡議書、調查表）；序 跋源流（家譜序跋、源流論辨、姓氏知識）；世系字輩（易氏世系、易氏字輩）； 歷代名人（古代名人、近代人物）；古今文苑（歷代詩文、當代詩文、古跡圖片） 等，並可連結到百家姓網。

12. 陳氏宗親網，網址：http://chen.hotyee.com/，網站資料內容有陳氏宗親動態、陳氏源 流、宗支世系、新牒舊譜、網友原創、史料研究、名勝古跡、陳氏名人、尋根覓親、 宗親留言、宗親論壇、宗親聯繫等。

13. 崔氏族譜，網址：http://cszp.vip.sina.com/，由崔少科所建，網站資料內容包含百家 姓、崔氏源流、分布、崔氏譜牒、崔氏名人、典故、崔氏祠廟等。

14. 古崗董氏家譜，網址：http://tong88.pointclark.net/kmkg/kgls/tongfs.htm，網站資料內 容有董氏家廟、董氏譜序、山川鍾奇序、董族譜牒序、金門古崗董氏潭垵柱譜等。

15. 樊家人姓氏網站，網址：http://www.fanjiaren.com/index1.html，由樊榮強先生所建立的，此樊家人網站的宗旨：一是聯絡全世界樊家人；二是傳播樊家的美事；三是去幫助樊姓某些需要得到幫助的人實現理想。而網站資料內容則包含了尋根問祖、族譜收藏、樊家名人、樊人軼事、資料搜集、樊家新聞、樊姓商人介紹等。

16. 漢家劉氏網，網址：http://www.liu-home.com/，由愛民電腦工作室所建立，網站資料內容包含有劉氏淵源、漢家天下、家族文化（其中包含劉氏郡望、劉氏堂號、劉氏分支、劉氏譜牒）、歷代名人、漢家文化、客家劉氏（劉氏全譜、劉氏尋根、劉氏年曆以及百家大姓等）等。

17. 蘭陵蕭氏網，網址：http://lanlingxiaoshi.myrice.com/jpml.htm，網站資料內容有蕭姓起源、先秦蕭氏史料，漢代、六朝、宋元、明清、近代蕭氏史料，家譜目錄、家譜集錦、族規家訓、堂號派序等。

18. 嶺南陸氏家園，網址：http://www.lushi.com.hk/，此網站是由陸氏家園網所建立，其目的在於使陸氏後代知道陸氏的起源，瞭解先人的足跡，感受到自己在族群中所在方位，對於尋宗問祖便有了個依據，這就是此網站所具有的紀念意義。此網站透過對一個族姓的起源與發展的描寫，尤其對歷代遷徙的研究，可以看到中國某段史的面貌，今日各地民俗同異的原委，就是本站的學術價值。此網站的資料內容包含了族譜，其中包含陸氏名人、陸氏起源、陸氏的繁衍、陸氏先人入粵考、陸訓宗支、陸氏世系淵源圖敘等。

19. 黎氏族譜，網址：http://www.mbcurio.com/li-net/gb/，網站資料內容包含黎氏源譜、遠祖畫像、源譜世系、源譜世錄、史記摘要、諸黎淵源、黎姓起源、譜載淵源、行輩異同表、東莞宗祠、源譜整合表、中華民族、姓氏堂址等。

20. 世界傅氏宗譜網，網址：http://www.86fs.com/，此網站是由華夏傅氏文化研究院、世界傅氏宗親聯誼總會、華夏姓氏譜牒文化雜誌社、中華聖相博物館所共同建立的。網站中所包含的資料內容有傅氏通譜、家譜展館、傅氏文獻、文物圖譜、人物圖譜、國史特刊、歷代文章、華夏姓氏譜牒刊論壇、華夏姓氏譜牒報論壇等。

21. 丁氏家譜文化，網址：http://www.keleding.com/，網站資料內容包含家譜家規、追根尋源、人文遺跡。

22. 天下席氏宗親網，網址：http://xianding.cc333.com/cgi-bin/index.dll?index13?webid=cc333&userid=375292，由席氏子孫席與禎所建立，網站資料內容有席氏起源、宗譜目錄、遷徙分布、各支譜系、席氏史海、席氏列傳、席氏像冊、席氏風情。

23.黃氏家譜，網址：http://home.netvigator.com/~ivan/wong.htm，由黃氏族人黃嗣輝所
建立，網站成立的源起及目的乃黃嗣輝鑒於黃氏修譜序說，尊敬祖先就要立宗祠，
立宗祠就必須要聚集族人。懂得做人的道理必須以親睦族人為重。而修族譜則把遠
近的族人都聯絡起來，崇尚親親睦鄰的純正風氣。因此他就黃氏家族人，先後記載
使百世以後的子孫繼承下去，源清流潔。網站資料內容計有宗系簡況、祠堂祖屋、
春申君列傳、南雄珠璣巷、科舉制度、黃氏源流、其他黃氏家譜。

24.方氏網路——方氏譜牒學，網址：http://arya.go.nease.net/gb/，中華方氏網路方氏譜
牒研究所建立，網站資料內容計有方氏網路、堂號、年曆、收藏、文獻、姓氏考源、
遷徙分布、古今地名、各地譜碟、宗親聯繫、方氏宗譜、方氏名人、各房字派、家
譜序、中國家譜、家譜研究。

25.潮人黃姓，網址：http://www.crhx.com/，網站資料內容包含了黃姓淵源、各地認祖
詩、宗支世系、輩份字派、望族堂號、祖先像贊、祖祠祖墓、黃氏名人、黃氏文化、
圖像集萃、家譜文獻、宗親通信錄、朝代歷年表、萬年曆表、宗親留言。

26.林氏族譜研究，網址：http://www.websamba.com/linshi/index.html，網站資料內容有
林姓來源、遷徙淵源、郡望堂號、文化遺跡、宗親協會、人口分佈、綜合目錄（根
據中國國家檔案局二處等編的，介紹林氏族譜綜合目錄）、歷代名人論文選登、尋
根求助。

27.炎黃脈絡，網址：http://shijiazhi.nease.net/，由施氏後代施家治所建立的，其網站成
立的源起及目的誠如網站中所云，希冀藉由施氏家譜的建構建而發展成為綜合各家
姓氏的族譜文獻資料庫。[④]然而目前為止網站資料內容則有家譜知識（其中包含譜碟
學、孔氏修譜、家譜文獻中心……等）、施氏相關知識（施氏受姓、施耐庵年譜、
施氏歷史來源）以及公眾話題。

28.張氏家譜，網址：http://www.zszh.org/home/zupu/start.asp，此網站成立的主要目的乃
致力於張氏家譜資料的收集，讓尋根的張氏宗親在本站得到要找的資料。網站資料
內容張氏起源、分布、家譜、堂號、名人、家譜列表、參考資料等等。

29.黃氏台灣網，網址：http://www.huangfamily.com.tw/famous.asp，由黃氏台灣網所建
立，網站資料內容包含黃氏名人錄、歷史與族譜、文章論壇、企業商機、青年志工、
地方誌、姓氏研究以及黃氏宗親會等。

30.陶氏族譜，網址：http://www.netor.com/pedigree/SerchFamily/netframe.asp?no=943，
由陶氏會館所建立，網站資料內容：族譜簡介、世系、資料、姓氏、紀念館，此網

站族譜主要內容，是據清乾隆三十五年（1770）十三代二房陶仲蘭修湖南靖州《陶氏族譜》收集整理得來的。

31. 湯家村，網址：http://www.huahang.com/tanghome/，由湯松茂所建立，網站成立的源起及目的如湯先生所自述：「《湯家村》成為一個真正為天下所有湯氏親友集會、討論、尋根訪祖的地方，成為名副其實的《湯家村》。」[5]因此，此網站成立的目的，即為湯氏族仁創立一尋根訪祖的空間。至於網站資料內容，則包含有湯氏概說、湯氏祖訓、湯氏家規、湯氏門聯、福建湯氏世系表、福建廣東湯氏分布圖、福建漳州湯氏世系譜表。

32. 金門國家公園珠山社區&薛氏家族，網站名稱：薛氏家譜，網址：http://www.hsuen.idv.tw/hsuenbook/hsuenbook.htm，此網站由金門薛氏宗親會所建立，網站資料內容皆為中華民國八十年珠山文獻會所編印的金門薛氏族譜內容以及掃描的圖檔。

33. 盧氏尋根網，網址：http://211.70.176.138/lsxgw/lsy/index.asp，由盧大萍所建立，網站資料內容包含盧氏尋根、盧氏源起、盧氏流布、盧氏名人、盧氏勝跡、盧氏文化。

34. 中國牛網——"中國牛都"，設於安徽蒙城，網址：http://www.chinacattle.net/culture/niushi/ns0061.htm，上海火速網路資訊技術有限公司所建立。此網頁雖說以安徽蒙城為主軸所建立的，但網頁中「牛氏家園」項目的牛氏家譜亦值得參考。此網站中牛氏家譜的內容是以"牛氏歷史文化研究會"秘書長牛思湧副教授畢生撰寫的《牛姓源流縱橫談》一書為主，網站資料內容計有家譜內容、家譜價值、譜牒研究、姓氏分佈、家譜名稱、家譜堂號、家譜歷史、家譜產生與發展、家譜體例、取名技巧、姓氏來源、家譜鑒定等。

35. 中華楊氏網，網址：http://chinayangs.myetang.com/yangs-qydl.html，由楊永彬先生所建立的網頁，網站資料內容包含楊氏主頁、楊氏起源、楊氏家譜、楊氏收藏、楊氏書法、中華姓氏網站連結、佛學研究、生活時尚、音樂愛好……等。

36. 劉氏族譜，網址：http://www.htliu.com/，由江蘇豐縣漢皇祖陵管理處劉恒心，以及武漢科技大學管理學院劉業揮所建立。網站資料內容包含有劉氏遠祖、漢朝、兩漢文化、漢墓、淵源、名人、族譜、祠堂、炎黃消息、炎黃最新消息。

37. 中華羅氏通譜，網址：http://www.luohome.com/，由羅訓森、羅斌華所建立。網站資料內容計有消息動態、宗親留言、緬懷先賢、通譜動態、羅氏名人、羅氏名勝、羅氏歷史、學術研討、海外羅氏、羅氏風采、源流概況、南北鴻雁、宗親圖庫等。

38. 梁氏家譜網，網址：http://www.lzzb.com/，由山東省淄博市臨淄區鳳凰鎮梁家村所

建立，網站資料內容包含有梁氏起源、梁氏家譜序言、家族樹、相冊、通訊錄。

39.中華賓氏家族宗親會，網址：http://www.binjiaren.com/index.asp，由中華賓氏家族宗
親會與賓勁松先生所建立，網站資料內容包含家族起源、家族連絡、歷史留痕、賓
氏族譜。

40.中華丘氏宗親聯誼總會，網址：http://www.qiu-shi.org/home/index.asp，由網絡時代
所建立，網站資料內容包含名人論譜、文件匯編、修譜動態、史料選載、尋根覓祖、
宗賢風範、名祠名墓……等。

41.殷譜文集，網址：http://yin23.51.net/，網站資料內容有譜序、考、皇帝詔書、衣冠
圖說、藝文集、訓規說等。

42.章氏家族，網址：http://www.shoufa.cn.gs/，由章壽發所建，其網站成立的目的在於
章氏後代鑑於章氏家族的繁衍，綿延深遠，自秦漢以來至唐、宋、明、清，都是以
儒業武功、文韜武略而榮耀顯赫於世上；為求理順章氏的繁衍與分佈，弘揚章氏文
化，並且為了天下章氏世孫能相互聯絡，共同追溯先祖功德，才有這個網站的創立。
網站資料內容包含章氏淵源、人物傳記、章氏文化、世系圖譜……等。

　　以上大致上將目前網路上可以搜尋到的華人族譜網站作簡要的介紹，綜合來說，華
人族譜網站所含涉的資料內容，大多為譜書、譜序、姓氏與綜述等等文字性內容；資料
型態大多為族譜書目、摘要與全文式影像檔等。若從網站的設置來說，吾人亦可發現，
這些族譜網站大部份是中國大陸所建立。就「量」方面而言，臺灣所建立的華人族譜網
站，就顯得相形失色，但是否可以由此推知臺灣華人對於族譜的重視較中國大陸來得少？
似乎並不盡然，但可以確定的是，大陸方面族譜或隱或顯的收藏數量應為數甚多，是十
分值得開發的資源。

三、台灣族譜資訊網

　　由臺灣師大圖資所及社教系研究團隊所建立的「臺灣族譜資訊服務網」，其性質可
算是屬於一個綜合型的族譜網站。就「質」方面來說，不論於族譜資料內容與資料型態
等知識庫的建立，目前都有不錯的成果。臺灣族譜資訊服務網是國科會數位典藏國家型
計畫為推動數位典藏內容之加值應用，公開徵選計畫之一，應用加值計畫之重點以創意
加值為主，並希望由學界，典藏機構〈或開放性計畫之機構〉及業界一起合作。目前臺
灣族譜資訊服務網已具備的架構與功能，分別介紹如下：

1. 尋根與尋親：

透過臺灣族譜資訊網的三個資料庫：姓氏資料庫、家族資料庫、人名資料庫，及動態世系表，民眾可以查詢自己的祖先，祖先的祖先，一步一步往上溯源，知道自己有那些先祖，以及自己的先祖何時自何地遷移至臺灣。如果我們能建立完整的臺灣族譜資訊網，並連結大陸及新加坡·美國等地已經建立的族譜資訊，最後期望能由這些網站的連結追溯到最早的人類始祖資料及人與人，家與家，姓與姓之間的關係。

2. 尋根逍遙遊：

民眾透過尋根與尋親所獲得的結果，可能得知自己祖先的由來以及歷代祖先遷徙的過程，在臺灣或大陸各地區也可都可能會有自己祖先的足跡。此時將可得兩種加值的服務，一則是由系統協助繪製出歷代祖先的遷徙路線圖，另一則是因應國民旅遊足的歷程，又能暢遊名勝古蹟，此乃是一極有意義的設計。

3. 為您建族譜：

根據研究指出，中國過去會修族譜的家族，通常是有錢人或家有知識份子的家族，事實上，以重視家族觀念的中國人而言，建立族譜的需求應該相當高，但可能苦無經費或無適當的工具可以協助。為彌補此一缺憾，本網站將修改本計畫已設計出來的族譜建置系統，提供民眾建置自己族譜。讓有心尋根的人，不僅可以查詢而已，還可以將查詢的結果存錄成為自己的數位族譜，供往後世世代代的子子孫孫再繼續填記而不致中斷，當然更歡迎能將建檔之資料上傳至本系統之資料庫，以供永久典藏，並列結合 MD 功能，印出紙本族譜。

4. 取名學問大：

為新生子孫取名字是一不簡單的任務，既希望名字好聽、好記、好寫，更希望名字的本義、涵義，能激起子孫奮發向上的情操，同時也想避免太過通俗或相似的名字，當然更不希望因為名字的發音、諧音，字義等成為被取笑的對象。透過本網站之人名資料庫的搜尋、比對、統計，將可滿足民眾在為子孫選取名字時之需求。此外，亦可將民間流傳之姓名學的相觀看法與知識納入，提供民眾參考。

臺灣族譜資訊服務網最主要的技術包括：

1. 族譜 metadata 格式設計與資料建檔維護與查詢：族譜資訊的建檔需要具備族譜

知識才可能完成，本計畫所建立的族譜資訊，並非只將紙本族譜掃描成影像檔，最重要的，是將紙本族譜中的人名及家族資料，一筆一筆分析建檔，目前本計畫已完成一套結合 XML、Java、XSL 等技術之族譜 metadata 建檔維護與查詢系統。

2. 世系表的呈現：族譜中最珍貴也是最特別的資料是世系表，如何以系統串連起祖先與子孫之關係，並以世系表表現之，是本計畫最大的挑戰，經過多次的嘗試錯誤，本計畫已完成在建立個人 metadata 時，系統自動建立人與人的關係，並建立動態之世系表，並提供三種呈現方式包含樹狀世系，球狀世系表，圖狀世系表功能。

3. 每一筆族譜資料由四份 metadata 構成：姓氏、族譜、家族、個人，四者之間關連密切，若未處理好彼此之間的關係，則家族關係就會斷掉，因此以 XML Link 技術處理人與人、人與家族、家族與族譜、族譜與姓氏之間的關係。

4. 為使建檔工作有效率，metadata 管理系統突破單一資料建檔功能，即下一筆資料會繼承上一筆資料的部份欄位，且子女資料自動轉為下一筆的傳主，父母資料由上一筆的傳主與配偶帶下來，原子女資料在下一代會轉為兄弟姊妹，且世代自動加一。

5. 具有會員登錄及權限控制功能，可做為團體及個人使用之權限控制。

6. 使用地理資訊系統之技術，配合家族資料庫之資料，動態分析並產生臺灣家族遷徙圖與個人尋根路線圖。

本網站主要之功能架構如下圖所示：

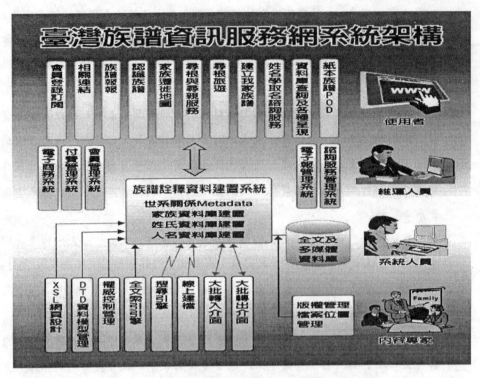

圖一：臺灣族譜資訊服務網應用系統功能架構圖

本計畫目前已建立之資料庫主要有五種：

1. 姓氏資料庫：已建立約 500 多個姓氏資料

2. 族譜資料庫：建立約 1,000 多種族譜書目資料。

3. 家族資料庫：已建立數百個家族資料

4. 個人資料庫：建立約 100,000 筆祖先個人資料庫

5. 祖先名人資料庫：已建立祖先名人資料約 20,000 位

其中姓氏、族譜、家族、及個人的 metadata 緊緊關連，其 data model 如下圖所示：

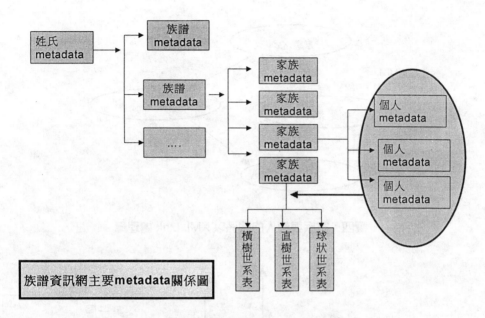

圖二：臺灣族譜資訊服務網資料結構呈現架構圖

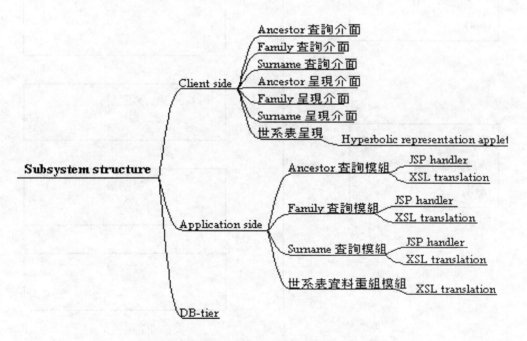

圖三：臺灣族譜資訊服務網之系統功能架構

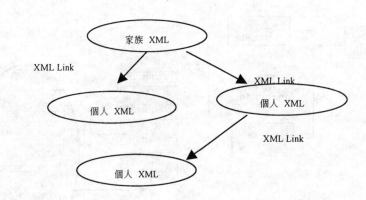

圖四：家族與個人的關係以 XML Link 處理圖

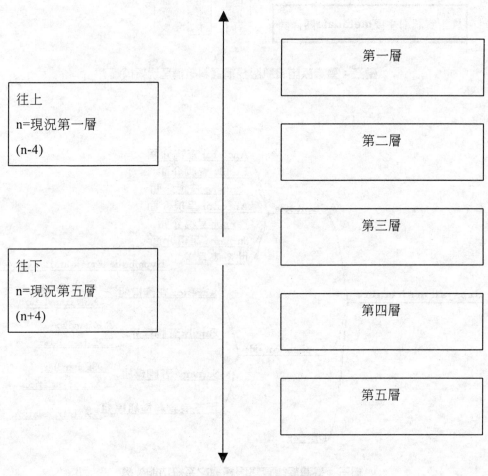

圖五：圖狀世系呈現概念圖

四、華人族譜目錄

㈠臺灣地區之族譜目錄

　　回顧歷史發展，在清朝末年設省不久以後，臺灣隨即淪為日本人統治達半個世紀之久，由於使用漢文曾經受到很大的箝制，因此以漢文編寫及刊印的族譜古籍，其數量本來就不算很多。但是自從臺灣光復以後，由於重視地方文獻與編修地方志的需要，有關單位就開始倡議採集各姓氏族譜，同時也鼓勵各姓氏人民編修族譜。爾後，省、縣、市各級文獻委員會也積極進行搜集工作，而當時所能見到的族譜文獻，包括有本地人傳統手抄本形式的家譜，及從大陸遷台的中央研究院、中央圖書館、故宮博物院之部份館藏，加上一些由外省人士攜入的各式刊印本族譜。事實上，半個世紀以來臺灣地區在姓氏族譜領域的研究工作，可以說從來沒有間斷過的。尤其在大陸爆發文化大革命浩劫以後，臺灣地區為了突顯發揚倫理孝道與保護傳統文化資產之使命，特地由官方與民間推動成立相關的文化團體，其中要以中華文化復興委員會，中華民國宗親譜系學會，及臺灣省各姓氏淵源研究學會最具代表性。從此針對族譜文獻之搜集與整理，也更加受到學術單位的重視，其間又獲得美國摩門教會及猶他家譜學會的鼎力相助，因此拍攝微縮膠捲族譜及編製族譜目錄之工作，也就陸續的展開來。在時間上，大約從民國 58 年到 92 年的三十多年間，由專家學者或典藏單位陸續發表或出版的族譜目錄，在數量上確實都要比大陸地區還多。在這些著作當中，大致包括了下列 15 種書目，其中有八本是專書，及五篇期刊論文與兩篇刊載於網站之內的目錄資料庫。族譜目錄之著作人、出版單位及發表時間，大致如下列所述：[⑥]

1. 昌彼得，《臺灣公藏族譜解題》（中央圖書館，民 58 年）。

2. 王世慶、王錦雪，〈臺灣公私藏族譜目錄初稿〉，《臺灣文獻》，29 卷 4 期（臺灣省文獻會，民 67 年），頁 69-163。

3. 盛清沂，《中國族譜資料目錄初輯》（國學文獻館，民 71 年）。

4. Ted A. Telford, Melvin P. Thatcher, Basil P. N. Yang,《美國家譜學會中國族譜目錄》（成文出版社，民 72 年）。

5. 陳美桂，《臺灣區族譜目錄》（臺灣區姓譜研究社，民 76 年）。

6. 廖慶六，〈萬萬齋藏族譜目錄〉，《民族學研究所資料彙編》，第 5 期（中研院民族所，民 80 年），頁 185-252。

7. 黃文新，《臺灣文獻書目解題：族譜類（一）》（中央圖書館臺灣分館，民 81 年）。

8. 陳美惠，《臺北市文獻會族譜資料圖書目錄》（臺北市文獻會，民 83 年）。

9. 廖慶六，「姓氏源流譜牒展覽圖書目錄」，《臺灣省文獻委員會姓氏源流譜牒展覽特刊》（臺灣省文獻會，民 84 年），頁 56-228。

10. 廖正雄，〈宜蘭縣史館譜系基本資料目錄〉《宜蘭文獻》，47 期（宜蘭縣文化局，民 89 年），頁 46-66。

11. 陳龍貴，《國立故宮博物院所藏族譜簡目》（故宮博物院，民 90 年）。

12. 陳威遠，〈臺北市文獻委員會族譜目錄〉《臺北文獻》，直字第 140 期（台北市文獻會，民 91 年），頁 185-252。

13. 葉鈞培，〈金門的族譜資源〉，《全國新書資訊月刊》，56 期（國家圖書館，民 92 年），頁 52-54。

14. 國家圖書館特藏組，「臺灣地區家譜聯合目錄資料庫」。網址：http://nclcc.ncl.edu.tw/ttsweb/nclfamily.htm.

15. 國立臺灣師範大學圖書資訊研究所，「臺灣族譜資訊服務網」。網址：http://www.genealogy.glis.ntnu.edu.tw.

(二)大陸地區之族譜目錄

　　原名為北京圖書館的中國國家圖書館，是大陸最早徵集族譜及開設族譜閱覽專室的圖書館，截至 1989 年 11 月為止，中國國家圖書館所典藏的華人族譜已有 3,006 部之多。根據張志清所撰〈北京圖書館藏中國家譜綜述〉一文介紹，該館的族譜館藏具有很多的史料價值與古籍文獻之特色，其中更以擁有數量超過 458 部的善本族譜，及號稱有六成以上是孤本族譜為最具代表性。文中作者還詳細製作了四種附表，包括館藏中國家譜概況、館藏家譜姓氏種數表、十大姓氏比較表、館藏家譜刻印時代表，但很可惜就是缺少一個比較完整的館藏族譜目錄清單。[7] 已故香港知名學者羅香林教授所撰《中國族譜研究》一書，其下篇之內容全部都是介紹中國族譜書目資料，其中有三個地方的館藏中國族譜目錄，分別是：一、廣東省立圖書館所藏廣東族譜簡目；二、哈佛燕京學社漢和圖書館所藏中國族譜目錄；三、香港大學馮平山圖書館所藏中國族譜敘目。[8] 羅香林先生曾赴美日各大圖書館考察中國族譜的館藏狀況，所以他順便把哈佛大學的族譜典藏目錄也收錄在他的族譜研究專書當中，並且還在〈中國族譜擇要敘錄〉一文中，以解題方式詳細介紹了他所經眼的 22 部名家族譜。事實上，日本學者多賀秋五郎博士早在 1960 年，就已

出版了一部《宗譜之研究・資料篇》；其後又在 1981 年及 1982 年分別出版《中國宗譜之研究》上、下二部中國族譜研究專書。在這些研究專著當中，有一大部份內容是屬於中國族譜目錄之介紹，其收錄資料頗為豐富與珍貴，多賀氏也因此而相繼獲頒「每日學術賞」及「日本學士院賞」之殊榮。[9]綜合目前所見，大陸地區出版的族譜目錄如下：

1.福建省圖書館，《福建省圖書館館藏族譜目錄》（編者，1963 年）。

2.廣東省中山圖書館，《館藏廣東族譜目錄》（編者，1986 年）。

3.山西省社科院家譜資料中心，《中國家譜目錄》（編者，1992 年）。

4.中國社科院歷史研究所，《縮微膠卷總目錄：譜系卷》（編者，1995 年）。

5.謝宗楷，《福建謝氏譜牒知見錄》（福建省姓氏源流研究會，1995 年）。

6.南開大學歷史系等，《中國家譜綜合目錄》（中華書局，1997 年）。

7.王鶴鳴主編，《上海圖書館館藏家譜提要》（上海古籍出版社，2000 年）。

8.蘇州市圖書館，《蘇州家譜聯合目錄》（編者，年不詳）。

9.人民大學圖書館，《家譜目錄》（編者，年不詳）。

五、族譜目錄之探討

古籍整理工作是屬於一門具有專業性的苦差事，但是幫助讀者閱讀與利用各種文獻資源，卻是所有圖書館與館員必須承擔的職責。從兩岸所出版的族譜目錄看來，在現有各姓氏族譜資源當中，確實有一大部份是屬於珍貴的古籍文獻，因此各項整理工作必須借助于文史專才的參與。另外，檢索族譜書目資料是進入族譜文獻寶藏的第一道門，而一部收錄更齊全與編製更詳細的族譜目錄，將有助於族譜文獻資源的開發與利用。目前正在由上海圖書館牽頭進行的《中國家譜總目》編纂計畫，確實是一項頗具歷史意義的劃時代編目工程，本計畫已邀請一些歷史學者與古籍研究專家投入相關工作，而初稿預計在今年底前完成，屆時收錄族譜書目據說將會超過四萬種之多。

綜合分析臺灣與大陸兩岸所出版的各種族譜目錄，可以發現一點比較可喜的現象，那就是族譜文獻之典藏與研究，已隨時代觀念的影響而逐漸受到學術界與圖書館界的重視。臺灣在過去四十年間，不分公私單位都很努力在為展現典藏狀況及更新內容而工作，編印族譜目錄形式亦有所突破與改進，從傳統的紙本目錄到最新的網路書目，都能透過多種目錄呈現方式來服務讀者。在臺灣地區現有的 15 種族譜書目資料中，除具有傳統古籍編目之型式外，另外也有解題式及資料庫型態的書目，這些書目資料對於引導讀者與幫助館員找尋族譜文獻，確實發揮了很大的作用。大陸方面的族譜目錄，雖以最近十年

所出版者為主，但他們收錄的族譜數量卻也相當可觀。根據調查與媒體報導，大陸地區公私收藏的族譜數量應該是很龐大的，因此現有目錄顯然還無法全面性的反映所有的族譜典藏狀況，尤其是數量超過二千種的湖南省圖書館及三千多種的中國國家圖書館，更有必要編印一部屬於他們自己的館藏族譜目錄。檢討以兩岸為主的族譜目錄，可以了解它們對開發文獻資源與提供學術研究，確實已經作出不少貢獻，比較各書目收錄內容與其編輯特色，大約可以歸納成下列幾點加以說明：

㈠臺灣地區族譜目錄之特色[⑩]

1. 收錄量

以上 15 種族譜目錄，最少者僅 19 種，最多者有 10,613 部，總共收錄族譜數量約 36,600 多部，但如果扣除複本以後，實際數量約在一萬種左右。事實上，各單位所收藏者不但複本數量多，而且還有幾種書目是重複計算的，況且有些姓氏族譜內容，其資料亦僅寥寥數頁而已。但不管確實族譜數量有多少，若從書目資料編輯上看，它們大致是可以反映出臺灣地區歷年來的族譜編印與典藏概況，而且其中已有不少族譜都已拍攝成微縮膠捲，它們對於保存與利用族譜文獻而言，都已做出或多或少的貢獻。

2. 重要性

上述 15 種族譜目錄，都是來自於不同文教機構之編輯與出版。其中為了研究與調查上的需要，有些文教機構還籌募資金，並委請學者專家負責執行特定的蒐集與整理工作。例如王世慶與王錦雪編撰的「臺灣公私藏族譜目錄初稿」一文，其中所收族譜目錄共計 1,218 種，這些都是在民國六十年代，經由美國摩門教會所屬的猶他家譜學會委託他們進行田野調查，並陸續完成拍攝微縮膠捲的一部份成果。而聯合報文化基金會也在七十年代成立國學文獻館，並舉辦過多次的亞洲族譜學術研討會及出版族譜目錄專書。海內外文教機構的種種表現，在在顯示族譜文獻的重要性於一斑。

3. 未來性

臺灣地區族譜文獻的出版、蒐集與整理，從紙本走向微縮膠捲與光碟，最近幾年更是朝向建置族譜資料庫與典藏數位化方向邁進，這些都是結合科技與人文發展趨勢的有利一面。將族譜書目直接上載於網站之內，可以方便海內外讀者的搜尋與利用，其成果與功勞將是值得我們肯定的。國家圖書館的「臺灣地區家譜聯合目錄資料庫」，以及國立臺灣師範大學圖書資訊學研究所的「臺灣族譜資訊服務網」，都是以建置資料庫與內容數位化作為研究發展目標的計畫案。以國家圖書館為例，在其編輯的「臺灣地區家譜

聯合目錄資料庫」中，共收錄台灣地區現藏族譜約六千餘種，藏量在中國家譜總數中佔有一定的比重，這是該館在九十一年三月召開「台灣地區家譜聯合目錄合作編製相關事宜座談會」的初步成果，目前更在進行目錄資料的更新工作。提供書目資料的收藏單位，包括中央研究院民族所、中央研究院傅斯年圖書館、台北市文獻會、國立中央圖書館臺灣分館、宜蘭縣史館、故宮博物院、國史館、國史館臺灣文獻館、國家圖書館、臺灣省各姓淵源研究學會與萬萬齋藏書樓。這個臺灣地區族譜書目資料庫，目前可供相關單位匯入 CMARC、CNMARC 以及 USMARC 等 MARC 格式書目資料，它有利於網上查詢、顯示，兼提供著錄及維護功能。據說將來擬進一步擴充系統，並提供符合國際標準的詮釋資料格式(Metadata)書目資料，如此即可達到資料的匯出與交換功能，讓我們拭目以待。

㈡大陸地區族譜目錄之特色

1.以古籍為主

族譜記錄家族歷史及宗族組織之內容，它具有宏揚傳統倫理孝道之功能，而各姓氏所編纂的的舊本族譜，都有被視為珍貴文化資產並善加保存的必要。事實上，在中文線裝本古籍當中，各姓氏族譜文獻所占之份量很大，而在四部分類法中，族譜更屬史部譜系類之古籍。分析大陸出版的族譜目錄，其年代大多數是以 1949 年以前出版者為主，包括山西省社科院家譜資料中心編印的《中國家譜目錄》，南開大學歷史系等編輯的《中國家譜綜合目錄》，及王鶴鳴主編的《上海圖書館館藏家譜提要》三本主要書目，其著錄族譜總數約有 25,000 部。若以收錄範圍而論，它們幾乎都是以 1949 年做為斷限，其中在 1912 年以前屬於明朝、清朝版本者，其數量似乎也有將近半數之多。

2.以刊本為多

族譜文獻具有史料與藝文價值，其中對於研究印刷技術與歷史發展，族譜也是具有很特殊的意義與助益。在目前所見族譜目錄當中，其一般著錄項目除了題名、責任者、編印年代外，對於版本項目亦有很詳細之記載。以現有九種書目資料為例，我們可以發現刊印本數量要比手抄本多出很多，其中屬木活字版本者更是不少。以木活字刷印書籍早已走入歷史，而現存木活字本古籍，要以族譜及方志所占數量最多，因此它頗具有歷史意義與版本研究價值。另外，在現代鉛印技術未興之前，族譜最常使用傳統木刻或外來的石印技術來做少量刊印與保存，甚至也有人利用銅活字或泥活字來印製族譜者。這些珍貴的刊印本族譜文獻，確實是提供我們研究古籍版本與印刷技術不可或缺的好材料。

3.以公藏者為主

　　前述九種大陸版族譜目錄，其著錄內容主要是以公家單位典藏之族譜為主，因此很難利用它來窺探民間收藏之實況。事實上，以過去猶他家譜學會在臺灣拍攝微縮膠捲族譜之實際案例來分析，從民間採集而來的族譜數量確實占了很多。同理可知，在大陸民間所保存之族譜數量應該也是不少才對，但是透過《福建謝氏譜牒知見錄》及《中國家譜目錄》二本目錄，也只能看到一部份族譜是屬於民間所收藏者。《中國家譜目錄》一書，是猶他家譜學會委託山西省社科院家譜資料中心，在大陸各地進行微縮膠捲拍攝的成果，雖然其中也有一小部份可能來自民間的收藏者，但事後要去追尋原來紙本族譜之遞藏狀況，確實比較難於掌控。

4.殘本數量偏高

　　族譜曾被視為「封、資、修」之遺毒，在大陸就經歷過文化大革命之浩劫而毀損不少。族譜也是屬於灰色文獻之一，不但每次傳抄或刊印之數量相當有限，而且內容一向不對族外人披露。職是之故，這類古籍要公開徵集與永久典藏確實比較不容易，而能獲得流傳的族譜往往也是以殘缺不全者為多數。瀏覽今日所見之族譜版本與卷冊，其中殘本所佔比例幾可達三、四成之多，因此對於典藏與利用，確實已造成諸多之遺憾與不便。

六、結論

　　綜觀華人族譜網站，我們看到許多網站中所建構的家譜文獻資料，有部分仍是殘缺不全的，就連姓氏或宗親會所設置的族譜網站來說，吾人亦可發現有些網站的族譜文獻十分單薄。因此，無論就資料內容或資料型態……等諸方面，目前都有許多值得開發以及發展的空間。族譜文獻的蒐集、編修與典藏是一項繁瑣且具延續性的工作。因此，持續的蒐集各種不同版本以及新增修的族譜文獻，將之數位化為機讀格式，成為族譜網站必然且必要的延續性工作。此外就網站資料內容而言，亦可延伸族譜文獻或資訊的知識庫連結，使族譜網站成為與使用者間互動的學習平台，不再單純只是索引資訊的機制，也是一個可以發展的方向，例如臺灣族譜資訊服務網的「建我家族譜」以及「取名學問大」服務項目，就能讓使用者藉由建置自身家族族譜或取名的互動過程中，深入地了解族譜文獻以及其他相關之知識的深層義蘊。然而，各網站間資訊的交流與整合似乎也是可行的方向，單以族譜文獻的龐大數量與蒐集不易的特性來說，資訊的交流與整合似乎可以讓華人族譜網站有更大的發展空間，這是一個值得期待的努力方向。

　　總而言之，探討現有之華人族譜網站與族譜目錄情況，至少可以發現四點結論：一、為了資料利用的可及性，編輯族譜總目及建置族譜網路是很重要的手段；二、為了古籍

整理的延續性，從紙本、微捲、光碟到數位化族譜，這是必須面對時代趨勢發展的過程；三、為了資訊的整合與交流，數位化系列工程與最新科技的應用是有必要的；四、為了資源的共建與分享，除了圖書資訊人才外，更有賴具有文、史、哲專業背景人士來共同參與。

註釋

① 美國祖先網，網址：www.ancestry.com。

② 網址：http://www.cbeta.org/index.htm；目前此資料庫已經完成《大藏經》第一冊至五十五冊以及八十五冊；卍續藏經》（史傳部·禪宗）第七十八冊至第八十七冊，共計六十六冊的經文，且有多種格式方便使用者依其需求索引。

③ 網址：http://210.69.170.100/s25/；目前其中包含《十三經》、《全唐詩》、《宋元學案》、《明儒學案》、《四庫總目》、《朱子語類》、《紅樓夢》、《白沙全集》、《資治通鑑》、《續通鑑》等古籍資料索引。

④ 網站中所記載的全文為：「1996 年我們開始續編《笠澤施氏支譜》。為了節省家譜的印刷費用，又便於修改，利用了當時還不十分完善的電腦文字處理技術。到 1997 年『家譜初步版』完工時，『word5.0 中文版』已基本能勝任『桌面排版列印』的功能。電腦已顯示出了巨大的優越性。在完成家譜的〈後記〉時，曾設想：『如能將每個姓氏的家譜較完整的編就，在電腦資訊時代，可匯總成人文網路，將對：歷史、社會、人口、統計、戶籍、地域、優生、遺傳、教育、成才、親緣……等諸多領域的研究帶來方便和補充』。1999 年開始上網，並想通過網路，將施氏分支已編就的 86 代子孫匯入到『炎黃脈絡』中去。但在當時，網上還找不到可以匯入的地方。為此，只好由我們先來起步吧！2000 年 3 月開通了『炎黃脈絡』網站，個人網站要做這樣的課題，深感有些『力不從心』。且在當時以『家譜』為內容的網站還寥寥無幾。不久，在網上看到：上海圖書館與新加坡的『尋根』網將在 2000 年 5 月 7 日到 12 日，在上海召開『譜牒研究及其資源的開發』國際學術會議，汪道涵出任顧問，其中還有『牒譜文獻的數位化』內容。看後很高興，發了一封『電子郵件』給他們：祝賀之後，希望他們能將我們做的『匯合炎黃子孫脈絡』的工作接替過去，但沒見回復；後來又發了一次，仍無回復。我們想：也許他們很忙，還顧不上這些。那就只好讓我們先做起來吧！」

⑤ 湯先生自述全文為：「本人是業餘電腦愛好者，于 2000 年 3 月，以家庭娛樂形式建立《湯家村》網站，經過一年後，訪問者不少，特別是全國各地湯氏宗親提出寶貴意見，要求建立《湯氏族譜》，以便下一代湯姓能瞭解我們的祖宗。於 2001 年 5 月 18 日完成並開通《湯氏族譜》網站（http://tangjia.126.com），主要資料來源於 1992 年漳州（閩、粵）湯氏宗親聯誼會編制的《湯氏族譜》一書，資料由福建龍岩一中湯道裎老師提供，在此表示感謝！2002 年 2 月，收到來自江西武甯的湯麒麟宗親用電子郵件發送來的一本江西武甯《湯氏宗譜》；2002 年 3 月，又收到來自臺灣屏東的湯嵐宗親郵寄來的一本《南京湯氏族譜》精裝本。我看了內容實在豐富、齊全，本人在此再次表示感謝。2002 年 3 月 18 日，《湯氏族譜》又進行改版，逐步將全國各地的《湯氏族譜》內容摘要放在網上，讓大家共用，為湯氏的後人更加瞭解我們的湯氏起源及祖先。2002 年 7 月，根據不少湯氏親友和網友的意見，認為《湯家村》內容較多，主題不突出，本人也有同感，原因在於《湯家村》原是本人家庭娛樂網站，不打算公開，經幾年的修改運行，越來越多人知道《湯家村》，有五萬多人次訪問量。今天，本人願將《湯家村》<tanghome.126.com>讓出，再與《湯氏族譜》合併，將《湯家村》成為一個真正為天下所有湯氏親友

集會、討論、尋根訪祖的地方，成為名副其實的《湯家村》。」

⑥　柚子，〈臺灣地區族譜文獻目錄瀏覽〉，《全國新書資訊月刊》，59 期（國家圖書館，民 92 年），頁 12-14。

⑦　中國譜牒學研究會編，《譜牒學研究》，第三輯（北京：書目文獻出版社，1992 年），頁 314-332。

⑧　羅香林，《中國族譜研究》（香港：香港中國學社，民 60 年），頁 171-304。

⑨　阿部肇一等，〈壽序〉，《多賀秋五郎博士喜壽記念論文集》（東京：巖南堂書局，1989 年）。

⑩　同註⑥。

建置署立醫院電子圖書館的省思
The Experience of Collection Building for Department of Health Hospitals

張慧銖
Huei-chu Chang

林愉珊
Yu-shan Lin

摘　要

本文介紹署立醫院電子圖書館的建置緣起、組織分工、成本效益，以及未來發展，期能分享電子圖書館的建置經驗，間亦針對與電子期刊發展息息相關的聯盟組成、公開取得與館藏發展等議題，陳述筆者現階段的觀察與省思。

Abstract

This paper introduces the establishment of digital library for Department of Health Hospitals. We talk about the origin, demarcation between librarians and physicians, cost effectiveness about budget transfer from print to online. On 2004, this digital library expand, contains Department of Health office in Taipei city and its hospitals located all counties in Taiwan. At the same time, consortia purchasing is the trend for online journals and databases. The authors want to share experience in this article and the situation of collection supplier, STM publishers. Open access also the spotlight these days, how they affect collection management for library. And how publishers feel for this kind of activity also discussed in this paper.

關鍵詞：署立醫院電子圖書館；取得；擁有；聯盟；公開取得
Keywords: Open Access; Ownership; Consortium; PLOS

一、前言

在學術傳播的過程中，於期刊發表的文獻是最主要的傳播媒體，全世界中同時扮演作者及讀者的各學科領域之學者專家，於投稿時多半須簽署「版權讓與書」，使得版權的歸屬從此為出版社所有而非屬於作者，同時也將科學家所發表的文獻視為商品而非公共財（public goods），此種現象在科技與醫學領域尤其明顯。近年來由於期刊價格之漲幅驚人，加上電子館藏的多樣化，以及期刊出版社的併購活動等，使得學術期刊的價格掌握在賣方市場的情況日益嚴重，而站在買方的圖書館和讀者似乎衹能照單付費。眾所周知在紙本期刊時代，雖然圖書館的經費有限，但館員確實扮演著館藏選擇和取捨的重要角色。然而在電子時代，以聯盟運作的方式已然成為採購電子資訊資源的趨勢，使得圖書館每年所付的款項僅是「使用」權而非買斷，亦即付款所得之館藏僅是取得使用（access）權而非擁有（ownership）的模式。兩相對照，益發引起圖書館的無奈。

所謂聯盟（consortium）是由協助採購的工作小組和電子資源提供者談判協商，在彼此對於價格及權益有了初步共識之後，再安排一到二個月的試用，才正式進入引進的階段，這樣的採購方式可以減少每個單位做重複的工作，而且此類電子資源因涉及昂貴的價格、複雜的合約授權，以及先進的電腦和網路技術的問題，若藉由集體採購或共同使用授權協定，可以提高資訊資源引進之成本效益。[①]例如：由教育部及國科會科資中心積極推動，臺灣地區圖書館界所共同組成之「全國學術電子資訊資源共享聯盟」（Consortium on Core Electronic Resources in Taiwan，簡稱 CONCERT）就是以國家的經費來訂購部分全國皆可以使用（national license）的電子資源。除了科資中心透過調查各館意願選定的資源之外，國內各學術圖書館皆可再視各自之經費預算，加訂其他的電子資源。無論中外，類似的聯盟大都是由政府的經費或研究計畫經費予以補助。

臺大醫學院圖書分館（以下簡稱臺大醫圖）在資源數位化的腳步可謂相當快速，許

多建教代訓醫師來院受訓，常能感受到臺大豐富的資訊環境，但在訓練結束回到原工作單位之後，卻又常在醫學文獻的取得上遭遇嚴重的挫折。為考量臺灣地區的中小型醫學圖書館並不屬於國科會科資中心聯盟服務的範圍，再加上長久以來其圖書館專業人員嚴重不足，經常有期刊買不進來的問題，甚至於遲至當年的 9 月、10 月方才完成招標作業，導致期刊到刊時間的延誤，嚴重影響醫護人員獲取新資訊的時效。尤其在政府採購法施行之後，其嚴重性更加突顯，復因這些醫療機構的空間本來就不敷使用等問題，遂使得整個醫學界對於資訊資源邁向數位化的需求更形迫切，因而激發成立國內醫學電子館藏資源共享聯盟的構想。臺大醫圖遂於民國 90 年 5 月 30 日在臺大醫學院舉辦了第一次「臺灣地區醫學電子館藏資源共享聯盟」（Medical Electronic Resources in Taiwan，簡稱 MERIT）的成立說明會及研討會，原始的構想是採管理基金的作業模式，也就是由各會員單位支付資料庫總訂費的 10% 做為支持聯盟正常運作所需之人力、設備，以及訂購光碟資料庫與電子期刊全文資料庫所需之額外費用，並交由臺大醫院圖書室負責管理運用。[②]因此 MERIT 並未獲得來自政府的任何補助款，但卻意外催生了署立醫院的電子圖書館。

二、署立醫院電子圖書館的建置

㈠建置緣起

衛生署中部辦公室（以下簡稱中辦）扮演經營管理署立醫院的角色，在 28 家綜合醫院、7 家專科醫院中共有一萬一千多位員工，其中醫師有 1,274 位，護理人員約有 4,500 位，除了建置共用的資訊系統（總計有七大系統、51 個分項系統，包括：門診、住院、醫療業務、健保申報……等）之外[③]，另為提升營運效率曾舉辦過許多聯盟活動。民國 89 年 7 月在署立醫院院長共識營中提議改善醫院圖書管理系統並做成結論，後因在 90 年 10 月獲知臺大醫院圖書室正著手推動「台灣地區醫學電子館藏資源共享聯盟」，幾經會商之後，便於同年 12 月召開衛生署所屬醫療院局第二十五次業務會報，會中決議建立「署立醫院醫療圖書網」。之後再於民國 91 年 1 月召開「成立署立醫院電子圖書館暨確定電子圖書資源最終採購需求研討會」，決議由署立台北醫院及臺大醫圖統籌辦理電子期刊採購案，以建置署立醫院電子圖書館。[④]

中辦資訊科黃進興科長在 92 年 9 月於成大舉行的第二十五屆醫學圖書館年會中報告此一計畫，引起許多迴響。黃科長引述「權力狂潮」這本書，以資訊從業人員的角度來

看待自電腦出現後,已經使整個社會從系統時代、PC 時代、網路時代進展到內容時代,以此引證電子資源建置與利用的必要性,同時說明署立醫院電子圖書館的建置過程。中辦自民國 91 年 7 月開始便著手蒐集各署立醫院之紙本期刊需求,除調查署立醫院原有訂購之醫學期刊外,並擬以多家醫院需求者為優先採購對象,同時邀集部分署立醫院參與討論。最後決定了 2003 年電子期刊之採購內容,涵蓋了各署立醫院之重點醫療科及精神科,且多數是臨床期刊。最後在獲得衛生署醫政處的補助款後,總計購買了 86 種 OVID 及 73 種 Elsevier 的電子期刊。[5]

㈡組織分工

在本計畫的分工方面,臺大醫圖是此計畫的諮詢顧問,從館藏發展之專業觀點協助署立台北醫院進行期刊的選擇及採購程序;署立台北醫院為篩選及採購的執行機關,亦包括驗收和付款作業;另中辦負責經費來源、網站設計與管理。本計畫在 91 年 12 月就已經完成網站的建置,可讓所有的使用者從院內網點選期刊,中辦亦可隨時掌握各署立醫院之使用狀況。截至 92 年 11 月止,點選使用之次數已經超過了 29,000 餘次。

㈢成本效益

中辦曾於民國 92 年 8 月對所屬醫院以問卷方式進行滿意度調查,以了解署立醫院員工對於電子期刊的使用情形及對未來發展之建議。在每家醫院都隨機抽取兩位醫事人員填寫使用問卷,除行文各醫院限時填報外,並以電話稽催並做問卷內容溝通。最後統計結果發現電子圖書館之滿意度高達 92%,同時提出了下列建議:

1. 建議增置資料庫以供檢索、搜尋,例如 Medline、Micromedex(藥物資料庫)等資料庫;
2. 增購電子圖書和中文期刊;
3. 增加電子期刊種類,相對減少購買紙本期刊費用;
4. 電子期刊購買年度應至少涵蓋最近 3 年;
5. 期刊內容應提供 PDF 格式;
6. 電子期刊首頁可增加每種期刊的收錄年份及卷期。

以往衛生署所進行的醫院評鑑要求醫學中心與各級醫院皆要有一定種數的期刊,以醫學中心而言至少需有五百種,而地區醫院則需有 120 種。這幾年由於電子館藏的發展極為快速,目前修正後的評鑑標準係以讀者能否使用電子館藏為重點,而不一定要在醫

院備有實體館藏。此外,在評鑑時還會實際要求醫師現場使用,看看能否順利點選評審教授所指定的期刊文獻,此舉是想了解被評鑑醫院之館藏的使用狀況,以得知醫事人員是否能隨時獲取新知,另一方面也可獲知館員是否做了資料庫講習和利用指導。因為推廣活動會增加資訊資源實際的利用狀況,使投資在館藏的經費符合成本效益。過去各醫院為了符合評鑑的要求,大都無法刪訂紙本期刊,但自92年開始由財團法人醫療品質策進會所承辦的醫院評鑑,已經要求評鑑時只要讀者能夠實際點選使用即可,而不一定要保留紙本館藏。此外,只有種數達到評鑑標準仍然不夠,各醫療專科該有的期刊也都不能少。因此,單購買某一出版社的套裝期刊就不一定會對評鑑有所助益。

　　署立電子圖書館為中小型醫院聯合建置期刊館藏之重要學習範例,除了使用者的滿意度高達92%,在統籌購置上因數量龐大具議價籌碼,可降低採購成本,而以共同採購、資源分享之方式,達成內容種數多樣化的目標。同時亦可使人力、物力資源被充分統籌有效運用,以補各醫院之不足。醫事人員也會因為方便而增加使用的意願,進而促進醫院教學與研究之發展。在此計畫的執行過程當中,衛生署中部辦公室和臺大醫圖亦獲得許多寶貴的經驗,茲分述如下:

(1)署立醫院紙本期刊之訂閱總數由九十年的2,150種降為九十二年的1,616種,大幅減少534種紙本期刊,但購買總經費卻僅由九十年的2,359萬降為九十二年的2,226萬,由此可見出版商調漲期刊售價的情況,使得經費只減少了一百三十三萬。

(2)遍佈全臺灣的署立醫院之使用人口數和臺大醫學校區之教師、研究生與醫事人員的總數差不多,在和各出版社及代理商談判的過程中雖然採取新的估價標準,但各廠商在報價時可以發現臺大也同時購買的產品卻比較貴,理由是因為各個署立醫院之單位雖然小,但整體數目卻比較多。未來由台北市衛生局所主導,即將於2004年成立的「市立醫院聯合電子圖書館計畫」,亦可能遭遇相同的問題。⑥

(3)期刊的預付款機制眾所周知,但在署立醫院的計畫中卻發現,期刊出版社與代理商最大不同處在於其可接受分期付款。由於無法提供政府採購法要求的預付款還款或是信用狀保證,在付款機制方面是極有彈性的,可於採購程序完成時先部分付款,而在驗收結案時再付清其餘的款項。

(四)未來發展

　　署立醫院電子圖書館第二年的計畫中將擴大館藏規模,除將衛生署署本部所需要的醫療政策、公共衛生及醫院經營管理的期刊包括進去之外,原本所需之 American Medical

Association 及部分出版社的期刊因在 2004 之 OVID 主機上已無法獲取全文，必須單獨採購；加上有些期刊的漲幅極高，必須刪訂部分使用較少的電子期刊，復因部分期刊轉換出版社之故，使得 2004 年的署立醫院電子圖書館的標案由原來的兩個部分，將調整為 Nature、OVID、Elsevier、BMJ、Wiley、Micromedex 和 Highwire 等七個部分，由此可以預見採購的程序將會複雜許多。

此外，吳明德教授曾經提到「圖書館電子資源經費日增，期刊費用持續上漲，可不必自行維持完整的館藏，因此對於無力購得的電子資源，圖書館應可提供讀者透過館際複印服務而取得文獻。」[7]同理未來若讀者需要署立醫院電子圖書館內未購買的期刊，便可利用館際合作申請所需文獻，而普遍使用的傳輸軟體 Ariel，應可有效率地滿足醫師們對資訊時效性的要求。

三、觀察與省思

在協助署立醫院建置電子圖書館的過程中，我們一直在思考因應期刊漲幅的相關議題，包括：聯盟的出路、公開取得（open access）的理想，圖書館館藏發展的挑戰等，而下一步該怎麼走，其實還需要持續地觀察學術界、出版社與圖書館等各方面的發展，茲就前述議題分別說明我們現階段的觀察與省思。

㈠聯盟的出路

美國俄亥俄州為支持高等教育的發展，且 Ohiolink 為有效管理日益增加的電子資源，在 2002 年採購資料庫和電子期刊的經費為美金 1,940 萬元，聯盟運作中心補助 370 萬美元，州內各圖書館則負擔美金 1,570 萬元，其中花在 15 家出版社的電子期刊經費約在 1,900 萬美金以上[8]。在 ICOLC（International Coalition of Library Consortia）聯盟的案例[9]，以學科主題成立的聯盟有加拿大多倫多的醫學圖書館聯盟（The Health Science Information Consortium of Toronto），加上集中規劃的例子，如美國加州的 California Digital Library [10]，可以看出歐美各聯盟大部分的經費都花在購買電子期刊，然而這種情況要再繼續下去嗎？

隨著 Internet 的普及和使用，新的出版模式也在改變之中，很多和美國史丹福大學 Highwire Press 合作的學會期刊，目前較舊的內容都開放免費供大眾使用，相對的商業性出版社卻仍是漲幅驚人，因為在獨佔的期刊市場，出版社有著主導價格的能力，很多生物醫學期刊改為每週出刊，使得出版社的收入亦隨之直線上升。期刊出版社為因應有些

圖書館取消紙本訂購，於是向繼續訂購的個人和圖書館回收成本，造成期刊每年漲幅達
10%成為理所當然的事。另一方面黃鴻珠館長在 92 年國科會 Concert 年會中報告「聯盟
訂購模式的考驗：Ingenta 的研究報告」，曾提到聯盟訂購的優缺點[11]，因此在出版社、
期刊代理商和圖書館的互動關係裡，圖書館其實可以用更少的經費獲取更多的資源；而
代理商則略感威脅，因為大型出版社將可能會略過代理商而與圖書館直接交易，且圖書
館也可能以刪訂紙本的方式來維持電子版的使用權。在 2000-2002 年由於有教育部和國
科會的補助，訂購狀況皆有相當幅度的成長，但自 2003 年補助不再繼續之後，各大學院
校的訂購狀況僅能勉強維持，加上目前圖書館的經費難以持續增加，那麼我們不禁要問
採聯盟方式訂購有未來嗎？

(二)公開取得的挑戰

　　目前學術傳播所熱烈討論的話題之一是公開取得，期刊價格的結構性問題已經引起
許多生物醫學領域研究者的關心，美國 NIH 的前院長 Dr. Harold Varmus 倡議成立 Public
Library of Science（PLOS）[12]做為同儕審查、出版及網站維護的園地，這位諾貝爾獎得主
爭取到來自 Gordon and Betty Moore Foundation 的五年補助[13]，且於 2003 年 10 月推出了
第一本公開取得的電子期刊 PLOS Biology[14]，將以往由圖書館訂購期刊後提供給讀者使
用的商業模式，改由投稿時向作者或研究計畫收取刊登費，目前每篇需付款美金 1,500
元。此外，也鼓勵在各學術期刊擔任編輯的教授們向 Springer、Wiley、Elsevier 等商業
性出版社提出辭呈，以便另創新刊並與原期刊競爭，用以對抗商業性期刊出版社任意訂
價，使得圖書館預算永遠趕不上漲幅的情況一再發生，以致直接影響學術傳播的效率。

　　Varmus 的靈感來自美國 Los Alamos 國家實驗室的高能物理學家 Paul Ginsparg，他
於 1991 年開始 arXiv.org 計畫[15]，很多此一領域的作者會在文章正式刊登到學術期刊之
前，先將自己的稿子放到此主機上，以聽取來自同儕的意見。Varmus 於是陷入思考，難
道生醫領域不能做同樣的事嗎？他聽過部分研究者曾經抱怨，文章從投稿到正式刊登須
花費一段很長的時間，加上生醫領域的出版社以商業性居多，和其他學科領域由學會主
導學術傳播的狀況極為不同，促使他觀察到生物醫學期刊每年有極高漲幅的問題，讓他
深深體會對於科學進展極為重要的學術溝通不能再依循既有的模式，因為這些出版品原
有的目的就是為了被廣泛地閱讀，但現行的制度卻無法達成一重要目的。於是他在 1999
年 5 月便提出了 E-biomed 的想法，以聽取美國國家衛生研究院的人士對此模式的觀點，
並在同年 8 月 30 日將其修改為 Pubmed Central，不採用將預刊本（preprint）放置主機的

方式，而是以其他的模式讓大眾免費閱讀研究的結果和發現。

　　與 Varmus 有志一同的學者還包括 Stanford University 的遺傳學家 Pat Broan、National Center for Biotechnology Information（NCBI）的 David Lipman，以及柏克萊加州大學的進化生物學家 Mike Eisen。[16]在決定以 Pubmed Central 的後續方式進行後，Varmus 仍舊藉由各種場合來聽取學會以及研究人員的意見。而正反意見事實上都存在著，像是英國的著名期刊 Lancet 就站在贊成的一方，但新英格蘭醫學雜誌（NEJM）和美國醫學會期刊 JAMA 則持反對意見。另有一些討論則在研究為什麼高能物理學界的模式運用在生物醫學界卻不成功？經過分析之後，可能的原因有以下幾個：(1)在學科領域性質上的差異，以 1991 年開始的 arXiv.org 而言，最初只是物理學研究領域的一部分範圍，後來才擴大到物理學的其他領域、數學以及電腦科學，而計畫一開始其實並不需要任何經費的支援就可以嘗試。但反觀 Varmus，他在構想之初就將計畫擴展到生物醫學的所有領域，因此對於既有的出版制度造成了極大的衝擊；(2)高能物理學界在投稿前會將預刊本在彼此間流通，此傳統已經存在三十年了，但生物醫學領域卻非如此，最新的發現多半會在研討會，或是各種國際會議，以及學術期刊發表；(3) arXiv.org 的運作已有許多年，但 Varmus 似乎要生物醫學所有領域的研究者能夠很快地擁抱 E-biomed，當然也因為現在的網路環境已經成熟到可以改變原有的出版模式；(4) Los Alamos 國家實驗室是美國能源部的所屬單位，其與軍事活動關係密切，美國國會通常不會干預這些學會的經費和資源分配，但在衛生部其資源多寡則是由聽證會決定的，因此若要試行某種實驗，就必須自行找尋經費來源。[17]由此可見，不同的學科領域其學術傳播的模式有所差異，在某一領域中被接受的模式並不見得可以通行於其他領域。

　　然而 Varmus 似乎有著長遠的計畫，在他的規劃之下，第二本期刊 PLOS Medicine 即將在 2004 年中問世，並以和 Cell、Nature 等重量級期刊成為同等級為目標。在這樣的模式下，世界上任何一位學者都可以隨時取得這些高品質的文章，不會因為圖書館沒有訂購這樣的紙本或電子版期刊而造成學術溝通的貧富差距。目前有很多期刊起而效尤，希望將原本依賴廣告或訂購收入的模式，改為向投稿的作者收費，例如：Oxford 的 Nucleic Acids Research 期刊，目前也是採收取美金 500 元才予以刊登的方式，另 Development 則收取每篇美金 800 元[18]，很多人都在觀察這樣的動作會引起什麼樣的後續效應？尤其是作者需要面對收取美金 1,500 元以便刊登文章，這樣的費用是否太高？作者能否負擔？則都是目前被熱烈討論的課題。

　　現有的期刊出版社當然關心 PLOS 會帶來什麼樣的後續效應，Wiley 的副總裁兼出版

部主管的 Brian D. Crawford 就不客氣地以"Open Access: promises or pitfalls?"為題，探討公開取得的模式是否真能改變並減少出版的成本？他認為雖然這些研究是來自稅收支持，不應該再被拿來當做商品販賣，但出版業其實是很競爭的，出版社也不希望限制資訊的傳播，然而資訊有價與使用者付費的觀念應該可以被接受，若是改變既有的付費模式，就真能解決圖書館的經費問題和研究者的資訊取得問題嗎？[⑩]

從前述的討論中可以了解，公開取得的倡議是為挑戰現有期刊商品化後所衍生漲幅驚人的問題，而擬從出版流程著手改變現有的模式，以作者投稿付費刊登，而讀者取用無需付費的方式為前提，且希望以此模式出版足以與現有知名期刊抗衡的新刊，期能解決圖書館的經費問題和研究者的資訊取得問題。然而其立意雖佳，但在短期內應該很難收立竿見影之效。同時此種模式是否能夠得到學術界的認同並獲得作者的支持，而所出版的新刊是否真能取代舊有已具學術地位的期刊，以激發出版社面對競爭後而有調整期刊費用的實際行動等，都是十分值得後續觀察的課題。

(三)圖書館的館藏發展

前文已述及圖書館現有之電子館藏，尤其是電子期刊與資料庫，多半都是以聯盟方式購買，且多數為套裝產品，常不允許圖書館從中挑選，必須全數購買。如此，不僅造成各館的館藏重疊之處頗多，很難進行合作館藏發展；另一方面若各館都以建立本身的核心期刊館藏為考量，將不符合損益平衡的期刊改以透過館際合作的方式取得文獻，那不論是醫學中心或區域醫院，皆無法建立值得倚賴的館藏，國內是否需要一個完整級典藏的醫學圖書館呢？再者，因出版社對於電子期刊與資料庫的定價模式經常更改，使得經費預算難以預估，結果造成今年可以使用者明年卻不一定有經費購買，或是決標後才知道某期刊的電子版需額外再付款，這些都讓圖書館的整體作業陷入無所適從的狀況，影響圖書館館藏發展的功能，甚至還牽涉到圖書館所有的服務都必須跟著調整，這樣劇烈變動的狀況其實是大家所不樂見的。

四、結語

期刊肩負著學術傳播的使命，電子期刊更是學術研究不可或缺的工具，然而究竟誰應該負擔相關費用呢？是作者、使用者或是圖書館？關於此一議題無論是學術界、出版社或圖書館各方面都有著不同的意見。對圖書館來說，為了服務讀者，以聯盟方式採購電子資源與運用館際複印服務來滿足讀者的資訊需求，仍是現階段不得不然的措施。但

從改變出版流程、顛覆以往的出版模式與另創新刊的公開取得方式是否真有可能成功？
卻也是各界非常關心的議題。圖書館員除了密切注意各出版社及期刊代理商之併購及訂
價策略外，也必須關心國內外各聯盟的發展狀況，然而現階段我們似乎只能從旁觀察其
發展，且必須隨時做好因應的準備，以便在有限的經費下靈活地調整館藏，且讓現有的
館藏發揮最大的效用。

註釋

① 張清沼、石美玉，〈全國學術電子資訊資源共享聯盟概況〉，《圖書資訊學刊》33（民國 89 年），頁
28。

② 林愉珊、周利玲，〈臺灣地區醫學電子館藏資源共享聯盟概況〉，《國立臺灣大學醫學院圖書分館館
訊》53，頁 1-2，2001。

③ 黃進興，〈署立醫院電子圖書館概況〉，《第二十五屆醫學圖書館年會講義》第 10 張投影片（台南市：
成功大學，民國 92 年 9 月 25 日）。

④ 同註③，第 15 張投影片。

⑤ 署立醫院電子圖書館的網址：http://sp1.cto.doh.gov.tw/info/elibrary/elibrary.php?Alreadylogin=A

⑥ 台北市衛生局電話詢問臺大醫圖許多相關問題，經反問其需求後得知。

⑦ 吳明德，〈我國大學圖書館合作館藏發展問題探討〉，《大學圖書館》7:1（民 92），頁 21。

⑧ 黃久華，《電子資源共享圖書館聯盟策略規劃之研究》，碩士論文——國立政治大學圖書資訊研究所，
政大碩士論文，民 91。

⑨ ICOLC 網址 http://www.library.yale.edu/consortia/icolcmembers.html

⑩ California Digital Library 網址 http://www.cdlib.org/

⑪ 黃鴻珠，〈聯盟訂購模式的考驗：Ingenta 的研究報告〉（台北市：Concert 年會，民 92 年 11 月 19 日）。

⑫ Public Library of Science 網址 http://www.plos.org

⑬ David Malakoff, "Opening the Books on Open Access" *Science* 302(October 2003), p.551.

⑭ PLOS Biology http://www.plosbiology.org/plosonline/?request=index-html

⑮ Rob Kling, Lisa B. Spector, Joanna Fortuna, "The real stakes of virtual publishing: the transformation of
E-Biomed into PubMed central" *Journal of the American Society of Information Science* 55:2(2004), p.127.

⑯ 同註⑬，頁 551。

⑰ 同註⑮，頁 130。

⑱ 同註⑬，頁 551。

⑲ Brian D Crawford, "Open-access publishing: where is the value?" *Lancet* 362 (Nov. 8 2003), 1578.

組織/編目/後設資料

國家書目資源的建立與共享（1977-1989）
——記王振鵠館長的貢獻與影響
Professor Wang Chen-Ku and the Establishing and Sharing of National Bibliographical Resources (1977-1989)

鄭恒雄

Heng-hsiung Cheng

摘　要

本文論述國立中央圖書館王振鵠館長於任內 12 餘年，推動國家書目資源的建立與共享的作為與貢獻。著者認為我國國家圖書館的重要功能之一應該是建立國家書目，提供書目資源共享。因此就建置國家書目資源、研訂編目規範標準、建立書號與書目資訊中心三方面敘述，並分析其影響。

Abstract

One of the important functions of National Central Library is to establish and share national bibliographical resources.

This article discusses the contributions of Professor Wang Chen-Ku, former Director of the National Central Library, to promote the establishment and share of national bibliographical resources during the period from 1977 to 1989.

The accomplishments under his leadership were: (1) establishing national bibliographical resources; (2) setting up cataloging rules and standards; (3) founding the ISBN Center and the Bibliographic Information Center.

關鍵詞：國家圖書館；王振鵠；國家書目；編目規範

Keywords: National Central Library; Professor Wang Cheng-Ku; National Bibliography; Cataloging Rules and Standards

壹、前言

王館長振鵠教授自民國 66 年 3 月 31 日擔任國立中央圖書館（今國家圖書館，以下簡稱「國圖」）館長，迄於 78 年 7 月 31 日止，凡 12 年又 4 個月。其間，民國 70 年起兼任「漢學研究資料及服務中心」主任，該中心係教育部設於館內之獨立機構，後改為「漢學研究中心」。王館長任內的 12 餘年是國圖的重要發展階段，各項建樹頗多，諸如：籌建美輪美奐的新館、館藏之建設與充實、自動化系統的啟動、國家書目資料庫的建置、古籍善本的保藏與利用等等，皆有目共睹。然而，我認為作為我國的國家圖書館，它的重要功能之一應該是建立國家書目，提供書目資源共享。因此，本文擬就所知略述王館長在任時，推動國家書目資源的建立與共享的作為與貢獻。期望不僅只在紀錄史實而已，亦或可窺其理念、以及推動其他各項館務，帶動國內圖書館事業發展的深遠影響，或可啟發來者，以發揚光大。

貳、建置國家書目資源

民國六、七十年代，中文電腦尚在發展階段，此時，正值王館長主持館務期間，即開始與國內圖書館學界共同組織「圖書館自動化作業規劃委員會」，推動圖書館自動化之全面發展。其中，國圖館藏書目資源的建立，為日後國家書目資料庫建立基礎。國圖書目資料庫由民國 70 年開始建立，「第一年因尚在測試階段，增長較慢，第二年至第五年之間，內部作業仍在人工與電腦化雙軌制下並進成效有限，而全面自動化建檔工作，應在遷入新館後才得實施，……」。[1]至 76 年 6 月止已建立各類書目資料共 245,046 筆。[2]茲就其重點項目略記如下：

一、中華民國出版圖書目錄檔

國圖早在復館之後即積極編印館藏書目，於民國 49 年起定期編輯出版《新書簡報》月刊，其後曾更名為《國立中央圖書館到館目錄》、《國立中央圖書館新書目錄》，自 59 年元月起改稱《中華民國出版圖書目錄》。唯內容大抵仍是報導國圖新編入藏之書目，尤其是依出版法徵集到館的圖書文獻。因為國圖入藏的圖書係依據出版法徵集而來，徵集的數量雖然不能達到完整無缺的地步，然而確能一定程度的呈現台灣出版圖書的面貌。王館長認為尚不能以「國家書目」名之，而稱為「中華民國出版圖書目錄」較為貼切。其不稱為館藏目錄的原因，應是寄望朝向國家書目的目標努力。館長任內，目錄愈編愈厚，反映了圖書的徵集日漸充實。每年且有年度彙編本及五年之彙編本。一系列的目錄彙編，實際上收錄台灣地區的出版品，是呈現台灣當代出版品的重要目錄。

約在民國 69 年，國圖開始採行電腦，推動自動化作業，而從編目建檔開端。民國 70 年 9 月起陸續將民國 70 年所出版之新書目資料依編目格式填表輸入電腦。73 年 2 月首先採用王安電腦系統，以機讀格式建檔，是國家書目資料庫建置的開端。民國 76 年間又開始進行光碟版的研發，先與工業技術研究院機械所合作開發，次年即完成試驗計畫。其後在 81 年完成光碟系統成品提供「全國圖書資訊網路」合作館使用，繼而又與民間業界飛資得資訊公司合作研發，正式成為上市發行的第一片書目光碟，為國家書目資源的分享提供良好的工具。

二、中華民國期刊論文索引檔

國家書目的內涵固然以出版圖書為主，但以先進國家的發展觀之，大都另行編輯期刊論文索引，以定期揭示各期刊篇目的內容，這是與圖書書目相配的重要書目資源。國圖的《中華民國期刊論文索引》創編於民國 59 年 1 月，筆者躬逢其盛，參與了創刊工作。編輯之初也曾參考美國以及日本國會圖書館出的《主要雜誌紀事索引》。自創編起到王館長任內的第 188 期止，共收編了 40 萬篇文章篇目。[3]民國 66 年起，王館長任內之初開始增編彙編本。

民國 71 年為推動電腦建檔，先行研訂「文獻分析機讀格式」，做為電腦化的依據。「陸續將民國 72 年以後，台閩地區已出版的八百種中西文期刊論文 14 萬篇建立為『中華民國期刊論文索引檔』，以每年增加 25,000 筆論文的數量成長」[4]。

民國 76 年開始與工業研究院合作進行光碟的研發，將 12 萬餘筆索引錄製成光碟，77 年 10 月測試成功，奠定了索引光碟版的基礎。同一時間試編了「中華民國期刊論文

索引新收詞語類號對照表」用來補充檢索的不足。

三、中華民國期刊聯合目錄檔

民國 68 年 9 月完成中文期刊聯合目錄電腦建檔工作，收錄 140 所圖書館藏 6,692 種中文期刊。12 月出版《中華民國期刊聯合目錄》，收錄 171 所圖書館所藏期刊 7,410 種。並於 70 年 2 月 15 日至 19 日於國立台灣工業技術學院舉行「中文圖書資料自動化國際研討會」，展示中文期刊聯合目錄電腦作業之成果，並介紹中華民國期刊論文索引電腦化作業情況。我記得馬大任先生曾在會中誇讚國圖以電腦建立的中文期刊聯合目錄，堪稱創舉。

四、中華民國政府公報索引檔

《中華民國政府公報索引》創刊於民國 61 年，「本索引自民國 73 年起收錄台灣地區 19 種中央及地方政府公報加以分析，以「國立中央圖書館文獻分析格式」輸入電腦，除了出版《中華民國政府公報索引》季刊本外，亦可提供多元化之公報線上查詢服務」。⑤

五、目錄出版

館長對於目錄的編印出版十分重視，對於品質的要求也很高。期間出版的目錄如下（括弧內為出版年代），從出版的目錄中，也可窺見王館長主持館務推動各項業務之成果：

1. 中華民國出版圖書目錄・65 年度（66 年 6 月）
2. 國立中央圖書館期刊目錄（66 年 7 月）
3. 中華民國出版圖書聯合目錄・民國 63 年至 65 年（66 年 8 月）
4. 全國書目編輯研討會參考資料（66 年 8 月）
5. 全國索引編輯研討會參考資料（66 年 8 月）
6. 明人傳記資料索引（67 年 1 月與文史哲出版社合作）
7. 推廣海外華文教育資料展覽目錄（67 年 5 月）
8. 中華民國出版圖書目錄・66 年度（67 年 6 月）
9. 中華民國期刊論文索引彙編・66 年度（67 年 12 月）
10. 中華民國期刊論文索引彙編・67 年度（68 年）
11. 中華民國出版圖書目錄・67 年度（68 年 6 月）

12.國立中央圖書館藏中華民國政府出版品目錄（68 年 6 月）

13.中華民國期刊論文索引彙編·68 年度（69 年）

14.台灣公藏普通本線裝書目人名索引（69 年 1 月）

15.中國文化研究簡易書刊目錄（69 年 6 月）

16.老列莊三子圖書版本展覽目錄（69 年 8 月）

17.中華民國中文期刊聯合目錄（69 年 12 月）

18.中華民國出版圖書目錄彙編·第 4 輯（69 年 12 月）

19.中華民國出版圖書聯合目錄·民國 66 年至 68 年（69 年 12 月）

20.中華民國期刊論文索引彙編·69 年度（70 年）

21.中華民國出版圖書目錄·69 年度（70 年 7 月）

22.工具書展覽目錄·慶祝建國 70 年（70 年 9 月與中華民國出版事業協會印行）

23.台灣公藏方志聯合目錄（70 年 10 月）

24.中國歷代圖書展覽參考資料（70 年 10 月）

25.當代學術論著展覽目錄（70 年 10 月）

26.台灣公藏普通本線裝書目書名索引（71 年 1 月）

27.中國歷代藝文總志——經部易書類初稿本（71 年 2 月）

28.中國歷史與傳記工具書展覽目錄（71 年 5 月）

29.中華民國出版圖書目錄·70 年度（71 年 7 月）

30.海外漢學資源調查錄（71 年 10 月）

31.中國歷史與傳記工具書展覽目錄（71 年 11 月，另與省立台中圖書館、高雄市立
圖書館分別印行）

32.中國文化研究論文目錄（71 年 12 月）

33.工商參考資料展覽目錄（72 年 4 月）

34.工商參考資料展覽目錄（72 年 6 月）

35.光復以來台灣地區出版人類學論著目錄（72 年 6 月）

36.台灣地區漢學論著選目（年刊，72 年 6 月創刊）

37.中華民國出版圖書目錄·71 年度（72 年 7 月）

38.利用圖書館資料展覽目錄（72 年 12 月）

39.外文期刊有關漢學論評彙目（季刊，73 年 1 月創刊）

40.當代女作家文學作品書目（73 年 2 月）

41.法國藝術圖書展覽目錄（73 年 3 月）

42.現代詩三十年展覽目錄（73 年 10 月）

43.中華民國行政機關出版品目錄（季刊，73 年 4 月創刊）

44.中華民國政府公報索引（73 年 4 月創刊）

45.國立中央圖書館善本圖書微捲目錄索引（73 年 6 月）

46.中華民國出版圖書目錄·72 年度（73 年 7 月）

47.中國國際圖書館中文舊籍圖書目錄（73 年 7 月）

48.中國歷代藝文總志（經部）（73 年 11 月）

49.台灣公藏日文漢學關係資料彙編（74 年 1 月）

50.中華民國台灣地區公藏方志目錄（74 年 4 月）

51.當代文學史料展覽目錄（74 年 5 月）

52.國立中央圖書館、國立中央圖書館台灣分館、漢學研究暨資料中心展覽目錄（74
年 12 月）

53.中華民國出版圖書目錄·73 年度（75 年 2 月）

54.紀念司馬光王安石逝世九百週年展覽目錄（75 年 6 月）

55.全國雜誌展覽目錄·紀念先總統蔣公百年誕辰（75 年 11 月與中華民國雜誌事業
協會印行）

56.中華民國出版圖書目錄·74 年度（75 年 11 月）

57.中華民國出版圖書目錄·75 年度（76 年 10 月）

58.中華民國出版圖書目錄·76 年度（77 年 5 月）

目錄是揭示館藏資源的工具，上述的目錄共 58 種，還不包括參加國外舉辦的書展目錄，依據《國立中央圖書館出版品目錄·增訂版》（82 年 4 月）列有此一時期（自 70 年至 78 年）編訂的國外書展參展目錄共有 33 種，主要是參加美國圖書館學會年會、加州圖書館學會、亞洲學會、比利時布魯塞爾或其他國際書展的英文參展書目，也包括漢學研究中心赴美國舉辦的漢學書展。

參、研訂編目規範標準

近幾十年來，國圖技術服務工作最重大的發展是由人工作業，進入圖書館自動化作業，以提高效能。在王館長悉心的策劃之下，民國 69 年 4 月，國圖與中國圖書館學會合組「圖書館自動化作業規劃委員會」並設立三個工作小組，分別研訂：中文機讀編目格

式、中國編目規則及中文圖書標題總目三項規範。而在 68 年，行政院也召開會議籌劃電
腦用中文字形的整理與制訂工作，在 69 及 70 年間完成兩套中文資訊交換碼，即「通用
漢字標準交換碼」及「中文資訊交換碼」（CCCII）。這些規範逐漸成為國內圖書館進
行自動化作業，尤其是書目建檔的主要依據，而在往後的十數年來，也陸續的進行修訂
與維護，為國內圖書館館際「技術服務」的合作創造條件。

　　台灣各個圖書館的自動化與書目網路系統，乃至民間業界開發的各項書目系統，其
所遵循的規範與標準，近年來有漸趨一致的發展。主要就是以這些規範標準為基礎逐步
發展而來。茲紀錄王館長時期研訂的各項規範如下：

一、中國機讀編目格式

　　由「中文機讀編目格式工作小組」研訂，主要採用「國際機讀編目格式（UNIMARC-
1980）」為藍本，參考「美國國會圖書館機讀編目格式」（MARC Format for Bibliographic
Data-1980）及其他各國之機讀格式訂定的格式。磁帶上之書目著錄則採用 ISO 2709 號格
式。中外文書目著錄格式則分別依據同時進行研訂之《中國編目規則》及美國的《英美
規則第二版（AACR II）》為標準。第一版於民國 70 年 2 月出版，定名為《中文圖書機
讀編目格式》，同時有英文版 Chinese MARC Format for Books。同年 7 月即出版第二版
也有英文本，及使用手冊。71 年 9 月更名為《中國機讀編目格式》，在 73 年 7 月出版
第二版且增加附錄，78 年出版第三版及其附錄。此格式後來持續修訂，以迄於今。

二、國立中央圖書館文獻分析機讀格式

　　「中國機讀編目格式」出版後，國圖鑒於期刊及公報等文獻索引編製日益重要，過
去仰賴人工編輯耗時費工，乃著手編訂文獻分析機讀格式，於 72 年 12 月出版，可用於
單行本、連續性出版品及檔案文件之分析及建檔。國圖即以此作為建立《中華民國期刊
論文索引》及《中華民國政府公報索引》線上儲存及查詢之張本。

三、中國機讀編目權威記錄格式初稿

　　權威（Authority）或稱「規範」。「中國機讀編目格式工作小組」於 73 年 9 月著手
研定權威記錄格式，作為自動化權威系統之依據。以「美國國會圖書館機讀編目權威記
錄格式」、及國際圖書館協會聯盟 1984 年刊行之「國際機讀編目權威記錄格式」草稿進
行分析研擬，並先於 74 年 1 月編譯出版《美國國會圖書館機讀編目權威記錄格式》。75

年 2 月出版《中國機讀編目權威記錄格式初稿》。此格式於 83 年 12 月由國圖再參照 IFLA 新版編訂，改稱「中國機讀權威記錄格式」。

四、中國編目規則

前面提到的「圖書館自動化作業規劃委員會」有三個小組，其中最早成立的是「中國編目規則研訂小組」。此小組進行研訂因應自動化作業所需之新編目規則。研擬的依據主要是以長期以來使用的《國立中央圖書館中文圖書編目規則》及 AACR II 為藍本，並考量中文圖書之特性及實際需要，來訂定適合電腦作業之編目規則。民國 69 年 5 月起研訂，先由「總則」及「圖書著錄」著手，再逐步擴充，至 72 年 9 月全部完成。74 年 4 月另編印《中國編目規則簡編》。近十幾年來，此項規則廣為國內圖書館界使用，84 年 6 月及 89 年續有修訂版及使用手冊行世。本規則之出版我認為對於大陸近年來出版之《中國文獻編目規則》應有其影響。

五、中文圖書標題總目初稿

國圖於民國 70 年 6 月起著手研訂適合一般圖書館使用的綜合性標題表，在「圖書館自動化作業規劃委員會」下設立「中文圖書標題總目編訂小組」從事標題編訂工作。以中文出版品為對象及以國圖 68 年編印的《中國圖書分類法（試用本）》之類目為基礎，經兩年多的努力於民國 73 年 3 月編印出版。初版名為《中文圖書標題總目初稿》，74 年起，國圖採行本項標題總目製作標題目錄。近年來，國圖在編目中增加許多的標題，乃以歷年增加調整的標題予以彙集，又以賴永祥的分類法及中圖的「試用本」類目為主予以增補，於 82 年 4 月輯印出版，名為《中文圖書標題表》。此外，亦值得一提的是 76 年間國圖也曾研擬「研訂中文主題詞語表計畫書」，試行編訂中文的主題詞語表，相當於索引典（Thesaurus）的結構，編擬出圖書館與資訊科學類。約在同時間農資中心、立法院、國科會科資中心及食品工業發展研究所也在進行索引典的編訂工作，一時蔚為風氣。

六、中國圖書分類法（試用本）

民國 66 年，國圖有鑒於圖書資料日增，而圖書館在使用各家類表之時，常有甘格不入的情形，乃邀請圖書館界學者專家十人，組成中國圖書分類法修訂委員會，從事圖書分類法的編訂工作，並舉辦修訂研討會研討分類法相關問題。仿熊逸民、賴永祥增訂《中

國圖書分類法》之架構，編訂增益類目，以該法新訂 5 版為藍本，結構維持不變，僅作小幅度調整，前後歷時約一年編訂完成，於 68 年 12 月出版《中國圖書分類法·試用本》。此法一般圖書館雖然甚少採行，但仍可供各館增改類目之參考。除國圖期刊論文索引的分類採用之外，台北市立美術館即曾於 72 年間就分類表「美術類」予以修訂，發表於該館館刊第二期（73 年 4 月）；中國圖書館學會醫學圖書館學委員會也曾於 72 年 1 月編訂《中國圖書分類法（醫學類類號表）》，亦以試用本為藍本，並參考《美國國家醫學圖書館分類法》、《杜威十進分類法》（科技類類目）、賴永祥《中國圖書分類法》，以及《國際疾病分類表》等相關文獻編訂而成。

肆、建立書號與書目資訊中心

一、預行編目制度與標準書號中心

　　民國 77 年 7 月行政院正式核定國圖為我國 ISBN 權責單位，國圖即組成專案小組進行調查研究，並編訂「臺灣地區出版者識別號」，規劃電腦作業系統及各項宣導工作，於民國 78 年 6 月完成準備工作，7 月起我國正式實施國際標準書號制度，進行書號之編配與推廣，以及國內出版品之預行編目工作等事宜，並開展各項推廣活動，頗得圖書出版業之重視。次年 2 月國圖遂正式成立「中華民國台灣地區國際標準書號中心」。王館長任內於民國 78 年間，也開啟了 ISBN 及 CIP 的電腦建檔工作。「出版品預行編目」一詞係王館長譯自英文之 Cataloging in Publication 簡稱 CIP，在國內普遍採用，成為一專有名詞。[6]

二、合作編目與書目資訊中心

(一)試行館際集中編目

　　國圖約在 68 年起開始試行使用編目自動化系統，建立書目檔。70 年間聯合台北地區七大圖書館，將民國 70 年起在台灣地區出版的中文圖書先行編目建檔；在期刊方面則聯合台灣地區 170 所圖書館，將其館藏資料建檔，惜因人力所限，民國 73 年起，暫停該項集中編目建檔作業。[7]這項計畫雖未能完成，卻是館際合作試行集中編目建檔的先聲。民國 76 年又訂定「學術圖書館合作編目建檔暫行辦法」，再度聯合 15 所國立大學院校圖書館試行合作編目，最後雖然也因人力不足而告停止，但也顯示圖書館企圖經由合作編目，實現資源分享，為往後國圖線上合作編目系統催生。

㈡網路合作編目系統

由於自動化作業的開展，圖書館逐漸由個別發展到區域性及全面性的需求。國圖為因應此項發展趨勢，早在 76 年起著手規劃圖書資訊網路計劃，76 年 11 月奉行政院核定發展「全國圖書資訊網路」計畫，開啟我國全國性圖書資訊網路的新頁。77 年購置 Tandem 電腦主機，79 年 3 月引進了在加拿大行之有年的 UTLAS 網路系統中的「合作編目」模組（Catalogue Support System，簡稱 CATSS）。該公司並參照國內的需求建立 Chinese CATSS。80 年 10 月系統正式啟用，稱為「全國圖書資訊網路」（National Bibliographic Information Network,簡稱 NBInet）。參與的合作圖書館初期僅有數所，以後逐步增加，共同合作建立書目資料庫，用以提供各館轉錄（Download），建立各自的電子書目資料庫，以節省重複編目的人力與經費。這是國內建立的第一個電腦書目網路系統，其中關於軟體需求的研訂、系統的研發建立與測試、合作辦法的訂定、中文環境與字集字碼問題的解決等等，在合作館共同努力下具有整合的成效。

三、華文書目之國際合作

王館長任內一直期待與美國 OCLC 電腦線上圖書館進行書目合作。早在民國 70 年 11 月 9 日美國 OCLC 副總裁 Mr. Kilgour 來訪，商談雙方合作事宜，希望中文書目資料能納入該系統供各地人士利用。其後亦曾多次與其亞洲部門主管王行仁先生商討，進行書目測試並協議書目交換事宜，由於美方期待國圖每筆書目加注西文分類號，牽動人力經費問題以及其他客觀因素，而未能實現。

王館長任內亦曾多次舉辦國際性圖書館或漢學資源研討會議，邀請美國及各國之東亞圖書館主管及漢學家共聚一堂研討華文書目之合作事宜，甚獲海外東亞圖書館界重視，建立良好聲響。

伍、結語

王館長主持國圖館務 12 年 4 個月，除了規劃建築一座現代化的圖書館硬體建設之外，我認為推動圖書館自動化作業，建置我國國家書目資源是一項極為重要的軟體建設。尤其，此一時期正值國內積極推動圖書館自動化作業的時刻，圖書館的營運正值轉戾點，王館長以其專精的學養、穩健及妥善規劃的長才，奠定了國家圖書館現代化的基礎。從其後數十年的發展看來，國家圖書館仍然在這個基礎與方向上持續發展。茲歸納主要影響如下：

一、組織「圖書館自動化作業規劃委員會」推動規範研訂

設立三個工作小組，分別研訂：中文機讀編目格式、中國編目規則及中文圖書標題總目三項規範，另外也推動分類法的修訂工作。這些規範目前成為國內圖書館自動化作業的重要依據，而且持續修訂。國內圖書資訊學界也在這個基礎上因應新的趨勢研訂新的規範。目前，國圖的「編目園地」網站頗能呈現此類規範研訂之成果。

二、建置「國家書目」資料庫與網路系統

國家圖書館與其他圖書館的最大不同應該是建立完整的全國圖書總目錄，並提供資訊服務。國圖的《中華民國出版圖書目錄》收錄雖仍不完整，但已能呈現台灣地區出版的面貌，並陸續回溯完成建檔，提供資訊與網路檢索。王館長任內已充實書目內容並採行電腦建檔，又設立書號及書目中心，為未來的發展奠定基礎。目前書號中心的 ISBN 編號制度及預行編目（CIP）制度，書目資訊中心的合作編目體制與網路系統都是在王館長任內建立的，這對於全國性書目的完整性建置與資訊檢索的方便性都有積極的意義與影響。

三、華文書目的國際合作

王館長任內開啟與美國 OCLC 的書目合作，同時經由圖書館與漢學資源國際會議，以及積極參加美國與國際書展，都期待國圖能成為華文的書目資訊中心。記得，民國 72 年 1 月還曾派編目組黃編輯淵泉遠赴南美烏拉圭國家圖書館協助該館中文圖書之編目。該批藏書原收藏於李石曾先生在瑞士創辦之中國國際圖書館，後轉運至烏國典藏，全部圖書約十萬冊，其中線裝書約五萬冊，完成書目的編目與目錄編印出版。

王館長任內還兼任設在國圖的教育部「漢學研究資料及服務中心」主任。這個中心是在民國 69 年 1 月起開始由國圖兼辦籌備，於 70 年 6 月正式運作。究其實際是結合國圖的資源提供國內外漢學的研究資源與服務。王館任內創編《漢學研究》期刊，頗受國內外漢學界矚目，尤其編印許多漢學研究的書目工具與提供資訊服務、建立漢學研究人才檔等等，其實總體而言，仍是以華文書目資源為主體的資訊服務。

註釋

① 　胡歐蘭，〈圖書館自動化作業〉，在《第二次中華民國圖書館年鑑》（台北市：國立中央圖書館，民77年），頁93。

② 同上注。

③ 王振鵠，〈期刊論文索引二十年感言〉，《國立中央圖書館館訊》42 期，頁 5。

④ 同注③。

⑤ 《第二次中華民國圖書館年鑑》（台北市：國立中央圖書館，民 77 年），頁 94。

⑥ CIP 大陸譯稱「在版編目」。

⑦ 同注①，頁 91-92。

書目記錄功能需求 FRBR 與編目標準
Functional Requirements for Bibliographic Records and Cataloging Standards

陳和琴
Ho-chin Chen

摘　要

「書目記錄功能需求」（Functional Requirements for Bibliographic Records，簡稱 FRBR）是國際圖書館協會聯盟 International Federation of Library Associations and Institutions（IFLA）在 1998 年所推薦的一種使用實體關係的資料模式，將書目記錄涉及的實體分成三組，第一組包括作品、內容版本、載體版本及單件等四種書目層次，第二組包括個人及團體著者，第三組代表概念、物件、事件及地點；而書目紀錄的功能需求主要包括尋找、辨識、選擇及獲取。據傳圖書館目錄若採用 FRBR 原則，將會提供比當前目錄更有用的書目資訊。本文試從文獻，討論 FRBR 的相關議題，包括 FRBR 的發展緣起、基本理念、重要性及對編目規則及機讀編目格式的影響。

Abstract

Functional Requirements for Bibliographic Records (FRBR) is a proposed data model, which is put out by the International Federation of Library Associations and Institutions (IFLA) in 1998. FRBR uses an entity-relationship model, and includes four levels of representation: work, expression, manifestation, and item. It's reported that a catalogue that uses FRBR principles would give the user more helpful information and power over the collection than current catalogues do. This essay tries to look back from Internet literatures to discuss the background, basic idea and importance of FRBR, and its impact on cataloging standards including cataloging rules and MARC formats.

關鍵詞：編目；書目標準

Keywords: Cataloging; Bibliographic Standards; ISBD; AACR; FRBR

一、前言

1998 年，國際圖書館協會聯盟（IFLA）出版 Functional Requirements for Bibliographic Records: final report 一書，意為「書目記錄功能需求最後報告」，簡稱 FRBR。FRBR 最後報告之出版，曾引起熱烈迴響，目前該書已有七種語言：English, Italian, Slovenian, Norwegian, French, Czech, Japanese。對大多數圖書館員而言，FRBR 似乎還是非常抽象。大家一聽到有這 FRBR 新概念，很直覺的馬上連想到是否會使用到自己的目錄上，要花上多少經費？是否在最近的將來整個編目世界會因接受 FRBR 而有全新的改變？未來英美編目規則或中國編目規則會不會停用或轉型？本文試從相關文獻對 FRBR 相關議題包括 FRBR 的發展緣起、基本理念、重要性及對當前編目規則及機讀編目格式的影響擬作深入探討，期供國人參考。

二、FRBR 的發展緣起[①]

早在四十年前 IFLA 就認為有必要重新檢視編目理論及國際編目實務。1961 年，IFLA 在巴黎召開的國際性編目原則會議及 1969 年在哥本哈根舉行的國際編目專家會議都有豐碩成果——「巴黎原則」（Paris Principles）及「國際書目著錄標準」（ISBD）更奠定各國或國際編目規則的基礎。其後，編目環境有了很大的變化。資訊爆炸，新興自動化系統建立及處理大量的書目資料。經濟壓力促使合作編目大為流行。為了降低編目成本，最基本的核心書目記錄尤受到編目單位的歡迎。此外，電子出版的發展，資料類型推陳出新，網路資源急速成長，書目紀錄如何有效率地回應使用者的期望及需求，成為 FRBR 發展的背景因素。

　　FRBR 的研究緣自 1990 年，IFLA 負責國際書目控制的部門在瑞典 Stockholm 主辦書目記錄研討會（Seminar on Bibliographic Records）。該會議主要在討論書目紀錄的品質及功能，研探如何迎合使用者需求、建立核心書目記錄的標準，FRBR 研究就是九個解決方案中的一個。會後，IFLA 的編目部（Section on Cataloguing）承擔了 FRBR 的研究工作。1992 年，FRBR 研究小組提出策略文件，列出廣義範圍的書目記錄功能需求。1993年末，FRBR 的七人工作小組成立，聘用五名顧問進行研究，向 IFLA 編目部常設委員會（Standing Committee）報告。1995 年，FRBR 草案報告完成。次年，草案報告送交評論。1997 年，最後報告於第 63 屆 IFLA 年會提出討論。同年九月，IFLA 通過 FRBR 模式。1998 年，FRBR 交由 K.G. Saur 公司出版。2000 年元月在義大利 Florence 召開有關 FRBR 的會議。

　　為了發展 FRBR 概念模式，FRBR 工作小組的基本工作包括：與 IFLA 相關部門共同致力於更新 ISBD、協助提議將 FRBR 用詞及概念納入國際編目規則、掌控及協助發展FRBR 概念於書目記錄傳輸格式、推薦改進現有 OPAC、發展訓練工具及維護有關 FRBR的書目、提供與其它相關模式的對映（mapping），以及所有增進 FRBR 的業務。[2]

　　FRBR 工作小組最近（2003 年 8 月）先後在德國柏林開兩次會議，共有 25 個來自歐美十一個國家的參與者。會中決定將 FRBR 工作小組改名為 FRBR Review Group，以應長期性需要，其策略文件指出擬與權威記錄功能需求及編碼工作小組（IFLA Working Group on Functional Requirements and Numbering for Authority Records，簡稱 FRANAR）及國際編目規則專家會議（International Meeting of Experts for an International Cataloging Code，簡稱 IMEICC）合作，提供 FRBR 概念模式的應用指引。[3]

三、FRBR 的基本理念

　　1997 年，IFLA 編目委員會在 Copenhagen 開會，會中 FRBR 工作小組提出 FRBR 的基本理念，除確定書目記錄所涵蓋的資料範圍、不同種類的使用者及考慮圖書館館內及館外的各種應用外，主要包括下面幾個要點：

㈠使用實體關係分析技巧

　　FRBR 的研究方法使用實體關係分析技巧。實體關係資料模式來自 Peter P. Chen 的entity-relationship 的方法概念[4]。通常建立資料庫系統的第一步，就是分析所要處理的資料有那些，資料與資料之間的關係如何。實體關係資料模式簡稱 E-R Model，是一種圖

形化的表示工具，可對資料與資料間的關係做精確的描述。所謂實體（Entity），係指真實世界中獨立存在的一個事物，每個特定實體的屬性都有一個值來描述，而 Relationship 是指兩個以上實體之間的關係[⑤]。

㈡將書目紀錄涉及的實體（entities）分成三組

FRBR 將書目紀錄涉及的實體（entities）分成三組：第一組實體是智慧及藝術創作的產品，包括作品（work）、內容版本（expression）、載體版本（manifestation）及單件（item），這是讀者最感興趣的書目資訊；第二組實體是智慧及藝術創作的負責者，包括個人（person）及團體機構（corporate body）；第三組實體代表概念（concept）、物件（object）、事件（event）及地點（place）。每一組實體有自己的屬性（attributes）。第一組實體代表傳統書目記錄的資訊，這些實體構成資料模式的基礎。而第二組及第三組實體代表書目記錄檢索點的資訊。

FRBR 工作小組把焦點放在這第一組實體上，這代表傳統書目資訊的四種層次，層層相屬，詳述於下：

1. 作品（Work）

什麼是作品（Work）？在 IFLA 的 FRBR 報告中，將 Work 定義為「一種特有的智慧及藝術創作」。「作品」是抽象的實體，所以沒有單一的資料物件可以指為「作品」，例如我們提及 Charles Dickens 的 David Copperfield，或 Homer 的 Illiad，僅認定是一「作品」，不會考慮到版本。

由於「作品」的概念是抽象的，所以「作品」與「作品」之間的沒有明確的界限。為了辨識，「作品」的不同版本包括：修訂更新、翻譯、編曲，則視之為同一「作品」的內容版本。若是「作品」的改變很大，出自獨立的心智或藝術活動，包括改寫、文體或媒體形式改變、摘要等等，則視為新的「作品」。

作品的屬性包括：題名（title）、形式（form）、日期（date）、其他辨識用特徵、是否為繼續資源、使用對象、本文或內涵（context）、音樂作品之表演媒介、調（key）及作品編號、地圖資料的座標及晝夜平分點（equinox）等等。

2. 內容版本（expression）

什麼是內容版本？在 IFLA 的 FRBR 報告中，將內容版本定義為「智慧及藝術創作作品的實現」。指特定的智慧及藝術創作，有特定的字句、段落。形式包括文數字、音樂、舞蹈標記、聲音、影像、物件、動作等等，或前述形式的組合。內容版本較不抽象，但

尚未形體化（physical）。例如 Shakespeare 的 Richard III 有英文原版及法文翻譯本，表示共有兩個內容版本。"expression"日譯為「表現形」，本文參用張慧銖所譯之內容版本。⑥

　　「內容版本」是「作品」的實現，但是不包括「作品」的實體形式，例如字型（typeface）及版面編排（page layout）等等。

　　內容版本的屬性包括：題名、形式、日期、語言、其他辨識用特徵、可伸展性、可修訂性、程度範圍（extent）、摘要、本文、評論、使用限制、連續性、刊期、樂譜類型、表演媒介、比例尺、投影法、地圖資料的物件或影像呈現技巧、錄音技巧、靜畫或立體影像的技巧等等。

　　3. 載體版本（manifestation）

　　在 IFLA 的 FRBR 報告中，載體版本的定義為「作品內容版本的具體化」，具內容版本的外在形體特徵。manifestation 日譯為「實現形」，本文參用張慧銖所譯之載體版本。例如作品 New Yorker 有紙本及微縮版，紙本及微縮版就是載體版本。

　　載體版本包括廣大範圍的資料，例如手稿、圖書、期刊、地圖、海報、錄音資料、影片、錄影資料、光碟、多媒體組件等等。不管製作數量多少，載體版本不包括複本。目前圖書館目錄建立在載體版本的層次上。

　　4. 單件（item）

　　單件（item）是一具體（concrete）的實體。單一的載體版本稱為單件。載體版本可能只有一個單件，也可能好幾個單件。在許多情況下單件指單一的有形物件，指我們所看的、圖書館所典藏的單件，有其特定的索書號、部冊號碼。

　　FRBR 研究範圍限於書目記錄，故第二組及第三組實體的屬性僅關及書目記錄，不涉及權威記錄中的標目、附註及其他資訊。同樣理由，不存在於第一組實體間的關係及第一組與其他兩組實體的關係不包括在內。

　　目前 IFLA 的權威記錄功能需求及編碼工作小組（FRANAR）正著力於第二組實體。藉 AACR 的劃一題名，控制作品、內容版本、載體版本、單件等實體的名稱。藉 AACR 的名稱標目，控制第二組的個人作者及團體作者名稱。藉 LCSH、MeSH、AAT，控制第三組的主題概念。未來，FRBR 模式可能擴展至權威控制範圍。

㈢書目記錄的基本功能需求

　　FRBR 研究小組將使用書目記錄的工作稱為 user tasks，亦即圖書館目錄的基本功能，主要包括：

1. 查尋（to find）

2. 辨識（to identify）

3. 選擇（to select）

4. 獲取（to acquire or obtain）

前三項工作應用於四種層次書目模式的第一組實體（作品、內容版本、載體版本及單件）的全部屬性，而第四項工作「獲取」僅應用載體版本及單件屬性。為了建議一國家書目記錄的核心層級，FRBR 工作小組在確認這些屬性及關係之後，進一步比對，從第一組每一實體的每一屬性及每一關係、到每一 user task 對第一組每一實體的應用。每一屬性及關係依每一 user task 應用於每一實體、其任務達成的相關性而評比。比對的結果相當於國家書目機構所期望的基本層次書目記錄的重新評估。屬性與關係的相關性不足以達成任務者，或是排除，或是視為選用項目。

最後，與 user tasks 相關的核心層次著錄項目包括如下：

1. 正題名

2. 著者敘述

3. 版本

4. 出版地

5. 出版者/經銷者

6. 出版年

7. 載體形式

8. 數量單位

9. 集叢項

10. 系統需求註

11. 查取方式註

12. 查取限制註

13. 查取位址註

14. 檔案特性

四、FRBR 的重要性

FRBR 模式想要為下列問題尋找答案：「對於目錄使用者，什麼資訊最有價值？」「最有價值的書目資訊如何被有效地使用於查尋、辨識、選擇、獲取及航行（navigate）？」

對於目錄量龐大的資料庫例如 WorldCat，要想 navigate 並不容易。FRBR 致力於找出最有用於檢索的目錄要素，提供一種比較易於了解及可能 navigate 的聚合方式。

　　FRBR 模式為書目著錄提供一精確而科學化的概念架構，是書目資料模式及參考模式。FRBR 提供目錄最有效的功能需求，是一種追求資訊互通的國際語言，對各國編目標準的修訂影響很大。

五、FRBR 與英美編目規則

　　近年來，電子資源及數位影像的大幅成長，原來專為紙本圖書所設計的傳統編目規則幾乎因此面臨困境。FRBR 最後報告出版之後，曾引起一陣騷動，有人敏感地以為編目世界將會有很大的改變。甚至擔心英美編目規則會不會消失、不再採用？或是英美編目規則會有多大的改變或轉型？早在 1997 年，英美編目規則修訂委員會（Joint Steering Committee，簡稱 JSC）任命加拿大國家圖書館的 Tom Delsey 準備 AACR Parts I 及 II 的模式。雖然 Delsey 的初步目標不在於 AACR 與 FRBR 的一致化，不過有人發現後來許多 Delsey 的研究似與 FRBR 有關。下面試就這多年來一直挑戰編目規則的議題及 FRBR 對英美編目規則的影響加以討論。

㈠載體（carrier）或內容（content）的議題

　　英美編目規則分成兩部分，第一部分涉及作品實體單件（physical item 的描述，第二部分涉及該作品的檢索（access））。依據過去 AACR2R 1988 Revision 的 0.24 規則條文，作品實體單件的著錄以所屬資料類型為基礎，例如單行本專書的微縮資料以微縮資料著錄，原件相關訊息則記於附註項。換言之，著錄從手中單件的資料類型開始，亦即「載體」是著錄的基礎。

1.著錄基礎無法從「載體版本」轉向「作品」

　　傳統的著錄從手中單件的資料類型開始，亦即「載體」是著錄的基礎。但是，Howarth 指出越來越多人士對著錄編目結構，建議以單一書目記錄聚合作品的各載體版本，亦即建立書目記錄時優先考慮「內容」，而非「載體」。擬藉 AACR 第一部分的重組，把共同於作品內容資訊的著錄項目隔離出來，使代表作品的檢索點獨立於實體格式之外，建立一「作品」層次的記錄。[7]

　　M. Heaney 使用物件導向模式（object-oriented modeling）而有三層次的目錄設計[8]，在結構上包括抽象的作品、出版品及單件（the copy）。Heaney 的物件導向模式與 IFLA

的 FRBR 模式十分相似。此一模式需要編目規則把焦點放在「作品」上。只是，在實際作業上，要預先建立「作品」的記錄似乎十分困難。

2.改以內容版本為基礎的編目方式在實際作業亦窒礙難行[9]

　　為了將 FRBR 概念充分納入 AACR，2001 年，JSC 設立格式變異工作小組（Format Variation Working Group，下簡稱 FVWG），探討內容版本層次為基礎編目方式的可行性。同年十月九日，FVWG 在工作報告指出，小組成員傾向於不建議在內容版本層次建立書目記錄。工作小組認為就編目員的實際作業，編目員只是就手上的單件或載體版本編目，通常無法預知未來會有多少相關的載體版本。編目員在編特定載體版本時，也不可能預知是否會有內容版本的屬性出現。而 FRBR 的四種書目層次由抽象而具體，和編目員的日常編目業務剛好方式相反。編目員主要使用到的是具體的載體版本或單件層次的資訊，抽象的作品及內容版本層次必須在邏輯上由前兩者抽取。換言之，決定手上待編資料代表新的內容版本，為內容版本建立書目記錄，在實際作業上會產生困難。Matthew Beacomb 認為作品及內容版本在目錄中應有操作性定義，必須經由規則條文確定區分作品與作品之間的疆界。Patton 亦指出 FRBR 內容版本的屬性形式與 AACR 規則 0.24 有緊密關連。編目實務往往同時涉及作品及載體版本。通常我們先建立載體版本的著錄，然後為作品及內容版本提供檢索。此外，在我們分享資料庫時，編目員的第一個判斷是確定是否載體版本已經編過，同時也包含了有關作品及內容載體的判斷。若使用 FRBR model 的新方式，可能將把我們帶回 AACR1 較老的實際作業，亦即編目員在著錄書目之前，先分析作品及著者情況，若是如此，這將是 AACR2 編目過程的最大改變。

　　英美編目規則 JSC 曾於 2000 年三月開會，會中對 AACR 規則 0.24 的修訂建議條文重寫，目前 AACR2R 的 2002 Revision 出現 0.24 的新規則條文仍持保留態度，只表明著錄時所有各方面包括載體及內容都是著錄基礎。

　　除非能夠辨識內容版本，有以內容版本辨識號為基礎的模式，則以內容版本為基礎的編目方式或許可行。Matthew Beacom 提及參照表模式（The Table of Reference Model）。Beacom 建議參照表存在於目錄之外，就像 Ex Libris 公司的 SFX，其連結功能可以連結多筆載體版本的記錄。有了參照表，就可以不用為每一載體版本增加一筆書目記錄，不過有必要新增 ISBD 的項目及新的 MARC 欄位。參照表可採選用機制，就像權威記錄在大部分線上系統為選用一樣。

　　如前所述，根據 FVWG 的推薦，工作小組似乎傾向於不在內容版本層次建立書目記錄，如此一來，可以預期 AACR 的第一部分除 terminology（用詞）與 FRBR 一致外，將

不會有太大的改變。CC:DA 指出 JSC 將增進規則第一部分條文的一致性及刪除重複條文，擬把第二章到第十二章的一般原則移到第一章，並以 ISBD(G)為基礎，重新加以組織。

㈡把 FRBR 的用詞及概念納入 AACR [⑩]

為了充分納入 FRBR 的用詞及概念，JSC 正與志工顧問 Pat Riva 分析 AACR2 用詞，希望與 FRBR 的用詞的定義保持一致性的方式。expression 及 manifestation 對 AACR 而言都是新詞；而 item 於 AACR 則與 FRBR 的定義不一致。

ALA 的 CC:DA 工作小組討論如何將 FRBR 的用詞納入 AACR，重要的相關意見包括：FRBR 對 work, expression, manifestation 的定義過於簡略，對於編目人員而言，若能把所謂的內容版本類型列出清單，例如翻譯、修訂、節縮……等會更有幫助。

至於 FRBR 的概念方面，JSC 已決定 AACR 的 General Introduction 以及 Introductions to Parts I and II 大規模擴展，提供應用規則的概念背景。首先，國會圖書館的 Barbara Tillett 草擬了規則的原則聲明，其次英國圖書館協會（Chartered Institute of Library and Information Professionals, CILIP）及英國國家圖書館（British Library）則準備了修訂導言的草稿。未來計畫將 FRBR terminology 的使用說明包括在 AACR 之內內。

㈢第 21 章將重新組織

AACR 有可能全面修訂第 21 章。第 21 章是 Tom Delsey 在其 Logical Analysis of the Anglo-American Cataloguing Rules 一文中極力推薦應該修訂的部分。JSC 建議從修訂 "Rule of Three"開始。除此之外，JSC 有可能針對 FRBR，建議修訂檢索款目擇定的相關條文。

過時的用詞例如「款目（entry）」將被刪除，由 citation 代替。而主要款目將重新定義為：The initial element of the citation of a work。

㈣為權威記錄新增 AACR 的第三部分

美國國會圖書館建議把目前第 22 至 25 章有關標目的形式，變成 AACR2 第三部分的新核心部分。條文將包含權威記錄的詳細說明、標目形式、各不同形式及相關標目的參照等，並且提供其他權威記錄內容（例如數字辨識號、附註）。

㈤劃一題名的修訂

在 CC:DA 與 MARBI 有關 FRBR 的聯合會議中，Patton 表示 FRBR 模式提醒我們編目一直與記錄之間的關係有關，有必要將這些關係以 FRBR 建議的方式整合入目錄。不幸地，必要的資料總是不在我們當前的紀錄中。例如「劃一題名」一直被列為傳統建立記錄間關係的機制，但是在許多較老的書目紀錄中，卻常常缺少劃一題名或是應用不一致。Hegna 及 Murtomaa 在 MARC 記錄資料探勘研究中，就指出過去編目實務常有不一致的情況，包括劃一題名。

JSC 的 FVWG 工作小組正準備 AACR 第 25 章（劃一題名）的修訂版。新規則將包含作品、內容版本、及載體版本辨識號的建立，以提供內容版本聚合的可能性。對於顯示內容版本層次的劃一題名、與用為共同題名的劃一題名之間，工作小組認為編目規則須重新組織，以區別其間的不同。除草擬內容版本的新條文外，還須包括使用指引。

據聞 JSC 擬推出 AACR 的新版 AACR3，修訂工作正在進行，預定於 2005 年底前出版。

六、FRBR 與 MARC21

和英美編目規則一樣，十多年來為同一作品的多重版本（multiple version，簡稱 MV）建立書目記錄一直是 MARC 界的熱門議題，而且尚無有效的解決方式。近年來，由於數位技術的使用，造成同一內容替代載體版本的泛濫，因此，MV 議題更具急迫性。2000 年 11 月，美國國會圖書館曾主辦 Bicentennial Conference on Bibliographic Control in the New Millennium。會議中曾有不少的建議，並引發國會圖書館的行動計畫，其中很多直接與 MARC 格式有關。建議事項包括單一記錄或分開記錄的建立；還有為作品、內容版本及載體版本之記錄間層屬關係的展示，如何加強 MARC 格式等等。

在一場 CC:DA 與 MARBI 有關 FRBR 及 MARC 的聯合會議中，[11]Karen Coyle 指出 MARC 轉向 FRBR 應先確定目標何在，而且在目前非記錄獨立的環境，預料 MARC 將會面臨嚴重的考驗。美國國會圖書館的網路發展及 MARC 標準局（Network Development and MARC standards Office）主管 Sally H. McCallum 也指出：傳統以來編目規則一直在指引 MARC 的發展，其實 MARC 並不受限於編目規則。FRBR 提供一個新的機會，將指引 MARC 新的發展方向。有關 MARC 在這方面的發展略述於下。

㈠ MARC21 與 FRBR 的互相對照（mapping）

2001 年，美國國會圖書館的網路發展及 MARC 標準局從幾方面檢視 MARC 21。該單位使用 FRBR 模式及 AACR 邏輯結構，比較 FRBR 與 MARC，並且擬提供說明其使用的範例。此外，LC 顧問 Thomas J. Delsey 主辦 MARC21 書目格式及館藏格式的功能分析，希望研究結果有助於 MARC 21 的修訂發展。⑫

Tom Delsey 指出 MARC 與 FRBR 對照的結果，發現在 MARC 與 FRBR 模式之間有相當程度的符合或一致性。從 MARC 對照到 FRBR，2300 個資料項目中有 1200 個資料項目對照於 FRBR。從 MARC 對照到 AACR，約有 1100 個資料項目對照於 AACR。從 MARC 對照到 FRBR 及 AACR，符合的資料項目佔十分之一。從 FRBR 對照到 MARC，四種書目層次（作品、內容版本、載體版本及單件）的屬性則出現非常複雜的分佈情況。Delsey 指出約有三分之一的 MARC 欄位在 FRBR 模式之外，有必要擴展 FRBR，增加新的實體（entities）及關係。

㈡ MARC 的資料探勘

Knut Hegna 及 Eeva Murtomaa 有一研究方案，擬從挪威及芬蘭兩個國家書目資料中與 Ibsen 相關的 MARC 記錄，對照於 FRBR 的屬性。⑬他們想為兩個問題找出答案，其一是在現有 MARC 記錄中可否找到 FRBR 結構？其二是哪些屬性重要於區別/聚合作品及內容版本？針對第一個問題，他們發現從欄位 500 可找到「作品」，欄位 008, 041 語言代碼可找到「內容版本」，作者敘述欄位可找到譯者，欄位 245, 260, 300 及其他可找到載體版本，所以答案是 yes，FRBR 著錄項目的確出現於 MARC 記錄。不過由於機讀格式及編目規則出於卡片目錄，而非 FRBR 模式，所以答案也可以說是 no。至於第二個問題，他們先區別及聚合「作品」記錄，藉此再以語言代碼及譯者區別/聚合不同的內容版本記錄，其他資料則用以區別載體版本記錄。結果從 744 筆記錄中抽取到 220 筆「作品」記錄。事實上 Ibsen 生前只發表 26 種戲劇作品及出版一些合集或選集，為何有那麼多筆「作品」記錄？

他們推測可能是因為 MARC 記錄的資訊不全或資訊錯誤的緣故。例如編目員未為合集或選集選定劃一題名或記載原題名。最後 Hegna 及 Murtomaa 提出幾點建議，包括：

1.欄位 700 應該是必備欄位，亦即編目規則應該指定著者附加款目必建。

2.原題名在分開的欄位、可重複的欄位都必須以一致性的方式著錄。

3.語言代碼是最重要的屬性之一。

4.權威檔的結構有助於導航（navigation），不論是用於區別或是聚合。最常用的名稱權威檔是個人及團體標目，其實「作品」權威檔也十分重要。

㈢內容版本之於 MARC21

據 Delsey 的功能分析報告，內容版本的屬性分佈於 MARC21 的書目格式及館藏格式。其實 Delsey 的功能分析僅限於書目格式及館藏格式，權威格式並不包括在內。換言之，內容版本的屬性分佈其實廣及書目格式、館藏格式及權威格式。因此，如何使用 MARC21 中內容版本的資料將變成極其複雜的難題。此外，FRBR 的內容版本屬性有 30 種，有一半是 MARC 欄號所沒有的。

如前所述，JSC 的 FVWG 工作小組指出從圖書館編目的觀點，以內容版本層次編目既不合邏輯，也不合乎實際，因此決定放棄。雖然如此，以內容版本層次聚合的目錄展現價值仍受到委員們的肯定。雖然工作小組有興趣於線上目錄的 FRBR 展現，但是也覺察出 MARC 記錄大部分是單一作品單一載體版本。為求線上目錄的 FRBR 展現，是否應該修改 MARC 格式，如何修改，目前具體方式似乎尚不十分明朗。

㈣ MARC 修訂的方向

美國國會圖書館的編目政策部（CPSO）主管 Tillett 指出，FRBR 模式或許可以幫助我們檢視當前的 MARC 格式之如何改進內容版本及其關係。當描述作品的內容版本時，應該將內容版本與其相關作品之間建立關係，而不是在附註項記載而已。例如德文原作的英文翻譯本，只在附註項記載不夠，更重要的是應該建立原作與翻譯本之間的關係，為原題名成立檢索款目。[⑪]

MARBI 的成員之一 John Attig 表示今後應當加強對權威紀錄的重視。許多關係（例如「作品」對「作品」的關係）似乎屬於權威記錄的範圍。權威記錄功能需求及編碼工作小組（FRANAR）的成員之一 Tom Delsey，其工作對此應該大有幫助。

七、結語

如前所述，對 FRBR 的看法，一般人最直覺的反應恐怕是想到如果圖書館目錄要採行 FRBR 的話，將要準備多少預算？其次才關心到一向使用的編目規則及機讀格式會不會全然改觀。誠如服務於美國 University at Buffalo 圖書館，擔任技術服務研究主任一職的 Judith Hopkin 所指出的，要全面執行"FRBR"或是 AACR2 要全然轉型至少要等上十

年。他認為 FRBR 不是編目規則,而是一種概念架構,我們還需要花上幾年的功夫研究這種架構是否適用於真實的世界。[15]

其實 FRBR 的最大貢獻是為書目著錄提供一精確而科學化的概念架構,是一種參考用的資料模式。FRBR 模式已實驗於美國(例如 VTLS 公司)[16]、Scandinavia、澳大利亞等地,顯然已成為國際書目控制矚目的趨勢,除了有 IFLA 主持的 FRBR 討論群(listserv),還有專屬的網站,提供豐富的資訊。[17]英美編目規則修訂委員會指出英美編目規則的新版本(AACR3)可能推出於 2007,將會把 FRBR 的用詞及概念納入,不過值得注意的是 FRBR 似是英美編目規則向前邁進的動力之一,不是唯一的動力。回顧國內,今後我們的中國編目規則及中國機讀編目格式等編目標準,是否同樣也納入 FRBR 模式?如何進行?這些議題值得相關機構作深入的探討。

註釋

① Functional Requirements for Bibliographic Records <http://www.ifla.org/VII/s13/frbr/frbr.pdf>. (Dec. 21. 2003)

② FRBR Review Group (Functional Requirements for Bibliographic Records) <http://www.ifla.org/VII/s13/wgfrbr/wgfrbr.htm>. (Dec. 21. 2003)

③ Report on the FRBR Working Group's Meetings, Berlin, Aug. 4 & 6, 2003 http://www.ifla.org/VII/s13/wgfrbr/wgfrbr.htm (Dec. 21. 2003).

④ Patrick Le Boeuf. FRBR and further. *Cataloging & Classification Quarterly*, Vol.32(4)2001.p.16

⑤ 實體/關係模式的建立(http://eat.nctu.edu.tw/view/4.htm). (Dec. 21. 2003)

⑥ 張慧銖,〈西洋圖書館目錄目的與功能發展之研究〉。國立臺灣大學圖書資訊學研究所博士學位論文。民 91 年。

⑦ Lynne C. Howarth. Content versus carrier. In: *International Conference on the Principles and Future Development of AACR, Toronto, Canada, October 23-25, 1997* <http://collection.nlc-bnc.ca/100/200/300/jsc_aacr/content/rcarrier.pdf>. (Dec. 21. 2003)

⑧ M. Heaney. Object-oriented cataloguing. *Information Technology and Libraries*, 14(3) Sept. 1995, p. 135-153.

⑨ Joint Steering Committee for Revision of AACR. Format Variation Working Group. *Interim report*, October 9, 2001: <http://www.nlc-bnc.ca/jsc/forvarwg3.pdf>. (Dec. 21. 2003)

⑩ Committee on Cataloging: Description and Access (CC:DA). *Incorporating FRBR terminology into AACR: work in response to 4JSC/Chair/76* <http://www.libraries.psu.edu/iasweb/personal/jca/ccda/frbr1.pdf>. (Dec. 21. 2003)

⑪ Committee on Cataloging: Description and Access (CC:DA); ALCTS/LITA/RUSA Committee on Machine-Readable Bibliographic Information(MARBI). *FRBR and MARC 21*: report of the Joint Meeting, June 17, 2002, <http://www.libraries.psu.edu/iasweb/personal/jca/ccda/ccda-marbi-206.html>. (Dec. 21. 2003).

⑫ Tom. Delsey, Functional analysis of the MARC 21 bibliographic and holdings formats <http://www.loc.gov/marc/marc-functional-analysis/functional-analysis.html>. (Dec.21.2003)

⑬ Knut Hegna, Eeva Murtomaa. *Data mining MARC to find: FRBR?* <http://folk.uio.no/knuthe/dok/frbr/>. (Dec. 21. 2003)

⑭ Barabara B. Tillett & Marc Crook. *Barbara Tillett discusses cataloging rules and conceptual models* <http://www. oclc.org/oclc/new/n220/research.htm>.

⑮ FRBR (AUTOCAT, 7/18/2003).

⑯ VTLS Announces Several FRBR Enhancements in Virtua Release 42 <http://www.vtls.com/Corporate/Releases/2003/20030124e.shtml>. (Dec. 21. 2003)

⑰ FRBR bibliography <http://www.ifla.org/VII/s13/wgfrbr/wgfrbr.htm>. (Dec. 21. 2003)

描述性後設資料之「無力論」
Postulates of Impotence for Descriptive Metadata

藍文欽
Wen-chin Lan

摘　要

Don Swanson 於 1988 年發表 "Historical Note: Information Retrieval and the Future of an Illusion"，文中引述 Robert Fairthorne 在 1963 年提出的呼籲，主張資訊科學界應針對無力做到的事發展一套論述，亦即建立 Edmund Taylor Whittaker 所謂的「無力論」（Postulates of Impotence，簡稱 PI）。清楚的了解什麼是一個領域內所無力企及或做不到的事情，可以幫助人們擬訂接近實情的目標，對事情的結果也能有較符合真實狀況的期望。更重要的是，建構一組「無力論」的論述，有助於我們重新思考一個領域的目標與問題，認真的探討我們能做到什麼，我們做不到什麼。本文的目的，是仿照 Swanson 的主張，針對描述性後設資料之無力企及處，提出一組論述。本文所提出的描述性後設資料之無力論，是由六則相關的陳述組成。

Abstract

Don Swanson once advocated that we should develop "postulates of impotence" (PI) for information science. A set of PI is a set of statements of the impossibility of some event or process. PI leads people to be more focused on what can be achieved without

wasting time and effort to engage in tasks that are impossible to achieve. Swanson's
suggestion can be applied to descriptive metadata as well. There are some intrinsic
limits of descriptive metadata that are very hard, if not impossible, to accomplish.
Knowing what descriptive metadata cannot do will help us to have a more realistic
understanding of descriptive metadata. In this article, the author proposes a set of PI
for descriptive metadata.

關鍵詞：後設資料；描述性後設資料；無力論

Keywords: Metadata; Descriptive Metadata; Postulates of Impotence

前　言

　　著名資訊學者 Don Swanson 於 1988 年在 JASIS 發表"Historical Note: Information
Retrieval and the Future of an Illusion"，文中引述 Robert Fairthorne 在 1963 年提出的呼籲，
主張資訊科學界應針對無力做到的事發展一套論述，亦即建立 Edmund Taylor Whittaker
所謂的「無力論」（Postulates of Impotence，簡稱 PI）。Whittaker 曾注意到，物理學領
域的多數分支，其主要論述，多可由其做不到的事中以邏輯演繹的方式得出。（Whittaker,
1947, pp. 58-60）Swanson 亦認為物理學或宇宙學的若干基本法則，就是在說明他們所無
力企及或做不到的事情，也就是以「無力論」的形式呈現。最著名的例子，就是「永動」
（perpetual motion）是否可能。從熱力學的觀點，永動是無法做到的，所以熱力學的基
本原理之一，就能以無法達成永動的方式陳述。Swanson 進一步指出，「無力論」的主
張已由科學界逐漸擴及其他領域，像經濟學所說「天下沒有白吃的午餐」，或政治學理
論中所謂的「不可能永遠愚弄所有的人」就是實例。Swanson 覺得「無力論」是一個值
得資訊科學界認真思索的課題，因此他拋磚引玉，在他的文中提出一組資訊科學無力論
的九則陳述。（pp. 94-95）

　　為何要探討所謂的「無力論」呢？清楚的了解什麼是一個領域內所無力企及或做不
到的事情，可以幫助人們擬訂較接近實情的目標，對事情的結果也能有較符合真實狀況
的期望。換句話說，一個領域的「無力論」陳述，引導人們將重心擺在確實可行的事物
與方案之上，讓有限的時間與精力能更有效的應用，而不至於虛耗在一些永遠不可能做
到的事。更重要的是，建構一組「無力論」的論述，有助於我們重新思考一個領域的目

標與問題，認真的探討我們能做到什麼，我們做不到什麼，這對於一個領域的典範的建立應是有裨益的。

後設資料（Metadata）[①]是一組結構化的元件或項目（structured data elements），可用於描述物件（object）的特徵、屬性、或面向（facet）等，並以之做為物件之代表或替代（representation/ surrogate）。根據 Dempsey & Heery（1997）的看法，後設資料的功能主要有五：掌握資訊所在之位址（location）、蒐尋資訊（discovery）、描述紀錄資訊（documentation）、評估資訊（evaluation）、及選擇資訊（selection）。後設資料之產生，是為了支援與特定物件有關之功能需求；功能需求不同，後設資料的種類就可能不同。關於後設資料的類型，有多種不同的分法，像 Dempsey & Heery（1997）分為三種類型，Lagoze, Lynch & Daniel（1996）分為七類，Gilliland-Swetland（2000）則分為五類。不論採何種分法，描述性後設資料（descriptive metadata）均是其中的一種基本型式。何謂描述性後設資料？簡言之，描述性後設資料描述與紀錄物件的特徵、屬性、或其他必要的事項，主要提供檢索、辨識、與選擇等功能。

本文的目的，是仿照 Swanson 的主張，針對描述性後設資料之無力企及處，提出一組論述。後設資料的相關研究，是當前熱門的課題。但不論何種類型的後設資料，或不免有其本質上的限制（intrinsic limits），也就是有其無力企及之處。了解描述性後設資料的限制，可以讓我們對它的功能有更合乎實際的期待，也不至於將心力耗在它做不到的事情上。我們知道它可以做什麼，而且可以用心探討怎麼讓它的功能更能發揮。以下所列的描述性後設資料「無力論」陳述，並非筆者獨創，實係彙整文獻中已有的意見而得。不成熟之處所在多有，糾謬補闕，敬俟博雅。而野人獻曝的微意，更寓有拋磚引玉的期待。

PI-1 描述性後設資料得維持精簡的形式（compact or concise format），故無法包括物件的所有屬性或面向。

描述性後設資料究竟應包括多少項目，會因物件特性及功能需求不同，而有不同的設計考量。但是，不論我們選擇多少個描述項目，通常我們無法包括所有與物件相關的特性。基本上，描述性後設資料是做為物件的代表或替代，它終究不是物件本身。就本質而言，描述性後設資料在形式上要以精簡的方式呈現。如果描述性後設資料為了要呈現物件所有的屬性，而變得與原物件相去無多，則直接呈現原物件或許還更直接明白，何須費神耗力編制其描述性後設資料。

即使一個物件的所有屬性能被一一條列，將這些屬性全數納入一套描述性後設資料中是否恰當，還可進一步從成本效益的觀點考量。Svenonius（1990）由實務的觀點出發，就懷疑一筆書目紀錄中包含其所有屬性的作法不具實用性。她說：

> 就目前書目世界（bibliographic universe）已知的複雜性，書目實體的屬性（attributes of bibliographic entities）中那些是有助於辨識選擇之用，是隨著人們的想像力而定的。一捲記錄政治事件的口述歷史錄音帶，聽者可能有興趣想知道被訪問者的口氣到底是誠摯的或挖苦的。而一位藝術史家，可能想知道所有描繪某些圖像要件的 16 世紀的溼泥壁畫（frescoes）。很明顯的，即便這些是有可能做到，但在一筆書目記錄中包含所有讀者可能感興趣的屬性，是不符合成本效益的。（p.12）

就讀者言，雖然每個人需要的後設資料項目可能不同，但大致上他們都希望後設資料是精簡的，只提供必要且有用的訊息。過多的項目有時只會造成困擾，對使用者未必是有幫助的。Wang（1994）研究資訊尋求者使用書目記錄中「文件資訊元素」（document information element；DIE）的情形，她的結論之一，就是未用到或不需要的 DIEs 應該不要在書目記錄中出現。顯然精簡而有用的後設資料項目，才是符合讀者所需的。筆者（民90）分析目錄使用研究的文獻，也發現若干比較不同書目格式的研究中，受訪對象似較偏好精簡的書目格式。所以描述性後設資料，不論從實務面、成本效益觀點、或讀者需求看，均不可能提供有關物件所有屬性的描述項目。

PI-2　描述性後設資料以提供與物件有關的事實性描述為主，至於這些描述對讀者代表何種意義，則非描述性後設資料提供者所能充分掌握或預期。

描述性後設資料主要是，忠實而客觀地描述與記錄物件的特徵與屬性。至於讀者如何解讀這些後設資料，如何運用這些資料，則已非後設資料提供者所能掌握。Sperber & Wilson（1986）從心理學的角度分析「相關」（relevance）時，曾提出符碼通信模式（code model of communication）與推論通信模式（inferential model of communication）兩種分析方法。所謂符碼通信模式，是假定符碼的意義（meaning）是固定的，發送者與接受者對此符碼均賦予相同的解釋。而推論通信模式，則假定符碼的意義因人的解釋而有不同，發送者的原意，與接受者所賦予的解讀不一定相同。亦即，符碼的意義不是固定不變的，是隨著人們的闡釋解讀而各有新義。Sperber & Wilson 的兩種通信模式，正可以用來說明

描述性後設資料的製作與應用。

在描述記錄物件的屬性時，我們希望對同一個項目有客觀而為大家接受的看法。在這個階段，各項目所描述的屬性，原則上是有固定意義的。我們假定每個項目的意義，是屬於公共知識（public knowledge）的範疇，具有多數人接受的共通意涵。但讀者接觸這些後設資料時，他們會依據個人的經驗、習慣及需求等，分別賦予這些項目不同的意義。例如：Bishop（1998）提到同一個項目，會因不同的目的而被賦予不同的用途。筆者（2002）在探討使用者對後設資料項目的需求時，發現有兩位受訪者提到「dissertation」這個元素，其中一位將它解釋為資料類型，另一位卻將它視為長篇大論的代名詞。所以，Harter（1992）認為對某一讀者有用的提示（clue），對另一讀者未必有用，因為它的意義是在每個讀者心中建構的。也就是說，後設資料的製作，是依據符碼通信模式的方式進行，而讀者應用後設資料卻是依據推論通信模式，自行在心中建構它的意義。就描述性後設資料而言，我們能忠實而客觀的描述記錄物件的屬性已屬不易；至於這些後設資料對使用者而言，是否代表相同的意義，則不是後設資料提供者所能知曉。

PI-3 以文字為主（text-based）的描述性後設資料，無法充分呈現物件的某些特性，如：圖像、表格，聲音、影像等。

所謂「一張圖片勝過千言萬語」，圖像本身是一種精簡濃縮的表現方式，而其涵括的意義卻是豐富的。這句話用在表格、聲音、或影像上，似乎也可以適用。 對於以文字描述為主的後設資料而言，雖然可以說明這些圖像、表格、聲音或影像的內容，畢竟無法充分呈現它們豐富的內涵。Bishop（1998, 1999）的研究中，有受訪者指出圖表有時比摘要更具有指示內容的作用，因為圖表可以顯示研究者所進行的研究為何種類型，資料蒐集的重點在那一方面等。雖然可以用文字描述表格的內容，終究不及目睹表格來得清晰而真實。換句話說，圖像、表格、影像等所具有的視覺化呈現效果，是以文字為主的描述性後設資料所做不到的。

Breton（1981）認為工程師不用傳統書目資料庫的主因之一，就是書目資料不具備展示照片或圖像的功能，而這與工程師的資訊需求或工作方式是不符的。誠如 Bishop（1998）所言：「圖像和表格在傳遞知識的重要性，是不易轉換為文字的。」（p.32）所以說，以文字描述為主的後設資料，是不易（或無法）充分呈現圖像、表格或影音資料所提供的豐富內涵，亦無法發揮這些資料以視覺化方式呈現的優點。[2]

PI-4　描述性後設資料中所提供的項目，有些可能是不常用或罕用，使用者常用的項目多集
　　　中在少數幾項。使用者在運用這些項目時，不一定會依循後設資料提供者安排的順
　　　序，而是有自己的瀏覽模式或順序。

　　使用者運用描述性後設資料的目的，通常是在辨識一份物件是否符合所需，以作為
選擇時參考。所以，他們並不需要看完一筆後設資料中的所有項目，只要他們覺得掌握
到足夠的訊息，可以做成有效的決定，通常他們就會停止。筆者（民90）分析目錄使用
研究的文獻，發現的現象之一，就是使用者查檢書目記錄時，每次用到的著錄項目都是
有限的。此外，在 Barry（1993）及 Wang（1994）的研究中，也同樣證實資訊需求者在
做相關判斷時，他們用到的資訊並不是很多。而著錄項目中，有些是常被用到的，有些
是偶而用到的，有些則是罕用或不被用到。這些常用的項目，多集中在少數幾種，也就
是書目記錄中著錄項目的使用情形，是符合 Bradford 分佈曲線。所以，Svenonius（2000）
說：「少數資料項目的頻繁使用，正符合 Bradford 的選擇法則。」（p.78）換言之，後
設資料中提供的描述項目，每次被用到的數量是有限的，而其中某些項目更可能是罕用
或永遠不被用到。

　　些外，後設資料項目的安排，多有其結構性的順序，但使用者在瀏覽這些項目時，
卻不一定會按照這樣的順序。Wang（1994）及筆者（2002）的研究，均證實使用者會按
自己的方式來瀏覽這些資料項目。而這種瀏覽方式是因人而異，同一個人亦可能因資料
類型或需求不同，而展現不同的瀏覽方式。所以，描述性後設資料所呈現的結構性順序，
對使用者而言並不一定有特別的意義，使用者在瀏覽這些項目時亦不會受這些順序的限
制。

PI-5　不同使用者對描述性後設資料的需求可能不同，不同的資料類型亦需要不同的資料項
　　　目，亦即一套劃一的描述性後設資料是無法滿足多樣化的需求。

　　讀者的資訊需求不同，對後設資料項目的需求就可能不同。一個重視資料新穎性的
人，對出版日期這個項目的期待會較高；而查找某一資料類型或檔案格式的人，則可能
要求後設資料中要提供這類的項目。使用者的需求是多樣的，後設資料中要提供各種可
能用到的資料項目，是一件不小的挑戰。即便這可以做到，如前所言，這似乎也不合乎
成本效益的考量。除了對項目的需求可能不同外，使用者對項目呈現的方式與順序，亦
可能有不同的要求。針對使用者這項需求，愈來愈多系統具備客制化（customized）或個
人化（personalized）的功能，提供使用者依自己的需要選項。但無論如何，系統有其先

天檔案結構上的限制，在客制化的發揮程度上，總是有其無法突破的本質上限制。

此外，英美編目規則第二版（AACR2）或中國編目規則中，針對不同資料類型，分別擬訂不同的編目規則，正顯示不同資料類型，是需要不同的後設資料項目或不同的描述規範。數位典藏國家型科技計畫中，不同的物件有不同的後設資料規格，亦可以證實這種需求的存在。想要用一種劃一的後設資料格式去描述所有的物件，可能是一件行不通的事。而相對的，這也代表我們得時時依據不同的物件屬性或使用者需求，設計相應的後設資料格式。

PI-6　描述性後設資料通常是以物件全體作為描述的對象，但資訊需求者有興趣的，卻可能是物件中的某部分，是後設資料所不提供的。

在製作描述性後設資料時，通常其描述對象是以物件作為一個整體（as a whole）。譬如：描述一本書時，我們是以這本書作為一個單位，就此實體進行記述編目，通常不會就各篇或各章加以描述。但是，資訊需求者可能只對這本書的某一篇甚至某些段落感興趣，我們提供的後設資料很少能就這部分提供描述或記錄。尤有甚者，資訊需求者有時是因讀到文件中一句或一段文字，因此而能做出選擇的決定。這句話或這段文字是在動態的閱讀中被發現，進而被用為選擇的參考因素。這個過程都是在他的心靈中進行，要將這些不可預知的元素放在後設資料中，是一件幾乎不可能的任務。

結　語

以上所列，是一組與描述性後設資料無力論有關的陳述。誠如 Swanson 所強調的，無力論的建構幫助我們認清一門領域發展的本質上的限制，引導我們將心力放在可以做到的事，並探討如何做得更好。本文所揭示的描述性後設資料的無力企及處，其是否允當，誠然有許多可以討論的空間，而這也是筆者所衷心企盼的。因為惟有認清描述性後設資料做不到的事，才能幫助我們了解它的功能，在已知的限制上充分發揮它能做到的事。

更重要的是，提出無力論的陳述，並不代表否認描述性後設資料的功用。一般使用者在判斷一份物件是否合於所需時，並不需要知道這個物件的所有屬性。通常他們只需要少數幾個項目，就能做成有效的選擇性決定。所以，即使描述性後設資料需以精簡的形式呈現，無法包含一物件的所有屬性，並無礙於其成為使用者辨識選擇的參考依據。關鍵在於如何提供使用者所需的後設資料項目，幫助他們做有效的相關判斷。所以合用

的描述性後設資料,不在項目完備齊全,而在能提供足夠且充分的資訊去幫助使用者做選擇,又不致於供給過多的資訊造成使用者的困擾。根本的問題,就是在品質與數量間取得一個平衡。要找到合乎使用者所需的資料項目,或許就得藉助使用者研究了。最後謹以 Drewry, Conover, McCoy & Graves(1997)的一段話,作為本文的結語:

> 在一個資料蒐尋與排序的系統中,我們如何決定那些後設資料項目是該蒐集與維護的?多少才算足夠?多少又是太多?一旦我們知道那些項目是必要的,我們又該如何取得?

註釋

① Metadata[0]在國內曾出現過多種譯名,如:元資料(吳政叡,民 85)、超資料(陳昭珍,民 86)、詮釋資料(陳雪華,民 86)、及後設資料(數位典藏國家型科技計畫後設資料工作組)等。本文採「數位典藏國家型科技計畫」所用之「後設資料」一詞。

② 目前已有一些研究計畫在探討如何用圖像或影音製作後設資料(如:Open Video Project — http://www.open-video.org),它們的研究結果也顯示這或是一條可行的途徑。雖然其中還有不少問題有待克服,但這顯然是一項值得留心觀察的研究方向。說不定假以時日,這則 PI 所說的限制,就會有所改變或突破。

參考文獻

Barry, C. L. (1993). The identification of user criteria of relevance and document characteristics: Beyond the topical approach to information retrieval. Unpublished doctoral dissertation, Syracuse University, Syracuse, New York.

Bishop, A. P. (1998). Digital libraries and knowledge disaggregation: The use of journal article components. *Proceedings of the Third ACM International Conference on Digital Libraries, 1998*, 29-38.

Bishop, A. P. (1999). Document structure and digital libraries: How researchers mobilize information in journal article. *Information Processing and Management, 35*(3), 255-279.

Breton, E. J. (1981). Why engineers don't use databases: Indexing techniques fail to meet the needs of the profession. *Bulletin of the American society for Information Science, 7*(6),

20-23.

Dempsey, L., & Heery, R. (1997). A review of metadata: A review of current resource description formats. Retrieved from http://www.ukoln.ac.uk/metadata/desire/overview/overview.pdf

Drewry, M., Conover, H., McCoy, S., & Graves, S. J. (1997). Metadata: Quality vs. quantity. Paper presented at the Second IEEE Metadata Conference, Silver Spring, Maryland, September 16-17, 1997. Retrieved from http://computer.org/conference/proceed/meta97/papers/hconover/mdrewry.html

Gilliland-Swetland, A. J. (2000). Setting the state. In M. Baca (Ed.), Introduction to metadata: Pathways to digital information. Los Angeles, CA: Getty Information Institute. Retrieved from http://www.getty.edu/research/conducting_research/standards/intrometadata/pdf/swetland.pdf

Harter, S. P. (1992). Psychological relevance and information science. *Journal of the American Society for Information Science, 43*(9), 602-615.

Lagoze, C., Lynch, C. A., & Daniel, R. D. (1996). The Warwick framework: A container architecture for aggregating sets of metadata. Retrieved from http://www.ifla.org/documents/ libraries/cataloging/metadata/tr961593.pdf

Lan, W. C. (2002). From document clues to descriptive metadata: Document characteristics used by graduate students in judging the usefulness of Web documents. Unpublished doctoral dissertation, University of North Carolina at Chapel Hill.

Sperber, D., & Wilson, D. (1986). *Relevance: Communication and cognition.* Cambridge, MA: Harvard University Press.

Svenonius, E. (1990). Bibliographic entities and their use. In R. Bourne (Ed.), *Seminar on bibliographic records: Proceedings of the seminar held in Stockholm, 15-16 August 1990* (pp. 3-18). Munchen: Saur.

Svenonius, E. (2000). *The intellectual foundation of information organization.* Cambridge, Mass.: MIT Press.

Swanson, D. R. (1988). Historical note: Information retrieval and the future of an illusion. *Journal of the American Society for Information Science, 39*(2), 92-98.

Wang, P. (1994). Cognitive model of document selection of real users of information retrieval systems. Unpublished doctoral dissertation, University of Maryland, College Park, Maryland.

Whittaker, E. T. (1949). *From Euclid to Eddington.* Cambridge, Eng.: University Press.

吳政叡（民 85，12 月）。〈三個元資料格式的比較分析〉。《中國圖書館學會會報》，57，35-45。

陳昭珍（民 86）。〈電子圖書館資訊組織問題之探討〉。在中國圖書館學會編，《海峽兩岸圖書館事業研討會論文集》（頁 175-196）。台北市：編者。

陳雪華（民 86，12 月）。〈網路資源組織與 Metadata 之發展〉。《圖書館學刊》，12，19-37。

數位典藏國家型科技計畫後設資料工作組。網址：http://www.sinica.edu.tw/~metadata/

藍文欽（民 90）。〈讀者如何使用圖書館目錄所提供的書目資訊——文獻資料分析〉。在盧荷生教授七秩榮慶論文集編委會編，《盧荷生教授七秩榮慶論文集》（頁 215-250）。台北市：文史哲出版社。

讀者服務/資訊需求

資訊需求者與計畫檢索者檢索概念之分析比較

An Analysis of Search Concepts Consistency between End-Users and Project Searchers

黃慕萱

Mu-hsuan Huang

摘 要

本研究重點在分析資訊需求者與計畫檢索者對於相同檢索問題在分析檢索概念上的差異。本研究以 10 位資訊需求者提出檢索問題並進行檢索，再由 31 位計畫檢索者針對此 10 個問題進行 59 次檢索。本文主要在比較此 10 位資訊需求者與 31 位計畫檢索者對同一檢索問題在檢索概念上的差異，並探討此差異對檢索行為所造成之影響。研究結果發現，當問題陳述愈清楚，資訊需求者與計畫檢索者的檢索概念一致性較高，則其選用詞彙一致性愈高，檢索結果重覆性亦較高。

Abstract

The project is designed to analyze the differences regarding concepts of the same search questions between two groups of people. The former are end-users who have real information needs; the latter are the project searchers. Ten end-users address their search questions and search, and 31-project searchers conduct 59 times of searches on the same ten questions. The search concepts of every question are identified and analyzed. The result indicates clear question description leads to higher search concept consistency. Also, the higher search concept consistency leads to higher search term consistency.

關鍵詞：資訊檢索；檢索概念；資訊行為
Keywords: Information Retrieval; Search Concepts; Information Behavior

壹、前言

資訊時代中，資訊系統最重要的意義在於以最有效率的方式提供使用者所需資訊，因此資訊系統設計的指導原則，由系統導向轉為使用者導向，已是不可避免的趨勢。Belkin 認為，當一個人察覺到本身知識產生異常狀態，需要其他知識來解決這種狀況時，即產生資訊需求[1]；Derr 也提出，資訊需求是一種心理狀態，不一定能具體言述，但需求者心中會確實感受到資訊需求的存在。[2]既然資訊系統設計的終極目的在於滿足讀者的資訊需求，因此瞭解資訊需求在資訊檢索中的角色便格外地重要。

一般而言，進行一項檢索工作時，檢索者往往會先將資訊需求轉換成檢索問題，而後將檢索問題以概念呈現，再根據檢索概念發展檢索詞彙，最後將詞彙輸入系統進行檢索。檢索概念源於檢索者對於檢索問題的認知，可視為檢索詞彙產生之依據，因此有關檢索概念的研究，將有助於瞭解資訊需求這種複雜的心理狀態，並能藉以設計充分滿足讀者資訊需求的檢索系統。

關於檢索概念的研究中，Saracevic 與 Baxter 以一先導研究測試「不同檢索者檢索同一問題的檢索敘述一致性」，而其測量基準分別為：(1)範圍測量值（scope measure），測量檢索問題中分出的檢索概念之一致性。(2)詳盡測量值，測量檢索概念中包含之檢索詞彙（廣義、狹義、相關、同義詞）的一致性。(3)邏輯測量值（logic measure），為概念間布林邏輯關係一致性的測量值。其研究結果顯示，三種測量值各為 78%、64%、85%。[3]而在 Saracevic 與 Baxter 所共同進行的資訊檢索行為重複性的研究中則發現，不同檢索者檢索同一問題時，所使用的檢索詞彙一致性並不高，只有 27%；但在檢索概念一致性上，則有 78%的較高百分比。但是，Saracevic 當時認為，各研究對於一致性的公式迥異，因此研究結果難以比較。[4]

另外，在 Iivonen 的研究中，則是以實證方式探討 intersearcher（同一情況下，不同的檢索者）與 intrasearcher（同一人在不同情況下），兩者選用檢索概念與檢索詞彙的一

致性程度為何。Iivonen 根據檢索概念的數目和限制，分為簡單和複雜，不超過三個概念為簡單，三個以上的概念為複雜；另外根據詞彙意義的專指性，分為一般和專指。Iivonen由此將檢索問題分為四類：第一類檢索問題為複雜性低且專指性高；第二類為複雜性高且專指性高；第三類為複雜性低且專指性低；第四類為複雜性高且專指性低。該研究結果顯示，「同一檢索者在不同情境下」檢索概念一致性達 92.7%，其中一致性達 100%更有 78.8%的比例，一致性最低達 33%，僅佔 1.4%；而「不同檢索者在同一情境下」，若以包含廣義詞、狹義詞、相關詞、同義詞的檢索概念而言，一致性達 100%有 68.8%的比例，一致性最低達 13%。以前述四類檢索概念為基礎進行分析時，在「不同檢索者在同一情境下」間，以第一類和第三類的一致性程度較高，因為所給的檢索概念少，容易一致；而在「同一檢索者在不同情境下」中，則以第三類的一致性較高。[5]

上述學者對於檢索概念所進行的研究，主要將重點置於「不同檢索者在同一情境下」或「同一檢索者在不同情境下」，其檢索概念一致性程度的分析，並未針對資訊需求者與模擬資訊需求者的計畫檢索者之檢索行為進行研究。然而，在圖書資訊科學中，代檢者或資訊中介者（intermediary）經常需要模擬資訊需求者（end-users）的情況，故本研究進一步將研究對象界定為資訊需求者與計畫檢索者兩類，從不同的檢索需求與立場來探究其檢索概念一致性情形，及檢索概念對於檢索詞彙、檢索結果重覆性之影響。

在資訊檢索的過程中，即使是完全相同的檢索題目，由於檢索者個人情感認知與智慧認知的不同，必然存在相當的個別差異，也因此會得出不同的檢索概念，而影響檢索結果。目前國內仍然缺乏有關資訊需求行為與資訊檢索的大型實證研究，因此本研究是以國人為研究對象，並以一致性來做為檢索概念比對的衡量基準，探討檢索概念的設定對於檢索過程與檢索結果所造成之影響，以期對國人資訊尋求行為有更深入的瞭解。

貳、研究設計與研究對象

本研究採用實證研究法，過程中使用了文獻分析法、問卷法、查詢過程記錄法、錄音記錄法等以做為資料蒐集的方式。本研究之研究工具為 PsycLIT 心理學光碟資料庫WWW 版，受試者在檢索之前，皆必須接受 PsycLIT 系統使用訓練，以因應對系統熟悉程度不同所產生的變因。在研究對象方面，則分為資訊需求者與計畫檢索者兩組，選出的 10 位資訊需求者中，有 8 位是研究所碩士班學生、2 位是大學部學生，由於目標對象人數並不多，故在研究對象招募時並未採取公開徵求的方式，而是兼採電話逐一徵詢意願、拜訪研究室與受試者互薦等方式，最後共招募到 31 位願意參與的計畫檢索者。分別

說明如下。

在資訊需求者上,以 10 個資訊需求者所提之問題作為計畫檢索者之檢索問題(見附錄一),此 10 位資訊需求者中,有 8 位女性(佔 80%),2 位男性(佔 20%),皆為心理系所學生。其中 8 位是碩士班學生(80%),2 位是大學部學生(20%)。此 10 位受試者皆曾使用過 PsycLIT 光碟資料庫,平均每人使用 9.7 次,標準差為 8.35。至於其它光碟資料庫的使用經驗,有 7 位檢索者(70%)表示曾經使用過其它光碟資料庫,包括 MEDLINE(3 次)、中文博碩士論文索引系統(2 次)、SCI(1 次)與中研院漢籍電子文獻資料庫(1 次);另外 3 位則沒有使用過其它光碟資料庫。而所有檢索者皆使用過線上公用目錄,平均每人使用過 22.2 次,標準差為 15,使用次數最多的是 50 次,最少的則僅有 2 次。

在計畫檢索者部份,共招募到 33 位計畫檢索者,但其中有 2 位檢索者因故未完成檢索,或未完整抓取檢索過程,故為無效樣本,因此有效樣本共有 31 位計畫檢索者。由於資訊需求者皆為心理系學生,因此計畫檢索者的招募亦以心理系所的學生為對象,其中碩士班學生有 25 人(佔 80.6%),大學部學生有 6 人(佔 19.4%),這是為控制研究對象的教育程度對研究結果的影響,因為本研究主要以資訊需求者與計畫檢索者教育程度一致性較高為考量點。就性別比例而言,31 位計畫檢索者中,男性有 10 位(佔 32.3%),女性則有 21 位(佔 67.7%)。而在 PsycLIT 資料庫的使用經驗上,平均使用 7.55 次,標準差為 7.28,但次數分布相當懸殊,最少為 0 次,有 3 人(佔 9.7%),使用次數最多則為 30 次。在其他光碟資料庫的檢索經驗方面,有 6 位(佔 19.4%)未曾使用過其他光碟資料庫,其他 25 位根據比例最高的三種為中文博碩士論文索引(14 人,佔 45.2%)、中華民國期刊論文索引(13 人,佔 41.9%)、MEDLINE(4 人,佔 12.9%),其餘書目資料庫使用比例均未超過 10%。

在蒐集資料方面,對於每位資訊需求者和計畫檢索者,都必須填寫基本資料問卷,以了解其性別、系級、使用資料庫的情形等訊息;至於檢索問題的資料來源則有所不同,資訊需求者之檢索問題需填答檢索問題背景問卷,以描述其檢索問題、檢索概念等,而計畫檢索者對於檢索問題之認知相關資料可經由查詢詞彙的問卷中取得,從中可知計畫檢索者問題認知所劃分出來的概念、以及其間之邏輯關係。這些所蒐集的資料再經過編碼的程序,利用 SPSS 加以統計分析透過平均值、標準差等統計指標,進行統計結果的分析。

而在比較分析資訊需求者與計畫檢索者時,則採用檢索概念、一致性之層次、一致

性之計算公式等三種檢索概念一致性比對基準。「檢索概念」指將檢索問題依主題所分析而成的要素，若使用的不同詞彙間有同義、近義或階層關係，亦視為同一檢索概念。「一致性之層次」則有三標準，第一層次為拼字完全一致、逐字母比對；第二層次則為第一層次再加上如拼字稍有差異、廣狹義關係、同義關係等情形；第三層次則為第一、二層次再加上二詞彙在系統索引典中設定為有相關直接關係（RT）的詞彙。「一致性之計算公式」則採用近年來在檢索者一致性研究中常用的非對稱公式。

參、檢索概念之比較分析

本研究以 10 位資訊需求者所提出之 10 個問題（編號 A 至 J）作為計畫檢索者之檢索問題。在 A 至 J 共 10 個檢索問題中，除問題 F 由 5 位不同檢索者檢索外，其餘 9 題則分別由 6 位計畫檢索者進行檢索，因此本節針對共 59 次檢索問題進行分析。計畫檢索者根據資訊需求者提出的問題陳述，在檢索之前將問題分為幾個概念，並列出表達概念的同義詞與相關詞。59 次檢索中，由於檢索者 A2、E1 和 E5 三位檢索者在問卷中僅列中文詞彙而未以英文詞彙表達該概念，因此視為無效樣本，故本文僅針對 56 次檢索之檢索概念進行分析。首先說明檢索概念一致性的比對基準，再將資訊需求者所列之檢索概念與該問題之各計畫檢索者進行比較。

一、檢索概念一致性的比對基準

在比較分析資訊需求者與計畫檢索者檢索概念一致性之前，必須先就「檢索概念」、「一致性之層次」以及「一致性之計算公式」等分別加以界定說明：

(一)檢索概念

檢索概念指將檢索問題依主題所分析而成的要素，也就是分區組合檢索法中所指的主題層面。檢索者用來表達概念時所使用的不同詞彙之間若有同義、近義或階層關係，則可視為同一檢索概念。

(二)一致性之層次

本研究界定檢索概念一致性比對的三個層次標準如下：

第一層次：逐字母比對，拼字必須完全一致。

第二層次：第一層次外再加上

　1.拼字稍有差異者：包括單複數、切截變化及拼錯字者。

　2.二詞彙間有受試者認定的同義關係，或索引典認定有同義關係（USE、UF）。

　　3.有縮寫與全稱關係者。

　　4.二詞彙在系統的索引典中設定為有廣狹義的直接關係（BT, NT）。

　　第三層次：第一、二層次外再加上二詞彙在系統的索引典中設定為有相關的直接關係（RT）。

　(三)一致性之計算公式

　　檢索概念一致性的計算公式，依據非對稱公式原理，X、Y 二檢索者檢索概念一致性的公式如下：

$$cc = \left(\frac{100 \times A}{A+M} + \frac{100 \times A}{A+N} \right) / 2$$

　　cc：檢索概念使用的一致性

　　A：X、Y 一致使用的檢索概念個數

　　M：被 X 使用，不被 Y 使用的檢索概念總數

　　N：被 Y 使用，不被 X 使用的檢索概念總數

二、資訊需求者與計畫檢索者檢索概念一致性之比較分析

　　分析資訊需求者與計畫檢索者針對相同問題檢索前，表達檢索概念之一致性，由表 1 來看，在第一層次上，一致性較低的是問題 H 和 C（一致性分別為 2.86%和 2.92%），一致性較高的是問題 G 和 E（一致性分別是 56.49%及 49.48%）。繼續分析到第二和第三層次，亦以檢索問題 H 和 C 一致性最低；問題 G 和 E 一致性最高。就檢索問題 H（詳細問題陳述見[6]）來看，在第一層次上，即逐字母比對拼字需完全一致時，H2~H6 五位計畫檢索者所列用來表達概念的詞彙都沒有任一與資訊需求者相同，而即使將比對標準放寬至第三層次（即兩詞彙在系統索引典中認定為有相關的直接關係），仍有檢索者 H2 和資訊需求者所列詞彙皆完全不一致，顯而易見的原因是問題中有關「X 對 Y 之影響」的前提假定之影響，檢索者 H2 用 "the influence of peers in adolescence" 和 "the factors which influence drug useness" 來表達檢索概念；檢索者 H5 所列的檢索概念中亦包括 "social factor"，但是就需求者而言，並不特別強調 "影響" 這個前提假定。而問題 C 在檢索概念第一層次的比對上，一致性僅有 2.92%，但是放寬至第三層次後，一致性即達 43.36%，其第一層次和第三層次的差距是所有問題中最大的，由此可見檢索者雖然不是用拼字完全一致的詞彙，但是詞彙間有相關的直接關係（RT）。至於所列出之檢索概念一致性最高的是問題 G，其檢索問題是「我想要找關於團體治療 group therapy 裡面的

成長團體 growth therapy（可能為 growth group 之口誤），在 1980 年代以後的發展情況大概是什麼樣子。我想要瞭解一下它跟其他的治療方法有沒有什麼特別不一樣的地方、它跟 self-helping group 的差別，還有它們後來演變成什麼樣子。」需求者用兩個詞彙來表達其檢索概念，即 "growth group" 和 "self-helping group"，由於其問題陳述十分清楚，且將關鍵的查詢詞彙明確地表達出來，因此計畫檢索者在模擬檢索時，很容易掌握住檢索的中心概念，檢索者 G3 和需求者檢索概念的一致性高達 83.34%，G1 和 G2 亦達 75%。至於檢索問題 E 在問題複雜性比對上是完全不一致的，主因在於個人在歸類組織概念的方式不同，但是其檢索概念的一致性卻是所有問題中次高的，原因與問題 G 相同，即資訊需求者在問題中便明確地表達出關鍵詞彙，如痛覺、杏仁核、視丘、大腦皮質前額葉等（詳細問題陳述見[7]），因此除計畫檢索者 E1 和 E5 僅列中文詞彙未列英文詞彙視為無效樣本外，就第一層次來看，計畫檢索者 E2、E3 和 E4 所列的檢索概念與需求者所表達的詞彙一致性皆達 54.17%，放寬至第三層次時，E2 和 E3 甚至達 72.22%。

表 1　資訊需求者與計畫檢索者檢索概念一致性分析表

題號	計畫檢索者編號	資訊需求者與計畫檢索者一致性（%）		
		第一層次	第二層次	第三層次
A	A1	38.10	62.22	62.22
	A2	--	--	--
	A3	25.40	25.40	41.67
	A4	42.22	42.22	44.44
	A5	47.22	47.22	47.22
	A6	25.40	36.43	36.43
	平均值	35.67	42.70	46.40
	標準差	9.91	13.60	9.70
B	B1	0	41.67	41.67
	B2	66.67	68.75	71.43
	B3	42.43	42.43	43.34
	B4	44.45	47.62	47.62
	B5	53.34	53.34	53.34
	B6	47.62	50.00	50.00
	平均值	42.51	50.59	51.23
	標準差	22.53	9.82	10.78

C	C1	0	0	58.34
	C2	0	0	0
	C3	0	19.65	39.29
	C4	17.5	35.00	75.00
	C5	0	20.84	62.50
	C6	0	25.00	25.00
	平均值	2.92	16.75	43.36
	標準差	7.14	14.05	27.66
D	D1	25.00	25.00	25.00
	D2	44.45	45.86	68.75
	D3	29.17	29.17	58.34
	D4	29.17	58.34	87.50
	D5	0	58.34	58.34
	D6	21.67	43.34	65.00
	平均值	24.91	43.34	60.49
	標準差	14.49	14.10	20.42
E	E1	--	--	--
	E2	54.17	72.22	72.22
	E3	54.17	72.22	72.22
	E4	54.17	54.17	54.17
	E5	--	--	--
	E6	35.42	47.22	47.22
	平均值	49.48	61.46	61.46
	標準差	9.38	12.75	12.75
F	F1	40.18	42.86	42.86
	F2	58.93	58.93	58.93
	F3	13.40	14.29	14.29
	F4	17.15	17.15	17.15
	F5	34.29	39.29	39.29
	平均值	32.79	34.50	34.50
	標準差	18.44	18.70	18.70
G	G1	75.00	75.00	75.00
	G2	75.00	75.00	75.00
	G3	83.34	83.34	83.34
	G4	41.67	41.67	41.67
	G5	33.34	33.34	33.34
	G6	30.56	64.29	64.29
	平均值	56.49	62.11	62.11
	標準差	23.81	20.17	20.17

	H1	17.15	18.34	18.34
	H2	0	0	0
	H3	0	0	18.34
H	H4	0	20.00	40.00
	H5	0	36.67	40.00
	H6	0	0	17.15
	平均值	2.86	12.50	22.31
	標準差	7.00	15.12	15.37
	I1	26.79	26.79	40.18
	I2	13.40	13.40	26.79
	I3	46.75	46.75	50.79
I	I4	32.15	32.15	64.29
	I5	34.29	34.29	34.29
	I6	25.40	25.40	38.10
	平均值	29.80	29.80	42.41
	標準差	11.05	11.05	13.28
	J1	33.75	33.75	33.75
	J2	40.00	40.00	40.00
	J3	30.00	30.00	30.00
J	J4	36.43	66.67	66.67
	J5	0	36.43	36.43
	J6	11.25	24.29	24.29
	平均值	25.24	38.52	38.52
	標準差	15.94	14.81	14.81
總平均值		29.41	38.37	45.84
總標準差		22.05	20.89	20.21

註：A2、E1 和 E5 為無效樣本

　　至於檢索問題認知和檢索概念一致性間關係值得特別加以探討，根據表 1，資訊需求者和計畫檢索者檢索概念一致性第一層次比對結果，可發現問題 C、H、I 三個問題的檢索概念一致性偏低，但是對於問題認知的分析，C、H、I 三個問題之資訊需求者和計畫檢索者的問題複雜性認知在 10 個問題中皆是偏高的，而對於問題專指性認知則較其他問題低，因此可以整合歸納出一個結果，即問題複雜性高、專指性低時，資訊需求者和計畫檢索者之檢索概念一致性低。

　　個別針對各個層次分析資訊需求者和計畫檢索者檢索概念之一致性，在第一層次方

面，其一致性平均值為 29.41%，標準差為 22.05%，其中最大值為 83.34%（1 次，佔 1.7%）；最小值為完全未重覆（0%），共有 13 次，佔 22%，同時並無 100%重覆者。在次數分布方面如表 2 所示，其中以 0-19.99%最多，有 19 組（佔 34%）；20-39.99%次之，有 18 組（佔 32.2%）；再次之為 40-59.99%，有 15 組（佔 26.8%），第四多為 60-79.99%（3 組，5.3%），80%以上者最少，只有 1 組，僅佔 1.7%。

表 2　資訊需求者與計畫檢索者檢索概念一致性第一層次次數分析表

一致性（%）	組數	百分比	累積百分比
0-19.99	19	34.0	34.0
20.00-39.99	18	32.2	66.2
40.00-59.99	15	26.8	93.0
60.00-79.99	3	5.3	98.3
80.00 以上	1	1.7	100.0
總計	56	100.0	100.0

　　檢索概念選用一致性的第二層次方面，亦無任一組達 100%者，其一致性平均值為 38.37%，標準差為 20.89%。最大值與第一層次相同，皆為 83.34%，皆僅有 1 次（1.7%）；最小值亦與第一層次同為 0%，但次數明顯少於第一層次，僅有 5 次（佔 8.5%）。在次數分布方面，見表 3，其中以 20-39.99%最多，有 19 組（佔 34%）；40-59.99%次之，有 18 組（佔 32.2%）；0-19.99%再次之，有 10 組（17.8%）。較少的是 60-79.99%（8 組，14.3%）與 80%以上者（1 組，1.7%）。

表 3　資訊需求者與計畫檢索者檢索概念一致性第二層次次數分析表

一致性（%）	組數	百分比	累積百分比
0-19.99	10	17.8	17.8
20.00-39.99	19	34.0	51.8
40.00-59.99	18	32.2	84.0
60.00-79.99	8	14.3	98.3
80.00 以上	1	1.7	100.0
總計	56	100.0	100.0

　　至於資訊需求者與計畫檢索者檢索概念一致性的第三層次比對分析方面，即使比對標準放寬至拼字稍有差異（包括單複數、切截變化及拼錯字者）、二詞彙間有受試者認定的同義關係，或索引典認定有同義關係、有縮寫與全稱關係者、二詞彙在系統的索引典中設定為有廣狹義與相關的直接關係（BT, NT, RT），仍無任一組達 100% 一致。其一致性平均值為 45.84%，標準差為 20.21%。最大值略高於第一、第二層次，為 87.5%，僅有 1 次（1.7%）；最小值則與第一和第二層次同為 0%，而其次數又少於第二層次，有 2 次（佔 3.4%）。另從次數分布來看，其中以 40-59.99% 最多，有 21 組（37.5%）；20-39.99 ％和 60-79.99% 次之，各有 13 組（各佔 23.3%）；0-19.99% 再次之（7 組，12.5%）；80 ％以上者最少，有 1 組，僅佔 1.7%。（見表 4）

表 4　資訊需求者與計畫檢索者檢索概念一致性第三層次次數分析表

一致性（%）	組數	百分比	累積百分比
0-19.99	7	12.5	12.5
20.00-39.99	13	23.3	35.8
40.00-59.99	21	37.5	73.3
60.00-79.99	13	23.3	96.6
80.00 以上	2	3.4	100.0
總計	56	100.0	100.0

　　從以上平均值與次數分配數據可大致看出，在資訊需求者與計畫檢索者檢索概念一致性上，由於比對標準的漸次放寬，計算出的一致性呈現提高的現象，但是並沒有任一計畫檢索者與該問題之資訊需求者所列之檢索概念完全相同，可見個人差異仍舊是影響資訊行為的重要因素。

肆、結論

　　檢索概念的成形，可說是進行資訊檢索的第一步，檢索概念形成後，檢索者可根據檢索概念列舉相關的檢索詞彙，進而配合的布林邏輯關係，輸入系統產生檢索結果。從本文對資訊需求者與計畫檢索者的比較結果得知，不同的計畫檢索者，對檢索概念的分析還是有很大差異存在，此差異進一步影響檢索詞彙的選擇和線上互動行為，是非常值得探討的研究議題。

　　本文以檢索概念一致性來作為資訊需求者與計畫檢索者的比對基準，而此一致性又有三個不同的層次之分：第一層次為拼字完全一致、逐字母比對；第二層次則為第一層次再加上如拼字稍有差異、廣狹義關係、同義關係等情形；第三層次則為第一、二層次再加上二詞彙在系統索引典中設定為有相關直接關係（RT）的詞彙。再配合非對稱公式的計算，使得研究結果更具量化的比較依據。

　　研究發現，一致性最低的是檢索問題 C 和 H，一致性較高的是檢索問題 E 和 G，在此將此現象提出來探討。檢索問題 C 在第一層次比對上，一致性僅有 2.92%，而放寬至第三層次後，一致性則達 43.36%，由此可知檢索者雖然不是用拼字完全一致的詞彙，但所使用的詞彙間卻有相關的直接關係（RT）。檢索問題 H 檢索概念一致性低的原因是受問題中「X 對 Y 之影響」的前提假定所影響，計畫檢索者傾於直接使用"影響"的前提假定，但資訊需求者並不特別強調該前提假定。至於檢索問題 E 和 G 檢索概念一致性較高之因，是因其問題陳述十分清楚，且將關鍵的詞彙明確表達，所以計畫檢索者對於中心概念的掌控度較高。

　　而再針對各個層次上去分析資訊需求者與計畫檢索者，雖然從第一層次至第三層次計算出的結果一致性呈現提高的現象，但這是由於比對的標準漸次放寬，實際上並沒有任一資訊需求者與計畫檢索者所列之檢索概念完全相同，此與 Saracevic & Baxter 的研究結果是相反的（其研究結果發現，不同檢索者之檢索概念一致性高達 78%）。但是，儘管兩者一致性低，所使用的檢索概念與檢索詞彙間仍有單複數、同義、廣狹義及相關等關係。

　　最後，分析檢索概念對於檢索詞彙、檢索結果之影響，我們可以發現，當檢索概念一致性愈高的時候，選用之檢索詞彙一致性愈高，而檢索結果的重覆性也愈高，而所謂的「檢索結果」，則是分為檢索行數、檢出筆數、相關筆數和檢索精確率這幾部分。在此以一致性較高的檢索問題 E 來觀察：檢索問題 E 乃欲檢索「痛覺和神經結構的關係」這方面資訊，由於資訊需求者在問題中便明確表出"痛覺"、"杏仁核"、"視丘"、"大腦皮質前額葉"等關鍵詞彙，因此檢索者可準確掌握檢索概念。從觀察中得知，雖然檢索問題 E 的問題認知一致程度低（0%），但由於問題陳述很清楚，以形成檢索概念一致性（49.48%）與檢索詞彙一致性（23.52%）的程度都居高的情形，而其檢索結果的重覆性也是所有檢索問題中最高的（27.75%）。

註釋

① Nicholas J. Beklin, "Anomalous States of Knowledge as a Basis for Information Retrieval," *The Canadian Journal of Information Science* 5 (May 1980): 133-143.

② Richard L. Derr, "A Conceptual Analysis of Information Need," *Information Processing & Management* 19:5 (1983): 273-278.

③ Tefko Saracevic and Matthew A. Baxter, "Measuring the Degree of Agreement Between Searchers," *Proceeding of the 47th Annual Meeting of the American Society for Information Science* v.21 (1984): 227-230.

④ 同註③。

⑤ Mirja Iivonen, "Consistency in the Selection of Search Concepts and Search Terms," *Information Proceeding and Management* 31:2 (March-April 1995): 173-190.

⑥ 檢索問題 H 是「我想要查的題目是有關青少年對於使用藥物的一些態度，主要是想要從父母跟同儕依附之間的影響來看青少年對於藥物的一些態度。」

⑦ 檢索問題 E 之陳述為「我要查痛覺和一些神經結構的關係。我們的實驗跟痛覺有關，我們關心的是一些神經的特定的結構，譬如杏仁核、視丘、大腦皮質前額葉跟痛覺的關係。」

附錄一　檢索問題陳述

問題編號	問題陳述
A	我要檢索的問題是有沒有人用 spatial frequency 的方式，spatial frequency 的概念來做過類似文字在知覺層面的探討。我要找的東西應該是跟 early vision process 有關，所以說用的方法是譬如說用 spatial frequency 的分析，或者是特徵分析理論這一類的理論，來作 word（就英文而言），character（就中文而言）。因為在國外已經有人做英文的分析了，但是我想要做的是中文的東西，我想知道國外已經做到什麼樣的一個程度。 簡單來說，我想用知覺的方式去探討文字的知覺。一般人探討文字的時候都是用認知的層面，譬如說字義、字音；我想探討的是它的形狀，就是知覺層面覺得它的形狀是怎樣，我想探討的是中文字的形狀在知覺層面的一個效果。但我今天要找的不是這麼整體的東西，我希望找的是在國外是不是已經有人用這一類的方法做過這方面的探討。我知道是有的，我也讀了其中的一篇。我會用 spatial frequency、word、perception 層面、early vision process 這些關鍵字去找。
B	我要找音樂心理學方面的東西。就是要找一些心理學的技術在音樂欣賞上面的運用，就是跟知覺或是身心比較有關的東西。我想要找一些近期的期刊，上面可能有一些最近做的研究，因為我是要一份報告，所以想找近期期刊上的 paper，可以舉一些研究的例子。
C	我要找有關創業的，它是在組織行為裡面，可是它也跟社會學有關，也跟經濟學、管理學有關。裡面可能會分割的概念有：像創業者的特質、創業者的行為、決策方式、還有他與別人合夥、他怎樣麼去領導別人成立一個組織這些。

D	我要查的是跟家庭互動有關係的，我可能會從衝突面去看這個問題，所以我可能會用「衝突」、「家庭的」來查；我另外還要看看家庭裡面互動的情緒表達。
E	我要查痛覺和一些神經結構的關係。我們的實驗是跟痛覺有關，我們關心的是一些神經的特定的結構，譬如杏仁核、視丘、大腦皮質前額葉跟痛覺的關係。
F	我想要查的主題大概就是一些跟壓力，還有壓力的因應有關的東西。主要大部分要查的應該是跟壓力的測量有關的，比較想要的是慢性疾病的壓力測量，看看有沒有人做過這方面的研究。
G	我想要找關於團體治療 group therapy 裡面的成長團體 growth therapy（可能為 growth group 之口誤），在 1980 年代以後的發展情況大概是什麼樣子。我想要瞭解一下它跟其他的治療方法有沒有什麼特別不一樣的地方、它跟 self-helping group 的差別，還有它後來演變成什麼樣子。
H	我想要查的題目是有關青少年對於使用藥物的一些態度，主要是想要從父母跟同儕依附之間的影響來看青少年對於藥物的一些態度。
I	我要查的就是 Ethic Code 道德條款的東西，道德條款是我們心理實驗法老師要求我們去查的，因為他說國內這方面還蠻欠缺的，譬如說你做心理實驗，你需要什麼樣的道德考量。查詢範圍包括：美國有通過一個那種條款（可能是近十年來）的內容，在論文裡面也可以找找看有關於這個主題的東西。
J	我現在研究的是顧客滿意這個東西。顧客滿意跟「涉入」的概念有沒有一些關係呢？然後我再加入一些，比如說人類的購買的決策過程甚至評估的決策過程之間有什麼關係。然後我可能要找一個 model 來驗證，找一些前因啦，或者是它的測量方法等等。

書評的現代風貌：網路線上書評及其相關議題
The Modern Look of Book Reviews: Online Book Review and Its Related Issues

林珊如

Shan-ju Lin Chang

摘　要

　　書評一向是圖書館館藏發展的重要工具，也肩負民眾閱讀指導與選書的參考功能。然而，隨著資訊科技的發展與網際網路的普及，書評書介的功能與產出傳布的方式正逐漸改變。從平面媒體到網路媒介，線上書評書介的出版與呈現，尤其是讀者書評與虛擬閱讀社群，改變了作者、編輯者、書評者與讀者的角色與關係，展現出不同傳統的風貌。本文就線上書評的特色與風格，討論未來書評書介可能的發展與衍生的研究議題。

Abstract

Book reviews has been an important tool for library collection development and has served as reading guide for people in selecting books to read. Along with the development of information technology and the prevalence of Internet access, online book reviews has been changing the outlook of traditional book reviews published through printed materials and the roles of authors, editors, reviewers, and readers. This article discusses the future development of book reviews based on the characteristics and styles of online book reviews, as well as its related research issues.

關鍵詞：線上書評；讀者書評；亞瑪遜網路書店；博客來網路書店；數位閱讀
Keywords: Book Reviews; Customer Reviews; Amazon.com; Online Bookstore, Electronic Reading

　　談到書評，圖書館員一點也不陌生。圖書資訊學界長期以來認為書評是選書最好的指南①。理論上，圖書館發展館藏與推薦採購的過程均有賴各種選書工具，其中，除了出版社的出版目錄以外，各領域專家學者對出版書籍的介紹與評論為主的專業書評，更是推薦採購的重要參考依據。

　　國外有以書評為主的工具性刊物，如 Choice、Booklist②，或報章媒體的專業書評版面，如紐約時報書評版③。國內則有大眾媒體在報章雜誌的書評專刊或作家書評專欄，如中國時報的開卷版、聯合報的讀書人版，許多學術刊物也常闢有書評專區。各大連鎖書店或出版社也出版有書籍評論，如誠品書店出版的「誠品好讀」。一般民眾也可在各大連鎖書店的暢銷排行版上，探知「這個城市的人在讀些什麼？」的線索，以市場銷售業績作為書評的間接指標。無論以何種形式出現，書評的重要目的之一在推廣閱讀，並且被視為選書決策過程的重要參考工具。

　　書評研究者吳燕惠自英、美三百多年的書評史中耙梳評論的意義，發現書評種類有摘錄式書評、百科全書式的書目資料整理、以學院教授詮釋為權威的專家書評，或是在沙龍文化中企圖以書評家個人的博學多聞，為作品評定歷史地位的文化人書評。儘管這些書評風格迥異、對評論意涵詮釋不同，但都是社會菁英在知識上的權力象徵，從選擇書籍開始，到評論觀點的展現，對閱讀大眾均影響深遠④。換言之，書評背後所代表的是文化解釋權，傳統上主要集中在少數主編與專家或作家手中。國內亦然，例如黃盈雰對國內《書評書目》雜誌的研究分析，及林俊平從傳播者研究的角度切入，探討國內報業媒體的書評運作機制，發掘媒體書評生態，描繪在大眾傳播媒體下書評的特徵、權力互動關係及任務使命，也都支持這樣的理解⑤。晚近，黃婉玉對台灣報紙書評的產製過程之研究也指出，書評雖然多元化的依附在不同的傳播媒體上發展，不過截至目前為止，國內唯有報紙的書評有較獨立且專門的發展，但是它卻總是給人冷僻及小眾的印象。書評本身雖擔負著閱讀指南與購買促銷的雙重角色，但是在台灣的發展似乎越來越朝向菁英化、學術化的風格，原本應該是親近且指引讀者的媒介，卻發展得離大眾越來越遠⑥。

隨著資訊傳播與出版的快速成長，網際網路的普及與網路書店的發展，誕生了網路線上書評。除了保有傳統上的書評概念，線上書評自成一格。以全球知名的網路書店 Amazon.com 為例[⑦]，要認識一本書，除了有出版社的介紹文字，作者序、目次、名家推薦、各種得獎的紀錄等，最大的特色是有來自廣大讀者的評論或讀後心得與感想的分享。各行各業的人們可以上網，從中尋找、瀏覽、或巧遇一本有興趣讀的書。華文世界，如博客來網路書店（www.books.com.tw）的書籍資訊，也有異曲同工之處。

吳燕惠針對亞馬遜網站上的讀者書評進行觀察，發現「其書評匿名性、數量之龐大、我手寫我口、直抒胸懷的寫作風格引起諸多批評」，但也指出，「在網路中，各種不同觀點的讀者書評都能匯聚一堂，不同文化、年齡、性別、教育程度、階層、知識背景的讀者，對一本書的多元看法都同時存在，因而匯聚成亞馬遜讀書社群」。

亞馬遜在背後所提供的個人化服務與互動機制，則是此一現象產生的關鍵。換言之，網際網路普及與網路科技的特性，讓每個人都能成為作家/書評家。論者指出「藉著網際網路的發展，讀者重新得到應有的權利，不但參與閱讀過程，更積極加入寫作的活動中。人人皆有評論、書寫的權利，說明讀者能有作者、書評者、編輯的書寫、詮釋與建議的平等地位外，也揭示角色性質的重複與功能定位的逐漸模糊。」[⑧]具有如此特色的線上書評對傳統平面書評的功能、角色，乃至書評家的任務產生了什麼樣的挑戰？

該研究結論：「讀者書評因為網路特性而打破原先思考模式，使書評、出版機制中的作者、編輯角色產生轉化，尤其是在網路世界搜尋引擎、人工智慧代理程式、超連結等資訊整合以後所形成的龐大媒介力量，不只促使書評家定義改變，連閱讀、書寫、出版，都不得不衍生出新的定位。在網路發展成熟的未來，書籍將是多元的論述場域，作者是論述場域的奠基者，讀者是論述場域意義延伸的共同創作者，而編輯是論述場域背後的設計引導者，這一套新定義，來自對網路的認識與瞭解，也來自網路對書寫與閱讀質變的影響下，不得不有的體認。」由於網路科技的衝擊，書評的文化解釋權從少數菁英份子過渡到普羅大眾。

然而，書評發展史的進程國內外不同[⑨]。民國 90 年林俊平在「以書評為名的『書評』」一文中的引述仍期待一份專業書評刊物的復活[⑩]。有些書評觀察家與研究者則開始談論書評媒體的變與不變[⑪]，述說從寫書評到編書評的轉折[⑫]，林珊如與劉應琳對大學生的研究則指出，年輕一代選書的工具與方式正在改變中，對他們而言，網路上的閱讀社群與傳播工具是書評及書介資訊的重要管道之一[⑬]。

有異於傳統以評論書籍優劣為主的書評者自居，這些來自不知名的線上讀者間，有

關書籍內容的論述，許多是以個人閱讀心得的交換與分享為之。與其說是「書評」，不如說是「書介」，即專注在書中內容與主旨的介紹。而與其說是書介，不如說更多的是「書感」，即讀書後的感想。

值得注意的是，從編輯者的角度來看，網路上的書籍介紹可不僅有單一的書介，更發展出以主題、議題或社群為基礎的書介，透過超連結與詮釋的文本，將書與書的關係進行串連[14]。有異於報章媒體書評的產製仰賴學者專家的專業評論，因而趨向菁英化、學術化[15]，網路閱讀書單的建議則更細緻地朝向個人經驗與情境的抒發，並提供個人化的服務，各類書評也有易於線上轉寄的特色，線上書評的多元風貌似乎更貼近普羅大眾的需要。因此我們要問：網路線上書評是否開始產生不同文類的書評類型？具有多元互動特徵的網路書評是否真對傳統平面書評產生重大影響？影響如何？另一方面，讀者上網閱讀經驗如何？人們選書的工具與方式又如何改變？深入瞭解並掌握網路書評及其閱讀模式與影響將是圖書資訊學當代重要的研究議題。

圖書資訊學界長期以來認為書評是選書最好的指南[16]。然而論者以為書評是為讀者而寫，傳統上卻忽略廣大閱讀心靈的獨特性與創造性[17]。我們鮮見閱讀大眾對評論提出回應與質疑，廣大讀者的聲音，讀者的思想與創作在書評權威的歷史中被犧牲了。論者批評這是書評作為購書指南的迷思，而這個迷思直到網際網路新媒介的出現，才重新發展出新的秩序[18]。

如前述，吳燕惠的研究針對亞馬遜網站上的讀者書評進行觀察，發現網路讀者書評雖有諸多批評，終究是對傳統平面書評產生重大影響。讀者書評因為網路特性而打破原先思考模式，使書評、出版機制中的作者、編輯角色產生轉化，尤其是在網路世界搜尋引擎、人工智慧代理程式、超連結等資訊整合以後所形成的龐大媒介力量，不只促使書評家定義改變，連閱讀、書寫、出版，都不得不衍生出新的定位。

根據報導，搜尋引擎公司 Google Inc.已經開始測試新服務，可讓使用者搜尋書中的摘錄段落。舉例而言，使用者可以一個稱為「Google Print」的服務搜尋與微軟相關的書籍，只需在搜尋方塊內鍵入「Microsoft site:print.google.com」即可。此系統隨後會找出與微軟相關的書摘，一如 Google 軟體搜索全球資訊網後產生的網頁搜尋結果。換言之，那些書摘會與其他搜尋結果摻雜在一起出現[19]。

因此，在網路空間中超文本及網路諸多特性對線上書評閱讀與互動經驗之影響究竟為何，實在值得圖書資訊學界的關注。一方面，書評具有圖書館館藏發展理論上的重要性；另一方面，網路購書已成為眾多網路使用者普遍而重要的消費行為。線上書評書介

作為一般消費者的採購指南是否一如傳統書評的角色是網路閱讀環境下的重要議題。同時，人們對於允許跳躍式閱讀、快速搜尋、易於轉寄、與多元互動等特點之數位化書評場域接受度如何？非線性式的超文本如何改變對書籍的認知？人們由閱讀網路各類書評中獲得什麼？網路特性對書評的價值與影響為何？均為當今電子出版業者與圖書資訊學者所亟欲瞭解的問題。

註釋

① 王梅玲（民 89 年 1 月）。〈書評──圖書館選書的最佳指南〉。《全國新書資訊月刊》，13，頁 3-7。

② 王岫（民 84 年 8 月 23 日）。〈美國最具權威的書評雜誌──「書單」[Booklist]慶九十週年〉。《中央日報：讀書周報》154，版 21。

③ 黃裕美（民 85 年 11 月 18 日）。〈「紐約時報」書評版百年回顧專號──專業的書評長城〉。《聯合報：讀書人》238，版 42。

④ 吳燕惠（民 88）。《網路讀者書評之研究》（南華大學，出版學研究所，碩士論文）。

⑤ 林俊平（民 89 年 3 月）。〈中國時報開卷版書評核心運作探析〉。《全國新書資訊月刊》，15，頁 3-9。
　黃盈雯（民 89）。《書評書目》雜誌之研究（臺北市立師範學院應用語言文學研究所，碩士論文）。

⑥ 黃婉玉（民 91）。《台灣報紙書評的產製過程》（南華大學，出版學研究所，碩士論文）。

⑦ 林珊如（民 90 年 3 月）。〈書籍網站資訊組織架構與瀏覽介面設計的考量──以亞馬遜網路書店為例〉。《大學圖書館》，第 5 卷，第 1 期，頁 16-32。
　Amazon.com 的書籍資訊之特色可參見作者另文：〈資訊服務網路行銷之考量：以亞馬遜網路書店為例〉。《檔案季刊》，第 1 卷，第 3 期（民 91 年 9 月），頁 26-35。

⑧ 吳燕惠（民 88）。《網路讀者書評之研究》（南華大學，出版學研究所，碩士論文）。

⑨ 巫維珍（民 90）。《台灣書評發展史：1972-2000》（國立政治大學，新聞學系，碩士論文）。
　甘陽（民 86）。從〈「紐約時報書評」一百年看英美三份書評刊物〉。《讀書人》23，頁 60-74。

⑩ 林俊平（民 90 年 8 月）。〈以書評為名的《書評》〉。《全國新書資訊月刊》，16，頁 5-9。

⑪ 蘇精（民 90）。〈書評媒體的變與不變〉。《文訊月刊》189，頁 8-9。

⑫ 李奭學（民 92 年 7 月）。〈從寫書評到編書評〉。《聯合文學》19:9=225，頁 106-108。

⑬ 林珊如、劉應琳（民 90 年 12 月）。〈休閒閱讀找書策略與影響因素之探討：以台大 BBS Books 版愛書人為例〉。《資訊傳播與圖書館學》，第 8 卷，第 2 期，頁 23-37。

⑭ 博客來網路書店主編喻小敏至台大圖書資訊學專題課上演講，談到網站上「文化沙龍」專區的概念。參見：喻小敏（民 93）。網路書店與社群經營。演講投影片。

⑮ 黃婉玉（民 91）。《台灣報紙書評的產製過程》（南華大學，出版學研究所，碩士論文）。

⑯ 王梅玲（民 89）。〈書評──圖書館選書的最佳指南〉。《全國新書資訊月刊》，13，頁 3-7。

⑰ 巫維珍（民 90）。《台灣書評發展史：1972-2000》（國立政治大學，新聞學系，碩士論文）。

⑱ 吳燕惠（民 88）。《網路讀者書評之研究》（南華大學，出版學研究所，碩士論文）。

⑲ 有關 Google, Inc.報導，閱讀原文，請至 http://taiwan.cnet.com/news/ce/0,2000062982,20086506,00.htm 上網日期：民國 92 年 12 月 20 日。

刁難讀者服務探討
Serving the Difficult Library Patron

陳書梅
Su-may Chen Sheih

摘　要

　　行為刁難的讀者通常使人聯想到麻煩、難以應付，服務此一類型之讀者，對館員而言是頗具壓力的事。然而由組織的觀點言之，刁難讀者的存在代表圖書館某種程度上管理不善的事實；藉由讀者的反映，可發現平日組織管理上的盲點，進而改善圖書館的服務品質。館員接受相關的訓練課程，學習如何與刁難讀者互動的因應之道，乃是一項非常重要的課題，同時，圖書館組織亦應提供必要的訓練，協助館員妥適應對行為刁難的讀者。

Abstract

Difficult patrons exist at every institution. The issue of the difficult library patron is as old as the library profession. The phrase difficult patrons is often associated with trouble and habitually abnormal behavior from patrons. From the viewpoint of organization, the existence of difficult patron may signal dissatisfaction with services, collections, facilities, or with specific individuals. Difficult patron's complains may be regarded as valuable opportunities to improve customer service and satisfaction. Some difficult behaviors are relatively easy to cope with. Others are more troublesome, require exceptional concentration and effort. It could be quite helpful for libraries to provide staff with conflict resolution training and practical solutions, so that they can feel confident in their dealings with difficult patrons, and make their work less stressful, more productive, and meaningful.

關鍵詞：刁難讀者；問題讀者；讀者服務
Keywords: Difficult Patron; Problem Patron; Reader's Service

壹、前言

近年來的研究指出，讀者為館員工作壓力的主要來源之一[①]，但同時亦為其工作滿意感的來源[②]，是以讀者對館員而言猶如水之能載舟、覆舟一般，換言之，讀者既能為館員帶來工作滿意感，亦可能為館員帶來工作壓力，因此若能增加滿意的讀者人數，減少讀者抱怨及妥適處理與讀者的衝突，則館員生涯將會更為快樂與自在。然而，無論何種類型的圖書館，或多或少皆會面臨到所謂行為刁難的讀者（difficult patron），而這類型讀者通常使人聯想到麻煩、難以應付，且多有著某些令人難以忍受之慣性行為。對館員而言，面對行為刁難的讀者乃是一件頗具壓力之事，極易導致挫折感與衍生焦慮的情緒。

在許多情況下，刁難讀者存在的事實代表圖書館某種程度上管理不善；從組織的觀點言之，讀者抱怨通常表示對於圖書館的服務、館藏、設備或是特定的館員個人有所不滿，因此，藉由讀者的挑剔，可發現平日圖書館組織管理上的盲點，進而改善圖書館的服務品質。事實上，某些刁難讀者或許僅是意欲試探館員的反應與態度，而有些則是因為在尋求資訊或利用圖書館的過程中，一再地遭遇挫折無法解決自身的問題，繼而以粗暴的言行對待館員，館員與讀者雙方實皆為受害者。因此，對館員而言，接受相關的訓練課程，學習如何與刁難讀者互動的因應之道，在服務刁難讀者的過程中，瞭解自身所扮演的角色為何，乃是一項非常重要的課題，同時，圖書館組織亦應提供必要的訓練，協助館員妥適應對行為刁難的讀者。由於一般圖書館較少提供館員此方面之訓練，因此，本文擬探討服務刁難讀者之相關理念，藉供同道參酌。

貳、刁難讀者與問題讀者之分野

觀諸圖書資訊學相關文獻，可發現許多作者皆將問題讀者（problem patron）、「刁難讀者」、以及「有問題的讀者」（patrons with problems）等詞彙混用[③]，而未加以區分，

事實上，「刁難讀者」與「問題讀者」乃是不同類型的讀者，因此，吾人實有必要將「刁難讀者」與「問題讀者」作一區劃。爰此，在本文中，為能較適切地探討有關刁難讀者的議題，筆者擬先就此兩種不同類型的讀者加以定義，以避免在用語上的混雜。

任何一個圖書館皆會有所謂的刁難讀者，圖書資訊界對於刁難讀者的相關議題亦早有所討論。一般而言，行為刁難的讀者產生的原因甚多，許多情形下乃是因為這類型讀者之個人需求未獲得滿足，而導致其決定以使他人感到難堪的方式對待館員。④其中如不滿意圖書館館藏、設備或其他相關服務的讀者，或因個人背景因素而對圖書館有所誤解的讀者，自視甚高極其自以為是的讀者，由於資訊需求未獲滿足而衍生憤怒、不耐煩、並不斷抱怨的讀者等。事實上，刁難讀者其平時之為人處事並非亦是令人感到難纏或刁難，而可能是受到當時某些情境因素的影響，方以刁難的方式待人；即使是平時極其友善的讀者，亦有可能在某一天的某種特定情境之下，成為上述其中一種類型的刁難讀者。有時候，讀者之成為刁難者實與該讀者的心情、館員的態度、甚或與兩者皆有關；另有一些時候，刁難讀者的出現則是肇因於不當的圖書館政策與相關規定。許多情形下，刁難讀者只不過是對於館方某些規定、或是對圖書館資源或服務感到不熟悉、或有些疑惑與誤解；另外，某些讀者一方面無法明確表達自己的需求，一方面又對於圖書館的服務項目與內容不甚瞭解，但卻又不願接受館員的指導，其後接踵而來的挫敗感及憤怒感便易引發讀者與館員的衝突。換言之，館員與讀者間誤會與衝突的發生，往往起因於彼此的認知不一致或是不願意接納彼此的看法，亦即當館員或讀者有不同的意見、需求、或理念時，若其中一人強將自己的看法加諸於對方，衝突便易因而產生。若館員能接納讀者的意見，或是不強加個人的看法於讀者，即較不易引發衝突。而當衝突發生時，則極可能導致讀者以刁難的方式對待館員。因此，以「較難相處的人」、「目前仍無法滿足或協調的讀者」（difficult）來形容這類型的讀者，較諸「有問題的人」（problem）一詞更為妥適。⑤

相對而言，問題讀者此一語彙中，「問題」一詞即隱含了「一個問題必有解決之道」的意思，該問題的存在乃是緣於讀者本身或讀者個人的行為；而所謂的「行為」，乃指圖書館所限制的特定行為、或者在任何圖書館均不允許或出現的行為。易言之，當圖書館有妥適的因應方法與解決之道處理此類型的讀者或讀者行為時，則問題亦隨之不復存在，而即無所謂的問題讀者了。問題讀者有些是好鬥具威脅性或具有心理病徵而出現反常行為，且常以圖書館作為其主要的停留處所；而至於在一般情形之下，問題讀者則係指在館內喧嘩吵鬧者、帶食物或飲料進館者、竊書賊、以及故意破壞館內設施者……等

等。⑥亦即問題讀者的問題在於該類型的讀者常在圖書館內出現喧鬧或違反館規等不當的行為,以致影響館員、一般讀者及正常的館務運作,但該行為往往並非源於圖書館的某項政策或是某位館員的服務態度不佳所致。館員對於問題讀者常是感到困擾且多束手無策,因此,學習如何面對問題讀者的訓練課程,對於館員而言亦是必須的。

　　一般言之,刁難讀者與問題讀者之間並無絕對的界線,刁難讀者亦可能成為問題讀者。館員在面對問題讀者時,應依據圖書館的政策、遵循圖書館既定的相關規定與執行策略,絕不容許在圖書館的環境內有任何讀者的異常行為出現。至於就刁難讀者而言,其行為並非圖書館所嚴禁出現的,刁難讀者往往感到圖書館無法依其需求提供服務,而圖書館組織與館員則應盡其所能地為刁難讀者提供各種不同的服務選擇,以滿足其所需。⑦準此,面對刁難讀者,館員並非僅是試著找出一解決問題之道(solve problem),而是必須學習如何運用相關的人際溝通技巧適當地「處理與應對」(manage)。⑧

參、從心理學觀點分析刁難讀者之成因

　　行為刁難者的成因從心理學的觀點言之是極其複雜的。依心理學家的研究,刁難者往往認為並非其不喜歡他人,而是他人不喜歡他們。刁難者與他人相處時,其行為經常會擺盪在受害者與施虐者兩種角色之間。⑨有時刁難者常自認為自己是個受害者,實際上其行為表現卻是令人感到不舒服,而破壞了與他人之間的關係。刁難者多較為敏感且易將協助者視為其敵人或對手,只要協助者對其顯露出些微的不喜歡或不悅之跡象,刁難者即會過度反應。⑩亦即刁難者有時猶如一個對父母有所求的兒童,總想從他人處得到很多,卻較不懂得付出,往往自覺理應得到他人特別的待遇與關懷,而他人對其卻是如此地需索無度;而由於刁難者多預見其絕無法獲取所需,因此,一旦發現事與願違,刁難者即抱持著受害者般的心態不斷地抱怨,或是以施虐者的角色出現粗暴的言行舉止,而使願意協助者遠離他們,也因而使刁難者更顯孤立。總之,刁難者心態顯得極其矛盾,一方面的確需要他人的協助,一方面卻又對此感到畏懼;刁難者懼怕他人拒絕其之求助,所以拒絕他人的協助。同時,刁難者常無法清楚地表達或解釋其內心的需求,而藉由刁難的行為釋放其強烈的情緒,以達到某種程度的情感淨化與宣洩的目的。⑪

　　綜上所述,刁難者的外顯行為固然予他人的感覺較為粗魯與不講理,然而其內心實則渴望從表現刁難的行為中發洩情緒以獲致快感。在圖書館中,刁難讀者會表現出粗暴的舉動,以試探館員是否會有負面的反應;若館員出現負面反應,則刁難讀者即易認定館員為欺侮讀者的施虐者角色。因此,館員應學習區分刁難讀者粗魯無禮的外顯偏差行

為與舉止，以及其內在渴求尊重、照顧與關懷之心理需求，館員對刁難讀者的處理應慮及問題的全盤性，而非僅只注意及刁難讀者的外在偏差行為。[12]

肆、館員常採行之負面處理策略

對一般館員而言，面對刁難讀者多會感到壓力與導致挫折感，因此許多館員在面對刁難讀者時常抱持負面的態度，若非不得已必須處理時，則所採取的處理策略亦屬負面性質者居多。茲就館員常採行的負面處理策略加以討論如下。

1.逃避、退縮的因應方式

館員將面對刁難讀者視為一種困擾，並儘可能地避免與其有所接觸和互動；倘若無法迴避時，則多抱持忍耐或「將其打發走」之心態。易言之，館員的所作所為亦僅為容忍該讀者、而非真心地給予其關懷與協助，而此種逃避退縮的回應方式，非但無法幫助讀者，且易使刁難讀者形同受到鼓舞般地以施虐者的角色出現，其刁難的行為將更變本加厲，如此館員欲求改善與刁難讀者間的關係乃是不太可能的。

2.過度曲解圖書館服務的專業倫理，壓抑個人的負面情緒

基於圖書館服務的專業倫理，館員面對刁難讀者時，大多要求自己不可產生憤怒、厭惡等負面情緒，或是幫不上忙等種種想法，且在情緒上儘量地保持客觀、並以中立的態度來面對刁難讀者，亦即，館員在面對刁難讀者時，常須極力地控制自己的情緒。然而，刁難讀者多善於刺激與激怒他人，而使他人產生不愉快的負面情緒，事實上，任何人在面對一位迭迭抱怨、會侮辱他人、具有操控他人或帶有攻擊傾向的讀者時，皆會感到痛苦、難過，而館員亦不例外，在情感上即不免受到傷害，同時，館員亦可能因此對讀者感到嫌惡、自責與衍生罪惡感，如此，對於一般未曾受過適當應對訓練的館員而言，極易對個人的專業感到懷疑，並喪失對自我的自尊與自信。事實上，館員與其讓自己的情緒反應淹沒、或者壓抑負面情緒的產生，不如承認自己亦是人，也會有被尊重的心理需求，對刁難讀者的行為亦會產生負面感受，因此，當負面情緒來襲時，館員亦應接受此種感受或衝動，一味地拒絕或壓抑這些感受，往往只會徒然增添壓力。

3.以牙還牙、以暴制暴

若館員將刁難讀者的抱怨或外顯的粗暴行為當作人身攻擊，而非將之視為需運用其專業素養加以解決的問題，因而以憤怒或帶有報復性的方式回應而引發爭吵，則該刁難讀者會感覺受到貶抑與侮辱，即易以受害者的角色模式與館員互動，並不斷抱怨未受到館員善待或尊重，則圖書館的形象和服務品質均將受到負面影響。

伍、館員應採行之服務策略與因應之道

平日在圖書館中館員與讀者間通常是正常情況下的互動行為，大部份讀者的行為是可預測的，館員也會給予讀者適當的回應，因此，久而久之，館員往往慣用一般標準化的回應方式對待讀者，以至反而喪失了對異常人、事、物的彈性應變能力。事實上，身為圖書館館員，需能區分讀者的情緒狀態，亦即館員需瞭解哪些讀者正在氣頭上，而哪些已經氣過頭變得垂頭喪氣了。一般而言，此種能力須依賴經驗的累積方能習得，而大多數館員並未受過如何面對刁難讀者的專業訓練，故皆僅能依賴個人的直覺與判斷力，但如能深切瞭解正向的處理策略，將有助於刁難讀者之服務。以下敘述面對刁難讀者時可採行的服務策略與因應之道，藉供館員參考。

1.正面積極回應

首先，館員應以冷靜與客觀的態度採用正面積極回應的方式使刁難讀者瞭解：人與人之間的相處除了「施虐者—受害者」二分法之外，依然有其他方式可與他人互動。館員並可嘗試運用對刁難者的心理認知與了解，不因刁難讀者的粗暴行為而引發負面的情緒反應，而應更專注於辨別刁難讀者哪些事情確需圖書館予其協助，而不致被刁難讀者外顯的偏差行為所混淆。簡言之，館員應明白自己所應做的不過是「陪伴」在此種讀者身邊，而非被刁難讀者的行為所擾亂、煽動、甚或聽其擺佈。

2.自驗預言（self-fulfilling prophesy）

自驗預言意指個人對自己所預期者，常在個人往後的行為結果中應驗；即個人事先預期什麼，事後即得到其所預期者，個人自己的作為將驗證自己的預言。因此，自驗預言往往易影響個人行為的動機，同時亦間接影響其努力程度與工作成效。[13]研究發現，越樂觀堅毅者，對於應付刁難者越有自信，越能夠克服與固執、不合作者相處之困難。[14]由於刁難讀者令人難以應付的行為舉止，館員面對刁難者是一件頗為勞心的事情，極易削弱館員發揮同理心與信任自我效能（self-efficacy）的能力。因此館員必須經常做好心理建設與正向的自我內言，對自己處理刁難讀者的能力充滿信心，告訴自己一定能妥善處理，亦即「Trust myself, I can make it.」。

3.專注傾聽，展現關懷與尊重

藉由傾聽，館員可以瞭解讀者問題的核心，有效找出解決方案，更能讓刁難讀者宣洩心中的不滿情緒。在傾聽過程中，館員須全神貫注地完整聆聽讀者的抱怨，同時，忽視對方諷刺與誇大的言詞以控制自己的情緒。另一方面，館員須釐清刁難讀者的問題以

及此問題之成因,亦即館員首先應傾聽,承認讀者所表達的不滿及問題的存在,以使刁難讀者感受到館員對其之尊重。若圖書館館員不明白刁難讀者問題的內容,則應請求讀者再具體明確地說明。而在互動的過程中,館員不應試圖辯解,甚或推諉責任至讀者或圖書館其他部門。館員可對該讀者所遭遇的不便感到抱歉,但絕非表示須由館員個人為此問題負責。以抱怨連連的讀者為例,對提出抱怨的讀者和館員雙方而言,抱怨未必會造成負面的結果。面對抱怨時,處理這些抱怨之目的乃在於幫助抱怨者釐清與解決問題,而非互相推卸責任。總之,館員應正視問題的存在,並將這些抱怨視為建設性的批評,使圖書館組織明白服務項目或政策變革的必要性;這些必要的變革不但能改善圖書館的服務品質,亦有益於圖書館良好的公共關係與正面形象之建立。

4.接納與同理心

館員適時展現接納與同理心,為成功面對刁難讀者的重要因素。對待刁難讀者之要務,即是以接納取代排拒與指責。接納係掌握刁難行為最好的策略,與讀者爭辯僅徒增其排斥與抗拒。館員若試圖控制這些偏差行為,則僅會使刁難讀者的偏差行為更為惡化。易言之,館員若能接納刁難讀者,並使讀者瞭解館員願意接納他,則將較易於獲得刁難讀者的配合與信任。此外,館員應保持高度的同理心,從讀者的角度看待問題,認同刁難讀者的看法而非試圖反駁他,了解刁難讀者的行為不過是他們待人處事的一種方式,而非針對館員個人的人身攻擊,如能有這一層的認知與瞭解,館員自然能以同理心取代嫌惡或害怕的心情來看待這些讀者,同時,館員亦能深刻瞭解讀者心中思考的邏輯,幫助其找尋妥適的應對措施。簡言之,館員藉由展現十足的接納與同理心,即使對於行為極為粗魯與懷著挑釁心態的讀者,亦較能使讀者激動的情緒冷卻下來,有效地消除對方的敵意與疑慮,進而奠下與讀者良好關係之基礎。

5.善用肢體語言

當刁難讀者正在盛怒中,甚或行為表現或話語中帶著侮辱他人的意味時,館員試著與其正面交鋒,或勸導他們冷靜下來,對於解決問題實質上並無太大的助益。此時館員宜善用肢體語言,刻意地以緩慢、鎮定、審慎的方式說話與動作,則讀者會間接得到一個訊息:情勢已經趨於和緩,並無再以歇斯底里或非理性的方式來溝通之必要。如此,當有助於館員與讀者的互動關係。

6.自我表露

在面對刁難讀者時,館員宜運用自我表露的技巧與其互動。所謂自我表露係指個人在與他人互動溝通過程中,不時主動與對方分享個人自身之相關經驗。適度的自我表露

有助於雙方正向關係與信任感的建立，同時，研究結果發現，穿著打扮與言談方式愈不正式、且時常於交談中提及自身經驗者，愈能有效地降低刁難者的敵意與對抗；爰此，若館員表現得愈像個「專家」般地正式和保守，則愈不易成功地面對刁難讀者。即使一般讀者，亦會覺得外表穿著看起來較不正式、樂意自我表露的館員較具吸引力。[15]

7.自我覺察與自我紓壓

圖書資訊從業人員屬於服務業的工作，適當且充分的自我照護，對於防止工作倦怠乃是必要的，一個備受壓力與身心受損的館員無法提供刁難讀者合宜的服務。一般言之，許多圖書館館員較不易察覺個人的需求，亦較不會自我紓壓，準此，館員應詳細觀察自己面對刁難讀者時的行為，藉以加強對自我的了解，亦即藉由自己的各種設想與回應，發掘自己在工作上面對一般讀者時鮮少運用的潛能與應變能力，學習如何在壓力下思考。另外，館員亦須覺察自己的心智運作狀況是否承受過多的壓力而無法正常工作，明白面對刁難讀者時個人情緒上的弱點與極限何在。簡言之，館員須了解自己亦有人性脆弱的一面，並認清自己何時亟需運用各種自我照護的方法以維持良好的身心健康，如此方有利於個人服務品質的提升。

陸、結語

事實上，在多元化與快速變遷的後現代社會中，各式各樣的讀者情況與問題每天皆可能在圖書館內發生，館員應隨時隨地做好準備面對這些挑戰，以提供讀者良好的服務。在面對刁難讀者時，館員應用較正向的認知來看待之。亦即，館員應抱持著同理心而非憤怒或焦慮，並認清刁難讀者總是將自身的情緒經驗投射在與其互動之所有人身上，並非單獨針對館員個人有所不滿，其刁難行為可能是某種服務需求未獲滿足的反應而非「找碴」。透過對刁難讀者的心理認知與瞭解，館員可專注處理刁難讀者在圖書館使用上的問題，而非被「此讀者真是麻煩」的情緒感受所干擾，進而影響理性認知的運作過程，以致妨礙館務的正常運作。同時，館員應儘可能敏銳地覺察與預測自身的反應，期能逐漸達到自我控制的程度。另外，刁難讀者慣於煽動他人情緒化的反應，若館員不給予負面回應，則不僅能逐漸消除刁難讀者的敵意，且亦較能使其內心感到舒坦。

綜觀圖書資訊學文獻，有關服務刁難讀者的議題，大多皆著重於討論館員如何去應對，方能使衝突緩和，並使刁難讀者較能心平氣和，而在面對刁難讀者時，館員情緒上和心理上的感受與轉折，及刁難讀者之心理成因則尚少人觸及，如能以心理學的觀點分析問題，則不僅能化解讀者與館員之間的衝突，且亦較能協助館員調適其情緒及心理。

刁難讀者相關的議題在圖書館界中已有相當長久的時間，且並未隨著資訊科技的進步而減少，館員仍須不斷地面對相關的問題，因此，圖書館組織與館員應積極思考相關預防與因應之道，以期讀者對圖書館的服務更為滿意，同時亦能減輕館員身心壓力，進而提升工作績效。

註釋

① 陳書梅，《圖書館組織心理研究——館員的認知觀點》（台北市：文華圖書館管理資訊，民國 92 年），頁 110-111。

② Holly Carter Ferkol, "An Analysis of Stress Associated with Reference Work in a Public Library," (Master Thesis, Kent State University 1998), 20-21.

③ Louisa Toot, "Zen and the Art of Dealing with Difficult Patron," *The Reference Librarian* 75/76 (Fall/ Winter 2002): 219.

④ 同註③，頁 220。

⑤ Patience L. Simmonds and Jane L. Ingold, "The Difficult Patron in the Academic Library: Problem Issue or Problems Patron," *The Reference Librarian* 75/76 (fall/winter 2002):59.

⑥ 同註④。

⑦ 同註③，頁 221。

⑧ 同註④。

⑨ Stanley B. Messer, "Coping with the Angry Patient," *Journal of Psychotherapy Integration* 9:2(1999):151-156.

⑩ Brian Quinn, "How Psychotherapists Handle Difficult Clients: Lessons for Librarians," *The Reference Librarian* 75/76 (fall/winter 2002):184.

⑪ 同註⑩。

⑫ Kwasi Sarkodie-Mensah, "The Difficult Patron Situation: A Window of Opportunity to Improve Library Services," *Catholic Library World* 72:7 (March 2000):161.

⑬ 陳書梅，〈圖書館人本管理論析〉，書苑 55 期（民國 92 年 1 月），頁 34。

⑭ Mary E. Medeiros and James O. Prochaska, "Coping Strategies that Psychotherapist Use in Working with Stressful Clients," *Professional Psychology: Research and Practice* 19:1 (1988):112-114.

⑮ Mark J. Miller and Don Wells, "On being "Attractive" with Resistant Clients," *Journal of Humanistic Education and Development* 29 (December 1990):86-92.

參考書目

Chattoo, Calmer D. "The Problem Patron: Is There One in Your Library?" *The Reference Librarian* 75/76 (fall/winter 2002):11-22.

Davenport, Gloria M. *Working with Toxic Older Adults: A Guide to Coping with Difficult Elders*. New York, NY: Springer, 1999.

Jackson, Rebecca. "The Customer Is Always Right: What the Business World Can Teach Us About Problem Patrons?" *The Reference Librarian* 75/ 76 (fall/ winter 2002):205-216.

McGuigan, Glenn S. "The Common Sense of Customer Service: Employing Advice from the Trade and Popular Literature of Business to Interaction with Irate Patrons in Libraries." *The Reference Librarian* 75/ 76 (fall/ winter 2002):197-204.

McNeil, Beth and Denise J. Johnson, eds. *Patron Behavior in Libraries: A Handbook of Positive Approaches to Negative Situations*. Chicago: American Library Association, 1996.

Miller, Mark J. and Don Wells. "On being "Attractive" with Resistant Clients." *Journal of Humanistic Education and Development* 29(December 1990):86-92.

Quinn, Brian. "How Psychotherapists Handle Difficult Clients: Lessons for Librarians." *The Reference Librarian* 75/76 (fall/winter 2002):181-196.

Rubin, Rhea Joyce. *Defusing the Angry Patron: A How-to-do-it Manual for Librarians and Paraprofessional*. New York: Neal-Schuman, 2000.

Sarkodie-Mensah, Kwasi. "The Difficult Patron Situation: A Window of Opportunity to Improve Library Service." *Catholic Library World* 70:3(March 2000):159-167.

Simmonds, Patience L. and Jane L. Ingold. "The Difficult Patron in the Academic Library: Problem Issue or Problems Patron." *The Reference Librarians* 75/76 (fall/winter 2002):55-66.

Smith, Kitty. *Serving the Difficult Customer: A How-to-do-it Manual for Library Staff*. New York: Neal-Schuman, 1994.

Smith, Nathan and Irene Addams. "Using Active Listening to Deal with Patron Problems." *Public Librarians* 30:4(July/August 1991):236-239.

Turner, Anne M. *It Comes with the Territory: Handling Problem Situations in Libraries*. Jefferson, NC: McFarland, 1993.

Willis, Mark R. *Dealing with Difficult People in the Library*. Chicago: American Library Association, 1999.

館藏發展
資源／文獻／檔案

圖書館員常用的歐美書評、書訊雜誌
Librarians' Most-Often-Used Western Book Review Periodicals and Publishers' Newsletter

王錫璋
Hsi-chang Wang

摘　要

本文介紹擔任外文圖書採購工作的圖書館員常會用到的六種書評、書訊刊物，包括 *Booklist*、*Library Journal*、*Publisher Weekly*、*American Libraries*、*Choice*、*Bookseller* 等，分別敘述其歷史淵源，內容特色、選書專欄及其他對採訪工作有助益的各種好書書單推薦專刊……等，期使採訪館員更能對選書雜誌有所認識並能善用這些書評書訊刊物。

Abstract

This article introduces six kinds of book review periodicals and publishers' newsletter that librarians most often use when selecting western materials, including *Booklist*, *Library Journal*, *Publisher Weekly*, *American Libraries*, *Choice*, *Bookseller*... The article also tells us about their historical backgrounds, characters of their contents, the columns for selecting books, and other recommended special issues and choice-books lists which benefit acquisition, hoping librarians who work in acquisition field could have a better understanding on how to use those periodicals.

關鍵詞：外文圖書採訪；書評刊物

Keywords: Western Materials Acquisition; Book Review Periodicals; American Libraries; Booklist; Bookseller; Choice; Library Journal; Publishers Weekly

　　一般而言，圖書館的採訪館員選擇、購買圖書，有兩種途徑：一為組織選書委員會，由委員依其學科專長推薦各類型好書給圖書館購買；此種方式在大學圖書館比較容易實施，各系所即有各專門學科的教授可提供書籍之薦購。另一種方式則需靠著館員自行蒐集書訊或閱讀書評雜誌等，以獲得圖書資訊的消息並斟酌予以訂購；非大學圖書館的館員，在這方面需擔負較重的責任，但大學圖書館館員亦須仰賴書評或書訊雜誌，以彌補下列幾項的不足：1.教授在新書資訊來源方面或許沒有像圖書館員能快速得到，館員可將此訊息傳遞給相關教授參考。2.對一般學科或綜合性的參考書，仍須館員負責挑選，教授們較少注意非其專業領域的書籍。3.有時館員仍須注意太過忙碌而無暇選書的教授，或選書角度太過偏狹的委員，不得已，仍須要自己從書評中選訂圖書作為補充。

　　是故，雖有人認為優秀的採訪館員應有「獵犬的眼睛」、「三輪車夫的腳力」、「老太婆的嘴巴」等能在外面奔波尋訪好書的特質[1]，但就實務面而言，圖書館館員仍以閱讀書評、書訊來獲得書刊出版訊息為主要管道。這之中，又以外文書（或一般稱呼的西文書）的採訪館員比中文書更仰賴書評雜誌之協助，原因大致如下：1.西文書大多價格昂貴，各圖書館經費又不多，故潛意識上就有應當多注意書評的評定再來選購的審慎。2.外文新書通常不容易在國內的書店看到，不像中文新書一出版，馬上可在書店親眼翻閱一番，好壞也可了然於心；西文新書只好多仰賴人家的書評。此外，國內圖書亦較容易實施請書商於某類圖書出版後，即刻送到圖書館供挑選的「選訂式」圖書訂購方法，外文書則困難許多。3.國外，尤其美國的書評事業發達，據王梅玲教授言，美國每年出版新書六萬餘種，書評則有二十餘萬篇，[2]幾乎平均一本書產生三篇書評，無論主客觀上就容易由書評論定一本書是否值得購買。故王教授還言及，美國有固定版面刊載書評的期刊有六百餘種，而美國有百分之八、九十以上的圖書館員認為書評雜誌是他們選購圖書資料的基本工具[3]，何況我們國內圖書館員對遠地的出版狀況，更須依靠書評了。

　　歐美最著名的書評刊物，一般人皆認為是《紐約時報書評》（*The New York Times Book Review*），有人甚至喻之為「書評霸主」[4]。《紐約時報書評》創刊於 1896 年 10 月，原是報社在週六推出的《星期六圖書和藝術評論》（*Saturday Review of Book and Art*），1911 年改在週日隨著報紙發行，並改為現在之名稱，目前亦可單獨訂閱。由於報社名氣響亮，

故週日發行之《紐約時報書評》亦水漲船高，在書界有呼風喚雨之地位。張曉在〈書評霸主：紐約時報圖書評論〉一文中，曾指出它刊載的文章常可使一本圖書一夕之間名揚四海，在同行媒體中亦有一鎚定音的威力；同時，它也是書評界暢銷書排行的始作俑者，成為同行追逐的對象。[5]《紐約時報書評》的暢銷書排行榜，亦常是出版業和文人眼光的焦點，能登其榜者，銷售量將更大為看好。

雖然《紐約時報書評》每週出版，新書評論或訊息迅速、新穎，然而，它並非圖書館員——特別是國內選購外文圖書的圖書館員最常使用的選書雜誌。此原因為《紐約時報書評》身為報紙所附書評刊物，其選載書評範圍就不能太學術性；它固然是高格調的書評刊物，但也必需考慮到它的讀者是廣大的群眾，所以無法接納太多的學術性書籍或圖書館所最需的核心館藏——參考工具書等的書評。當然，像 1996 年 10 月 6 日這期的《紐約時報書評》，是創刊百週年專刊，厚達 120 頁，收錄該刊百來登載的書評精華，圖書館以之作為建立二十世紀經典圖書的館藏亦是很好的參考依據；但國內圖書館能較大量購買外文圖書者，大都為大學或學術圖書館，而在近年經費逐年遞減之下（有些則是機關首長不重視，認為外文書買來沒人看，自己刪減外文購書費，挪去買中文書、大陸書或比較熱門的資料庫了），也只能選購更適合教授需求的學術書籍或合乎館藏發展需要的核心圖書和參考工具書等。像《紐約時報書評》這種並非通俗，但也無法完全顧及學術小眾的書評刊物，就不是圖書館館員列為第一優先或經常利用的選書刊物了。另一方面，《紐約時報書評》許多皆是長篇大論，或許適合文壇人士閱讀，但頗不適合業務繁忙的圖書館館員，他們比較喜歡看的是像"Choice"或"Library Journal"刊載的那種短小而言簡意賅的書評文章。

據王梅玲教授言，"Booklist"、"Choice"、"Library Journal"三種雜誌是美國圖書館最常用來選書的刊物；[6]然對國內外文圖書採訪館員而言，筆者願另加上三種："Publishers Weekly"、"American Libraries"和"Bookseller"。"Publishers Weekly"（簡稱 PW）是美國最著名的出版訊息刊物，源自與圖書館事業極有關係的鮑克公司（R. R. Bowker Company），故圖書館員對其應有一份親切之感；何況，近年來 PW 已趨向國際化，不僅曾印行國際版，[7]連雜誌的副標題都印上"The International News Magazine of Book Publishing and Bookselling"字樣，對拓展圖書館員視野應有助益。"American Libraries"（簡稱 AL）則是「美國圖書館協會」（American Library Association）機關刊物，雖然書評、書訊非其所長，但其"Collection Development"專欄亦是書評、書介之園地，同時"Profession Literature"亦是介紹圖書館學或資訊科學新書的專欄，這通常是圖書館作為館員進修或吸

取新知的館藏發展政策之一；何況，AL 是圖書館員專業刊物，館員閱讀它，不僅可以協助選書，還可順便了解圖書館事業的各項新知，一舉兩得，何樂而不為？至於"Bookseller"則算是英國的 PW，不僅出刊迅速，對了解英國，甚至歐洲的出版動態也頗有助益。

本文擬簡單介紹上述六種選書參考之刊物，此六種刊物或許大學及學術圖書館都應長期訂購，並列為提供給採訪館員或協助選書的參考館員及其他專科閱覽室之館藏發展館員傳閱的「資訊選粹服務」（Selective Dissemination of Information）之一才是。

一、Booklist

"Booklist"一般譯為《書單》雜誌，是美國圖書館協會在 1905 年創刊的，主要目的是要協助全國的圖書館員選購圖書。當時是因為圖書資訊流通不甚發達，即使已有一些出版書目的編制了，卻沒有一點內容介紹或評論，圖書館協會乃向卡耐基基金會爭取了十萬美元的補助，設立了"Booklist"這樣一種專門帶有評論的綜合性圖書書單雜誌。

剛開始的"Booklist"，因為經費和篇幅的關係，每本書都只有短短三、四句的簡介、評論而已，但隨著篇幅的擴增和社會風氣的開展，評論文字日見增加，「參考書通報」（Reference Book Bulletin）部份更有較大篇幅的長書評。"Booklist"一創刊就開始收錄兒童圖書的評論，這在當時是難能可貴的，因為當時的報紙或一般通俗雜誌是不會收錄童書書評的。1921 年，"Booklist"也開始為青年及青少年選錄圖書，這些專欄後來在 1991年合併為"Books for Youth"的大專欄。

在其他特殊主題方面，這份刊物隨時反應時代的需求；從 1921 年之後，也開始評論、介紹外國圖書，1970 年之後，甚至有亞洲語文圖書之書介，以迎合各時期的移民潮。但"Booklist"歷史上最重要的大事是 1965 年時將另一份專門評論預訂書的《預訂書通報》（*Subscription Book Bulletin*）合併，（所謂預訂書通常是指整套出版物，通過付款直接向出版商預訂的圖書，其中以大部頭參考工具書居多）整個雜誌也因此改名為"The Booklist and Subscription Books Bulletin"。1970 年起，《預訂書通報》改名為《參考和預訂書書評》（*Reference and Subscription Book Review*），1983 年又改名為《參考書通報》（*Reference Books Bulletin*），因此，現在的"Booklist"封面，除了"Booklist"是以較大字體呈現外，還會附有一行小字體的文字："includes Reference Books Bulletin"。說到"Reference Books Bulletin"這部份，它雖然是附在雜誌之後，但卻有自己獨立的編輯委員會和主編，是由美國圖書館協會聘請 25 至 30 名的參考書專家組成的，他們規定參考書的選擇和推薦標準，每期都登有 3-4 篇的長書評和 15 篇左右的短書評；每年 9 月 15 日

這一期，則定期有新版百科全書的總評論專題。《參考書通報》這個部份，不僅從圖書館學角度分析、評論各種參考工具書，也對其體例、編制和結構方面進行描述，具有頗高的評鑑指標，因此成為"Booklist"最重要且最著名的一部份。

目前"Booklist"一年出版 22 期，每月兩期（1、15 日出刊），但七、八月只出一期。訂費美國國內每年 79.95 元，外國地區 95 美元。"Booklist"每年評論大約 4,000 種成人圖書，2,500 種青少年及兒童圖書和 500 種以上的參考書和電子資源。內容包括「特載」（Features）（各類主題書目、作家專訪、曼利專欄"Manley Art"……等）、「各類書評」（Sections）──分為成人書籍、青年和青少年、兒童書籍以及各類視聽媒體（media）等；還有，就是上述的《參考書通報》。這三大部份組成每期"Booklist"的主要內容。，而除了每年 9 月 15 日這期對新版百科全書的總評鑑外，每年年初 1 月 15 日這一期，編輯們也會選出上年度的好書書單"Top of the List Editors' Choice"（The Best of Editors' Choice），大約兩百種；3 月 15 日這一期亦會刊出由美國圖書館協會選出的年度好書 350 種左右，對圖書館員選書更能有依據。

"Booklist"在美國皆適合大學及公共圖書館、學校圖書館選書之用，在國內我們可多利用其《參考書通報》和年度好書書單來選擇圖書。

二、*Library Journal*

"Library Journal"一般譯為「圖書館學刊」。提起它創刊的經過，是與"Publishers Weekly"有點關聯的。1872 年，美國一位熱衷圖書文化和書目編制的書商雷葆特（Frederick Leypoldt），創刊了 PW，邀得曾在新聞界工作的鮑克（R.R. Bowker）出任編輯。此兩人皆認為出版業與圖書館關係密切，因此除了 PW 經常刊載圖書館方面之報導外，他們也認為當時尚待開發的圖書館事業，亦應該有一份圖書館從業人員的專屬雜誌，並作為溝通圖書館和出版界的橋樑。當時圖書館著名的學者，也就是「杜威十進分類法」的發明人杜威（Melvil Dewey）獲悉，極力鼓吹他倆儘速創辦，三人並共同號召籌劃成立了「美國圖書館協會」。1876 年 9 月 30 日，雷葆特和鮑克的公司（即以後的 R. R. Bowker 公司）在紐約創刊了《圖書館學刊》（初名 *American Library Journal*，次年去掉 American 一字，沿用至今），並即時趕上了 10 月在費城開幕的首屆美國圖書館協會年會。一般人認為 1876 年是美國圖書館史上最光輝燦爛的一年，美國圖書館協會成立和"Library Journal"創刊是兩個關鍵性因素。

因此，"Library Journal"雖是圖書館員專業雜誌，但其創刊宗旨亦在溝通館員和出版

界間的聯繫，故其內容除圖書館新知、新技術的報導外，每期的書評（The Book Review）篇幅皆占了一半以上的篇幅，每年評論的書達六千種以上，這是它與"American Libraries"不太一樣的地方。

目前"Library Journal"是半月刊，但每年 1, 7, 8, 12 月只出一期，一年 20 期；美國國內含加拿大一年訂費 155 美元，國外則為 210 美元。

"Library Journal"的書評大致依學科分為參考書（Reference）、人文藝術（Art & Humanities）類、社會科學（Social Sciences）類、科技（Science & Technology）類、小說（Fiction）等類，每本書大約有三、四百字的評論。有時，另有"LJ Collection Development"的專題評論。對圖書館員而言，它經常有圖書館學專門書刊、媒體（Professional Media）的新書評論專欄，對專業新知的獲取大有助益。

"Library Journal"每年 1 月號除了選拔年度圖書館員（Librarian of the Year）外，亦會評選年度好書，大約 50-60 種，兼有學術書和大眾讀物；另外並選出十幾種最佳類型小說（Best Genre Fiction），包括偵探、科幻、奇幻及羅曼史等類。同時每年也選拔上年度最佳新創刊雜誌 10 種，都可供選購之參考。"Library Journal"在 2000 年底，亦曾製作過厚達 120 頁的《參考工具書 2001》（Reference 2001）的別冊，網羅年度 1,100 多種各類型、各學科的參考工具書及電子版參考資源；類似此種專題，亦值得圖書館員留意。

一般而言，"Library Journal"應該是圖書館館員最會喜愛的選書雜誌，因為圖書館專業訊息和書評、書介新知各半，雜誌編排品質良好又賞心悅目的。

三、*Publishers Weekly*

"Publishers Weekly"一般譯作《出版家週刊》。它是著名的書目參考工具書出版社「鮑克公司」（R.R. Bowker Company——現為里德出版企業集團"Reed Business Information"之一）的創始者雷保特和鮑克在 1872 年創刊的，距今已有 132 年，可說是一份歷史悠久的刊物。它初名為《出版家和書商行業週刊》（*Publisher's and Stationer's Weekly Trade Circular*），以新書訊息的刊布為主，但後來雷保特和鮑克覺得這一份刊物不僅要有新書報導，也要對書商的日常工作有實際助益，同時也要作為出版商或書商的教育工具，因此，這將不僅僅是書目的編制工作而已，也要報導各種出版界的動態和發展，以及撰寫書評等；同時，自次年起，他們將刊名改為"Publishers Weekly"。一百多年來，"Publishers Weekly"一直是美國圖書出版業的神經中樞，它因為是週刊，所以亦是探窺美國出版界及書市最新、最快的媒介，它不僅登有專論、論文，亦刊載出版消息、出版界人事動態、

有關出版的會議、圖書工業發展的報導，並且有新書書目、書評、暢銷書排行榜等等內容。"Publishers Weekly"近年來也重視國際出版的訊息交流，曾在 1990 年印行國際版——"PW International"，以雙月刊方式夾訂在週刊裡面贈送訂戶閱讀。此國際版後來雖取消，但改為不定期夾附「特別報導」（Special Report）之方式，讓讀者多知道一些專門主題的圖書出版訊息。

"Publishers Weekly"一年出版 51 期，每期大致維持著近一百頁的篇幅，但春、秋兩季若推出大型「出版通告」（Announcement issue）專號，則經常厚達四百頁左右；它亦不定期有兒童、宗教……等類圖書的出版專題報導，篇幅亦常會增加。PW 每期報導、評論即將出版的新書一百多種，一年約評論、介紹新書達 7500 種以上。

除上述專題報導外，圖書館館員平時利用 PW，可留意其「暢銷書幕後」（behind the bestsellers）及其最著名的「新書預告」（PW forecast）等專欄；它們都登有數百字的簡短評論；作家專訪中也常會介紹他們的新書，亦可參考。此外，每年十一月中旬，PW 也會選出「年度好書」（The Year Books），依小說（Fiction）、「偵探推理小說」（Mystery）、「大眾市場小說」（Mass market）、「科幻、奇幻、驚悚小說」（SF/Fantasy/Horror）、「喜劇小說」（Comic）及「非小說」（Nonfiction）、「繪本圖書」（Illustrated Books）、「生活類」（Lifestyle）、「詩」（Poetry）、「宗教類」（Religion）等各類型好書，每類圖書選出多則數十本，少則也有近十本；兒童書則另有專篇"Best Children's Books"的評選。

PW 目前訂費為美國本土每年 214 美元（零買每冊 8 元），加拿大與墨西哥每年 264 美元（零售每冊 12 元），其他國家每年 350 美元（零售 15 元）。

四、*American Libraries*

"American Libraries"一般譯作《美國的圖書館》雜誌，創刊於 1906 年，是美國圖書館協會（American Library Association——簡稱 ALA）的機關刊物（Official organ），以贈送美國及全球約 64,000 名 ALA 會員為主，但也開放給全世界各圖書館及機構訂閱，美、加地區一年訂費 60 美元，國外 70 美元。"American Libraries"為月刊，但六、七月合刊，一年出版 11 期。

由於是 ALA 的機關刊物，所以"American Libraries"的內容，根據 ALA Policy Manual 的規定，這份雜誌主要在為 ALA 會員報導會務狀況，圖書館動態、活動；以及圖書館及資訊科學的新知、新技術等；但採訪館員仍可從此刊物獲得一些重要圖書、出版訊息或

評論，特別是圖書館學專業圖書或參考工具書方面的。

"American Libraries"每期皆有「專業館藏發展」（Professional Development）的專欄，經常介紹圖書館學專業圖書或 ALA 之最新出版品，這些都是圖書館員深感興趣的；而目前由 ALA 的「參考及讀者服務委員會」（Reference and User Services Association——簡稱 RUSA）執行主任主波頓（Cathleen Bourdon）女士主編的「圖書館員的圖書館」（Librarian's Library）專欄，更是一個附有彩色書影和評介文字的圖書館學新知園地，可說是圖書館員繼續教育的訊息資源。"American Libraries"也有介紹其他類圖書的版面，如"Quick Bibs"、"Quick Vids"等，唯篇幅不多。

但"American Libraries"最重要的是每年刊載的年度「最佳參考資源」（Outstanding Reference Source）可供館員評選最新的參考工具書或參考資源。年度「最佳參考資源」由 RUSA 十位公共圖書館和學術圖書館的參考館員於上年底開始評選；以 2003 年為例，2002 年年底即由委員進行評選作業，由初選的 100 本到複選的 70 本，以及最後的 13 本，都經過多次開會審查；最後 13 本所謂的「好中之好」（The Best of the Best）的年度「最佳參考資源」書單便刊在 2003 年五月號的"American Libraries"上。

RUSA 在這份書單之後，也列出十三項評選依據或優秀參考工具書應有的標準，包括：1.要有清晰、可讀的地圖或照片；2.要有美觀的插圖，可以豐富本文；3.要有寬闊的版頁空間，便於影印；4.堅固耐用的裝訂和結構；5.可讀性高，活潑生動的文字；6.內容富學術性；7.令人舒適的版面設計；8.好的索引，層層詳細的標題；9.清楚明白的編輯體例說明；10.有權威或証據性的資訊來源；11.符合廣泛讀者的愛好或需要；12.資料新穎；13.有廣泛和專精的參與者。[8]

這些標準，亦值得採訪館員選擇參考工具書時參考的。

五、Choice

"Choice"一般譯為《選擇》雜誌；由其全名"Choice: Current Reviews For Academic Libraries"即可知曉它是為學術及大學圖書館選擇最新出版之現刊圖書的。

"Choice"是美國圖書館協會之「大學及研究圖書館分會」（Association of College and Research Libraries）於 1964 年 3 月創刊的，其目的即在支援其會員圖書館（大學及研究型圖書館）發展學術館藏（to support undergraduate library collection）；首任編輯為 Richard Gardner，剛開始設定的目標為每年要評論新書 2500-3000 種；隨著出版品的逐年增加，創刊至今已四十年的"Choice"，目前大約每年從 25,000 種新書中，挑選 6,500-7,000 種撰

寫評論刊載；1990 年代中期以後，"Choice"也開始評論電子出版品及網路資原。"Choice"的挑選原則，刊物訂有選擇政策（selection policy）以供依據，而由學者專家及專業圖書館員組成的書評撰寫，則以 1.即時（Timely）；2.權威（Authoritative）；3.簡明（Concise）；4.容易使用（Easy to use）等為主要原則；務期達到「適合任何地方的最新圖書短評」（the best short critical evaluation of new titles available anywhere）。

"Choice"每期的短書評大致是按「參考書」、「人文科學」、「科技」、「社會及行為科學」等大類編排的，其下再細分小類，對大學及學術圖書館依類選書，自有其方便性。讀者宜注意的是每期亦有幾個專欄，其一是「書目論述」（Bibliographic Essay），這是一個三次文獻式的專題書目；，所謂三次文獻，即是書目（二次文獻）加上詳盡的相關論述或分析，這一向是學術研究者最需要的資料。以 2003 年 10 月號的"Choice"而言，其"Bibliographic Essay"便是有關 20、21 世紀美國移民的各種書目及分析報導，其篇名為"Newcomers to the United Stated: Immigrants of the 20th and 21st Centuries"。

另外，"Choice"亦有一個即將出版的新書書目專欄，每期一種學科或專題，唯沒有評論。

不定期方面，"Choice"目前每年 11 月都會刊載即將出版或新近出版的參考書書目（forthcoming reference titles），如 2003 年 11 月便是"Forthcoming Reference Publications, 2003-2004"。每年 1 月號，"Choice"亦會就上年度之書評，再評選出優良的學術圖書及電子資源（Outstanding Academic Titles），數目約為十分之一；如 2002 年 1 月號便選了 628 種學術圖書及電子資源，並分成 54 個學科（即每期之學科細分）；此種精華書單的再篩選，對經費不多的圖書館，或我們國內沒有太多錢買外文書的大學院校圖書館而言，都是很好的參考依據。

2004 年 3 月，是"Choice"創刊四十週年，它亦推出特別的專號。

"Choice"目前為月刊，每年出版 11 期（7、8 月合刊）；訂費為北美地區（含美國、加拿大、墨西哥）一年 270 美元；其它地區 320 美元。

六、*Bookseller*

"Bookseller"在英國，就像美國的"Publishers Weekly"一樣，是報導出版業和出版商訊息的刊物，所以並不是專門的書評雜誌，但其在固定刊期內，提供了不少書訊消息，非固定的補編附冊等，則不定期有各種主題的新書訊息或評論等，仍值得館員參閱，何況，它也是最能知道英國最新出版訊息的刊物，連美國的《推薦給圖書館的雜誌》

（*Magazines for Libraries*）這本工具書也收錄了"Bookseller"，認為要對大西洋彼岸的出版工業有所了解的館藏發展館員，"Bookseller"是必須閱讀的基本讀物。

"Bookseller"創刊於 1858 年，至今已有 140 多年的歷史，它是週刊，每年發行 51 期，發行範圍包括英國和世界 86 個國家，以最迅速的速度報導英國及歐洲的出版動態並分析有關的出版趨勢；所以館藏發展館員可以由此了解英國或部份歐洲的出版情況。

這份刊物最著名，也最有名的是帶有 ISBN 登記性質報導的「每週新書」（Publications of the Week）專欄書目，（類似國內《全國新書資訊月刊》後面所附的上月登記 ISBN 之圖書清單）不僅篇幅佔了整份雜誌的四分之一左右，也幾可見英國最新出版的書單。此書目按類別（主題）之字母順序排列，整個書目檔亦建置成一個"Nielsen BookData"書目資料庫。

"Bookseller"這份刊物雖以出版業之訊息動態報導為主，並無書評專欄，但亦偶而可在不定其出現的專文或主題報導可見到書的評論。除此之外，採訪館員可將重點置於它每年有 25 種專題補編，以附冊方式夾在正期雜誌內，這些附冊都屬專題的書目介紹和三次文獻評論報導，這些附冊，如"The Children's Bookseller"、"Crime Bookseller"、"Independent Publishers' Catalog"等，也都是印刷精美的雜誌型刊物，不定期夾在"Bookseller"內，館員千萬不要忽略了。"Bookseller"每年春、秋兩季還發行兩次厚厚的「購書者指南」（Buyer's Guide）及"Children's Buyer's Guide"，採訪館員亦可在這些附加刊物上發現書目琳瑯之美。

"Bookseller"目前訂費在英國為每年 170 英鎊，歐洲為 311 歐元，澳洲為 722 澳幣，其他地區為美金 406 元。

以上六種刊物，大致是國內圖書館員較可利用之歐美書評、書訊雜誌，這些雜誌也都有線上網路版，（唯有的另外要繳費或付費加入會員才能較大範圍的查用），館員可輔助參考使用，網址在刊物前頭版權頁大概都可查到。唯書評刊物眾多，頗多專業書評亦多刊載於專業期刊內，此須其他人士或館員協助推薦的。

註釋

① 王岫，〈圖書資料的獵尋者——採訪館員〉，《人間福報》，（民 92 年 10 月 7 日），頁 11。
② 王梅玲，〈書評——圖書館選書的最佳指南〉，《全國新書月刊》，13 期（民 89 年 1 月），頁 3。
③ 同註②。
④ 張曉，〈書評霸主：紐約時報圖書評論〉，《出版廣角》，（2003 年 6 月），頁 68。
⑤ 同註④。

⑥　同註②，頁 4。

⑦　王錫璋，〈出版家週刊印行國際版〉，《中國時報》，（民 79 年 4 月 6 日），開卷版。

⑧　Bloom, Vicki , "The Best of Best Reference" , *American Libraries*, May 2003, p.46.

（謹以本文祝賀　王振鵠教授八十大慶——他三十二年前教我「圖書選擇與採訪」的課程，令我終生受益。）

我國檔案管理體制改善芻議
The Proposition to the Improvement of the Archival Management Systems in Taiwan

薛理桂
Li-kuei Hsueh

摘　要

　　本文係探討我國的檔案管理體制。首先針對大陸的檔案管理體制，了解其管理體制之優點。其次，再針對國內目前檔案管理體制所面對的問題加以剖析，並提出改善的建議。

Abstract

This paper mainly discusses the archival management systems in Taiwan. Firstly, the archival management system of mainland China is investigates and therefore to realize its' advantages. In addition, the current problems of Taiwan's archival management system is analyzed. Finally, the related suggestions are given.

關鍵詞：檔案；管理體制；國家檔案館；中國大陸；臺灣
Keywords: Archives; Management Systems; National Archives; China; Taiwan

壹、前言

我國檔案管理體制的正式確立應以「檔案法」自民國八十八年十二月十五日經總統明令公布開始。民國八十九年設立「國家檔案局籌備處」。民國九十年十一月，「檔案管理局」正式成立，從而奠定我國檔案管理體制。自此以後，我國擁有檔案管理的專法，以及全國檔案管理的主管機關，使得我國檔案管理體制邁向正軌。

環視國內檔案管理制度，檔案法的通過雖使檔案管理局或各機關在執行檔案管理業務上有所遵循，但整體而言，尚有許多值得借鏡國外之處，國家檔案館之設立即是當務之急。本文主要以大陸的檔案管理體制為探討的重點，兼以國內檔案管理體制之現況中待改進之處，提出個人淺見。

貳、檔案管理體制意涵

有關「檔案管理體制」的定義，舉大陸丁華東、竇曉光與中國大百科全書兩種定義，分述如下：

一、丁華東、竇曉光

丁華東、竇曉光（2003，頁 13）對「檔案管理體制」所下的定義是：

> 是指一個國家檔案與檔案工作的方式與組織制度，包括各級各類檔案行政、業務機構的設置及其隸屬關係、職掌與組織管理方式等的總和。

二、《中國大百科全書》

《中國大百科全書》對於「檔案管理體制」所下的定義是：

> 檔案事業管理體制，包括檔案事業機構設置及其隸屬關係和權限劃分等內容。世界各國的管理體制因國家的歷史條件和國家結構形式的不同而有很大差異。按中央檔案機構與地方檔案機構的關係，可分為集中式和分散式兩種類型。集中式即地方檔案機構受中央檔案機構的領導或監督；分散式即地方檔案機構不受中央檔案機構的任何領導或監督。採用集中式管理體制的國家，在歐洲以法國、意大利歷史最悠久，均設有國家檔案事業管理機構——檔案局指導、監督中央的和地方的檔案館；北歐的瑞典、挪威、丹麥、芬蘭等國不設檔案局，由中央級國家檔案

館行使檔案事業管理的功能；蘇聯和東歐國家從中央到地方均設有檔案事業管理
機構，對檔案館實行集中統一管理。……採用分散式管理體制的多為聯邦制國家，
以美國和德國，以及英國為代表，中央級的檔案機構對地方檔案館均無指導關
係……日本、印度、巴基斯坦、馬來西亞、哥倫比亞等國也都實行分散式管理體
制。集中式比分散式更有利于檔案事業建設和發展，優越性大些；同是集中式，
因社會制度不同也有原則區別。（王景高，1993，頁 66）

　　綜合上述，有關一個國家的檔案管理制度包括下列項目：
1.檔案事業機構設置、隸屬關係與權限；
2.各級各類檔案行政；
3.業務機關的設置及其隸屬。
　　本文主要探討我國檔案主管機關之設置及其隸屬關係、各級各類檔案行政與業務機
關的設置及其隸屬關係。

參、大陸檔案管理體制

　　大陸地區的檔案事業在民國 38 年後，迅速的開展。中央人民政務院在秘書廳下設立
了檔案科，政務院所屬各主要部、委也都設立檔案工作機構。中國共產黨中央組織部、
宣傳部和秘書處也都設置檔案室。1954 年國家檔案局成立後，使大陸地區的國家機關有
了統一的規章制度，並完成大陸地區檔案體系整體架構的建立，推動檔案機關相關業務
的順利進行。依大陸地區檔案管理制度、中央主管機關、國家級檔案館等項分述於下：

一、檔案管理制度

　　大陸的檔案管理體制屬於「統一領導、分級管理」的原則（丁華東、竇曉光，2003，
頁 13），係屬於集中管理體制。由國家檔案局主管全大陸地區的檔案事業，統籌規劃、
組織協調、統一制度，並對中央與國家機關間各部門、全國性社會團體的檔案工作、中
央級國家檔案館、以及省、自治區、直轄市檔案局的工作進行監督與指導。此外，對縣
級以上地方各級檔案局的檔案事業也進行監督與指導。（王景高，1993，頁 66）

二、中央主管機關

　　大陸的國家檔案局為國務院直屬機關，是國家檔案事業的最高領導機關。該局的任

務是在統一管理國家檔案工作原則下建立國家檔案制度，指導和監督各級國家機關和人民團體的檔案工作；負責全國國家檔案館網的規劃；籌建和領導國家檔案館；研究和審查國家檔案文件材料的保管期限標準和銷毀問題；制定有關國家檔案工作的法規性文件以及其他國務院交辦的檔案事務。在地方省、自治區、直轄市設立檔案局，地、市、州、盟設立檔案局（處）；縣、旗設立檔案局（科），負責地方檔案事務，對所屬地區檔案工作的指導及監督。此外，中央及省一些專業部門亦設有檔案處（科），對所屬系統各單位檔案業務進行督導與監督工作（郭介恆等，民79）。

大陸國家檔案局與中央檔案館係「一套人馬、兩塊招牌」，由一組人員合署辦公，同時負責兩項工作。在其下設有司、部、室、直屬事業單位等不同類型的單位，分述如下：（郭銀泉，1997，頁44）

㈠司

以司為名的單位有：檔案館（室）業務指導司、經濟科技檔案業務指導司、政策法規研究司、行政財務司等共四個司。

㈡部

以部為名的單位有：檔案資料保管部、檔案資料利用部、技術部等三個單位。

㈢室

以室為名的單位包括：辦公室、外事辦公室、離退休幹部工作辦公室等三個單位。

㈣直屬事業單位

直屬事業單位包括：中國第一歷史檔案館、中國第二歷史檔案館、中國檔案報社、中國檔案出版社、檔案科學技術研究所、中國檔案雜誌社、檔案幹部教育中心、中國檔案學會等單位。

三、國家級檔案館

大陸國家級檔案館主要有三個，分別是：中央檔案館、中國第一歷史檔案館、中國第二歷史檔案館，分述如下：

㈠中央檔案館

該館負責集中保存中國共產黨成立以來具有全國意義的革命歷史檔案和中央機關的檔案，下設：

1. 檔案部保存共產黨成立以來的珍貴檔案和書刊。

2. 國家機關檔案館保存中央撤銷機關檔案和華北行政委員會、華北抗日根據地的檔

案。

(二)中國第一歷史檔案館

該館專門負責保管明、清兩代檔案。設館長一人,主持全館工作,副館長二人,下設四部二室:

1. 管理部:負責歷史檔案的編輯、保管、整理、編目和利用工作。
2. 編輯部:負責檔案史料的編輯、公佈工作。
3. 滿文部:負責滿文檔案史料的翻譯、編輯、整理和編目工作。
4. 技術部:負責檔案照相、複印等複製工作和修復保護工作。
5. 研究室:負責協調全館學術研究活動,進行專題研究,以及圖書和資訊的蒐集管理工作。
6. 辦公室:負責秘書、人事、財物、總務等行政事務。

(三)中國第二歷史檔案館

該館是中國大陸規模最大的近代歷史檔案館,保存南京及大陸各地收集、接管的國民黨、北洋軍閥和汪偽政權以及一部份清末的檔案。另有屬於中央主管部門的專業檔案館,如中國人民解放軍檔案館、中國電影資料館、航空工業部檔案館等。

四、大陸檔案管理體制之優點

依據以上所述,可將大陸地區的檔案事業之優點歸納如下:

(一)統一領導與分級管理

大陸的檔案管理制度係採由國家檔案局主管全大陸地區的檔案事業,並在各省、縣、自治區等各種不同層級的行政體系設置檔案局,以實施分級管理。由於各地區較了解各地的檔案管理現況,採行分級管理將有助於有效推動各地區的檔案管理業務。

(二)主管機關層級較高

大陸的檔案主管機關——國家檔案局係隸屬於國務院,相當於我國的行政院,在行政隸屬的體制方面層級較高,有助於推動全大陸地區的檔案管理業務。

(三)成立中央層級檔案館

在大陸的中央層級,設有三個國家層級的檔案館,分別依其館藏檔案的時期典藏於中央檔案館(共產黨檔案與現行中央機關的檔案)、中國第一歷史檔案館(以明清檔案為主)、中國第二歷史檔案館(以民國檔案為主)。如此一來,將可以有效的區別三者之間館藏發展的方向,以免重疊,且有利於民眾使用。

㈣成立地方層級檔案館

大陸在各省、市、自治區都設有檔案局與檔案館,兩者係採合署辦公的方式。例如：天津市檔案局館（編制：行政 28 人,事業 143 人）、河北省檔案局館（編制：行政 33 人,事業 105 人）、內蒙古自治區擋案局部（編制：事業 35 人）、浙江省檔案局館（編制：行政 22 人,事業 76 人）等。（國家檔案局、中央檔案館,1997,頁 45-46）。

肆、我國現有檔案管理體制待改善之處

我國現有檔案管理體制待改善之處有下列數項：

一、檔案法亟待修訂

我國檔案法中對於檔案管理體制較有密切關係者為：

㈠第二條「檔案」與「國家檔案」定義不清楚

第二條對於「政府機關」、「檔案」、「國家檔案」、「機關檔案」均有界定,但對於「檔案」一詞定義過於含糊不清,將導致各機關在處理檔案時無所適從,且無法區分「現行文書」（Current records）、「半現行文書」（Semi-current records）與「非現行文書」（Non-current records）。如屬現行文書依目前政府的體制應屬行政院秘書處的管理範疇,但依現行檔案法的定義將無法予以辨別現行公文書與檔案之間的差異性。文書的生命週期（Life cycle of records）見圖 1。

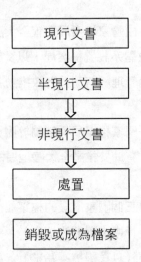

圖 1：文書的生命週期（Penn, Pennix & Coulson, 1994, p.13）

此外，「國家檔案」一詞，檔案法中的定義為：「指具有永久保存價值，而移歸檔案中央主管機關管理之檔案。」依此定義，不論中央政府機關或地方機關與學校單位所產生的檔案都在此範圍內，但以目前檔案管理局而言，僅有數十坪的典藏空間，勢必無法容納各機關移送的檔案，且地方的檔案也不應移歸中央主管機關。

㈡未有設置國家檔案館或地方檔案館之條文

在檔案法三十個條文中，居然未有設置國家檔案館或地方檔案館之相關條文，實屬不可思議。然而，在第二條第三款「國家檔案」定義中又要求將具有永久保存價值的國家檔案移歸檔案中央主管機關管理，兩者實為矛盾。未有具體的檔案館將如何典藏具有永久保存的檔案？此為檔案法之大謬。此外，亦未有設置地方檔案館之相關條文，將如何典藏由各縣市所產生的檔案。

二、檔案管理局層級太低

我國檔案管理局係隸屬於行政院研考會之下，以中央政府層級而言，屬於中央政府三級單位，位階過低。由於檔案管理局職司全國各政府機關所產生的檔案，上自總統府，下至各地方機關都在其管轄範圍之列。但以目前政府體制而言，自總統府與行政院以外的其他四院在行政位階方面都高於檔案管理局，將如何要求這些單位所產生的檔案移歸該局？這是該局目前所面臨的一大難題。

三、未有分級管理機制

以大陸的檔案管理體制而言，屬於「統一領導、分級管理」。國家檔案局統一領導全大陸的檔案事業，但在各省、各縣市又分別設有檔案局館，主管各省、各縣市的檔案事業。

我國檔案管理體制屬於集中管理體制，但在院轄市與各縣市、各鄉鎮都未設有檔案管理的主管機關。如此一來，檔案管理局的負荷太重，且未能有效主管全國的檔案事業。

四、未設立國家檔案館

目前全世界大約有一百多個國家都已成立國家檔案館，而我國至今尚未有國家檔案館的設置。以檔案法第二條第三款的精神，各機關將具有永久保存的檔案移歸檔案中央主管機關管理，但所面臨的最大問題是目前並未有國家檔案館，將如何執行此項工作。

五、各縣市未設置檔案館

目前各縣市大都未設置檔案館，有些縣市設置類似的單位，如：宜蘭縣設置「宜蘭縣史館」。但是縣史館的功能仍與縣立檔案館的功能不同，未能確實執行檔案館的各種功能。

伍、我國檔案管理體制改善建議

綜上所述，參酌大陸檔案管理體制，並針對國內現有檔案管理體制待改善之處，提出我國檔案管理體制改善建議，如下：

一、修訂檔案法

檔案法中對於檔案管理有密切關係的為「檔案」的定義與檔案館的設置，分述如下：

㈠「檔案」定義修改

「檔案」一詞定義不明，建議予以修改，使其更明確，主要需具備三要素：

1.產生單位：狹義的定義指政府機關，如廣義可擴及個人或私人單位。

2.時效性：係指已失時效性的非現行文書為主。

3.保存價值：係指具有長久保存價值的文書。

由上述三項定義與圖 1 所示之文書生命週期，可知檔案法對於「檔案」一詞之定義並無法區別現行文書、半現行文書與非現行文書。因而建議在修改檔案法時務需優先修改「檔案」一詞的定義。

㈡整合文書管理與檔案管理

目前我國文書管理業務係由行政院秘書處主管，而檔案管理則由行政院研考會所屬的檔案管理局主管。在上述現行文書、半現行文書與非現行文書三者難以嚴格區分之情況下，業務容易產生混淆。

石樸、張富林、許長仕（民 92，頁 5）在《美、加、英、澳檔案管理策略比較分析研究》之建議中亦提出建議在近程發展統合文書管理與檔案管理系統之介面銜接，以減少工作人員之重複作業。長程發展建議配合行政院組織重整，統一公文書管理與檔案管理之事權。

筆者同意石樸等人之建議，應整合我國文書管理與檔案管理作業，以免兩者發生不一致之情形。

㈢「國家檔案」定義可刪除

　　如檢視上述檔案一詞應具備的三要素而言，「國家檔案」係多餘的詞目，已涵蓋在檔案一詞中，建議可將其刪除。

　㈣增加設置「國家檔案館」與「地方檔案館」條文

　　如前所述，建議應於檔案法中明文規定在中央應設置「國家檔案館」；在地方應設置「地方檔案館」。

二、提昇檔案管理局層級

　　以大陸國家檔案局係隸屬於國務院之下，在行政隸屬層級方面高於我國的檔案管理局。建議我國檔案管理局的行政層級應直屬於行政院之下，較能發揮其應有的功能。（薛理桂，民 92）

三、建立分級管理

　　如能仿效大陸的方式，採行由檔案管理局統一領導，但在院轄市與各縣市分級管理的方式，設置檔案局，將更能掌握院轄市與各縣市的檔案管理。（薛理桂，民 92）

四、盡速成立國家檔案館

　　為有效執行檔案法第二條第三款的條文，國家檔案館的設置將是刻不容緩的工作。目前各政府機關普遍面臨非現行檔案無法有效移轉的問題。成立國家檔案館方能解決此問題。（薛理桂，民 92）

五、成立各縣市層級檔案館

　　依據地方自治法，各縣市可成立其需要的單位，宜蘭縣即是一例。建議各縣市成立縣市立層級的檔案館，以典藏各縣市所產生的地方史料，並提供民眾使用。（薛理桂，民 92）

參考書目

Penn, I. A., Pennix, G. B. & Coulson, J. (1994) *Records management handbook* 2nd ed. Hamshire: Gower.

丁華東、竇曉光　（2003）　〈改革開放以來我國檔案管理體制改革發展的實踐成就〉《檔案學通訊》　2003 年 1 期：13-16。

王景高　（1993）　〈檔案管理體制〉在：《中國大百科全書圖書館學、情報學、檔案學》　北京：中國大百科全書出版社。

石樸、張富林、許長仕　（民92）　〈美、加、英、澳檔案管理策略比較分析研究〉　在：檔案管理局編　《檔案管理局九十一年度自行研究報告彙編》　臺北市：檔案管理局。

國家檔案局、中央檔案館編　（1997）　《中國檔案年鑑》　北京市：中國檔案出版社。

郭介恒等　（民89）　《國家檔案管理體制與法制作業之研究》　臺北市：行政院研考會。

郭銀泉　（1997）　〈中央檔案管、國家檔案局機構編制表〉在：　《中國檔案年鑑》　北京市：中國檔案出版社。

薛理桂　（民92）　《我國檔案管理體制研究》　國科會計畫　（91-2413-H-004-018）　臺北市：政大圖書資訊與檔案學研究所。

數位時代的圖書館館藏發展革新與典範轉移
Revolution and Paradigm Shifts of Library Collection Development in the Digital Age

詹麗萍
Li-ping Chen

摘 要

　　圖書館傳統館藏內容的建立係依據明確的館藏發展原則進行作業,使館藏有系統且持續地發展。電子資訊的大量生產及快速傳播,使人類獲知的途徑起了很大的變化,也對圖書館提供資訊的範圍及方式造成了衝擊。在新的數位時代,圖書館舊有的館藏發展原則及作業方式幾乎已經無法適用,圖書館員必須對數位資訊的特徵、選擇、採購、組織、管理等相關問題具有充分的瞭解,才能建立新的館藏發展模式,整合各種形式的資訊資源,以滿足使用者的資訊需求。本文藉由文獻分析,探討在新的資訊環境下圖書館館藏發展所面臨的諸項議題,包括:使用權與擁有權的考量、版權與授權的限制、電子資源的選擇、採購及永久典藏,目的在探討圖書館如何在數位化資訊及技術的衝擊下積極求新改革,建立館藏發展新典範。

Abstract

The traditional pattern of building a library collection is to follow the collection development policies and build up a collection of library resources systematically and continuously. Today, the proliferation and popularity of electronic resources have profound impact on the ways people acquire knowledge. The ability of a library to provide information not contained in physical format is needed to meet users' needs. As a result, the classical model of library collection development no longer works. The principles of collection development must be adjusted to incorporate new publishing formats, regardless of their mechanisms of access, in library collections. This article explores issues related to collection development, including access vs. ownership, copyright vs. licensing, selection, acquisition, and preservation of electronic resources. It is aimed to explore how paradigm shift in library collection development has occurred under the impact of digital information and technologies.

關鍵詞：館藏發展；電子館藏；數位館藏

Keywords: Collection Development; Electronic Collections; Digital Collections

壹、前言

近年來資訊科技的進步令人震撼，電腦的速度及容量均急遽增進，網路的成長更為快速，不但縮小了人與人之間的距離，也增加了各種資訊資源的可及性。隨著電腦網路的普及，越來越多的傳統資訊形式，例如：圖書、期刊、報紙、論文、書目資料庫，甚至電視及廣播新聞等都可以透過網路使用，有些甚至已經直接在網路上出版。許多過去只能在各地圖書館或相關機構取得的資訊，例如：政府資訊、社區資訊、校園資訊、圖書館目錄等，現在都能透過網路取得或利用。[1]電子資訊的大量生產及快速傳播，使人類獲知的途徑起了很大的變化，也對圖書館提供資訊的範圍及方式造成了衝擊。圖書館館藏的本質近年來有了極大的改變，紙本及視聽媒體雖仍佔了目前館藏的大部份，但數位資訊已愈形普遍與重要，圖書館從過去的汗牛充棟演變為今天各種形式資訊混雜的館藏型態，包括實體和虛擬的館藏。

圖書館傳統館藏的建立有一定的規則與政策，不論圖書館的類型及規模大小，館藏內容的建立並非漫無目標，多半訂有所謂的館藏發展政策（collection development policies），根據明確的原則來進行選書、購書，使館藏有系統且持續地發展。[2]數位資訊是新興的重要資訊來源，但其品質及數量令人難以掌握，內容又變化多端，相較於傳統的紙本資料，圖書館舊有的作業原則幾乎已經無法適用，工作人員正面臨極大的挑戰。

處於新的數位時代，為了在有限經費的條件下，努力提供最豐富、最適切的資源，圖書館員必須對數位資訊的特徵、選擇、採購、組織、管理等相關問題具有充分的瞭解，才能調整館藏發展原則，制訂適當的館藏發展政策，整合各種形式的資訊資源，以滿足使用者的資訊需求。

本文將藉由文獻分析，探討在新的資訊環境下圖書館館藏發展所面臨的各項議題，包括：使用權與擁有權的考量、版權與授權的限制、電子資源的選擇、採購及永久典藏，目的在探討圖書館如何在數位化資訊及技術的衝擊下積極求新改革，建立館藏發展新典範。

貳、使用權與擁有權

在圖書館的世界，館藏發展有關「使用權」（access）及「擁有權」（ownership）的問題已討論了將近二十年。1980 及 1990 年代的文獻大多圍繞著「期刊危機」（serials crisis）、「使用權與擁有權」（access vs. ownership）、「及時供應與防備不時之需」（"just in time" vs. "just in case"）、「儲存中心與資訊閘道」（storehouse vs. gateway）等主題，這些主題顯示圖書館為了適應新科技及社會發展情勢所做的掙扎與努力，也直接影響了館藏發展政策。在談論如何改善使用者資訊使用的文獻中，最普遍的主題便是 "access vs. ownership"。

擁有權的觀念不難理解，通常指圖書館對於採購的實體資訊有儲存及控制的權利。隨著越來越多以「授權協議」（licensing agreement）購買資訊的方式，協議書中明訂在哪些情況下資訊可以使用，或哪些人可以使用資訊，圖書館只是租用，並非真正擁有，此種購買方式為擁有權增添另一層定義：「資料儲存在買家一段時間後又還給廠商」。相較於擁有權，使用權的定義便不那麼清楚，它可能指狹義的書目辨識，不包括資訊傳遞，也可能意味著廣義的資訊提供。主張擁有權模式的人士多認為圖書館能順利提供資訊給讀者是因為館內擁有資料，主張使用權模式的人卻認為事實並非如此。任何一位有經驗的讀者都知道，在圖書館想找到一份資料有時候是相當令人沮喪的，資料或許被借出，或許在館內但不在架上，或甚至遺失。如果想要的資料是期刊，沮喪的程度更可能有增無減，讀者花了九牛二虎之力，竟發現想要的卷期或頁數不見了，不得已只好向他館申請借閱。這聽起來似乎不合邏輯，一份館內擁有的資料，其獲取率卻不如他館的資料，只能說 ownership 的模式並不能百分之百確保讀者 access 的權利。[3]

取得資料的擁有權一直是圖書館建立館藏的指引及原則，過去圖書館總是企圖擁有

讀者感興趣的所有資料，以備不時之需（"just in case" model），館藏的大小更是圖書館
排名及讀者所關心的重要因素。現在這個老舊的典範雖然已經過時了，但圖書館在操作
面上似乎並沒有顯著的改變，實質擁有資料仍被認為是最好、最具成本效益的資訊提供
方式。事實上，幾乎所有深思熟慮的館員、大學行政主管及教授們，都瞭解傳統以擁有
權為主的館藏發展模式需要根本的改變，舉凡期刊的通貨膨脹、研究教學資源的成長及
需求、科際整合研究的增加、教師研究的專門化，以及圖書館經費全球性的縮減等因素，
使得圖書館不可能購買所有需要的資料。④承認一個單獨的圖書館不可能擁有各式各樣的
資料以滿足所有的讀者，這大概是目前多數圖書館已具有的共識。在不增加經費的前提
下，想要滿足讀者的需求並對抗資料高漲的費用，館藏發展朝向取得資料的使用權，在
讀者需要時能及時供應的模式（"just in time" model），似乎已成為無可避免的趨勢。

在早期的相關文獻中，對使用權及擁有權執重的討論多集中在館際互借及文獻傳遞
服務的議題上。圖書館為因應經濟危機，減少館藏資料的購置及刪減使用率較低的期刊，
改以供應書目資料庫的使用權或最新期刊目次服務，必要時再加上館際互借及電子文獻
傳遞服務，提供讀者所需要的期刊論文。T. E. Nisonger 認為文獻傳遞服務日益受重視，
反映了圖書館視資訊使用權為取代擁有權的一種做法。⑤根據 Chrzastowski & Schmidt 的
研究顯示，使用館際互借或文獻傳遞服務取得期刊論文確實比訂購期刊便宜，圖書館與
其訂閱價格高昂、使用率低的期刊不如使用文獻傳遞服務具有成本效率。⑥ Ferguson &
Kehoe 的研究結果亦顯示，如果僅以費用為考量的話，使用館際互借或文獻傳遞服務的
確比購買館藏資料便宜，但作者認為館藏的決定不應只考慮費用，還應考慮資料的使用
需求。⑦由於傳統的館際互借服務手續費時，讀者只能利用線上系統查證書目資料及完成
申請手續，接下來的工作便需由館員處理，成本太高，無法大量作業，如欲以此方式加
強資料的使用權，實質上有困難。D. F. Kohl 指出圖書館如果真的想借助館際互通資料轉
型為 access 的模式，必須使館際互借的作業變得像流通（circulation）一樣，快速、低廉、
方便、可靠，由讀者自行完成所有手續，不需假手館員，並結合電子文獻傳遞服務，透
過圖書館聯盟的整合，加強館際合作，OhioLINK 便是一個成功的例子。⑧ G. P. Cornish
則強調電子文獻傳遞服務的法律問題，呼籲圖書館重視智慧財產權，合法提供資料的使
用。⑨

另外一種做法是購買單篇論文，稱為"Buying by the Drink"，意思是只購買需要的資
料。以期刊文獻而言，圖書館傳統的做法是盡可能訂購期刊，預先付費，出版商則保證
供應整年資料，看起來似乎是很合理的方法，很少人會想到訂閱一份期刊其實是冒險的

做法。在預先付費的情況下，如果期刊的大部份論文有人閱讀，付出的費用便值回代價，但也有很多引文分析的結果指出有許多論文其實是沒被讀過的，或至少沒有在後來的文獻被引用過，訂閱整本期刊並不符合成本效益。因此對圖書館而言，最有效的策略是把期刊打散，只在需要的時候購買所需的論文即可。[10]數年前，美國辛辛那提大學（Univeristy of Cincinnati）圖書館迫於經濟壓力，刪減了 20 萬美元的期刊訂購，館員發現約有一半的期刊可經由 Uncover（現今的 Ingenta）論篇購買，於是便提供全校師生 Uncover 的服務。二年後，館方驚喜地發現每年只需花費約 3 萬美元，不但一年節省 7 萬美元，而且還能提供師生使用 Uncover 約 18,000 種期刊。也就是說，圖書館將使用率低的期刊以購買單篇論文的方式取代，方法簡單，卻能節省經費並增加利用管道。[11]

　　集合性全文資料庫（full-text aggregated databases）的出現更造成圖書館刪除紙本期刊而改採電子資料庫（例如 EBSCOhost、SDOS、Lexis-Nexis、Wiley Interscience 等），它開啟了以論文為主的市場，圖書館可以藉此提供讀者大量論文而不必訂購整本期刊，費用低廉當然仍是主要考量因素。圖書館認為集合性全文資料庫是提供資訊利用最合乎成本效益的方法，透過聯盟購買可以達成更好的交易。[12]直至目前，大學圖書館仍持續刪訂紙本期刊，將費用投入電子全文資料庫的購置，雖然這並非圖書館選擇館藏的原則，然而新的經濟情勢及出版商的經營模式迫使圖書館不得不做此選擇。面對此一趨勢，Jaquszewski & Probst 提醒圖書館注意，如果資訊是租用而不是擁有，也沒有永久性檔案（archive），期刊一旦刪除，不只是館藏的損失，未來如果想要補全，將要花更大的代價。[13]Sam Brooks 也對圖書館以集合性全文資料庫取代紙本期刊或電子期刊的做法深表不以為然，他指出全文資料庫收集的期刊內容並不完整，而且時有中斷，如果以此取代期刊，對圖書館館藏將會有負面的影響。[14]

　　對圖書館而言，館藏發展在紙本與電子的多重環境下成長，有效整合各種資訊資源，是館員面臨的主要挑戰。儘管以資訊使用權取代擁有權的呼聲日高，圖書館是否能以提供資訊使用權為主要館藏發展模式，仍值得懷疑。G. S. Owens 認為重點不在於使用權是否取代了擁有權，而是在建立館藏的努力過程中，應該結合使用權來增強圖書館的資訊供應能力，盡力服務讀者。[15]L. T. Kane 則強調使用權和擁有權可以是伙伴關係，二者可以彼此互補，並不是非要在二者之中擇一不可。[16]總而言之，就圖書館長期發展而言，應該規劃建立完整厚實的館藏，購置可供讀者在館內使用及館外流通的資料，但為了立即滿足讀者的資訊需求，圖書館亦應提供遠距檢索的方式，利用館外的各種資料庫及其他資源，以滿足讀者需求。館藏發展究竟應該注重資訊的使用權還是擁有權，應該從讀者

的角度做謹慎的考量，尋求恰當的平衡點，而在做法上應更重視資料內容的選擇並掌握使用者的需求，期能以有限的經費建立最適當的館藏。

參、版權與授權

傳統出版品的利用主要是受到「版權」（copyright）的限制，版權即指創作者擁有著作權，除了公共領域（public domain）的出版品外，其他有版權的著作均受到法律的保護。圖書館館藏紙本資料的利用大多在著作權法「合理使用」（fair use）的允許範圍內，除了原始資料的購置外，圖書館無需再為提供讀者個人使用資料的服務付費。到了電子資訊的時代，經濟、科技、法律及市場等因素造成電子出版動盪不安的環境，出版商對版權的倚賴加深，改為採用合約——圖書館界普遍稱為「授權」（licensing）——的方式將產品賣給圖書館，允許圖書館提供讀者利用，但對於資訊的利用方式則有許多限制，均載明於採購合約中，具有法律效力。最近十幾年來，授權合約已逐漸成為圖書館新的採購方式。

「授權」的觀念是古老且簡單明瞭的，它基本上是一種將財產提供他人利用但並未放棄擁有權的做法，就如同租賃的關係一樣。在授權合約的商業模式下，買賣雙方的關係完全受合約驅使，財產的擁有者可以要求任何價格並訂出任何使用條件，後續的交易純粹看市場的需求，也就是一個願打，一個願挨，重點是授權合約成為賣方有利的工具，因為財產擁有者具有版權受保護的獨佔權。[17]這種新的交易方式創造了一種新的、帶點詭異的氛圍，出版商擔心其產品被濫用或不當複製而影響市場，圖書館則憂慮合約的限制意味著讀者使用權利受損或為達目的必須付出更高的代價。

總而言之，版權與授權相同之處是二者都接受智慧財產權的基本概念，其不同之處是二者用來平衡創作者、出版者及使用者權利的工具各異。版權代表透過法律協商制定的一套保護著作的通則，授權合約則代表透過買賣雙方的交易所同意的規定，多少受到市場的影響。[18]John Barlow 認為從過去到現在資訊本身有很大的改變，因此資訊與智慧財產之間的關係也需要以全新的眼光來檢驗。[19]

有別於紙本資料的採購，電子資源的授權對圖書館員而言實屬陌生的領域。它通常涉及授權內容的談判協商（negotiation）及合約（contract）的簽訂，可能由聯盟（consortium）代表圖書館和廠商進行協商，也可能由圖書館個別與廠商洽談合約。圖書館究竟何時需要準備合約所需文件？如何開始合約協商的過程？哪些條件的訂定對圖書館最有利？合約中所訂定的條件究竟意指如何？以上種種都是電子資源授權值得討論的議題。[20]既然掌

管資訊使用大權的是授權合約而不是版權,合約內容便必須由具有相關法律知識的館員詳細查閱,代表簽約者也必須是圖書館的高階主管或法律顧問,合約中是否有反對合理使用的條款亦不可忽略。[21]

對於電子資訊的提供,個人使用是否屬於合理使用的範圍,一直有著相當紛歧的爭議。而且電子資源的出借、共享、連結、引用或編輯等,均與現行著作權法的運作有所衝突或矛盾,產生許多法律條文解釋上的困難。由於圖書館對數位資訊的購置通常透過授權只取得使用許可,出版商並不認為圖書館有權決定如何使用這些資訊。[22]Ann Okerson 指出使用者未經著作權所有人的許可在網路上傳輸資訊是違反法律的,因為出版商認為該傳輸行為形同複製資料。[23]Andrew Pace 以「綁架合理使用條款」(kidnapping of fair use)來形容出版商的此種限制規定,其實出版商長久以來都不認為合理使用是圖書館讀者的權利,而是一種為侵害版權行為辯護的說詞,現在他們更使用「數位版權管理」(digital rights management)的技術來監視、限制及控管資訊的使用。[24]

另一方面,也有學者認為科技的發展使得讀者可以很方便地以私人重製行為代替購買,造成著作人利益的重大損失,實有必要採取更嚴格的法律限制。[25]有些圖書館要求出版商在授權合約中加入「公共財」(public good)的用語,允許圖書館及其使用者在合理使用的範圍內可以對所採購的資訊進行複製(copying)、下載(downloading)、館際互借(interlibrary loan)及永久典藏(archiving)。[26]以近年來國際著作權法的討論修訂情形來看,個人合理使用範圍的限制的確有愈來愈嚴格的趨勢。此現象意味的是圖書館必須花費更多的時間與人力和出版商洽談購買合約,圖書館傳統的免費服務也開始受到質疑。

最令圖書館傷腦筋的難題是出版商認為圖書館應該為使用者的行為負責,如果有任何一個使用者破壞了合約的規定,出版商可以停止該圖書館或所有圖書館(指聯盟成員)的交易。事實上,這是一個大問題的小縮影,即信任必須是電子資源授權的基礎。貨物的市場通常被視為冷酷的現金交易場所,是不講求信任的,但圖書館所從事的學術資訊授權必須仰賴與廠商的相互了解及信任。造成雙方互相猜忌的原因可能是出版商並不信任使用者會尊重他們的財產,而圖書館則擔心出版商會過份偏重商業考量。[27]在協商過程中,如果圖書館相信出版商願意透過授權給予讀者更多的使用權利,出版商也相信圖書館會遵照合約條款行事,雙方均可減少憂慮,以版權做為主要的信心保證,再進一步加強技術配套措施,達到雙贏的目的。

保護版權的觀念於十八世紀正式成為法律,是傳統文化產品市場的影響力量,現今

社會面臨比版權更具影響力的強勁對手，人們逐漸相信保護版權的做法並未能有效應付高速資訊傳播時代的技術問題及使用者的需求。對許多版權擁有者而言，法律與現實社會之間的鴻溝既廣且深，他們認為與其倚賴國家法律，不如轉為採用私人的合約，做為定義使用者及使用行為的方法，以保障自己的權益。[28]然而資訊的提供及利用如果施以嚴格的法律限制，創作者、出版者、使用者及圖書館之間的問題勢必愈趨複雜。因此，制定一套平衡的智慧財產相關法律制度非常重要，必須能一方面支持研究及教育的需要，一方面亦能支持智慧財產所有者的利益，否則圖書館在館藏發展上所投注的心血將徒勞無功，無法實現理想的目標。[29]

肆、電子資源的選擇與採購

圖書館在選擇傳統館藏資料時，所考慮的因素不外乎資料的內容、作者的權威性、出版社的聲譽、資料的編排、資料的外形及其他特性等。[30]然而隨著電子資源的出現，其利用的複雜度及困難度使得以上的選擇標準已不敷使用。Samuel Demas 於 1994 年即預測電子出版品將對圖書館的館藏具有重大影響，他建議將電子資源的選擇與圖書館員傳統的館藏發展責任結合，並主張要有技術方面的專家及特別的選擇標準，以使電子出版品引進館藏後容易使用。[31]Daniel Jones 為了針對電子出版品做出適當的選擇，建議除了考慮資料的內容及外形外，必須注意的事項還包括設備、檢索方式、購買方式以及不同的費用結構等。此外，技術的考量也很重要，在選擇電子出版品時，應徵詢參考館員、技術專家、網路負責人以及廠商的工程人員、以確保產品能順利檢索利用，並且提供親善的介面，與館方的利用環境能有效整合。另外，在選擇資訊時需對主題、使用者的需求、資料的新範疇、資訊檢索的效率等各方面具有廣泛及深入的了解。[32]James Neal 也指出電子出版造成資訊形式及取用的複雜性，使得電子資源的選擇步驟及考慮因素均與紙本資料的選擇大不相同，例如資訊來源的掌握、資訊的評估、購買的方式、合約的協商、技術平台的建立、軟硬體的安裝、書目記錄的建立、使用者教育、使用者評估、對紙本收藏影響的評估、資訊的更新、過期資訊的保存及提供等，都是引進電子資源時的考慮要項。[33]其他近幾年提出電子資源選擇標準的學者專家包括 Curt Holleman、Timothy Jewell、Paul Metz、Rush Miller 等人，他們幾乎一致認為電子資源的選擇原則基本上與紙本資料非常相似，但為顧及電子資訊的特質，必須再加上技術、價格、利用與取得方式等多方考量。[34]

以下說明選擇電子資源必須考慮的因素：

一、作者及出版者的信譽

　　傳統紙本資料的選擇通常以作者、編者、印製所或出版社的信譽為考慮因素，在非書資料及電子出版品的領域，創作者的範圍擴大延伸，包括繪圖者、攝影者、軟體撰寫者、影像設計者、網頁製作者等，其個人資歷及過去作品的信譽亦應列入評鑑範疇，製作人及發行人的信譽也同等重要。一般而言，歷史悠久的大型出版社通常已累積相當程度的知名度及成績，其作品的內容、水準及品質應較易於觀察，不論在資訊的內容品質、軟體、檢索效果及客戶服務方面，可能都是圖書館覺得比較可以信賴的對象。

二、內容的廣度及深度

　　圖書館選擇館藏資料通常對內容有一定品質的要求，例如書籍內容的正確性、新穎性、客觀性等，這些標準仍可應用在電子資源的選擇上。圖書的選擇多半仰賴像書評之類的工具，對於非書資料的選擇，資料實體的檢查恐怕更重要，像字體、圖表、圖片，甚至包裝等，都會影響資料的品質和用途，在做最後決定前，最好試用一段時間。其次，電子出版品的版本通常與紙本產品的內容有些出入，部份內容可能被分割、合併或刪減，缺乏完整性，圖書館員卻往往無從得知，甚至公司的產品簡介或業務代表也無法提供足夠的訊息。更有許多新上市的產品缺乏完整的回溯性資料，或只有部份內容的索引，或缺少圖表，造成選擇上的兩難。圖書館員如果無法信賴市場資訊，只有信賴作者或出版者的信譽，或者乾脆實際檢查內容。不過廠商所提供的試用品有時候並不可靠，無法測出真正的問題，而且對於軟硬體設備及檢索效果過度重視，反而忽略了最重要的內容。[35]

三、外形及特性

　　傳統紙本資料的選擇對於外形的考量不外乎紙張、印刷、裝訂等，特殊性質如書目、索引、圖表、附錄等也是重要的考慮因素。對於電子資源而言，格式的相容性非常重要，如果產品不能與現有的設備相容使用，或使用上的困難度高，需要館員從旁協助，則絕對不能列為考慮，否則後患無窮。特殊的附件如操作手冊、使用指南、樣本、包裝上的指示等都有加分的作用。

四、技術問題考量

　　在決定購置電子資源之前，圖書館必須確定有足夠的設備及技術上的支援人力，有完善的安全措施，並且訂有周全的典藏保存計劃。如果資訊資源不是設置在館內（local implementation），而是採取遠距利用的方式（remote access），則技術上的問題較小，需要擔心的可能是網路速度的問題。因此圖書館在做選擇時，如果較快的檢索速度是考慮重點，資料庫設置在館內可能是必要的。為商討這些技術上的問題，圖書館員應與技術專家密切合作，以獲得必要的協助，共同找出解決之道。

五、利用方式

傳統的資料利用問題可能只限於地點及儲存等考量，電子資源的利用首重快速、方便、容易檢索。由於資訊的來源包括各種媒體，如光碟產品、線上全文資料庫、電子期刊、WWW 網站等，如何使這些不同來源及形式的資訊能方便集中利用，圖書館的選擇人員必須對於資訊檢索概念具有基本的認識。至於產品的售後服務、資訊是否持續更新、使用者介面的設計是否親善、好用等，都是選擇資訊時重要的考慮因素。[36]

六、價格

電子出版品除了製作成本外，它的發行成本很小，以經濟術語而言，即所有的成本都是固定成本（fixed cost），而邊際成本（marginal cost）幾乎等於零。換言之，只要賣出的數量已達到可回收成本的程度，其他額外的銷售量全部都是利潤。[37]但也正因如此，在還沒有賣出基本數量之前，電子資源幾乎完全沒有議價的空間。圖書館顯然不太能夠接受這樣的購買方式，尤其對於電子期刊複雜的計價模式抱怨甚多。其實電子期刊的價格不能只看表面的數字，而應從成本的效率與效益來看，如果使用頻率高，平均價格便會下降，反之則價格就會提升，因此圖書館在決定採購之前應就使用率做審慎的評估。[38]

七、授權合約

只要電子資源是以授權的方式取得，合約內容的檢視便是資料選擇過程中不可或缺的一部份。選擇人員必須詳細檢視合約內容，確定符合圖書館的使用目的，其中對於使用者的定義、使用者的權利、限制、義務及罰則等，更須特別審慎檢視無誤。在做出最後的採購決定之前，授權合約的內容必須能為買賣各方所接受，以免購買後因雙方認知不同而導致糾紛。洽談授權合約這件事對圖書館員來說雖然複雜度及困難度不是太高，但也算是新的工作領域、新的挑戰。由於作業相當細碎繁雜，圖書館在處理這些實務時，應保持謹慎的態度，並對相關的法律條文，有相當程度的瞭解。必要時並應徵詢律師或專業的法律顧問，以尋求協助。

電子資源的販售方式與書刊資料有所不同，例如電子期刊以套裝（packages）或包紮（bundles）的方式出售是廠商的奇招，它把同一個業者出版的期刊集中成為一個單獨的產品，圖書館只能選擇全部購買或全部不買（all-or-nothing deal）。[39]從好的方面來看，它提供圖書館使用更多期刊的機會，尤其是採取「聯盟」（consortium）方式集體購買的圖書館，不但可以使用自己訂購的期刊，也可以使用其他聯盟成員所訂購的期刊。缺點是圖書館被剝奪了選擇權，想要及不想要的期刊統統「綁」（bundle）在一起，同樣的期刊在不同的資料庫一再重覆，令人莫可奈何。由於圖書館大多只購買資料庫的使用權，並無擁有權，時限一到便不能使用，新的卷期加入，舊資料也可能拿掉。結果是每一個圖書館都付了相當可觀的代價，內容卻極為相似，館藏同質性甚高，而且只能短期使用，無法永久典藏，這和訂購紙本資料有很大的差異。

傳統書刊的採購多由圖書館直接向出版商訂購或交由代理商統籌代購，書刊到館之後，圖書館必須驗收、登錄、送編。如期刊逾期未到，則必須向出版商或代理商進行催缺，直至期刊到館為止。電子資源的採購則完全打破這樣的模式，以電子期刊為例，由於沒有實體，期刊多放置於出版商或代理商的遠端伺服器，並經由網路提供利用，因此圖書館不會實際收到期刊，也無從進行驗收的工作。其次，電子期刊的發行方式與傳統期刊不盡相同，隨時可出新刊或更新內容，卷期的概念愈來愈模糊，登錄及催缺作業亦愈形困難。[40]

由於電子資源的採購比傳統紙本資料更為複雜，為了提供讀者統合性的、合乎成本效益的資訊利用管道，圖書館比過去更需要仰賴代理商的服務。代理商傳統上是為圖書館處理所有紙本資料訂購的中間人，如今電子資源的興盛對出版市場起了很大的衝擊，有很多出版商對系統、政策、價格及客戶服務都還在實驗階段，因此代理商企圖根據過去管理紙本訂閱的豐富經驗，提供圖書館電子資源的特別服務。以出版商林立及各種資訊媒體充斥市場的情況來看，現今的代理商需要扮演以下的角色：[41]

1. 盡力簡化圖書館的採購作業流程。
2. 實際參與合約協商過程以協助圖書館管理授權問題，並建立系統來管理大量的授權合約。
3. 處理期刊上線及註冊程序。
4. 維護電子資源的連結，確保 URL 的正確性。
5. 在客戶服務方面扮演積極的角色，支援圖書館採購、續訂作業及檢索需求。
6. 圖書館如更改 IP Address 的範圍，必須通知出版商或 aggregator。

7.圖書館如使用代理商的使用者介面，必須提供標準化的使用統計數據。

圖書館、出版商、代理商三者之間有著傳統的親密關係，圖書館下訂單給代理商，代理商代為向出版商洽談授權合約，並向圖書館收取費用及提供服務，出版商則持續透過所出版的期刊向社會傳播學術資訊。隨著電子資源的盛行，資訊的傳播更為快速，諷刺的是電子資源的採購卻比紙本資料來得緩慢，從取得報價、協商、簽訂合約、註冊、付款到上線使用，往往需要耗費數月甚至更久的時間，常讓讀者覺得失望。圖書館應如何與出版商、代理商合作，建立更合理的作業流程，提高效率，是值得努力的方向。

伍、電子資源的永久典藏

電子資源的永久典藏比紙本資料有更多的困難，包括：⑴儲存媒體缺乏耐久性，極易損壞；⑵必須經常做儲存媒體移轉（migration）或檔案格式更新（refreshing）的動作；⑶資訊技術不斷更新，設備容易過時，當軟硬體改變時，便無法處理過去的資料格式。[42] C. Casey 以「慢火自殺」（"the 'slow fires' of self destruction"）形容電子資訊自我毀滅的世界。[43]由於資訊形式及作業平台無情的、快速的汰舊換新，資訊流失的情形相當嚴重。圖書館對於電子資訊的保存維護應有完善的安全措施及環境，並訂有周全的維護計劃。

除了採購的電子出版品，圖書館只有使用權而無法永久典藏外，網路上還有許多值得參考的資源，例如免費電子期刊、討論群、網頁文件及多媒體資訊等，圖書館很少去搜集這些資料，因為讀者很容易自行查詢及利用。然而這些網路資源產生得很快，消失得也很快，如何妥善整理及保存，讓未來的讀者也能利用，目前尚無長遠性的計畫。究竟哪些電子資源需要永久典藏？如何典藏？責任如何歸屬？圖書館是否應該為電子資源的永久保存負責？還是應該由其他單位負責？這些都是引起困擾的問題。

許多圖書館不斷檢視訂閱的電子期刊，研究刪除紙本期刊的可行性，以避免重覆訂購。對於此種做法始終有人贊成，也有人提出質疑，即使圖書館已有相當比重的館藏資料是電子版，刪除紙本期刊仍非小事，不能等閒視之。在電子資源日受重視之際，使用早已不是問題，讀者並不會質疑圖書館的電子資源是否有人使用，而是質疑圖書館如何確保電子資源能永久保存，留傳給下一代。圖書館與廠商雖簽有授權合約，但圖書館並不擁有任何實體的資料，如何保證圖書館並不擁有的東西能夠永久典藏，的確是令人懷疑的問題。

圖書館無法逃避資源典藏維護的問題，因為這是它的任務之一，數位典藏也不是任何一個圖書館甚或任何一個國家可以單獨解決的問題，必須靠合作的力量。JSTOR 便是

一個藉由多數圖書館的合作將期刊資料永久典藏的例子，只可惜到目前為止，它所包含的資料仍屬少數。唯有類似的例子不斷增多，我們才能放心地刪除紙本，支持採購電子資源。[44]幸好現在有許多支持永久典藏的工作計畫已在進行，美國在 1999 年 10 月由 CLIR、DLF、CNI 集合出版商及圖書館共同討論電子期刊永久保存的需求及責任問題，以確保電子期刊可使用一百年，最後構想獲得 Andrew W. Mellon 基金會的贊助，由七個大型圖書館執行儲存中心的計畫[45]；其中耶魯大學與 Elsevier 合作，釐清出版商與圖書館的責任，發展詳細的典藏計畫，確保資料可以永久使用。[46]

Richard Ekman 指出規劃學術資訊的永久典藏及儲存中心服務，無論在經濟上或技術上都非常複雜，未來的資源典藏將會牽涉許多相關單位，包括出版商、學會、通訊公司、圖書館、大學等。[47]成功的資源典藏還需要國家典藏計畫的支持，例如美國國會在 2001 年核撥一億美元給國會圖書館從事數位資料的典藏及維護，透過討論得到共識，咸認資訊長期保存維護需要一個分散式系統，在其系統下，廠商、非營利性及政府機構、研究型圖書館、檔案館、博物館及其他機構將與國會圖書館共同合作，致力於數位資訊的永久典藏。[48]

圖書館仍然繼續購買紙本資料，紙本與電子版並存的情況也很普遍，但隨著只有電子版（e-only）的資料日漸增加，保存維護的壓力也愈來愈大。電子資源是否能永久典藏對個別圖書館的館藏發展政策具有相當的影響力，成功的資源典藏固然需要國家的強力支持，但圖書館自己的責任也很重大。除非永久典藏的問題能找到理想的解決方案，否則圖書館決策者將無法信心十足地捨棄紙本資料，邁向全面電子化的館藏。[49]

陸、結論

館藏發展的目標是建立一個可透過時間檢驗、滿足讀者現在及未來資訊需求的館藏。傳統的館藏價值觀強調完整、平衡、廣泛，不只是滿足讀者的需求，還保存過去記錄的知識，這種價值系統是大學主管、圖書館員及讀者所一致認同的，希望館藏什麼都有，並且最好就在手邊，隨時可以使用。[50]隨著時代的演進，社會經濟情勢的變化，以及電子資訊的大量生產及快速傳播，圖書館已無法維持單一的館藏模式，必須採取雙重或多重的資訊取得方式，才能滿足讀者的需要。

Edward Shreeves 指出館藏發展近年來的一項基本改變就是「選擇的功能逐漸轉至使用者的手上，他們利用圖書館或其他機構所提供的工具，透過網路找尋所要的資料」。[51]館藏發展的模式正在改變，建立館藏及即時取得資料同時被認為是滿足讀者資訊需求的

方法，因為讀者在乎的是需要的資料是否能即時獲得，而不在乎資料是來自於館藏還是其他的管道。不論採取何種館藏發展模式，圖書館不會放棄知識儲存中心的角色，全體圖書館（而不是個別圖書館）將合力典藏維護所有知識紀錄，發揮保存文化及提供資訊的功能。

註釋

① Diane Kovacs. *Building Electronic Library Collections: The Essential Guide to Selection Criteria and Core Subject Collections* (New York: Neal-Schuman Publishers, Inc., 2000): 2.

② 吳明德，《館藏發展》，（台北市：漢美，民 80 年），頁 61-64。

③ Barbara E. Kemp. "May You Live in Interesting Times: The Impact of Revolutions and Shifting Paradigms on Public Services Staff." In Maureen Pastine (ed.) *Collection Development: Access in the Virtual Library*. (New York: The Haworth Press, Inc., 1997): 30-31.

④ David F. Kohl. "Had We But World Enough, and Time..." In Maureen Pastine (ed.) *Collection Development: Access in the Virtual Library*. (New York: The Haworth Press, Inc., 1997): 44.

⑤ T. E. Nisonger. "The Collection Development Literature of 1996: A Bibliographic Essay." *Collection Building*, 17:1 (1998): 30.

⑥ T. E. Chrzastowski & K. A. Schmidt. "Collections At Risk: Revisiting Serial Cancellations in Academic Libraries." *College & Research Libraries*, 57:4 (1996): 351-364.

⑦ A. W. Ferguson & K. Kehoe. "Access vs. Ownership: What is Most Cost Effective in the Sciences." *Journal of Library Administration*, 19:2 (1993): 89-99.

⑧ 同上註。

⑨ Graham P. Cornish. "Electronic Document Delivery Services and Their Impact on Collection Management." In G. E. Gorman & Ruth H. Miller (eds) *Collection Management for the 21st Century* (Westport, Connecticut: Greenwood Press, 1997): 170.

⑩ 同註④，頁 44-45。

⑪ 同註④，頁 45。

⑫ Andrew R. Albanese. "Moving from Books to Bytes." *Library Journal*, 126:14 (Sept. 1, 2001): 52.

⑬ Janice M. Jaquszewski & Laura K. Probst. "The Impact of Electronic Resources on Serial Cancellations and Remote Storage Decisions in Academic Research Libraries." *Library Trends*, 48:4 (Spring 2000): 799.

⑭ Sam Brooks. "Integration of Information Resources and Collection Development Strategy." *Journal of Academic Librarianship*, 27:4 (July 2001): 317.

⑮ G. S. Owens. "Making Small Beautiful: Access, Ownership, and Resource Sharing Outside the ARL." *Journal of Library Administration*, 20:1 (1994): 62.

⑯ L. T. Kane. "Access vs. Ownership: Do We Have to Make a Choice?" *College & Research Libraries*, 58:1 (1997): 60.

⑰ Ann S. Okerson. "The Transition to Electronic Content Licensing: The Institutional Context in 1997." In Richard Ekman & Richard E. Quandt (eds.) *Technology and Scholarly Communication*. (Berkeley, CA: University of California Press, 1999): 56.

⑱　同上註，頁 55-56。

⑲　John P. Barlow. "The Economy of Ideas: A Framework for Rethinking Patents and Copyrights in the Digital Age (Everything You Know about Intellectual Property is Wrong)." *Wired*, 2:3 (March 1994): 84-90, 126-129.

⑳　Lesley Ellen Harris. *Licensing Digital Content: A Practical Guide for Librarians*. (Chicago: American Library Association, 2002): 1-2.

㉑　Erika Linke. "On Beyond Copyright." In Wayne Jones (ed.) *E-Serials: Publishers, Libraries, Users, and Standards*. (New York: The Haworth Press, 1998): 76.

㉒　Michael E. Lesk. "The Organization of Digital Libraries." In David Stern (ed.) *Digital Libraries: Philosophies, Technical Design Considerations, and Example Scenarios* (New York: The Haworth Press, 1999): 13.

㉓　Ann S. Okerson. "Buy or Lease? Two Models for Scholarly Information at the End (or the Beginning) of an Era?" In Stephen R. Graubard & Paul LeClerc (eds.) *Books, Bricks & Bytes*. (New Brunswick, NJ: Transaction Publishers, 1999): 55-76 (?).

㉔　Andrew K. Pace. *The Ultimate Digital Library: Where the New Information Players Meet*. (Chicago: American Library Association, 2003): 106.

㉕　張慧云，〈電子出版與著作權法〉，《電子出版與圖書館學術研討會論文集》，（新竹市：玄奘人文社會學院圖書資訊學系暨圖書館，民國 89 年 3 月 9 日），頁 160。

㉖　同註⑰，頁 65。

㉗　同註⑰，頁 61-62。

㉘　同註⑰，頁 55。

㉙　Prudence Adler. "Copyright and Intellectual Property Legislation and Related Activities: New Challenges for Libraries." In Sul H. Lee (ed.) *Impact of Digital Technology on Library Collections and Resource Sharing*. (New York: The Haworth Information Press, 2001): 117.

㉚　同註②，頁 91。

㉛　Samuel Demas. "Collection Development for the Electronic Library: A Conceptual and Organizational Model." *Library Hi Tech*, 12:3 (1994): 71-80.

㉜　Daniel Jones, "Collection Development in the Digital Library," In David Stern (ed.) *Digital Libraries: Philosophies, Technical Design Considerations, and Example Scenarios* (New York: The Haworth Press, 1999): 33-34.

㉝　James G. Neal, "Chaos Breeds Life: Finding Opportunities for Library Advancement During a Period of Collection Schizophrenia," In Sul H. Lee (ed.) *Collection Development in a Digital Environment* (New York: The Haworth Information Press, 1999): 10-11.

㉞　(1) Curt Holleman. "Electronic Resources: Are Basic Criteria for the Selection of Materials Changing?" *Library Trends*, 48 (Spring 2000): 694-710; (2) Curt Holleman, "Electronic Resources;" Timothy Jewell, Selection and Preservation of Commercially Available Electronic Resources: Issues and Practices; Paul Metz, "Principles of Selection for Electronic Resources," *Library Trends*, 48 (Spring 2000):711-728; (3) Timothy Jewell, *Selection and Preservation of Commercially Available Electronic Resources: Issues and Practices*. (Washington, DC: Digital Library Federation and Council on Library and Information Resources, 2001); (4) Rush G. Miller. "Shaping Digital Library Content." *Journal of Academic Librarianship*, 28:3 (May 2002):

97- 103.

㉟ Trisha L. Davis, "The Evolution of Selection Activities for Electronic Resources," *Library Trends*, 45:3 (Winter 1997): 392.

㊱ 同註㉜，頁 29-33。

㊲ William Y. Arms, *Digital Libraries* (Cambridge, MA: The MIT Press, 2000): 104.

㊳ 陳亞寧，〈電子資源的引進與評估〉，《圖書與資訊學刊》，29 期（民 88 年 5 月），頁 82。

㊴ Jonathan Nabe, "E-Journal Bundling and Its Impact on Academic Libraries: Some Early Results." Issues in Science and Technology Librarianship (Spring 2001) <http://www.library.ucsb.edu/istl/01-spring/article3.html> (March 14, 2004).

㊵ 陳淑君，〈電子期刊的館藏發展策略〉，《網際網路與圖書館發展研討會論文集》（台北市：中國圖書館學會，民 88 年 12 月 4 日），頁 144。

㊶ Don Tonkery. "Rethinking the Role of the Subscription Agent in the Transition from Print to Digital Collections." *Publishing Research Quarterly* (Winter 2003): 35-42.

㊷ Michele Valerie Cloonan, "The Preservation of Knowledge," *Library Trends*, 41 (Spring 1993): 594-605.

㊸ C. Casey. "The Cyberarchive: A Look at the Storage and Preservation of Web Sites." *College & Research Libraries*, 59:4 (1998): 309.

㊹ Jennifer A. Younger. "From the Inside Out: An Organizational View of Electronic Resources and Collection Development." In Sul H. Lee (ed.) *Electronic Resources and Collection Development* (New York: The Haworth Information Press, 2002): 30-31.

㊺ Digital Library Federation. "Preservation of Electronic Scholarly Journals." <http://www.diglib.org/preserve/presjour.htm> (March 14, 2004).

㊻ "Proposal for a Digital Preservation Collaboration Between The Yale University and Elsevier Science." (Oct. 10, 2000) <http://www.diglib.org/preserve/yaleprop.htm> (March 14, 2004).

㊼ Richard H. Ekman. "Can Libraries of Digital Materials Last Forever?" *Change*, 32:2 (Mar./Apr. 2000): 22-29.

㊽ Deanna B. Marcum. "A National Plan for Digital Preservation: What Does It Mean for the Library of Community?" CLIR Issues, n.25 (Jan./Feb. 2002) <http://www.clir.org/pubs/issues/issues25.html>(March 14, 2004)

㊾ Stephen Pinfield. "Managing Electronic Library Services: Current Issurs in UK Higher Education Institutions." *Ariadne*, 29 (Oct. 2, 2001) <http://www.ariadne.ac.uk/issue29/pinfield/> (March 14, 2004).

㊿ 同註㊹，頁 33。

(51) Edward Shreeves. "Is There a Future for Cooperative Collection Development in the Digital Age?" *Library Trends*, 45:3 (1997): 386.

開放近用學術文獻資源
Open Access to Scholarly Information

毛慶禎
Ching-jen Mau

摘 要

本文描述開放近用學術文獻的定義，從近用危機說明開放近用的特色，藉著創意公用授權堅持學術倫理，維持學術品質，讓圖書館以學習的角度，在開放近用的前提下，開創新局。

Abstract

This article describes the definition which the opening access to scholarly information。From point of the access crisis explained the characteristic of open access. Using Creative Common license persists the academic ethics and mainten the academic quality. Libraries would create brand new services with open access model.

關鍵詞：學術文獻資源；近用危機；開放近用；學術倫理；聯合購買；搭配購買

Keywords: Scholarly Information; Access Crisis; Open Access; Scholarly Ethics; Consortium Purchasing; Bundled Content Offerings

一、前言

開放近用譯自 Open Access，近用是接近使用的簡稱。學術文獻資源置於網際網路，讓讀者免費使用，除價格及授權的困擾。使用者免費近用學術文獻資訊，由作者或其他單位支付出版及維護資源的費用。把經過同儕評閱的學術文獻資源，無限制地供科學家、學者、教師、學生及其他人自由取閱[1]。

學術文獻的作者關心其作品的影響力遠甚於獲利性，被其他文獻引用時，祇在意兩件事：被適度的聲明為該文獻的作者，及該文獻被完整的引用。使用者祇關心一件事：保證該文獻可長期被開放近用。

開放近用的對象是經過同儕評閱的學術文獻資源，以學術期刊的論文為主，不排斥其他類型的文獻資源，其溝通的主體為文獻資源的著作所有權人，可能是期刊或出版社，也可能是作者，或由作者主動授權。

開放近用學術文獻資源的實際行動，始於 1960 年代數位化作品的發端。1966 年，美國教育部建立的教育資源中心（Educational Resources Information Center, ERIC）可算是起點；1969 年 8 月 30 日，美國國防部啟用 ARPANET，宣告網際網路時代來臨；1991 年 5 月 17 日，伯納李（Tim Berners-Lee）公布全球資訊網標準，讓網際網路成為有效的近用工具，強化開放近用的可行性[2]。

二、近用危機

資訊天生有被近用的意圖，然而，受到社會環境變遷的影響，資訊近用遭逢五大危機：素養、管理、價格、科技、授權。

1. 素養危機——使用者與作者在素養有差距，以掃除文盲、培養資訊素養等方式，消除或減緩其效應。

2. 管理危機——資訊的典藏管理者，藉著各種手段限制資訊近用，如指定參考書、參考書、期刊、借書期限、借書冊數、館藏發展政策等。

3. 價格危機——在營利的前提下，資訊的售價與生活水準失衡，價格上漲速度與國民所得不成比例。

4. 科技危機——看得到用不到，科技限制資訊近用；新版軟體讀不到舊版資訊、專制格式。

5. 授權危機——基於長期獲利的思考，壟斷資訊近用的權利，即使願意付錢也不讓

使用者有自主權。

學術文獻資源亦不免受到這些危機的波及，其中尤以價格危機及授權危機的壓力最大。

價格危機是圖書館的預算被出版社壓榨，1960年代以來，屢屢被逼到極限，以超過經濟成長率的速度，提高學術期刊的售價。

授權危機是，付費後，圖書館仍受限於授權條款，以軟體方式限制使用電子期刊的模式，不允許延用印本期刊的使用模式。

在這兩種危機的威脅下，圖書館付出更多的錢，卻得到更少的服務，阻礙研究工作的進行，連帶所有因研究而受益的領域，全部受到波及，包括：醫藥衛生、經濟發展及公共安全等領域。

價格危機形成的近用限制，已經不是預算的問題，而是在商業考量下，必然的走向，研究人員被迫在沒有資訊的情況，重複且盲目的研究。經歷40多年的調適，圖書館界已經接受學術文獻資源價格年年上漲的事實，以減訂期刊數量、排擠其他經費等方式因應。

但是，授權危機還在方興未艾，嚴重影響科學的發展，阻礙人類文明的進步。

三、開放近用的特色

在網際網路上免費取用學術文獻資源，除了上網本身，沒有其他的費用、法律或技術的障礙，允許個人閱讀、下載、複製、散布、列表、檢索或連結到經過同儕評鑑或印前出版的論文、爬梳內容供索引之用、成為軟體的資料、或做其他合法的用途，唯一的限制是在複製及散布時，必須提到作者的名字，並把著作人格權歸於作者[3]。

因此，開放近用的學術文獻資源有四個特色：

1. 數位化
2. 網路典藏
3. 免費
4. 幾乎沒有授權的限制

使用者以免費方式近用資訊，作者得以保留被近用之外的權利。

開放近用學術文獻資源運動的訴求，有兩個前提：網路典藏、作者授權免費使用。讀者祇需支付上網的費用，不必付出其他的費用。製作學術文獻的費用，由作者付費或機構贊助是較常見的模式。

網路典藏的建置成本很低，大學、圖書館、專業學會、基金會、作者、非營利組織

等單位，均有足夠的能力負擔該筆費用；停止訂閱印本學刊所節省的經費，可提供由作者支付的文獻出版費。

網路上的學術文獻資源，不以個別授權為前提，也不阻擋未經授權的讀者。著作所有權人事先同意，免除限制，允許讀者任意地閱讀、下載、複製、分享、儲存、列印、檢索、連結及爬梳等。

開放近用經營模式建議兩項策略：

1.自我典藏，以符合開放典藏促進會（Open Archives Initiative, OAI）建議的標準，由學者自我典藏其開放近用的論文，讓搜尋引擎及其他網路工具輕易找到該論文，把它們當成一個資料庫供檢索，使用者不需知道該論文典藏在何處，就可使用其內容。

2.推動開放近用學刊，以開放近用經營模式創立新的朵刊，或促成現有學刊改變成開放近用經營模式。學術期刊的論文希望散布面愈廣愈好，不會在著作權或其他方面設限，阻礙使用者的近用權。訂費是近用的障礙之一，該等學刊不向使用者收費，以其他的營運模式取得足夠的營收，民間基金會或政府補助、大學及研究機構的研究費、學會的會費、支持開放近用者的捐款等，都是可能的收入來源；加值服務的收益、轉移印本學刊的訂閱費等，也是很大樁的營收。

四、創意公用授權

2002 年 12 月提出的創意公用授權條款[4]，在署名、商業用途、衍生作品（保持一致）等事項，允許作者保留其權利，在國情許可下，授權他人對其作品擁有如下的權利：

1.複製

2.散布

3.公開展示及表演

4.數位方式公開表演（如：網路廣播）

5.轉換成另一種媒體形式供永久保存

這種授權有三個特色：

1.全球通用，無地域限制

2.在作品的著作權期間，持續有效

3.不可撤回

既有的數位著作權管理（Digital Rights Management, DRM）機制，可保留為書目計量學及影響力分析之用，但著作所有權人不應以此做為授權或付費的工具。

五、學術倫理

在倫理及道德上，學術文獻資源必須是採取開放近用授權的作品，移除這些作品的近用障礙有助於：加速研究、強化教育、縮減差距、提高文獻的使用率，在共同的智慧對話及知識追求的過程裡，建立人類共同的基石。然而，研究者的無知與輕忽、出版商的抗拒、智慧財產權法案的偏頗等因素，開放近用學術文獻資源運動碰到相當的阻力。

學術文獻資源的成本很瑣碎⑤，包括同儕評鑑、編輯、製作、行銷、散布等；再加上典藏及備份、安全控管、搜尋機制等費用，整個學術文獻資源本身的製作成本，難以計算。以網路做為學術文獻資源的近用工具，可以把變動成本降至最低，具有低複製成本的優勢，有效減少散布及行銷的支出。

傳統上，出版社與圖書館是學術傳播的主角，然而，經濟、市場及科技的變化，使得網路及學者專家成為學術近用的支柱。

身為作者的學者專家，希望讓最大量的人瞭解其研究成果；身為讀者的學者專家，應研究所需，必須取得大量的文獻資源，當然希望近用至最廣泛的文獻資源。以訂閱或授權方式運作的現有機制，顯然無法滿足這種需求⑥。

學術文獻資源的價格，其漲幅高於圖書館預算的成長，同時，學術文獻資源的出版量，也超過圖書館的館藏極限。學術研究被迫在文獻資源不足的情況下進行，其品質深受影響。

商業出版社從訂費獲取利潤的時代已經過去了，圖書館的預算緊縮，文獻資源的成本上昇，市場的購買策略已有改變：

- 聯合購買（Consortium purchasing）：圖書館可以降低購買成本擴大近用的範圍，大型出版社藉此擴大市場佔有率及開拓新市場，小型出版社通常難以加入聯合購買的機制，它的服務空間被相對壓縮。

- 搭配購買（Bundled content offerings）：大型出版社把相關文獻整合在一起，搭配販售，小型出版社難以在夾縫中生存。

小型出版社的利潤較低，紛紛放棄獨立性，被大型出版社併購，學術文獻資源的多樣性逐漸消失，學術文獻資源正形成壟斷的局面。

以訂閱為基礎的現行學術文獻資源系統，不但無法擴大反而限制該等資源的讀者群。訂費上漲與取消訂閱，是惡性循環，加劇學術文獻資源的侷限性。

基於學術倫理的考量，開放近用營運模式可以維持學術文獻資源的多樣性。

六、學術品質

學術期刊的品質由同儕評閱（peer review）及引用率（impact factor）形成。

編者、編輯委員會、評鑑者共同參與同儕評閱的過程，進而影響作者的投稿品質。開放近用學術期刊的品質管控流程，採取相同的嚴格標準。參與編輯流程、編輯標準等過程的人，並不在意學術期刊採用印本或電子媒體、付費訂閱或免費取用[⑦]。

雖然，在尚未通過同儕評鑑之前，以印前出版（preprints）方式，先把文章在網路刊出，是開放近用鼓勵的發表方式之一，但是它並不鼓勵跳過同儕評鑑過程，直接自行出版（self-publishing）的行為[⑧]。

引用率是作者自發的行為，雖然可能受到若干商業運作的牽制，它的可靠性還是不錯的。

從同儕評鑑、專業品質、學術聲望、典藏保存、智慧財產、營運利基、附加服務、載體運用等角度分析[⑨]，開放近用學術期刊與傳統學術期刊在學術相容性方面，幾乎一致，很難以學術品質的立場責難開放近用營運模式的學刊。

七、圖書館的挑戰

進入網際網路時代後，圖書館事業起了鉅大的變革，從以往「典藏」（collection）為主的目標，轉變為以「開放近用」（access）為主的目標。針對此項轉變，圖書館經營的模式將產生急劇的變化[⑩]：

● 館藏：由館藏缺乏轉變為資源過多（scarcity vs. overabundance）；
● 館員：由守門人轉變為操作員（gatekeeper vs. facilitator）；
● 圖書館：由城堡轉變為資訊管道（fortress vs. pipiline）

以英國[⑪]而言，將公共圖書館與成人教育兩者緊密結合。由就業部於 1993 年提出「公共圖書館開放學習計畫」，在公共圖書館中設置開放學習點，陳列學習教材，依個人的需要，自行借閱，提供自我學習的機會。由於教材採用自學式的編撰方式，適於成人在家中依據本身的時間，做自我學習。

1995 年，全英國已有百分之九十的公共圖書館都已提供開放學習服務，可謂十分普及。

八、結論

圖書館的館藏空間不足，購置館藏的價格昂貴，是存在已久的問題。資源共享等手段已接近其極限，難以因應這些現象，學術文獻資源的散布及近用模式，一定要徹底改變，否則學者專家祇好在愈來愈少的資源下，被迫出版愈來愈多的文獻。

臺灣的圖書館界尚未重視此議題[12]，中文的開放近用學刊還在萌牙之際。在開放社會基金會的贊助下，國際間已有若干具體成果，根據有限的搜集[13]，至少有 821 種期刊採用開放近用的經營模式。

數位化、上網、免費及無授權障礙的開放近用，是面對知識爆炸文獻超量的最佳對策，沒有經費及生態的障礙，任何人都可以備置、儲存及檢索它們。

符合下列兩條件的出版品，才能稱為開放近用出版品[14]：

1.作者及著作所有權人授權所有的使用者，免費、不可收回、全球性、永久的近用權利，以數位方式或少量的印本，在合理的目的，提示作者，在個人使用的前提下，對作品複製、使用、散布、公開展演，製作及散布衍生作品。

2.包括附件及前述的授權聲明的完整作品，在出版後立即以標準的電子格式，至少寄存一個由學術機構、學會、政府機關或其他有名望的組織建立的網路典藏所，供開放近用、無限制地散布、跨平台運用、長期典藏。

註釋

① Suber, Peter (無日期). The Open Access Project [開放近用計畫], 2004 年 5 月 6 日讀取自 http://www.publicknowledge.org/about-us/projects.html#open-access-project

② Suber, Peter (2004). Timeline of the Open Access Movement [開放近用運動時間表], 2004 年 5 月 6 日讀取自 http://www.earlham.edu/~peters/fos/timeline.htm

③ Budapest Open Access Initiative [布達佩斯促進會], 2002 年 2 月 14 日公佈。2004 年 5 月 6 日讀取自 http://www.soros.org/openaccess/read.shtml

④ Creative Commons [創意公用], 2004 年 5 月 6 日讀取自 http://creativecommons.org/；毛慶禎(2004)，〈創意公用授權條款在智慧財產權的地位〉，2004 年第八屆資訊管理學術暨警政資訊實務研討會，2004 年五月十四日（星期五），中央警察大學警光樓國際會議廳，2004 年 5 月 6 日讀取自 http://www.lins.fju.edu.tw/mao/works/cc.htm

⑤ Wellcome Trust (2004). Costs and Business Models in Scientific Research Publishing [科學研究出版的成本及經營模式]：a report commissioned by Wellcome Trust, Cambridgeshire, UK：SQW limited, April 2004, 30 p., 2004 年 5 月 6 日讀取自 http://www.wellcome.ac.uk/en/images/costs_business_7955.pdf

⑥ Lawrence, Steven, (2001). Online or invisible? [上線或上隱] Nature, v.411 no.6837, p. 521, 2001 年；2004 年 5 月 6 日讀取自 http://www.neci.nec.com/~lawrence/papers/online-nature01/

⑦ Budapest Open Access Initiative: Frequently Asked Questions [布達佩斯促進會：答客問], 2004 年 3 月 16 日修訂；2004 年 5 月 6 日讀取自 http://www.earlham.edu/~peters/fos/boaifaq.htm

⑧ Bethesda Statement on Open Access Publishing [開放近用出版宣], Released June 20, 2003；2004 年 5 月 6 日讀取自 http://www.earlham.edu/~peters/fos/bethesda.htm

⑨ Peter Suber (2002), "Open Access to the Scientific Journal Literature", Journal of Biology, 1, 1 (June 2002) pp. 3f；2004 年 5 月 6 日讀取自 http://www.earlham.edu/~peters/writing/jbiol.htm

⑩ Dowlin, K. H. & Wingerson, K. N. (1995), "Paving the way: building a community electronic information infrastructure," Journal of Library Administration 20:3-4 (1995):45.

⑪ Green, A. (1995) "Open and flexible learning oppurtunities," Public Library Journal 10:5(1995):126.

⑫ 期刊資源 –> 免費中文全文電子期刊（最近更新日期 2003/11/18）、免費西文全文電子期刊（最近更新日期 2001/10/07）、Open Access Journal，靜宜大學圖書館姜義臺編，2004 年 5 月 6 日讀取自 http://www.lib.pu.edu.tw/~jiang/E-journal/index.htm

⑬ Directory of open access journals [開放近用期刊目錄], 821 種（2004/4/12），2004 年 5 月 6 日讀取自 http://www.doaj.org/

⑭ IFLA Statement on Open Access to Scholarly Literature and Research Documentation, 2003 年 12 月 5 日於海牙，2004 年 5 月 6 日讀取自 http://www.ifla.org/V/cdoc/open-access04.html

臺灣學術傳播環境探究
Scholarly Communication
– the State of the Art in Taiwan

吳美美
Mei-mei Wu

摘　要

本文探討學術傳播環境及研究面向，分為創造生產面、提供面和使用面。首先探討學術傳播的重要及定義，並依三種面向探討臺灣學術傳播環境分享情況，其次摘記全球為學術傳播自由所進行的活動，期望藉由觀摩和省思，作為我輩努力維護和建構優質學術傳播環境的參考。

Abstracts

This paper defines scholarly communication environment as composed by creation, offering, and use. The three dimensions are applied to examine Taiwan's scholarly communication environment. Global efforts in improving scholarly communication environment at the various levels of individual scholars, scientific communities, academic and research libraries consortia are depicted and discussed. The concepts of open society and the salient concerns of scholarly communication are addressed.

關鍵詞：學術傳播；創造；生產；獲取；使用

Keywords: Scholarly Communication; create; offer; access; use

壹、背景——從西雅圖華盛頓州立大學首頁說起

2002 年暑期赴西雅圖華盛頓大學參加第四屆圖書資訊核心課程會議（COLIS 4），瀏覽該大學網頁，讀到下面的文字：

> The primary mission of the University of Washington is the preservation, advancement, and dissemination of knowledge. The University preserves knowledge through its libraries and collections, its courses, and the scholarship of its faculty. It advances new knowledge through many forms of research, inquiry and discussion; and disseminates it through the classroom and the laboratory, scholarly exchanges, creative practice, international education, and public service. As one of the nation's outstanding teaching and research institutions, the University is committed to maintaining an environment for objectivity and imaginative inquiry and for the original scholarship and research that ensure the production of new knowledge in the free exchange of facts, theories, and ideas (University of Washington, 1969).[1]

這一段文字，乍看之下，讓我以為是該校的圖書館網頁！也以為是重新回到大一王振鵠教授的課堂，王老師的講義和講授提到圖書館四大任務，教育、傳播、訊息、休閒，嚴格而言，前面兩者就是學術傳播的範圍。而華盛頓大學的首頁擷櫫學術傳播的責任，不是只有大學圖書館，而是整所大學。學術傳播雖然是近年流行的辭彙，原來數十年前老師的授課已經提到。

西雅圖華盛頓大學首頁提到的大學任務，藉由師生課堂授課學習、實驗室研究創新、圖書館儲存更新資料，達到知識創新生產、傳播和使用的目的。大學正是人類創新、紀錄、傳承、和使用知識的重鎮，而大學圖書館在知識創新生產、傳播和使用中扮演要角，這些重要的知識活動，成為人類文明之所繫，圖一表示學術傳播的核心活動（知識創新、紀錄、傳承、使用）和學術圖書館、大學、以及人類文明發展的關係。

事實上，人類社會、美好文明的發展，仰賴圖書資訊，如同卡爾波柏（Karl Popper）所謂「記載知識的世界」[2]之外，還有賴廣泛的同情心和開放的心靈，藉由同理、分享、

開放、接納，知識才不會成為控制和壟斷的工具。尤其電腦和網路等科技的快速進步，這些工具有效且大幅度延伸人類的智慧和行為能力，試想，人的能力大增，思維和心靈若未能同步改善淬練，後果將如何呢？每思及此，就有更開闊的天空或更狹窄的心靈的警惕。

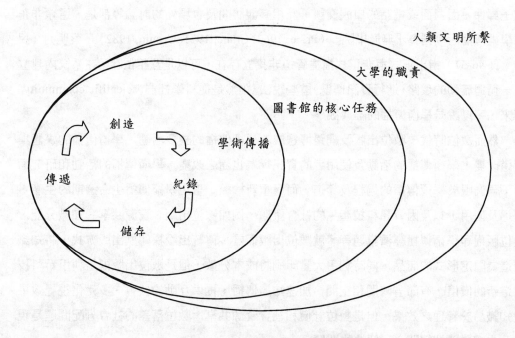

圖一　學術傳播與大學的關係

　　本文藉由思考學術傳播環境，提出研究學術傳播環境的面向，並藉此面向分析國內學術傳播環境，同時觀察並紀錄國際對學術傳播的努力，以了解開放社會的意涵，作為進步的參考。

學術傳播的定義

　　一般而言，學者定義學術傳播（scholarly communication）多從學術傳播的資訊類型或學術傳播的管道做為討論的重點，譬如 Subramanyam（1981）分析科學資訊的生命週期，定義學術傳播資訊的類型，包括一次資料，例如專利、會議文獻、研究報告與期刊論文等；二次資料，例如書目、索引、摘要、字典與百科全書等；以及三次資料，例如書目的書目（bibliography of bibliographies）、名錄的名錄（directory of directories）、摘要的索引（index of abstracts）與文獻指南（guide to literature）等。同時學術傳播的管道

有正式與非正式（Borgman, 1990）。正式傳播管道是指專業學術傳播者透過特定技術，依照正常的傳播規則，將經過選擇的資訊傳遞給廣大使用者的過程，如前述一次、二次、三次資訊等；非正式傳播管道則是指學術研究者個人間，非規範的、無具體結構的人際溝通方式，類型不一而足，如日記、機構內部的研究報告或出版品、私人往來之信件或電子郵件、面對面或電話的口頭交談、互相參觀訪問及會場外的討論等都是，這類非正式學術傳播活動稱為「無形學院」（Price, 1963; Crane, 1971; Cronin, 1982）。蔡明月（民86，頁 46-51）指出正式與非正式播傳播管道非獨立存在，可以是互相依存，在系統內建立成一循迴流動的環路，進行資訊傳遞。這些說法，雖然是從科學社群（scientific community）而來，可以說是學術傳播的經典觀察。

然而數位時代，數位出版及網路傳遞成為學術傳播的主要活動，學術傳播的媒體與管道改變，學術傳播的活動及使用者的資訊行為也隨之改變。學術傳播的活動和研究面向不再侷限於學術傳播的過程及管道，而應重新檢驗、重視學術傳播生命週期的生產、流通及使用，以及因資訊科技產生的社會議題、例如數位出版、資源共享、知識分配、數位版權等學術傳播經濟議題等。就數位出版而言，傳統出版採印刷出版方式，將知識塑造為固定形式的商品，同時利用大量印刷將成本分散，但是數位出版則是利用新科技創造新的價值，有節省時間和空間、加速知識傳播、提供互動的機會、多元化視覺效果及知識易於管理之效果，但是數位計價和社會資源共享、數位落差的社會分配問題是現在及未來需要持續關心、解決的問題。

Kling, McKim and King（2003）整理 1990 年代以後有關數位出版與學術傳播的相關研究，發現數位出版可從四個方向討論：在基本建設方面，易於獲取；在資源流通及經營模式方面，生產及流通成本低、出版迅速，但是現經營模式尚未明朗化；在產品方面，易於更新、易於儲存、檢索、利用不同數位形式儲存、多媒體、有擴展性；在社會行為方面，和傳統學術期刊相較，數位出版更具開放與民主，控制也較少，並可透過超連結進行合作，使得合作傳播更為可行，且品質良好的詮釋資料也有助於降低語言溝通和組織間的障礙。Kling 一生關心資訊社會學（social informatics），十分關心資訊社會的知識分配問題，顯然他在數位出版的書寫，是傾向樂觀，他說「數位出版更具開放與民主，控制也較少」，顯然前提是學術傳播環境是開放，而民眾的知識和數位能力也有平等被開發的機會啊！

數位時代的學術傳播研究範圍應該重新界定，從學術傳播的本質來看，新的學術傳播研究應有三大面向，分別是創造生產面（create）、提供面（offer），以及獲取（access）

/使用（use）/影響面（如圖二）。在數位時代不論研究資料的創新學術傳播和教學資料的創新學術傳播，都同時受到重視，本文以研究資料的創新學術傳播環境討論，尤其著重於臺灣學術傳播環境中生產面及提供面的分析。

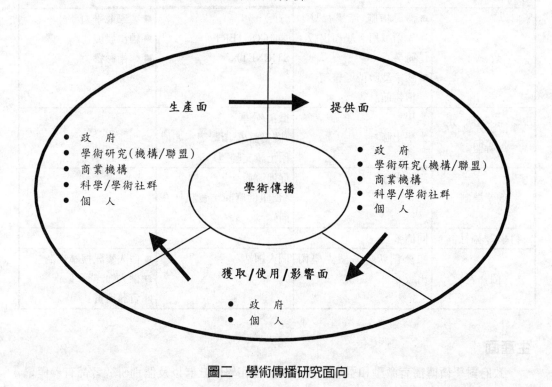

圖二　學術傳播研究面向

貳、從生產面及提供面探析臺灣學術傳播環境

從資料類型和管道已經無法描述數位時代的學術傳播環境，若從生產、提供、和使用三個面向分析，可能可以獲得對學術傳播環境某種程度的了解。各面向都有不同層次的相關單位參與，例如生產面和提供面的參與者有政府、學術研究機構、商業機構、科學社群、個別學者等，如政府為鼓勵學術傳播、學術引用、研究發展與學術交流，集合相關單位與專家學者建置各式的學術資料庫，藉以提升國家競爭力，加速經濟發展，增強學術影響力，此外，相關聯盟的成立，以合作模式推展學術傳播也是潮流所趨。表一摘記學術傳播功能，並依層次等面向，從分享的觀點分析臺灣學術傳播環境生產面及提供面目前的發展情況。

表一　學術傳播功能及層次面向

學術傳播面向／參與單位	生　產 →	提　供 →	獲取/使用/影響
政　府	■ 激勵措施(產學智財；學術引用；學術出版；研發) ■ 國家型數位圖書館/博物館計畫	分配 (如 CONTERT；STICNET)	■ 國家競爭力 ■ 經濟發展 ■ 學術影響力
學術研究單位/聯盟	大學 大學出版社	徵集/分享 (圖書館/學術聯盟，如博碩士論文聯盟)	
商業機制	商業出版	促進流通 (資訊供應商；資訊仲介商)	
科學/學術社群	同儕審查		
個　人	知識創新——個人學術出版	個人網站	■ 個人資訊搜尋行為 ■ 個人知識管理 ■ 資訊消費

生產面

　　政府對學術傳播有激勵和引導功能，出版社和學術社群以及個別研究者都有參與學術出版的責任。尤其引文索引，更是學術承傳的紀錄，引用行為被視作是一種學術研究上主動溝通模式，黃慕萱（民 83）認為引用與被引文獻間有一定的學術承傳關係，透過引用及被引用間關係的分析，有助於對於知識傳播方式及科學溝通模式之了解，政府有鑑於學術引用對學術傳播的重要性及鼓勵學術研究，建置學術引用資料庫。例如行政院國家科學委員會「社會科學研究中心」建置「臺灣社會科學引文索引資料庫」（Taiwan Social Sciences Citation Index, TSSCI）[3]，內容包括引用文獻索引、期刊引用報告，以及收錄期刊查詢，期望建立我國社會科學核心期刊引用文獻資料庫，並提供有效評估社會科學研究發展量化指標。

　　政府也建置學術研發成果資訊交流網，促進資訊交流，鼓勵研發，例如行政院國家科學委員會建置有學術研發成果資訊交流網[4]，網站主要內容有活動公告、相關法規、成果查詢、績效統計、產學合作園地、作業說明及表格、國科會與推廣單位的線上作業功

能等。研究與發展相關訊息包括遴選廠商公告、其他學術機構網站、各大學技術轉移件數及各大學權利金收入排行榜前十名等,能促進國內學術資訊之交換。

政府並藉由推動國家型數位圖書館/博物館計劃,有計畫進行知識數位加值,譬如臺灣原住民數位典藏計畫⑤、珍藏歷史文物數位典藏計畫⑥、故宮文物數位博物館計畫⑦、臺灣大學臺灣文獻文物典藏數位化計畫⑧等。

提供面

國內大學圖書館館藏不足,一直是學術研究者的困擾,國內重要大學圖書館的館藏量加總,亦不及美國哈佛大學一館的館藏⑨,國人對於新知識的掌握,以及舊知識的保存,從圖書館的館藏來看,仍和世界發展有很大落差,令人憂慮。近年來,電子書逐漸成為大學圖書館採購的新焦點,電子資訊資源共享聯盟也應學術傳播環境的改變,而受到大重視,例如國科會科學技術資料中心為協助國內各學術研究機構順利引進國外最新資訊,共享數位圖書館資源,並獲得更佳之學術產品及服務,邀集專科以上學校、研究單位及非營利機構共同組成「全國學術電子資訊資源共享聯盟」(Consortium on Core Electronic Resources in Taiwan, CONCERT)⑩,以國科會既有的對各大學西文期刊補助方案,轉形為電子資源的聯合議價機制,希望能夠獲得代理商的合理價格,在大學圖書館及代理商之間,扮演有效的協談角色,提高大學圖書館採購及典藏的效能。

同時為促進科學知識徵集、流通,行政院國家科學委員會科學技術資料中心也提供全國科技資訊網(STICNET)⑪,該資訊網為書目資料庫系統,有自建國內資料庫十餘種,並引進國外資料庫五種,國內資料庫免費查詢,國外資料庫酌收使用費。在灰色文獻徵集方面,科資中心也建置資料庫提供查詢功能,包括:學術會議論文摘要資料庫,收錄 1991 年以後於國內舉辦之學術會議所發表之論文;國科會補助出席國際會議論文摘要資料庫,收錄 1991 年至 2000 年國科會補助國內專家學者出席國際學術會議所發表之論文之摘要資訊;工業技術研究院技術報告摘要資料庫,收錄 1998 年至 2001 年間工研院內各單位研發之成果報告摘要;食品工業研究所技術報告摘要資料庫,收錄 1969 年至 1997 年間食品相關產業之科技研究報告摘要。

除了政府的供應管道之外,大學間也有許多努力,包括「臺灣電子書聯盟」(Taiwan EBook Net, TEBNET)⑫,成立於 2001 年,為臺灣第一個電子書聯盟。該聯盟成立宗旨在透過聯盟的機制,以聯合採購方式降低電子資源採購相關成本,同時建立電子書聯合館藏,以達資源共享的目標。其行政管理組織架構是由中部五所大學圖書館擔任主要會

員圖書館，包括逢甲大學、中興大學、台中師院、東海大學與靜宜大學圖書館等，並由會員圖書館提供人員及行政支援。TEBNET 使命著重於：以符合成本效益為原則，提供檢索資訊服務，共享電子書資源；鼓勵及輔導會員圖書館廣泛運用資訊科技，提供讀者有效、及時和精確的服務；提供良好溝通管道，以分享會員圖書館彼此意見、技術、經驗及解決方案；協同合作提供在職進修教育或在職訓練、平台技術支援和知識管理，以強化會員圖書館館員技能發展；在公平原則下，提供可共享電子資源和成本分攤的會員圖書館合作模式（景祥祜等，民91，頁50-51）。

　　為因應國內對博碩士論文之需求，並協助國內各學術研究機構能更便利及以更優惠之價格獲得博碩士論文之電子資源，中央研究院計算中心與國內圖書館界相關單位共同成立「美加地區數位化論文典藏聯盟」（Digital Dissertation Consortium, DDC）[13]。目前聯盟運作以購置臺灣地區以外的博碩士論文為主，參加聯盟的會員圖書館皆可透過網路連線彼此分享訂購之論文，其運作理念即為建立電子資源共享模式，一員購置，全員受惠。該聯盟每年舉辦研討會，分享新知、心得，共謀學術進步。

　　另一方面，國內博碩士論文也由國家圖書館於民87年成立「全國博碩士論文資訊網」（NCL-Dissertation and Thesis Abstract System）[14]，民89年初擴充原摘要系統功能，由畢業生提供論文電子檔自由授權予國家圖書館，再經專人統一轉為 PDF 格式，因此部分博碩士論文得以透過網際網路一覽全貌。由於數位化技術的普及，各校近年來都要求畢業生提供電子檔案，因此分散式學位論文共建共享系統 eThesys（Electronic Thesis Harvestable and Extensible System）[15]應運而生。該系統由維琴尼亞科技學院（Virginia Tech）Edward Fox 教授開發，民88年8月中山大學引進，並著手轉化為中文化數位化博碩士論文系統，民89年5月完成，已正式上線運作，該系統提供繳交、審核、查詢、系統維護、附加服務等功能，並依作者授權範圍開放。

　　期刊論文方面，國家圖書館遠距圖書服務系統之中華民國期刊論文索引影像系統[16]由國家圖書館期刊文獻中心建立，資料庫收錄民80年以來臺灣及部分港澳地區所出版的中西文期刊與學報二千餘種，提供使用者查詢所需的期刊論文，以促進學術研究發展。除論文篇目外，民86年以後的資料提供摘要內容顯示，此外也可連結國家圖書館數位化期刊影像資料庫及網路期刊電子全文，並可藉由國家圖書館文獻傳遞申請取得全文。但由於授權問題，自民92年2月起該館關閉未經著者授權之線上列印服務[17]，改由館方透過傳真、郵寄、國內快捷等方式傳送文獻，對學術傳遞的便利與速度，可說受到許多衝擊。

　　綜合上述，國內目前為鼓勵學術傳播，除了建置學術交流網站及電子資料庫供眾取用外，資源共享也是重要的課題，相關的學術聯盟應運而生，透過聯合採購或議價的方式，以期降低電子資源的採購成本，並共享學術資源，但是成效如何？和世界發展的步伐有多大的差距？例如國外個別學者和學術社群發行同儕審查之數位期刊、以及會議論文、技術報告等灰色文獻，將出版、提供和使用三者的功能集合，而學術圖書館進行索引、摘要等資訊加值工作，便利流通等努力，看看國外的發展，也許有一些參考值可以思考。

參、國際學術傳播趨勢——學術資訊自由傳遞的呼聲

　　包括個別學者、科學/學術社群、圖書館及圖書館聯盟、國際重要學術組織等，正持續關心全球因知識經濟產生新衝擊的學術傳播環境。例如加拿大研究圖書館協會 (Canadian Association of Research Libraries, CARL)[18]組成學術傳播委員會 (Committee on Scholarly Communication)、規劃建構圖書館線上資源庫入口網站 CARL institutional Repositories Pilot project online resources portal、推展學術傳播合作機制、新國際學術傳播聯盟 (New International Scholarly communication alliance)積極拓展學術界對研究資料取得，其他如「創造改變」(Create change)、「布達佩斯公用取得計畫」(Budapest Open Access Initiative, BOAI)、「生物醫學中心計畫」(BIOMED Central)、「公共檔案計畫」(The open archives initiative)致力於開發學術出版的共用平臺；另如「加拿大全國執照計畫」(Canadian national site licencing project)等，都在對新學術傳播環境提出具體回應，茲將全球目前對自由學術傳播環境的努力，擇錄摘要如後：

　　2001 年 12 月開放社會協會 (Open Society Institute, OSI)於匈牙利首都布達佩斯召開會議，決議提出「布達佩斯公用取得計畫」(Budapest Open Access Initiative)[19]，內容為加速使國際間學術研究論文自由透過網際網路取得，探討整合相關計畫以達更具深度、廣度與效率，並以最有效率和可行的策略服務支持研究者、機構、和社群，以及探討開放社會協會與其他機構如何善用其資源，以保持經濟自我充足 (economically self-sustaining)，該網頁同時開放使個別研究者、學者，以及學術機構簽名，表示贊同該項學術傳播的理想及做法，2002 年後繼續推動自由與無限制的使用學術期刊，所採取的策略是的研究者個人自身進行歸檔 (Self-Archiving)，以及開辦新世代的公用取得期刊 (Open-access Journals)，擴大其影響力。「開放社會協會」(Open Society Insitute)或前身「開放社會基金會」(Open Society Foundations)由社會慈善家索羅斯 (George Soros)成

立，過去二十年來在歐洲進行許多安靜工程，朝向開放社會前進，顯然有許多具體的成就。布達佩斯是索羅斯的出生地，在該地舉辦該次影響深遠的開放主義的學術傳播會議，實在意義重大！

e-prints 始於 1999 年由英國 Higher Education Funding Councils 下的 Joint Information Systems Committee（JISC）與美國國家科學基金會共同資助的國際數位圖書館計畫（DLI2 International Digital Libraries Project）中的 Open Citation Project 計畫，目的在協助建立公用取得的伺服器，收錄所有學術及科學研究機構內經過同儕審查的研究結果，其研發的軟體 e-prints 檔案軟體採用 GNU 通用公共授權（GNU General Public License）[20]的授權方式，學術社群得以容易地建立與 OAI 相容的數位期刊典藏。目前全世界使用 GNU e-prints 檔案軟體建立的典藏庫有 130 個，範圍有人文社會與自然科學等多學科[22]。

英國格拉斯哥大學（the University of Glasgow）的 DAEDLUS 計畫（Data providers for Academic E-content and the Disclosure of Assets for Learning, Understanding and Scholarship）屬於由 JISC 所資助的 Focus on Access to Institutional Resources（FAIR）Programme 計畫，於 2002 年 8 月開始，為期三年，目的在建立格拉斯哥大學的公用取得並能與 OAI 相容的數位典藏網路，這些典藏將會解除現有組織規模的學術輸出（academic output）的取得限制，學術輸出不僅是已出版或經過同儕審查的學術論文，還含括預刊本、灰色文獻、學位論文、研究資源的檔案檢索目錄（research resource finding aids）、與組織管理相關的行政書類（administrative documents）等範圍更為寬廣的數位典藏。在本年 6 月 9 日啟用的 ePrints Service 數位典藏服務，範圍橫跨多學科主題[23]。

「學術出版與學術資源聯盟」（Scholarly Publishing and Academic Resources Coalition, SPARC）[24]成立於 1998 年，集大學、研究圖書館和學術機構為一體的合作組織，在北美、歐洲、亞洲、與澳洲已有近 300 個會員。其宗旨在解決學術資訊之流通不暢，促進學術資訊資源之獲取。SPARC 對研究者、出版者、圖書館及社會帶來不同的助益，對研究者而言，SPARC 鼓勵發展高品質、低成本的傳播管道，有助於研究者更廣泛地獲取資訊；對出版者而言，SPARC 與有共同商業目標的出版商合作，同時協助出版商發展一套最符合經濟效益的學術傳播經營模式；對圖書館而言，SPARC 協助發展高價格期刊的替代性出版品，以市場競爭壓力來抵制期刊漲幅，使圖書館可以同樣的預算訂閱更多的期刊；對社會而言，政府通常會補助大學教授進行研究，這些研究往往是促進經濟發展的重要因素，而 SPARC 有助於改善和擴大這些研究成果的傳播。

「創造改變」（Create Change: A resource for faculty and librarian action to reclaim scholarly communication）㉕為美國研究圖書館協會（Association of Research Libraries）、美國大學暨研究圖書館協會（Association of College and Research Libraries）與學術出版與學術資源聯盟（SPARC）於 2001 年發起成立㉖，目的在使學術研究人員、機構管理者、圖書館員與能影響學術出版商經營方式的人，瞭解近來學術傳播體系所面臨的危機，並提供能改善困境之行動策略供人參考。

美國「學術期刊檔案協會」（JSTOR's Electronic-Archiving Initiative）㉗初期由美國麥倫基金會（The Andrew W. Mellon Foundation）提供贊助，1995 年 8 月 JSTOR 成為獨立的非營利機構，目的在建立可靠而全面的重要學術刊物檔案，以及增進該學術資料的利用率，範圍以人文學科和社會科學刊物為主。原先先導的試驗計畫，主要收錄於經濟學和歷史兩個核心領域的十份期刊的數位檔案，由密西根大學（the University of Michigan）與普林斯頓大學（Princeton University）提供數位期刊資料庫服務，收錄自 1990 年以來總數大約 750,000 頁的期刊文章，發展至今已含括 11 個資料庫、33 個學科、1,534 萬頁刊物內容。

「物理學電子技術報告伺服器」（ArXiv.org）㉘為美國 Los Alamos National Laboratory 物理學家 Paul Ginsparg 於 1994 年發展，目的在鼓勵物理學家將技術報告集中，範圍包括物理、數學、非線性科學、電腦科學等領域。SPIRES-HEP ㉙則是史丹佛大學線性加速中心圖書館所建置維護，內容為高能物理預行出版網路書目資料庫。SPIRES-HEP 和 ArXiv.org 商議合作，前者的介面及檢索功能加上後者 ArXiv.org 提供全文，兩者可收互補之效。

美國科學公共圖書館計畫（Public Library of Science, PLoS）㉚於 2001 年發起後，毛慶禎（民 91a）指出包括臺灣的 47 位學者專家在內，全球 175 個國家的 29,537 位科學家，共同簽署一封公開信，表達對現有學術出版品物流系統的深層期望。從 2001 年 9 月 1 日以後，寫稿、審稿、編輯與訂閱對象，只限出刊 6 個月後，免費供社會大眾自由使用的期刊。PANS 及 Molecular Biology of the Cell 兩份刊物率先響應科公共圖書館的計畫，在論文刊出二個月後，就釋出全文。目前已有數百個期刊參與該計畫，同意在出刊數個月至一年後，公開讓大眾自由讀取全文。

毛慶禎（民 91b）也報導下列數項西方分享學術傳播的案例：「全學術」（All Academic: An Academic Clearinghouse）㉛是網路上的學術資源自由交換中心，由美國奧略岡大學的幾位教師於 1999 年秋季發起，共收錄數百種期刊全文資料，包括大西洋月刊等非學術性刊物，全部免費，自由取用。另有「社會學家電子社團」（Electronic Society for Social

Scientists, ELSSS）[32]成立於英國的非營利社團，主要目的在幫助社會學家重拾出版主控權，並嘗試使現今科學期刊發表流程加快，以及促使能廣泛地傳佈高品質之學術刊物。除此此外，毛慶禎（民 91a）觀察到科學/學術社群的行動實例，有 40 名傳統學術期刊 Machine Learning 的撰稿者，簽署公開信，表示對昂貴期刊訂費的不滿，認為是阻礙其論文流動的主因，對出版社的論文上網限制有意見。簽署者認為傳統的學術期刊出版社已成為論文流動的障礙，唯有支持線上出版的學術期刊，如 Journal of Machine Learning Research（JMLR），才是促進論文流動的正途。該社群認為「學術期刊應服務學術圈，以當代的科技提供論文，不以價格阻絕任何人」。這些撰稿者轉而支持 JMLR，可透過網路自由下載論文，並且讓撰稿者與編輯共同決定期刊的內容及發行方式。

其他相關實例，如古騰堡電子圖書館（Project Gutenberg）[33]、美國史丹佛大學圖書館的高線出版社（HighWire Press）[34]、美國國家研究院出版社（National Academies Press）[35]、線上人文社會科學（H-Net: Humanities and Social Sciences OnLine）[36]。由國際學術傳播的趨勢可知，學術資訊自由傳遞是國際間共同努力的最終目標，國際間各組織也持續倡導與推展學術傳播的合作機制，並重視學術資訊的自由傳遞、合作生產、交換、典藏與共享。這些機構、學校、聯盟及組織，集合全球的力量共同關注學術傳播的發展，不論是建置各學科領域的網站或電子資料庫，或是發表共同聲明，亦或是採行其他途徑，以期暢通學術傳播的管道，促進學術資源可以更自由、便利、快速地獲取。

肆、建構具競爭力的學術傳播環境之可能模式

數位時代的學術傳播方式已不同於以往，AUCC-CARL/ABRC Task Force on Academic Libraries and Scholarly Communication 早在 1995 年即提出新的學術傳播體系有下列八項特質：「以學者為中心」，由學者及其所屬機構充分掌控學術資源；以網路為基礎；學術出版不限於資料類型；學者及其所屬機構著作權權益受到合理保障；同儕審查更為重要，並須建立學術回應及討論機制；學術資訊使用費用應合理，並有公開合理之訂價政策；即時性；提供能夠創造、轉換、組織資訊的新工具，並且符合學者透過網路傳送資訊、為個別學者或團體提供適用的資源、網路資源引用文獻的完整性與一致性，以及在網路環境中製作索引與摘要的可能。

臺灣目前的學術傳播環境結構完整嗎？上述的八項原則，能夠具體化的有幾項呢？這樣的學術傳播環境結構有競爭力嗎？未來應如何規劃因應？那種國際學術傳播的模式適合應用於臺灣的學術傳播環境？分析臺灣學術傳播環境，除了三個主要聯盟的發展，

和國外蓬勃的對學術傳播環境的反應來看，實在要努力的地方很多，從大學目前還斤斤於 SCI、SSCI 的評比，卻鮮少注意研究發展、知識創新，需要有許多配合的條件，例如優質和善意的學術傳播環境，包括生產、提供和使用等來看，實在令人憂心，茲討論 SPARC Institutional Repositories、e-print OAI DAEDALUS、ArXiv.org & SPIRES-HEP 等三個學術傳播模式，提供國內努力參考：

SPARC Institutional Repositories 模式　建議國內既有的館際合作機構參考學術出版與學術資源聯盟（SPARC）的因應模式，邀集國內各大學、研究圖書館和學術研究機構，組成推展學術傳播聯盟，規畫及建置合作的、開放的學術資源庫及合作方法，使學術資訊的傳遞及取用豐富便捷。

e-print OAI DAEDALUS 模式　個別大學可以考慮應用 OAI（Open Archives Initiative）標準架構，以有效整合和傳遞各學科領域的學術報告、預刊本、論文及研究成果報告，暢通學術傳播管道，促使資訊的易於獲取，並加速學術的交流與分享。

ArXiv.org & SPIRES-HEP 模式　學術社群可以效法 SPIRES-HEP 及 ArXiv.org 建置彙集各學科領域的預刊本電子全文資料庫及目錄，鼓勵專家學者將研究或技術報告上傳，提供學術交流的平臺，供學術社群檢索及下載研究資料電子全文。

除了以上三種可能的面向外，或許還有其他更適合臺灣學術傳播環境的模式，值得我們深入思考。此外，數位時代學術傳播環境的改變，圖書館員從資訊服務的角度應產生一些角色的質變，Lyman（1993, pp.18-21）認為資訊時代的學術圖書館館員應面對下列幾項變革：從處理圖書，到處理資訊，到處理公用資訊資源；從擁有資訊，到獲取資訊；從目錄管理，到參考服務，到教學角色；從讀者成為作者。圖書館員對待資訊的態度，因此也必須從 information as a thing 改到 information as process 和 information as knowledge。從物件的傳遞，到資訊轉化的過程，以及處理知識，觀念的更新和接受變革的速度要再加快，這個學科領域才能和社會需求及脈動接上。

後記——在新世紀 尋找一個深刻的思想家

讀過卡爾波柏（Karl Popper）的客觀知識世界，之後又為了解學術傳播的全球現象，在網路上讀到索羅斯和他的開放基金會，繼而發現索羅斯原來師承卡爾波柏，故事就結了起來。原來師承是重要的，原來思想是重要的，原來生活有理想引導是重要的。波柏專注於知識論及方法論，1938 年著《開放社會及其敵人》以知識論及方法論來探索極權主義的思想源起，提倡「開放社會」以開放的心來面對及從錯誤中學習。又追尋到另一

本書《索羅斯論全球化》，索羅斯既是號稱「全球最大投機客」，卻又是近二十年來全球對於開放社會影響力最大的慈善家，在這個變動的時代，知識和理想的啟蒙使人成為最有效的經濟操作者和開放社會的理想家。特以為文，為仁者壽。

致謝：作者感謝徐鴻壹、劉英享、姜杏蓉協助校讀資料，特此致謝。

註釋

① 此段文字於 2003 年 6 月在該校網頁首頁讀到，目前該段文字已經移到<http://www.washington.edu/faculty/facsenate/handbook/04-01-01.html>。

② Karl Popper 所稱為第三世界。

③ <http://ssrc.sinica.edu.tw/ssrc-home/ssrc5.htm>

④ <http://www.nsc.gov.tw/ai/>

⑤ <http://www.sinica.edu.tw/~pingpu/>

⑥ <http://saturn.ihp.sinica.edu.tw/~dahcr/index.html>

⑦ <http://www.npm.gov.tw/dm/dm.htm>

⑧ <http://libftp.lib.ntu.edu.tw/project/>

⑨ 根據 ARL（Association of Research Libraries）2003 年的統計數據，哈佛大學的館藏量（volumes held）為 15,181,349。資料來源：<http://fisher.lib.virginia.edu/arl/index.html>

⑩ <http://www.stic.gov.tw/fdb/>

⑪ <http://sticnet.stic.gov.tw/sticweb/html/index.htm>

⑫ <http://tebnet.lib.fcu.edu.tw/index.html>

⑬ <http://www.sinica.edu.tw/~pqdd/>

⑭ <http://datas.ncl.edu.tw/theabs/1/>

⑮ <http://ethesys.lib.nsysu.edu.tw/>

⑯ <http://readopac.ncl.edu.tw/html/frame1.htm>

⑰ <http://www.lib.nctu.edu.tw/n_postnews/data/20030121155742.html>

⑱ <http://www.carl-abrc.ca/about/committees/scom_mandate.htm>

⑲ <http://www.soros.org/openaccess>

⑳ <http://www.arl.org/sparc/>

㉑ GNU 為 "GNU's Not Unix"首字母縮寫，G 可能表示 General，以區別既有的電腦作業平臺環境<http://www.gnu.org/copyleft/gpl.html>；洪朝貴將 GNU 翻譯為「革奴」，以表示透過自由軟體，歸還電腦使用者被剝奪的自由。
<http://www.iis.sinica.edu.tw/2001-digital-divide-workshop/5-5.htm>

㉒ <http://www.eprints.org/>

㉓ <http://www.lib.gla.ac.uk/daedalus/>

㉔ <http://www.arl.org/sparc/>

㉕ <http://www.createchange.org/home.html>

㉖ <http://www.arl.org/arl/pr/create%5Fchange.html>

㉗ <http://www.jstor.org/about/earchive.html>

㉘ <http://arxiv.org/>

㉙ <http://www.slac.stanford.edu/spires/hep/>

㉚ <http://www.publiclibraryofscience.org/>

㉛ <http://www.allacademic.com/>

㉜ <http://www.elsss.org.uk/>

㉝ <http://gutenberg.net/>

㉞ <http://www.highwire.org>

㉟ <http://www.nap.edu/>

㊱ <http://www2.h-net.msu.edu/>

參考文獻

AUCC-CARL/ABRC Task Force on Academic Libraries and Scholarly Communication (1995). Towards a new paradigm for scholarly communication. Retrieved 15 May, 2004, from http://www.lib.uwaterloo.ca/documents/scholarly(aucc-carl).html

Borgman, C. L. (1990). *Scholarly communication and bibliometrics*. Newbury Park, CA: Sage Publication.

Borgman, C. L. (2000). Scholarly communication and bibliometricsrevisited. In B. Cronin, & H. B. Atkins (Eds.), *The web of knowledge: A festschrift in honor of Eugene Garfield* (pp. 143-162). Medford, NJ: Information Today.

Borgman, C. L., & Furner, J. (2002). Scholarly communication and bibliometrics. *Annual Review of Information Science and Technology*, 36, 3-72.

Crane, D. (1971). Information needs and uses. In C. A. Cuadra (Ed.), *Annual review of information science and technology*, Vol. 6 (pp. 3-39). Chicago: Encyclopedia Britannica.

Crawford, S.Y., Hurd, J.M., & Weller, A.C. (1996). *From print to electronic: The transformation of scientific communication*. Medford, NJ: Information Today.

Cronin, B. (1982). Invisible colleges and information transfer: A review and commentary with particular reference to the social sciences. *Journal of Documentation*, 38(3), 212-236.

Kling, R., & Callahan, E. (2003). Electronic journals, the Internet, and scholarly communication. *Annual Review of Information Science and Technology*, 37, 127-177.

Kling, R., Mckim, G., & King, A. (2003). A bit more to it: Scholarly communication forums as socio-technical interaction networks. *Journal of the American Society for Information Science and Technology*, 54, 47-67.

Liu, Z. (2003). Trends in transforming scholarly communication and their implications. *Information Processing & Management*, 39, 889-898.

Lyman, P. (1993). Libraries, publishing, and higher education: An overview. In D. J. Mulvaney, & C. Steele (Eds.), *Changes in scholarly communication patterns: Australia and the electronic library* (pp.15-28). Canberra, Australia: Australian Academy of the Humanities.

Osburn, C. B. (1989). The structuring of the scholarly communication system. *College & Research Libraries*, 50, 277-286.

Price, D. J. deSolla (1963). *Little science, big science*. New York: Columbia University.

SPIRES-HEP (n.d.). Retrieved June 15, 2004 from http://www.slac.stanford.edu/spires/hep/

Subramanyam, K.(1981). Scientific literature. In A. Kent (ed.), *Encyclopedia of Library and Information Science* (Vol. 19, pp.376-548). New York: Marcel Dekker.

Tenopir, C., & King, D. W. (2001). Lessons for the future of journals. *Nature*, 413(6857), 672-674.

University of Washington. (1969). Role and mission of the university. In *University of Washington handbook* (vol. 4, chap. 1). <http://www.washington.edu/faculty/facsenate/handbook/04-01-01.html>

毛慶禎（民 91a）。〈電子學術出版品的自由化〉。《全國新書資訊月刊》，39，頁 8-11。

毛慶禎（民 91b）。〈學術期刊的自由性〉。《中華圖書資訊館際合作協會通訊》，24，頁 2-14。

卡爾‧波柏和吉安卡羅‧波賽場（民 89）。《二十世紀的教訓──卡爾‧波柏訪談錄》（王凌霄譯）。臺北市：貓頭鷹出版（原著出版年：1992 年）。

邱炯友、林串良（民 92）。〈變遷中的學術傳播體系〉。載於淡江大學資訊與圖書館學學系（主編），《2003 年資訊科技與圖書館學術研討會論文集》（頁 123-144）。台北縣：淡江大學資訊與圖書館學系。

景祥祜等（民 91）。〈TEBNET 電子書聯盟現況發展與思考綜述〉。載於國立政治大學圖書館(主編)，《全國大專院校圖書館自動化第十八次研討會論文集》(頁 47-68)。臺北市：國家圖書館。

黃慕萱（民 83）。〈引用文獻初探〉。載於王振鵠教授七秩榮慶祝壽論文集編輯小組（主編），《當代圖書館事業論集：慶祝王振鵠教授七秩榮慶論文集》（頁 807-816）。臺北市：正中。

蔡明月（民 86）。〈學術傳播與書目計量學〉。《教育資料與圖書館學》，35 卷 1 期，頁 38-57。

羅思嘉（民 90）。〈引用文獻分析與學術傳播研究〉。《中國圖書館學會會報》，66，頁 73-85。

電子期刊同儕審查制度之探討
The Preliminary Study on
Electronic Periodical Peer Review

張嘉彬
Chia-bin Chang

摘 要

　　本文擬就同儕審查制度於電子期刊中之角色進行探討，亦即深究電子期刊同儕審查制度之可行性、契機及挑戰等。首先，介紹傳統同儕審查制度之意義、標準及優缺點；其次闡述電子期刊同儕審查制度之意義、過程、與傳統審查方式比較及模式；再者，就電子期刊同儕審查進行個案探討；文末，針對電子期刊同儕審查之問題及未來發展進行論述。

Abstract

This article explores the feasibility, opportunity, and challenge of peer review on electronic periodical. It introduces the meaning, criteria, strength and weakness of peer review on electronic periodical, and some case studies are provided. Finally, the author points out the problems and future developments of peer review on electronic periodical.

關鍵詞：同儕審查；電子同儕審查；電子期刊同儕審查；學術傳播；電子出版；學術出版

Keywords: Peer Review; Electronic Peer Review; Electronic Periodical Peer Review; Scholarly Communication; Electronic Publishing; Scholarly Publishing

壹、前言

出版（publication）是作者將思想、理念組織整理後，以特定載體向社會傳播的公開化活動。透過出版，其可將作品散布給廣大讀者群知悉，亦因作品之出版，使得人類知識傳遞可以延續，人類知識文明得以累積。

學術出版為發生在學術社群間的一種傳播行為，也是學者與專家學術能力被肯定之證明，其與一般出版有所不同，因一般出版品所追求的是廣為傳佈閱讀，而學術出版品除強調廣為閱讀外，更重視出版品的學術品質與同儕審查。在所有學術出版品中，學術期刊為其中最重要的部分。[1] Rowland 表示，學術出版品有四項功能：知識散佈、知識典藏、出版品品質控制及作者名聲地位之獲得。[2]

同儕審查制度濫觴於十六世紀英國皇家學會發行的第一本科學期刊 *Philosophical Transactions*，透過客觀、匿名之同儕審查制度，學術界得以將期刊進行重要的品質控制。是以，同儕審查制度在學術期刊之品質控制及學術傳播上，扮演了相當重要的角色。

隨著網際網路與數位科技之發展，出版典範產生了重大改變，從以往傳統出版進展至今日之電子出版（electronic publishing），形成目前印刷與電子出版並存的複合世界。電子出版品具有提供快速製作與傳播、易於下載、拷貝、複製、不受時空限制取用、提供多媒體呈現及配合電腦檢索取用等優點，使得電子出版品受到學術社群的青睞；而在電子出版品中，目前以電子期刊及電子書對於學術傳播之影響最鉅。[3]

電子期刊無論在編輯速度、印刷成本、公開化程度上，皆較傳統期刊來得有利，然電子期刊是否能夠保障作品之學術品質？對學術發展正面影響居多，還是會減損學術價值？又是否可當作學者升等的依據？不同學者對相關問題抱持著不同態度。[4] 一項針對有審查制度的生物醫學電子期刊所做的調查結果顯示，只出版電子版之論文，在引用上並不輸給傳統紙本期刊論文，甚至，在下載與使用上還要更為方便。這份研究結論指出，至少在生物醫學領域，升等委員會已接受僅出版電子版的期刊論文，作為升等與終生聘用制之審查依據。[5]

是以，電子期刊同儕審查如能維持紙本期刊審查形式，則電子期刊之品質將不會與紙本期刊相去太遠，除了在品質上能夠獲得保證外，也將會是學術出版的重要趨勢。然

電子期刊同儕審查過程中，需要作者、編者、審查者及升等委員會等環節的普遍接受，上述理想方能實現。若作者對電子期刊充滿畏懼，而升等委員會仍依賴傳統同儕審查方式，如此作者寧可投稿至傳統被 SCI、SSCI 收錄或學術品質較佳之期刊，而不願投稿至電子期刊。

本文擬就同儕審查制度於電子期刊中之角色進行探討，亦即深究電子期刊同儕審查制度之可行性、契機及挑戰等。首先，介紹傳統同儕審查制度之意義、標準及優缺點；其次闡述電子期刊同儕審查制度之意義、過程、與傳統審查方式比較及模式；再者，進行電子期刊同儕審查個案探討；最後，針對電子期刊同儕審查之問題及未來發展進行論述。

貳、傳統同儕審查制度

同儕審查是由從事該領域或接近該領域的專家來評定一項研究工作學術水準或重要性的一種方法。目前，同儕審查主要應用於以下五方面：審查研究計畫之申請、審查出版品、評定研究成果、評定學位與職稱及評議研究機構的運作。[6]本文所探討對象係針對上述審查出版品（期刊）而言，茲將其基本概念分述如後，包含同儕審查之意義、同儕審查作品之標準、同儕審查者之選擇及同儕審查之優點與缺失等。

一、同儕審查之意義

Harnad 認為，同儕審查為作者將欲出版之作品提交給有資格的審查者（即編者），而編者隨後將作品遞交給同儕專家（即審查者），以尋求其作品是否被出版。[7]

Crawford 及 Stucki 指出，同儕審查為期刊編者、出版者收到欲出版作品時，事先進行審查之步驟，由期刊出版者挑選至少兩位在該領域被視為有資格的同儕，審查該作品之品質及潛能，再決定其是否被出版。[8]

Dalton 認為，同儕審查為學科專家協助期刊編者評估作品是否可被出版之過程。通常，這些專家並不會讓作者知悉，是以它被形容為匿名性（anonymous）或隱蔽審查（blind review）；若審查專家同樣不知作者為誰，它便稱為雙盲審查（double-blind）。[9]

從上述學者對於同儕審查之定義可知，所謂同儕審查即作者將作品提交給期刊出版者或編者，而期刊出版者或編者將作品遞交給該領域有資格的審查者，以決定作品是否被出版的過程。其主要目的係確保該作品之品質，以建立期刊之威信。

二、同儕審查作品之標準

同儕審查作品之標準主要立基於下列基本假定：如果作品符合審查標準，兩位審查者對作品內容將有一致的看法。但何謂審查作品之標準，則又人言人殊。是以，有些學者試圖歸納同儕審查制度中常見的作品審查標準或某些期刊出版社所採用之原則，以供作者或讀者參考。[⑩]

筆者綜合學者們所提出之標準，將之歸類為以下四項：[⑪]

㈠就作者學術聲望及倫理而言：如作者的聲譽、是否具備學術道德等。

㈡就作品本身而言：如作品理論相關性、創造性的思想、研究方法的可信度與複雜度、掌握設計要領、與期刊宗旨的相關性、預期之讀者群及引用次數數量、實証研究、文獻引用之適當性、新穎性、圖片與表格、新穎性等。

㈢就作品呈現上而言：如作品呈現之清晰性等。

㈣就作品價值而言：如研究的學術價值、對社會的價值等。

三、同儕審查者之選擇

由於審查者是同儕審查制度的關鍵，是以，如何選擇適當審查者即成為相當重要之事宜。筆者個人認為，選擇審查者一般而言有以下幾項準則：

㈠審查者是否在該研究領域具有一定之學術水平或學術聲望。

㈡審查者是否在該研究領域具備專業知識或學位（如具備博士學位）。

㈢審查者如於實務界工作，其是否具備一定實務經驗，且位居該領域之要職。

㈣應挑選該研究領域具有不同觀點之審查者，以達學科平衡及涵蓋性廣的原則。

㈤審查者是否具備一定道德水準，意即他是否能夠公正、公平及無私地進行審查。

㈥審查者是否能夠具備責任感，且在規定時間內確實完成審查作業。

四、同儕審查之優點及缺失

同儕審查從二十世紀中葉末成為標準形式以來，即在學術傳播上佔有相當重要之地位。由於同儕審查具備多項優點，使其一直被沿用至今。然同儕審查施行數十年以來，亦遭受到相當多人之質疑，認為應尋求替代方案來取代同儕審查制度。筆者綜合多位學者之意見，將同儕審查之優點及缺點分述如下。

就同儕審查之優點而言，學者們認為主要包含下列幾項：[⑫]

㈠確保作品之正確性及真實性（assurance of authenticity）。

㈡可作為研究工作獲得、經費補助依據及作者升等之考量。

㈢改善作品之品質。

㈣偵測出拙劣之作品。

㈤確保相關文獻正確使用而改善作品之學術性。

㈥出版在最適合之期刊。

㈦增加同儕審查制度之認可。

至同儕審查的缺點，學者們認為主要包含下列幾項：[13]

㈠審查者無法做到完全公正、可能會做出不正確之評斷、對於同一篇作品的優點，可能會有不一致之意見、個人喜惡或性別種族等因素而產生偏見。

㈡編者可能因無法接受某些理論或與上述審查者相同之因素而產生偏見。

㈢審查者的匿名性，使得作者很少有機會向審查者陳述其想法。

㈣審查者受限於作者所提供之資料且未具統計專長，是以，不易指出作品中統計數據上之錯誤。

㈤同儕審查過程可能因期刊的審查、編輯到出版耗費良久，是以容易產生一稿多投之現象。

㈥創新思想無法符合大眾所能接受的模式，其思想容易被壓制。

㈦容易產生科學欺騙，亦即作者思想被剽竊與抄襲。

參、電子期刊同儕審查制度

電子期刊快速製作與傳播、易於下載、拷貝、複製及不受時空限制的取用等特質，使其受到學術社群之青睞。然電子期刊是否能夠確保作品之品質，又電子期刊同儕審查制度是否能維持如紙本期刊良好運作機制，便成為極重要的課題。以下藉由剖析電子期刊同儕審查之意義、過程、問題及未來發展等層面，或許可一窺其發展契機為何。

一、電子期刊同儕審查之意義

電子期刊同儕審查從九〇年代以來即迅速發展，目前已有許多計畫及期刊正在進行。筆者認為，電子期刊同儕審查之意義可採學者 Beebe 及 Meyers 的定義，係指從收到原稿傳遞給審查者至最後編者做決定的整個過程，全部以數位化方式進行，亦即傳統人工同儕審查的過程皆於線上進行傳遞與管理。[14]

二、電子期刊同儕審查之過程

電子期刊同儕審查鼓勵以 E-mail 或 FTP 等電子形式提交論文，而在網路化環境下，越來越多的電子期刊原稿是以 PDF 檔及 HTML 檔格式製作，俾利使用者在 Web 環境下閱讀。[15]然電子期刊同儕審查過程為何？其與傳統人工同儕審查有何不同，為了解電子期刊同儕審查的重要課題。

Wood及Hurst以eSPRINT系統為例，說明電子期刊同儕審查過程含括以下七階段：[16]

(一)作者填寫作品投稿表格。（request for submission form）

(二)產生作者工作空間（workspace）及傳送投稿登記之 E-mail 給作者。

(三)完成登記，並選擇使用者名稱及密碼。

(四)透過 Web 介面上傳作品。

(五)編輯辦公室傳送含作者作品的 URL 給審查者。

(六)審查者在特定 URL 上進行作品審查。

(七)審查者完成 Web 報告表。（即是否接受作品）

澳洲醫學期刊（Medical Journal of Australia，簡稱 MJA）主編 Van Der Weyden 亦以 MJA 進行線上同儕審查的經驗，敘明電子期刊同儕審查的過程。筆者將其過程繪製成圖一，並說明如次：[17]

(一)第一階段：作者投稿至期刊，而後編者審視該作品是否值得進行同儕審查（即作品是否值得出版），若值得，則編者會根據期刊所立定之標準選擇二至三位審查者。

(二)第二階段：作者及審查者被邀請參與進行電子期刊同儕審查。若兩者中有任一方不同意進行電子期刊同儕審查，則作品將以傳統同儕審查方式進行。

(三)第三階段：顧問小組（consultant panel）被邀請參與同儕審查，其人數大約為六人，由不同領域專家及讀者代表所組成，主要針對作品的不同面向及同儕審查過程進行評論，而非詳盡地審查作品。

(四)第四階段：作品在特定網站上進行評論，而僅限作者、編者、審查者及顧問小組能夠檢索。作品審查以線上討論方式進行，而每位參與者針對作品提出評論，並於線上形成討論列表。

(五)編者做成是否出版的決定：編者綜合討論意見，決定作品是否出版、修改或拒絕。在編者綜合討論過程中，作者可視線上討論情形，適時回應或進行修改。

(六)將接受之作品於線上出版並進行公開審查：若作品即將出版，在出版前會先進行公開審查，所有讀者皆可針對作品發表意見，而作者亦可針對讀者意見進行最後修改。

㈦最後階段：作者最後修改之作品以印刷型式出版，而原先之電子版將續留在資料庫中。

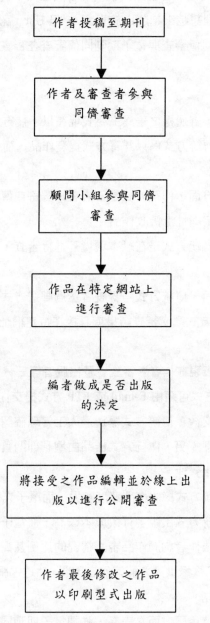

資料來源：Van Der Weyden Martin, "Peer Review on the Internet: launching eMJA peer review study 2," 8 October 1998, <http://www.mja.com.au/public/information/iprs2int.html> (7 March 2004).

圖一　eMJA 電子期刊同儕審查過程

三、電子期刊同儕審查與傳統同儕審查之比較

Harnad 認為，電子期刊同儕審查與傳統同儕審查並無本質上不同，然其可成為同儕審查的另一種選擇，且該理想越來越趨近於真實。[18]但 Hurst 認為，由於網路成長加速電子化趨勢，因而造成傳統同儕審查與電子期刊同儕審查在審查過程及審查特色二方面上的差異，茲分述如下：[19]

(一)審查過程

傳統審查過程與電子審查過程之差異主要表現在以下幾方面：

1. 在作品提交方面，傳統方式係以郵寄方式提交作品，而電子方式則可透過 E-mail 或 FTP 傳送作品。

2. 在審查者接收作品方面，傳統方式是審查者以郵寄或傳真接收作品，而電子方式則是審查者可在特定網址上接收作品。

3. 在審查作業方面，傳統方式是在紙本環境下進行審查，而電子方式則可於網路環境下進行審查。

4. 在遞交審查結果方面，傳統方式是審查者透過郵遞方式遞交審查結果，而電子方式則可透過 E-mail 方式遞交審查結果或直接在特定網址上進行審查。

(二)審查特色

就審查特色而言，可表現在作者、審查者及出版者等三分面，分述如下：

1. 就作者而言，電子方式可藉由 E-mail 或 FTP 方式提交作品，無疑提高了作品之提交速度。俟作品提交後，傳統方式需透過人工管理確認，若採用電子方式則可透過電腦進行自動管理。另，傳統方式作品由期刊部門負責管理，而電子方式則可利用網路進行電子化管理。

2. 就審查者而言，傳統方式接收作品速度較慢，而電子方式接收作品速度較快。

3. 就出版者而言，傳統方式出版者行政成本較高，而電子方式出版者行政成本則較低。此外，傳統方式作者詢問作品審查情況的比例甚高，需提供人力解決作者詢問，而電子方式雖仍需提供人力解答作者詢問，然透過網路可加速整個詢答過程，並可交換彼此的意見。

上述審查過程及審查特色兩方面之差異，強調電子期刊同儕審查利用電子方式進行同儕審查過程之管理，然對於作品本身而言，並未有任何本質上的改變，亦即電子期刊同儕審查概念仍移植自傳統同儕審查，僅兩者所利用的傳播媒介有所不同。有了電子媒介的輔助，可使得電子期刊同儕審查出版速度更快、更具經濟性及互動性等。

四、電子期刊同儕審查模式探討

Weller 整理目前存在於電子環境下之同儕審查模式，共包含傳統同儕審查（traditional peer review）、出版前無同儕審查（no prepublication peer review）、出版前後皆俱有同儕審查（combination of pre- and postpublication peer review）及其他等四種模式。[20]茲分述如下：

(一)傳統同儕審查模式

該種模式存在於醫學界居多，其因乃醫學期刊之發表，對人類健康影響頗為鉅大，若讓不正確之科學結果發表，可能會對於人類造成極大的傷害。是以，許多醫學期刊編者堅持，若未歷經傳統同儕審查方式，則不會將其作品出版。新英格蘭醫學期刊（New England Journal of Medicine）前編者 Kassirer 表示，電子環境下同儕審查及編輯之過程不會改變，但電子傳播加速了作品出版的時間。此外，Huth 為第一份同儕審查醫學電子期刊 Online Journal of Current Clinical Trials 創辦人，他保證所有經該期刊接受之作品皆經歷傳統嚴格的同儕審查過程，以確保作品在電子環境下亦具有相同之品質。

(二)出版前無同儕審查模式

此種模式主要存在於物理學界，緣起於美國物理學會（American Physical Society，簡稱 APS）在一九九一年設立高能量物理理論（high-energy physics-theory）電子預印本典藏（現稱為 arXiv.org），負責蒐集物理研究報告及論文等，而目前係由康乃爾大學（Cornell University）負責維持其運作。arXiv.org 正式出版前未經過任何同儕審查，而讀者可於其上發表意見或建議。根據計畫主持人 Ginsparg 表示，作者對同領域研究者的建議相當重視，很多人都會依據所提意見而修正作品。

至二〇〇三年五月，arXiv.org 每個月已可收到 3,000 餘篇作品，學科範圍含括物理學、數學、非線性科學及電腦科學等。其中，80%作品透過 Web 上傳；17%作品透過 E-mail 上傳；3%透過 FTP 上傳。[21]Ginsparg 指出，雖然 arXiv.org 採取出版前無同儕審查方式，但某種程度上仍有進行品質控制之機制，亦即他們保留拒絕不合適作品的權利。

(三)出版前後皆俱有同儕審查模式

此種模式主要存在於心理學界，由電子期刊同儕審查先驅 Harnad 所創辦的期刊 *Psychologυy* 首先採取公開同儕審查（open peer review）方式。他嘗試藉由作品的公開同儕審查及作者對這些評論回應而修改作品完竣後，方提供電子版。在該模式中，作品原稿在出版前需先經同儕審查，而評論亦需經由同儕審查，以提供持續性之同儕審查形式。由於此種同儕審查模式較為嚴格，因此 Harnad 亦坦承，許多該領域最尖端的作者，仍畏

懼投稿至 *Psychologuy* 期刊。

(四)其他模式

MJA 主編於一九九六年宣布,他們將設置一網站,以刊登經傳統同儕審查及被 MJA 接受的選擇性研究文獻。所有投稿至該期刊之作品,其原稿將以電子型式隨同同儕審查者之評論出版,而在原稿出版後,讀者可立即進行檢索,且可於其上發表任何評論。不過,作者在作品正式出版前可進行修改,而評論者在作品正式出版前亦可給予作者修改意見。此外,冰河時代地質學及地形學(Glacial Geology and Geomorphology)期刊編者 Whalley 表示,他們將使用傳統同儕審查方式審查投稿作品,另他們亦試圖尋找個別網際網路管道(private internet channel),使所有線上作品於使用者檢索前,可進行雙盲審查及編輯作業。

筆者認為,上述同儕審查模式,主要顯示電子環境下不同之同儕審查方法。除了 arXiv.org 外,每一種模式皆蘊含傳統同儕審查的方式。是以,若按本文對於電子期刊同儕審查之定義而言,顯然上述四種模式,與前揭定義並不吻合,大部分仍屬傳統同儕審查模式(arXiv.org 的審查方式為非正式學者專家審查,其亦非屬電子期刊同儕審查方式)。爰此,未來隨著資訊科技的進步,是否會發展出屬於電子期刊同儕審查之模式,仍有待更多研究的累積及時間的證明,然筆者認為,距離這一天的腳步已越來越接近。

肆、電子期刊同儕審查個案探討

九〇年代後,已有眾多電子期刊同儕審查計畫進行,其中最著名的莫過於英國之電子投稿與同儕審查計畫(The Electronic Submission and PEer Review,簡稱 ESPERE,本文不再另行介紹,請參照網址 http://www.espere.org)。此外,尚有許多純電子期刊(即只發行電子版)從發行以來,即採用電子期刊同儕審查,以加速發行速度及節省成本等。以下僅介紹國外自然科學及人文科學領域施行同儕審查之電子期刊各一,俾了解電子期刊同儕審查實際之運作情形。茲分述如下:

一、澳洲醫學期刊[22]

從一九九六年開始,MJA 編輯宣布 MJA 開始發行電子期刊,稱為 eMJA。而後,其與雪梨大學圖書館(University of Sydney Library)合作,嘗試運用網際網路進行公開同儕審查,並進行第一次 eMJA 網際網路同儕審查研究。該研究目標有如下四點:

(一)與圖書館發展電子出版技巧與專業,使圖書館能在未來學術電子出版事業上佔有

重要之地位。

㈡發展同儕審查之新模式。（電子期刊同儕審查）

㈢比較電子期刊同儕審查與傳統同儕審查之效益。

㈣發展從印刷至電子出版之協定與模式。

一九九八年，eMJA 進行第二次網際網路同儕審查研究，其目標希冀評估同儕審查新模式的可接受度性、可行性及效率。該研究之同儕審查過程業已於上開電子期刊同儕審查過程介紹過，共區分為投稿作品、作者及審查者被邀請參與進行電子期刊同儕審查、顧問小組被邀請參與發表其意見、作品在特定的網站上進行評論、主編做成是否出版的決定、將接受之作品編輯並於線上出版以進行公開審查及作者最後修改之作品以印刷型式出版等七階段。

雖然該研究比第一次研究更具企圖心，然卻沒有進展太多，且最後仍以失敗收場。MJA 主管表示，此並非作者或審查者之反對，而是缺少管理電子期刊同儕審查過程之有效工具。雖然第二次研究宣告失敗，然他們仍樂觀表示，將繼續投入研究新的同儕審查過程之方法。

二、互動式媒體教育期刊（Journal of Interactive Media in Education，簡稱 JIME）㉓

JIME 於一九九六年九月開始發行網路版，其所採行的同儕審查方式為公開同儕審查。在這過程中，作者有權可以回應，審查者署名且對自己言論負責，而學術社群在作品出版前亦有機會可以提出其意見。茲將 JIME 同儕審查之過程說明如下。

㈠公開同儕審查前置階段：首先作者以 HTML 或 Word/PDF 投稿，而編者收到作品後，審視作品主題之相關性，若初審通過，則編者指定審查者，並進行後續之同儕審查過程。

㈡封閉公開同儕審查（private open review）階段：作品提交於 JIME 後，由三位審查者進行審查，他們在置放作品的特定網址中發表評論，並以 E-mail 方式傳送個人意見給編者，而作者可針對這些評論進行回應。之後，編者需決定是否接受該作品，若屬接受，則將作品公告給相關社群知悉；若屬拒絕，則作品連同評論儲存於特定網址中。

㈢大眾公開同儕審查（public open peer review）階段：編者接受作品後，即將作品以預印本（preprint）型式公告於網路，並接受大眾公開審查。讀者可於網站上發表意見，而作者及審查者亦可順勢回應。該階段公開同儕審查方式，將於預印本

公告一個月後結束。

㈣出版階段：上開階段結束後，編者將審查意見以 E-mail 方式傳送給作者，而作者著手修改其作品。之後，編者檢視修改後之作品，並編輯網站上的討論意見。當編輯作業竣事後，出版者於特定網站上置放最後版本之作品，並免費供人進行檢索。

伍、電子期刊同儕審查之問題

電子期刊同儕審查具備互動性、便利性，及降低成本、節省時間等特性，無疑為傳統同儕審查帶來新的契機，然其發展時間畢竟稍短，是以，仍存在許多本質上及技術上之難題。茲分述如下：

一、保護作者言論思想及文獻內容開放度之爭議

目前網路化環境，許多作者仍憂心，他們將進展中之作品或報告提交於電子期刊同儕審查系統，但因網路具備廣泛傳播特性，而導致其思想被剽竊之問題。由於上述問題的產生，許多學者認為應從技術層面解決該難題。Davies 建議，可利用電子編碼方式於審查作品中，並敘明作品中不可做任何的引用。尤其，醫學文獻的剽竊情形比社會科學造成的影響更為嚴重，是以，更不允許修改原文或剽竊行為。[24]

上述方式僅是一種作法，然網路開放環境下，剽竊之情形仍不勝枚舉，是以，對學術界而言，此為亟待解決的問題。否則學術上的創作者，在作品及思想沒有被保護的狀態下，放棄以開放性電子審查方式進行審查，無疑對電子期刊同儕審查是一項重大打擊。爰此，學術出版如何適應電子化環境，仍為亟待思考的課題。

二、合適格式、傳輸方式及網路資訊架構之問題[25]

除了上述屬於同儕審查本質的問題外，電子期刊同儕審查尚遭遇了技術層面之問題，含括何者為較合適的提交作品格式、作品傳輸上之問題及網路資訊架構之問題等。

就較合適的格式而言，作者提交給出版者的檔案可能為 HTML、PDF 或 Word 檔等格式，然各種檔案屬性不同，因此，可能會造成閱讀上之困難。Wood 認為，作者要以上述檔案格式提交作品相當容易，然在閱讀檔案時，可能會產生問題。是以，將來如何統一作者所提交的檔案格式，將是一大重要課題。目前作者、審查者及出版者較傾向使用的格式為 PDF 檔，其因乃 PDF 檔案可結合文字與圖表、為壓縮檔較不影響傳輸、容易

從文書處理軟體產生及 Acrobat Reader 為免費之軟體。

　　就作品傳輸上而言，若作者是以 E-mail 方式提交作品，則可能會產生問題，因目前有數十種 E-mail 套裝軟體，然每種軟體之平台及程式不同，再加上 E-mail 本質上之限制（如檔案大小及病毒等問題），因此，可能會造成作品無法閱讀或產生亂碼之情事。不過，Wood 認為，將來使用網際網路傳輸作品，可能為時勢所趨。除了其具備互動性外，尚可掌握作品的整個流程，使作者、審查者及編者能夠知悉作品之狀態。

　　就網路資訊架構而言，可能涉及作者、審查者及編者是否有足夠的資訊硬體及軟體設備。若三環節中有任一環節無法配合，則電子期刊同儕審查可能僅為一種理想。筆者認為，就目前資訊科技發展及使用者接受度而言，未來該項問題應該可以獲致解決才是。

陸、電子期刊同儕審查之未來發展

　　電子期刊同儕審查發展至今約莫十年光景，憑藉著網際網路、電子出版、降低成本及資料集中化蒐集處理等優勢，使其漸受作者、審查者及出版者的歡迎。然亦因網路化環境下，存在著保護作者言論思想及文獻內容開放度等爭議，使得學術社群不免憂心。展望未來，筆者認為電子期刊同儕審查將有如下發展：

一、電子期刊同儕審查自動化

　　隨著資訊科技發展，未來電子期刊同儕審查將走向自動化之路，例如高能量物理期刊（Journal of High Energy Physics，簡稱 JHEP）正朝往該條路邁進。目前 JHEP 線上作品，皆由資源發掘軟體（software robot）自動執行編輯過程的所有步驟，包含作品投稿、指定合適編者及審查者、審查者進行審查、編者與審查者連繫、作品修改、作品出版及期刊管理等。上述方式，不僅可節省成本亦可加速審查之速度。[26]筆者認為，隨著作者、審查者及出版者對於電子期刊同儕審查接受度越來越高，未來電子期刊同儕審查自動化之發展，將會有無限的潛能及契機。

二、整合性電子期刊同儕審查系統之建立

　　電子期刊同儕審查制度中，作者、審查者、編者及出版者皆為相當重要的環節，少了任一環節之參與，電子期刊同儕審查制度的成效可能就會大打折扣。Wood 及 Hurst 認為，上述四者中出版者尤其扮演重要角色，因電子期刊同儕審查系統之研發，需投入相當多的人力及經費，且其對於電子期刊同儕審查之準備、使命、訓練及支持是影響電子

期刊同儕審查系統成功與否的重要關鍵。[22]是以，將來出版者或編者對於電子期刊同儕審查的態度，將會影響其未來發展。筆者預期，未來電子期刊同儕審查系統之建立，將妥適整合作者、審查者、編者及出版者的需求，除可增加審查效率、縮短出版時間外，尚可達意見相互交流、資料管理方便等優勢，且對於學術品質之提昇，必定具有相當正面的效果。Wood 曾規劃整合性電子期刊同儕審查系統的建立，筆者將之繪製成圖二。

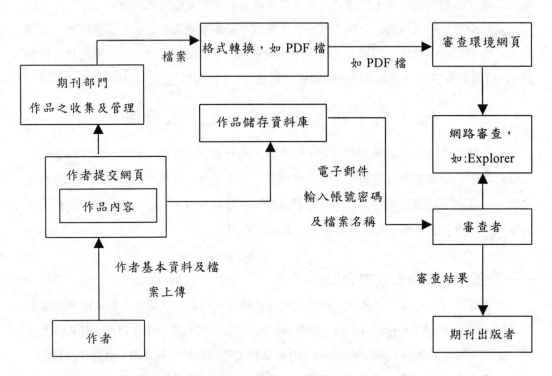

資料來源：Dee Wood, "Electronic Peer Review for Biomedical Authors, Referees and Learned Society Publisher," Journal of Documentation 54:2 (March 1998): 173-197.

圖二　整合性電子期刊同儕審查系統

三、公開同儕審查之發展

所謂公開同儕審查即作者知道誰是審查者，而審查者亦知道作品的作者為誰，亦即整個審查過程為透明、公開化之方式。Roberts 認為，目前已有相當多電子期刊採行公開同儕審查方式，而許多作者透過審查者所給予的建議、評論，用於修改其原始作品。上述方式如同一種互動式期刊，而大家可於網路上評論，甚至進行辯論。[23]BioMed Central

將旗下所擁有的 40 多種醫學期刊文章,將審查者評論和作者回覆完全張貼於網路上,讓公眾能夠進行最後之評判。但目前許多線上出版品對於公開同儕審查仍持觀望的態度,跟進者並不多。美國醫學學會期刊（The Journal of the American Medical Association,簡稱 JAMA）主編 Renie 即坦承,目前仍無法說服其他審查者現名正身;Lancet 主編 Horton 亦表示,尚需要有更多事實以證明公開同儕審查的優點,否則仍沒有揭開審查者面紗之必要性。㉙

柒、結語

本文針對電子期刊同儕審查制度進行探討,除分析其意義、過程、與傳統同儕審查比較及現存模式外,並以 MJA 及 JIME 為例,說明電子期刊同儕審查實際之運作情形。此外,電子期刊同儕審查從九〇年以後迅速發展,然在其過程中,亦遭受到許多人之批評,包含保護作者言論思想及文獻內容開放度之爭議與合適格式、傳輸方式及網路資訊架構之問題等。雖然電子期刊同儕審查未來發展仍混沌未明,但筆者預測,電子期刊同儕審查自動化、整合性電子審查系統之建立及公開同儕審查之發展等將會是未來的趨勢。

從傳統同儕審查走向電子期刊同儕審查的道路上,也象徵著出版模式從傳統模式轉換至電子出版模式。由於電子出版的盛行,使得電子期刊同儕審查有了進一步之發展。然許多人質疑,電子期刊同儕審查是否會損及作品品質及學術傳播之進行?針對上述問題,Odlyzko 認為,這些擔憂都是毫無事實的根據。雖然同儕審查系統已隨著電子期刊之盛行而有所改變,然這些改變會讓學術傳播進行的更快速、更順利。該種新模式之傳播,將讓學者有更多選擇的自由,並提供作品品質更快速、完整及彈性的回饋機制。㉚

電子期刊同儕審查尚在發展中,然許多學者相當看好其未來潛力,並認為這將對學術社群造成極大的衝擊。筆者對於電子期刊同儕審查亦抱持樂觀之態度,但另一方面,針對電子期刊同儕審查是否會取代傳統同儕審查,則抱持懷疑的想法。畢竟電子期刊同儕審查才剛起步不久,仍存在著許多問題有待克服。筆者認為,電子期刊同儕審查應與傳統同儕審查互為補充,增加另外一條不同於以往的選擇方式。至電子期刊同儕審查未來將如何演變,目前仍沒有很清楚的輪廓,然可以肯定的是,處於學術社群中的作者、審查者、編者、出版者及讀者,將設法使電子期刊之品質更佳、處理更有效率,以符合名聞其實的網路化作業方式,亦即速度快、有效率、經濟性、品質佳。

基於上述認知,學術期刊出版機構自應積極建立同儕審查制度觀念及標準化流程,並真正運用電子期刊同儕審查模式來處理全程的出版品電子化工作。爰此,未來應致力

於確實執行同儕審查制度之要求、建立電子期刊同儕審查標準作業規範及與學術單位、政府或企業合作，進行加值開發。[30]

電子期刊同儕審查制度欲成功建立，需要作者、審查者、編者、出版者、讀者及升等委員會等環節之配合，若任一環節無法配合，則電子期刊同儕審查制度仍僅為一項理想，無法實際運用於電子期刊上。是以，為讓電子期刊處理速度更快、更節省經費，學術社群中的每個角色應多支持電子期刊同儕審查制度之建立，使得電子期刊能夠維持傳統期刊的品質，亦能節省大量資源，使電子期刊同儕審查制度不再是一項遙不可及的理想。筆者希冀，未來在不同學科領域能夠有多樣同儕審查方式提供選擇，使同儕審查制度能夠在學術傳播中的角色確實發揮，進而對人類知識文明做出貢獻，留給後世子孫無限的珍貴寶藏。

註釋

① 王梅玲，〈從學術出版的變遷探討學者、出版者與圖書館的角色〉，《國家圖書館館刊》九十二年第一期（民國 92 年 4 月）：頁 70-73。

② Fytton Rowland, "The peer-review process," *Learned Publishing* 15 no.4(2002), Retrieved from Ingenta Select Fulltext database (6 June 2003).

③ 蘇諼，〈電子資訊資源、電子出版、學術傳播〉，《圖書與資訊學刊》第 40 期（民國 91 年 2 月）：頁 24。

④ 翟本瑞，〈資訊社會研究編者言〉，在《資訊社會研究》，2001 年 7 月，<http://mail.nhu.edu.tw/~society/jccic/02/2-000.htm> (2004 年 3 月 7 日).

⑤ Kent Anderson et al., "Publishing Online Only Peer-Reviewed Biomedical Literature: Three Years of Citation, Author Perceprion, and Usage Experience," *Journal of Electronic Publishing* 6 no.3 (2001), <http://www.press.umich.edu/jep/06-03/anderson.html> (24 June 2003).

　　同註④。

⑥ 劉益東，〈問題譜系比較評議法──同行評議方法新探〉，自然辯證法研究 v.14 n.10（1998）：頁 31。

⑦ Stevan Harnad, "The Invisible Hand of Peer Review," 5 April 2000, <http://cogprints.ecs.soton.ac.uk/archive/00001646/00/nature2.html> (7 March 2004).

⑧ Susan Crawford, and Loretta Stucki, "Peer Review and the Changing Research Record," *Journal of American Soceity for Information Science* 41(March 1990): 224.

⑨ Margaret Stieg Dalton, "Refereeing of Scholarly Works for Primary Publishing, " in *Annual Review of Information Science and Technology* v.30, ed. Carlos A. Cuadra (N. Y.: Interscience Publishers, 1995), 214.

⑩ 賴鼎銘，《科學欺騙研究》（臺北市：唐山，民國 85 年），頁 244。

⑪ Davis Ellis, "Electronic Dissertations Library," 10 April 2001, <http://panizzi.shef.ac.uk/elecdiss/ed10001/ch0303.html> (5 Apr 2003).

　　International Archives of BioScience, "Editorial Policy of International Archives of BioScience," 1 June 2002, <http://www.iabs.us/jdoc/editorial_policy.htm> (7 March 2004).

同註⑨，頁 220。

⑫ Emerald information ideas insight, "The peer review process," 30 Jan. 2001, <http://tamino.emeraldinsight. com/vl=376912/cl=16/nw=1/rpsv/index.htm> (20 May 2003).

Ann C. Weller, "Editorial Peer Review: Research, Current Practices, and Implications for librarians," *Serials Review* 21:1(Spring 1995)：57.

⑬ 同註⑫。

⑭ Beebe Linda and Meyers Barbara, "Digital Workflow: Managing the Process Electronically," *Journal of Electronic Publishing* 5 no.4 (2000), <http://www.press.umich.edu/jep/05-04/ sheridan.html> (7 March 2004).

⑮ Michael Brittain, "Module 8: Quality and Peer Review," June 1999, <http://www.com.unisa.edu.au/10730/ aust/unisa/summer99/Quality/default.html> (7 March 2004).

⑯ Dee Wood, and Phil Hurst, "Online peer review: perceptions in the biological sciences," Learned Publishing 13 no.2(2000), Retrieved from Ingenta Select Fulltext database (7 March 2004).

⑰ Van Der Weyden Martin, "Peer Review on the Internet: launching eMJA peer review study 2," 8 October 1998, <http://www.mja.com.au/public/information/iprs2int.html> (7 March 2004).

⑱ Stevan Harnad, "Implementing Peer Review on the Net: Scientific Quality Control in Scholarly Electronic Journals," 22 May 1996, <http://cogprints.ecs.soton.ac.uk/archive/00001692/00/harnad96.peer.review.html> (7 March 2004). 轉引自鍾勝仲，〈資訊科學與圖書館學期刊之電子化同儕評閱研究〉（私立淡江大學資訊與圖書館學研究所，碩士論文，民 91），頁 16。

⑲ Phil Hurst, "Streamlining the Peer Review Process: Experiences of the ESPERE Project," June 2000, <http://www.espere.org/hur0600.ppt> (7 March 2004).

⑳ Ann C. Weller, "Editorial Peer Review for Electronic Journals: Current Issues and Emerging Models," Journal of the American Society for Information Science 51:14 (Nov. 2000): 1330-1331.

㉑ arXiv.org, arXiv.org e-Print archive, August 1991, <http://arxiv.org> (24 June 2003).

㉒ 同註⑰。

Craig Bingham, "eMJA Internet Peer Review Studies," 2003, <http://www.mja.com.au/public/papers/ papers.html> (7 March 2004).

eMJA, "eMJA Online Peer Review Trial -- orginal proposal," 11 May 1995, <http://www.mja.com.au/public/ information/oprtprot.html> (7 March 2004).

㉓ JIME, Journal of Interactive Media in Education, Sep. 1996, <http://www-jime.open.ac.uk> (7 March 2004).

㉔ John Peters, "The Hundred Years War Started Today: An exploration of electronic peer review," May 1996, <http://www.press.umich.edu/jep/works/PeterHundr.html> (8 March 2004). 轉引自李偉寧，〈圖書館學與資訊科學電子期刊建置之研究與實作：以淡江「教育資料與圖書館學」季刊為例〉（私立淡江大學資訊與圖書館學研究所，碩士論文，民 88），頁 21。

㉕ Dee Wood, "Managing and developing the peer review process: online peer review? -- the ESPERE project," February 1998, <http://www.espere.org/alpsp.ppt> (8 March 2004).

Dee Wood, "From snail mail to the Internet....," May 2000, <http://www.espere.org/ease1.ppt> (7 March 2004).

同註⑲。

㉖ JHEP, JHEP -- About the Journal, 1997, <http://jhep.sissa.it/info_about.html#works> (8 March 2004).

㉗ Dee Wood, "Online Peer Review: current options," April 2001, <http://www.espere.org/lp14_153.pdf> (7 March 2004).

Dee Wood, "Online Peer Review: A Voyage of Discovery," Jan. 2001, <http://www.espere.org/alpspfeb01.ppt> (7 March 2004).

同註⑲。

㉘ Peter Roberts, "Scholarly Publishing, Peer Review and the Internet," 5 April 1999, <http://www.firstmonday.dk/issues/issue4_4/proberts> (8 March 2004).

㉙ 王世仁,〈同儕審查〉,《生物醫學報導》第 12 期（民國 91 年 3 月）：頁 10。

㉚ Andrew Odlyzko, "Peer and non-peer review," 2002, <http://www.dtc.umn.edu/~odlyzko/doc/peer.review.txt> (8 March 2004).

㉛ 邱炯友,〈學術電子期刊同儕評閱之探析〉,《教育資料與圖書館學》40 卷 3 期（民國 92 年 3 月）：頁 320。

資訊素養/利用教育

論我國圖書館與終身學習之發展
Library and Lifelong Learning in
the Republic of China

張鼎鍾
Margaret C. Fung

恭逢　王振鵠教授八十榮慶，有鑒於　王教授多年來對於圖書事業及終身教育的卓越領導與重大貢獻，特撰此文敬表慶賀之意。

摘　要

本文主要在闡述關於終身學習的多元看法與終身學習在台灣施行的狀況。並進一步指出不同類型圖書館在推展終身學習情境中的不同功能。同時，也說明圖書館服務與終身學習間的關係，並介紹國內提供終身學習的圖書館運作方式。最後，作者針對國內圖書館在發展終身學習的角色上提供發展建議。

Abstract

This paper presents various views on lifelong learning and the efforts of lifelong learning in Taiwan. It further identifies the functions of libraries in general with special description of lifelong learning that different types of libraries are entrusted for implementation.　The relationship between lifelong learning and library services and what libraries in Taiwan have done to provide lifelong learning are delineated.　In the conclusion, the author makes some suggestions to further the improvements of lifelong learning in the Republic of China.

關鍵詞：圖書館；終身教育；終身學習

Keywords: Library; Lifelong Education; Lifelong Learning

Introduction

Definitions of lifelong learning given by well-known educators as well as international conference are different in wording but are similar in connotations. Lifelong learning implies learning at all times and learning by each individual. It is an educational process of self-realization. It emphasizes general education and it aims at giving the public the educational opportunities with the practices of recurrent education and continuing education (Huang, Fu-shun, l995). Lifelong learning is to maintain the knowledge and skills possessed by a person for the purpose of enhancing professional know-how and scholastic capabilities (Yang, Kuo-shih, l997). A wide range of methods – "open education", "distant learning", "multiple resources and channels for learning" and "learn how to learn" – makes lifelong learning extremely feasible (Wu, Mei-mei, 1997).

Dr. Ching-jiang Lin pointed out that lifelong learning is to explore a person's inner treasure which embodies the followings: 1) the break-through of ideas, 2) the basic right of learning, 3) self-guided learning and 4) to learn is a duty (Lin, Ching-jiang, l998).

At the first Worldwide Lifelong Learning Conference held in Rome in 1994, lifelong learning is defined as an uninterrupted process for people to develop human potentials; it encourages people to obtain the knowledge, value, skills and understanding needed throughout their lives. Lifelong learning can provide people with confidence and creativity and it further enhances the use of their confidence and creativity (Chen, Nai-lin, l998). Lifelong learning is well illustrated by two well-known Chinese idioms: he tao lao, hsueh tao lao (活到老，學到老) – learning forever during one's life time and hsueh wu chih ching (學無止境) – there is no limitation with learning.

French educator, Paul Lengrand, identified lifelong learning to be "permanente education." The synonymity of lifelong learning and lifelong education is also noted by Dr.

K.S.Yang (Yang, Kuo-shih, 1997) and UNESCO (Mochida, Eiichi et al., 1987).

Efforts of Lifelong Learning in Taiwan

China is a country paying much attention to education for ages. Starting from 1990, more attention has been drawn to lifelong educational systems by the Ministry of Education in its Outlines for Social Educational Work in Taipei (Chien, Hsin-ying,1995). According to Knowles, Taiwan considers the promotion of adult education a very important task – supporting and assisting adults to use all types of facilities, curricula and learning media to learn. Lifelong learning can be acquired through self-directed learning, contract learning and menu learning (Knowles, 1988).

The 7th National Educational Conference with the theme of "Lifelong Education Promotion" took place in Taipei in 1994. It aimed at the formulation of lifelong learning systems and the popularization of lifelong learning processes. (Lin, Sheng-I, 1995a). In the 7th chapter of the ROC Educational Report published by the Ministry of Education in 1995, the far-sightedness of establishing a society for lifelong learning was illuminated (Huang, Tzu, 1998). . The on-going Educational Reform in the Republic of China aims at establishing the educational system of lifelong learning and the efforts of pushing our society into a learning society in which students are encouraged to study on their own (Kuo, Wei-fan, 1995, Yang, Kuo-shih, 1997, Lin, Ching-jiang, 1997).

The year of 1998 was announced to be "The Year of Lifelong Learning in the Republic of China" (Chu, Clarence Tsa-kang, 1998) during which the ROC Ministry of Education published its White Paper of Marching toward Learned Society. It states eight goals and fourteen concrete methods/action programs. The 8 goals are: 1) encouraging the pursuit of new knowledge, 2) enhancing the change of school formats, 3) encouraging civil participation, 4) integrating school systems, 5) cultivating the views of internationalism and the vision of global village, 6) stimulating the potentials for the organization of learning, 7) protecting the learning rights of all people, 8) accrediting people's achievements in learning. The 14 concrete actions/programs are:1) establishing the system of recurrent education, 2) exploring various channels for flexible school admissions, 3) promoting the reform of schooling, 4) developing the multi-formats of higher educational institutions, 5) enhancing the change of supplementary schools, 6) encouraging private enterprises to provide learning opportunities, 7) developing various learning organizations 8) exploring lifelong learning opportunities for minorities, 9) integrating lifelong learning information networks, 10) strengthening the learning of foreign language, 11) organizing various working committees for lifelong learning, 12) formulating lifelong related rules, regulations and laws, 13) establishing accreditation systems for lifelong learning, and 14) strengthening teachers' knowledge of lifelong learning (Shih Jienshen F., l998; Ministry of Education, l998).

Lifelong learning is also included in our project of National Information Infrastructure (NII) which sets up the lifelong learning systems, enriches educational and technical resources, establishes various channels for lifelong learning, such as educational networks, library/information networks and arts/literature networks (Chiang, Chia-ning, 1998) sponsored by the Ministry of Education and several other educational institutions. It becomes a popular device for libraries to offer lifelong learning related information via networks, i.e. the National Central Library (http://www.ncl.edu.tw/f8htm), National Central Library Taiwan Branch (http://www.ncltb.edu.tw/ncltb_clearn3.htm), and Taipei Municipal Library (http://III.tpml.edu.tw).   All information pertaining to lifelong resources is available on http://lifelong.edu.tw.   A network (http//lifelonglearn.cpa.gov.tw) is also made available for the exchange of ideas, and for the information pertaining to lifelong learning locations. With on-line facilities, people are able to study on their own at all times (Kung Wu Jen Yuan Chung Shen Hsueh Hsi Ju K'ou Wang Chan, 2004).

The Executive Yuan (the Cabinet), following the world trend, started to issue Lifelong Passports to government employees on July 1, 2001. Lifelong Learning Laws have been successfully stipulated by the Legislative Yuan (the Senate) on May 31, 2002 and were proclaimed by the President on June 26, 2002. (http://www.d7.lhu.edu.tw/new_page_2.htm). Lifelong learning in Taiwan is not only supported by government organizations but also enthusiastically offered by private sectors. It is a perfect evidence of general public's interest in searching for knowledge and training.

Library and Lifelong Learning

Defined by the Encyclopedic Dictionary of Library and Information Science, library is collection of human intelligence. It is an entity which collects, organizes and preserves all printed and non-printed materials with scientific methods for public use. To make materials available and to make them effectively used by the patrons are the ultimate goals of library services (Hu, James S.C., 1996).

Library, being one of the most major media for mass communication, supplies resources for lifelong learn effectively. Lifelong learning emphasizes the independence of individual learners' arrangements for self-study. They can easily be obtained by the use of libraries. The wealth of library holdings, the supply of information and reference services are the means for people to pursue lifelong learning (Chien, Hsin-ying, 1995).

Among all the available entities for lifelong learning, library is one of the essentials. Library and information services, being educational, informative, cultural and recreational, do provide adequate services needed by educational centers for the people (Chu, Pi-ching, 1995). Meeting different needs, library provides various educational activities – short courses, workshops, speeches, etc. Being a facilitator of lifelong learning (Lin, Sheng-I, 1998b), library is not only the best resource center for lifelong learning but the best promotional center also. It does not only provide lifelong learning resources and services but also educate the public to know the value of information (Yang, Kuo-shih, 1997).

Following the popular use of computers, information technology and network facilities, there appears electronic library which has the potentials to support distance learning, to provide information brokers' services, to locate related information. With these services, the classroom facilities are expanded to be free from walls allowing people to learn from different locations at all times (Chiang, Chia-ning, 1998).

Clearly identified by the UNESCO Public Library Manifesto, the mission of a public library is to provide the public with timely information and up-to-date library collections needed in pursuing continuing education. (http://www.ifla.org/documents/lllibraries/policies/unesco.htm) As early as 1949, the notion that public library is the People's University signifies its importance (Lu, shiow-jyu, 1988; Yang, Kuo-shih,1997). Lifelong learning, being a continuous and self-directed learning process, covers educational activities of school, family and society. Regardless of age, positions or status, the informal education for the people has a very close relationship with the social educational agency – the public library

(Chang, Yu-wei, 2002).

The 2000 Lifelong Education Festival, sponsored by the Ministry of Education and several other educational institutions, came to a climax in June, 2000 at the National Science and Technology Museum (NSTM). The event attracted more than 120,000 visitors during its 15-day exhibition (National Central Library, 2000).

Library Laws of the Republic of China, proclaimed in 2001, clearly define the functions of public library which serves as a facilitator and an institution of lifelong learning (Wu, Ming-lieh, 2003). Whereas school education is to train students the abilities to collect, analyze and organize information. School library and audio-visual room are now integrated to be called the "Instructional Resources Center". It is to teach students ways and means to pursue learning throughout their lives (Yang, Kuo-shih, 1997).

The White Paper on Library Development, published by the Library Association of China in 2000, firmly declares that library is the foundation of lifelong learning. It is one of the "Constructions of Hope". Only with perfect library system, can the public affirmatively step into the information society of the 21th century (Library Association of China, 2000). In Marching toward Learning Society, published by the Ministry of Education, "uniting libraries to conduct reading related activities for the promotion of lifelong learning" is considered a very important program for lifelong learning. All public libraries are requested to organize reading clubs. Reading club leaders are to be trained, reading materials for the reading club are to be selected and evaluated, exhibitions and competitions are to be conducted, participation by other organizations are to be invited, and library facilities are to be added.

The Lifelong Learning Endeavors Made by Libraries in Taiwan

Libraries of all types in Taiwan have many projects devoted to lifelong learning. A few projects are described as examples:

Since 1996, Pai-teh Municipal Library in Tao-yuan County has organized Pai-teh Reading Club which meets twice a week to discuss books on culture, travels, speech training, health, and human relationship, etc. Such discussions do enhance the positive developments in thought-provoking, idea-generating, and correction of personal conducts (Cheng, Liang-hsiung, 1999). National Taichung Library initiated its "Good Reading Neighborhood – A Book for A Week" and "the Lectures on Readings for Lifelong Learning" projects for the promotion of lifelong learning.

In 1997, Taipei Municipal Library started publishing *the Taipei Lifelong Learning Newsletter Quarterly*（《台北市終身學習通訊》）which includes reviews of new books, introduction of networks, and numerous other information on lifelong learning. It also issues "Taipei Municipal Passport for Lifelong Learning" to citizens above 18 years of age. The passport records participations of lifelong learning for encouragement and appropriate awards presentation (Huang, ch'ang-chieh, 2003).

Ever since the founding of the National Central Library (NCL), Dr. Fu-ts'ung Chiang, the distinguished founding director of NCL and the subsequent able directors have initiated many quality lifelong learning programs (Fung, Margaret C., 1987; Chang, Wei-tung, 2003). Dr. Cheng-ku Wang, the former NCL director, has made great contributions to lifelong education throughout his teaching and library administrative careers (Ku, Li-jen, 2003). At the national level, after the Ministry of Education formulated "The Methods of Promoting Lifelong Education by the National Agencies of Social Education" in 1999, at the National Central Library, Dr. Fang-rung Juang, the current National Central Library director, set up two types of library literacy curricula for people to upgrade their library literacy which is basic to lifelong learning (Tang, Shen-jung, 2000).

Conclusion

The importance of lifelong learning has won global attention. There are numerous efforts made for its promotion and implementation. In the Republic of China, lifelong learning is considered as a vital national policy for development. In 2002, a farsighted plan prepared by the Cabinet for the period of 2002-2007 includes the following:

1) To develop town/county libraries to be lifelong learning resources centers;

2) To enrich the learning by using networks;

3) To effectively collect, survey and integrate learning resources to be provided to community use (Executive Yuan, 2002).

Library literacy, actually, is the most important facet of lifelong learning. Without the knowledge of library use, it is impossible to successfully carry out lifelong learning. Library literacy, therefore, is the key to lifelong learning. It is suggested that the up-to-date courses of "How to Use the Library" should be made available to all age groups and to people with different levels of education.

References

中國圖書館學會編 [Library Association of China, ed.] (2000)。圖書館事業發展白皮書 [T'u Shu Kuan Shih Yeh Fa Chan Pai P'i Shu] (pp.42, 46)。台北市：中國圖書館學會。

公務人員終身學習入口網站 [Kung Wu Jen Yuan Chung Shen Hsueh Hsi Ju K'ou Wang Chan] (2004)。公務人員終身學習入口網站 [Kung Wu Jen Yuan Chung Shen Hsueh Hsi Ju K'ou Wang Chan]。台北市：行政院人事行政局。上網日期：民 93 年 4 月 29 日。World Wide Web: http://lifelonglearn.cpa.gov.tw/

朱則剛 [Chu, Clarence Tsa-kang] (1998)。圖書館與教育改革 [T'u Shu Kuan Yu Chiao Yu Kai Ke]。社教資料雜誌 [She Chiao Tzu Liao Tsa Chih]，243，4-7。

朱碧靜 [Chu, Pi-ching] (1995)。圖書館與終身學習 [T'u Shu Kuan Yu Chung Shen Hsueh Hsi]。台北市立圖書館館訊 [Taipei Shih Li T'u Shu Kuan Kuan Hsun]，13 (2)，35-40。

行政院編 [Executive Yuan, ed.] (2002)。挑戰 2008：國家發展重點計畫（2002-2007）[T'iao Chan 2008: Kuo Chia Fa Chan Chung Tien Chi Hua (2002-2007)]（p. 33）。台北市：作者。

吳明烈 [Wu, Ming-lieh] (2003)。公共圖書館的終身學習角色、功能與推展策略 [Kung Kung T'u Shu Kuan Te Chung Shen Hsueh Hsi Chiao Se, Kung Neng Yu T'ui Chan Ts'e Lueh]。成人教育 [Ch'eng Jen Chiao Yu]，72，35，39，43。

吳美美 [Wu, Mei-mei] (1997)。從教育的需求看台灣地區二十一世紀的圖書館發展 [Ts'ung Chiao Yu Te Hsu Ch'iu Kan Taiwan Ti Ch'u Erh Shih I Shih Chi Te T'u Shu Kuan Fa Chan]。中國圖書館學會會訊 [Chung Kuo T'u Shu Kuan Hsueh Hui Hui Hsun]，5 (1)，6。

林清江 [Lin, Ching-jiang] (1997)。教育改革的前景 [Chiao Yu Kai Ke Te Ch'ien Ching]。

成人教育 [Ch'eng Jen Chiao Yu]，35，2-5。

林清江 [Lin, Ching-jiang] (1998)。終身學習與學習社會 [Chung Shen Hsueh Hsi Yu Hsueh Hsi She Hui]。國立中央圖書館台灣分館館刊 [Kuo Li Chung Yang T'u Shu Kuan Taiwan Fen Kuan Kuan K'an]，4，3-4。

林勝義 [Lin, Sheng-I] (1995a)。圖書館在終身學習社會之角色功能 [T'u Shu Kuan Tsai Chung Shen Hsueh Hsi She Hui Chih Chiao So Kung Neng]。台北市立圖書館館訊 [Taipei Shih Li T'u Shu Kuan Kuan Hsun]，13 (2)，1-7。

林勝義 [Lin, Sheng-I] (1995b)。圖書館輔助終身學習之策略 [T'u Shu Kuan Fu Chu Chung Shen Hsueh Hsi Chih Ts'e Lueh]。國立台灣師範大學圖書館通訊 [Kuo Li Taiwan Shih Fan Ta Hsueh T'u Shu Kuan T'ung Hsun]，18，2。

持田榮一等編 [Mochida, Eiichi et al ed.] (1987)。終身教育大全 [Chung Shen Chiao Yu Ta Ch'uan]。北京市：中國婦女出版社。

胡述兆編 [Hu, James S.C., ed.] (1996)。圖書館學與資訊科學大辭典 下冊 [T'u Shu Kuan Hsueh Yu Tzu Hsun K'o Hsueh Ta Tz'u Tien　Hsia Tse] (pp. 2024-2025)。台北市：漢美。

唐申蓉 [Tang, Shen-jung] (2000)。終身學習隨處可及 [Chung Shen Hsueh Hsi Sui Ch'u K'e Chi]。國家圖書館館訊 [Kuo Chia T'u Shu Kuan Kuan Hsun]，83，22-23。

張郁蔚 [Chang, Yu-wei] (2002)。公共圖書館網路資訊服務與終身學習 [Kung Kung T'u Shu Kuan Wang Lu Tzu Hsun Fu Wu Yu Chung Shen Hsueh Hsu]。書苑 [Shu Yuan]，51，17-33。

張維東 [Chang, Wei-tung] (2003)。蔣復璁：圖書館與博物館事業的守護神 [Chiang, Fu-ts'ung: T'u Shu Kuan Yu Po Wu Kuan Shih Yeh Te Shou Hu Shen]。在中國圖書館學會編 [Library Association of China, ed.,]，圖書館人物誌（一） [T'u Shu Kuan Jen Wu Chih (I)] (pp.37-48)。台北市：中國圖書館學會。

教育部編 [Ministry of Education, ed.] (1998)。邁向學習社會 [Mai Hsiang Hsueh Hsi She Hui] (pp.12-63)。台北市：教育部。

郭為藩 [Kuo, Wei-fan] (1995)。實現終身學習社會的教育改革 [Shih Hsien Chung Shen Hsueh Hsi She Hui Te Chiao Yu Kai Ke]。成人教育 [Ch'eng Jen Chiao Yu]，28，2-6。

陳乃林 [Chen, Nai-lin] (1998)。終身學習論析 [Chung Shen Hsueh Hsi Lun Hsi]。成人教育 [Ch'eng Jen Chiao Yu]，41，2。

程良雄 [Cheng, Liang-hsiung] (1999)。積極推展終身學習活動 — 桃園縣八德市立圖書館簡介 [Chi Chi T'ui Chan Chung Shen Hsueh Hsi Huo Tung — T'ao Yuan Hsien Pa Te Shih Li T'u Shu Kuan Chien Chieh]。中國圖書館學會會訊 [Chung Kuo T'u Shu Kuan Hsueh Hui Hui Hsun]，7 (3)，31-32。

黃字 [Huang, Tzu] (1998)。終身學習與公共圖書館 [Chung Shen Hsueh Hsi Yu Kung Kung T'u Shu Kuan]。社教資料雜誌 [She Chiao Tzu Liao Tsa Chih]，239，1-3。

黃昌介 [Huang, Ch'ang-chieh] (2003)。終身學習心得報告 [Chung Shen Hsueh Hsi Hsin Te Pao Ko]。台北市終身學習通訊 [Taipei Shih Chung Shen Hsueh Hsi T'ung Hsun]，23，79。

黃富順 [Huang, Fu-shun] (1995)。大學在終身學習社會中所面臨的挑戰與因應 [Ta Hsueh Tsai Chung Shen Hsueh Hsi She Hui Chung So Mien Lin Te T'iao ChanYu Yin Ying]。成人教育 [Ch'eng Jen Chiao Yu]，25，7-8。

楊國賜 [Yang, Kuo-shih] (1997)。圖書館與終身學習 [T'u Shu Kuan Yu Chung Shen Hsueh Hsi]。中國圖書館學會會訊 [Chung Kuo T'u Shu Kuan Hsueh Hui Hui Hsun]，5 (1)，1-2。

蔣嘉寧 [Chiang, Chia-ning] (1998)。虛擬圖書館與終身學習 [Hsu Ni T'u Shu Kuan Yu Chung Shen Hsueh Hsi]。國家圖書館館訊 [Kuo Chia T'u Shu Kuan Kuan Hsun]，75，12-15。

盧秀菊 [Lu, Shiow-jyu] (1988)。淺談公共圖書館之服務理念和目標 [Ch'ien T'an Kung Kung T'u Shu Kuan Chih Fu Wu Li Nien Han Mu Piao]。台北市立圖書館館訊 [Taipei Shih Li T'u Shu Kuan Kuan Hsun]，5 (4)，9。

簡馨瑩 [Chien, Hsin-ying] (1995)。終身教育與圖書館 [Chung Shen Chiao Yu Yu T'u Shu Kuan]。書苑 [Shu Yuan]，23，27-30。

釋見咸 [Shih Jienshen F.] (1998)。從終身學習社會談圖書館利用教育 [Ts'ung Chung Shen Hsueh Hsi She Hui T'an T'u Shu Kuan Li Yung Chiao Yu]。佛教圖書館館訊 [Fo Chiao T'u Shu Kuan Kuan Hsun]，13，14-18。

顧力仁 [Ku, Li-jen] (2003)。王振鵠 [Wang, Cheng-ku]。在中國圖書館學會編 [Library Association of China, ed.,]，圖書館人物誌（一）[T'u Shu Kuan Jen Wu Chih (I)] (pp.157-166)。台北市：中國圖書館學會。

Fung, Margaret C. (1987). Dr. Chiang Fu-ts'ung: A Giant in the Preservation and

Dissemination of Chinese Culture. In 嚴文郁等合著 [Yen, Wen-yu et al.]，蔣慰堂先生九秩榮慶論文集 [Chiang, Wei-t'ang Hsien Sheng Chiu Chih Yung Ching Lun Wen Chih]。台北市：中國圖書館學會。

Knowles, M. (1988), *The Adult Learner: A Neglected Species* (3re ed.). Houston: Gulf Publishing Co.

National Central Library (2000). News form the ROC Library World – Lifelong Education Festival. *National Central Library Newsletter*,32, 10-11.

反思行動觀點在
指導大學生撰寫學期報告之應用
An Application of Reflection-in-Action
View on the Term Paper Writing of Adult
Student Learners in Higher Education

林美和
Mei-ho Lin

摘　要

　　本研究主要以 D. Schön 的學習者反思之實踐觀點為立論依據，以三位女性學生的學習日誌為主要文件資料，從事分析、歸納與詮釋本研究的問題，以了解學生到底怎麼想，想什麼，怎麼學與學什麼的歷程。換言之，在強調知識建構的過程。研究對象是以 91 學年度台灣師大社會教育系一年級下學期選修「報告撰寫指導」的二十五位學生中，選取三位具自主、主動、積極與自我監控的女性學生為研究對象，為期一學年度。研究結果顯示，三位學生從思考研究題目之方向，到擬定題目，到定稿的整個報告的撰寫過程中，可回答本研究所設定的研究問題，包括：(1)學生具自主、思考與反思能力，表現出學習者反思的實踐觀；(2)學生表現主動精神與積極態度的學習特徵；(3)學生出現一般學期報告寫作的通病，並呼應：(1) D. Schön 的學習者反思之實踐觀點；(2)人本主義學習理論的主張；(3)杜威「做中學」概念的學習方式。研究結果對實際教學所帶來的啟示有三點：(1)強調學習歷程導向的合作互惠

與多元教學方式；(2)重視學生批判邏輯與評估資訊能力的相關課程；(3)提供學生增強溝通表達能力的學習機會。

Abstract

The purpose of this study is theoretical grounded on the contextual view based on D. Schön's reflection-in-action theory. Three female students' learning journals have been analyzed and interpreted to demonstrate how and what they lean. The emphasis is on the process of knowledge construction.

The findings of this qualitative study is as follow:

1. Students are capable to perform practitioners' reflection-in-action ;

2. Students as a learner are independent , active and reflective;

3. The common errors of term paper writing have also founded with these students.

The result of this study exemplifies D. Schön's view of reflective-in-action. It also supports humanist assertion as well as "learning by doing" hypothesis suggested by John Dewey.

Three recommendations for the direction of teaching practice are suggested:

1. To emphasis collaborative and multiple methods in learning and teaching processes;

2. To reinforce relative courses to enhance students' capacity for critical analysis and evaluation.

3. To provide learning opportunities to for students to enhance communication skills including the expression of opinions, judgment and decision.

關鍵詞：學習情境觀點；反思行動觀點；成人學生學習；自我導向學習；學習日誌；學期報告

Keywords: Learning Contextual Views; Reflection-in-action View; Adult Student Learning; Self-directed Learning; Learning Journals; Term Paper Writing

壹、研究背景、目的與問題

一、研究背景

「學習資源利用」與「報告撰寫指導」這兩門課是筆者多年來針對台灣師大社會教育系一年級學生授課的科目，這兩門課彼此之間互為關聯，可以說「報告撰寫指導」是「學習資源利用」的延伸。儘管在這期間因受科技發明，學術研究發展與圖書館營運理念的改變之影響，不論在授課內容或科目名稱有些擴增或更動（早期稱「圖書館利用教育」），但其目的不外乎在培養學生具有利用圖書館與網路資源的各項知識、技能和態度，以作為日後繼續追求新知識的能力基礎。大致說來，其教學目標有下面六項：

　　1.認識各類型圖書館資訊管理與服務項目；
　　2.認識資訊素養的內涵與相關概念；
　　3.強化查詢與取用資訊與通訊科技能力；
　　4.培養具有批判思考和評估資訊能力，並表現在學術與生活層面上的要求；
　　5.具備獨立學習的基本能力，養成終身自我學習能力。

換言之，這兩門課的主要目的在培養學生具有蒐集、評鑑及利用圖書館或網路資源和設備能力，進而訓練學生組織、批判、寫作的表達能力，以擴大學生學習與研究領域，增進學生終身自學的能力。

研究報告通常按其性質，有其不同的層次和要求（林美和，民 77a）。本文所指的研究報告，不涉及實証研究，僅利用圖書館與網路的資源來從事自我導向學習，所以又稱為學期報告、文獻研究報告或分析研究報告，因此，在結構上往往較學術研究論文或學位論文簡化。儘管學期報告不同於學位論文，但事實上在撰寫一篇有系統的研究報告，也如同學位論文或學術研究論文一樣，同樣要經過選定題目，蒐集資料，評鑑資料，組織資料和正式撰稿的寫作過程。所以，學期研究報告往往被視為是一種初步論文，它也是要針對某一主題加以研究，以書面方式表達研究結果。撰寫過程，首先是學生要廣羅資料，其次是選擇與評鑑前人研究的文獻，加以仔細閱讀後，再進一步加以分析與組織，並提出自己的意見或創見的過程，教師只是依學生提出的問題與個別差異性，扮演協助、指導和教導的角色。

大家都知道，在大學教育過程中，對學術的探討絕不能僅囿於書本知識，因為不論是靠聽講或閱讀所得來的書本知識，如不經過自己的研思，重新加以反思和組織，其所

得的結果僅是一些零碎模糊的知識。目前的大學教育為訓練學生獲取完整的知識,並發展其思考技能,大部分的教授會要求學生在學期中或學期末繳交報告,藉此機會讓學生多方蒐集資料,多閱讀,經分析整理加以消化後,提出意見或創見而成為自己的知識,最後並將這種成果用書面方式呈現出來,即為研究報告或學期報告。此方面能力的培養,事實上已成為當前大學教育的重點目標之一。

二、研究目的與問題

由於台灣當前的教育政策重視終身學習,而學習如何學習的能力是建立學習社會不可或缺的指標之一(European Commission, 2002),有鑑於此,本研究擬探討教師如何利用「報告撰寫指導」的課程,了解學生學習如何學習的歷程,包括學生到底怎麼想,想什麼,怎麼學與學什麼的歷程。換言之,著重學生在撰寫過程中,如何從師生的對話與老師教學策略的協助下,由學生本人將師生彼此對話與互動的過程,以學習日誌(learning journals)紀錄下來的一種自我探求、反思和發現知識之歷程。

學習日誌是指在學習與教學情境中,學習者紀錄學習的歷程與內容的方式(Kerka, 1996),同時,也是讓教師反思其教學效能的一種方式,旨在幫助和解釋學習的歷程。因此,本研究的主要目的有以下三項:

1.透過教學活動,探究學生的思考與反思能力。

2.借助學生的學習日誌,了解學生在學習活動中,學習如何學習的歷程。

3.透過學生反思的實踐,探討學生在撰寫過程中的問題,以作為日後改進教學活動之參考。

針對上述的研究目的,本研究的問題有以下三項:

1.透過教學活動,利用師生的對話與教師教學策略的協助,了解學生的思考與反思能力如何?

2.借助學生的學習日誌,了解學生在學習活動中,到底怎麼想,想什麼,怎麼學與學什麼的歷程?

3.透過學生反思的實踐,探討學生在撰寫過程中的問題是什麼?以作為日後改進教學活動之參考。

貳、研究的立論依據與範圍

一、知識的本質

在有關知識的看法上，早期人類將知識視為是已存在的與現成的，個人不能增加或改變它，因為它被認為是絕對正確、可靠而穩定的，最重要是它來自專家或權威者。因此，在學習上，個人要被動接受知識，學習過程主要靠記憶，尤其在學校教育階段，老師的教學幾乎是持這種信念，各科教學內容的呈現朝向編序性教材，控制整個教學過程與情境；換言之，這種教學信念是將知識視為一種具體的知識，將知識看成是一成不變的真理，不僅能解釋過去，也能應付未來，因此，教學過程成為知識累積的過程。如從這個觀點看教育，大部分是強調培養個人基本知能和專業技能取向的教育。

但終身學習社會與網路時代的來臨，打破知識藩籬，電腦與網路的技術運用，改變了人類對於知識的觀念，認為知識不再是永久性、確定性與穩定性的本質，而是一種暫時性與連續性的不斷變化、發展與更新的過程；尤其是知識的更新週期不斷縮短，在教育上更縮短了師生在知識上的差距，也改變人類對學習和教育的觀念。學習的目的，以往被認為是個體參與社會生活的最重要特性，很明顯的，學習僅被認為是個人為生活而準備，但如今學習已被視為是個體生命期間成功談判的主要策略（Harrison，Reeve, Hanson, & Clarke, 2002）。因此，有關學習概念與成人學習理論在學習者的認知、學習與教學之應用，就顯得相當重要，因為教育者所持的學習觀點不同，就會有不同的教育方案之實施。

二、當前成人學習理論對學習與教學之看法

在成人學習文獻中有關成人學習理論取向，由於學者從不同角度看學習，因此，學習理論也形成不同取向的派別（Merriam, 2001；Merriam & Caffarella, 1999；黃富順，民91）。大體言之，個人認為比較能包容整個成人學習理論發展脈絡的，當屬羅傑斯（Rogers，2002）的看法。茲綜合各派學者之觀點，加以分析、歸納與詮釋成以下三種主要取向（林美和，民93）：

1.人格學習理論：比較屬於傳統的成人學習理論，傾向分析學習者的人格特性，重視個人的內在驅力與學習，如學習能力、學習動機、學習需求、學習型態與學習的意向障礙等的內在因素；

2.學習情境觀點（contextual views）或置入學習觀點（embedded learning view）：主要持人類溝通理論觀點，強調個人與環境互動的心理與認知歷程，並傾向外在因素的重要性。此派認為溝通是一種歷程，不是單向的，而是雙向歷程，它不僅僅是重視訊息的傳達，還重視透過雙方的對話，了解對方的想法、感覺和意見。換言之，學習情境或情境認知觀點的學習係指學習是一個心理事件構成的體系或網狀，包括資源、傳送、資訊、學習者和促發者，認為個人的學習和認知是一種社會活動，個人認知會受學習發生的社會文化情境所影響；特別是將 Donald Schön（2002）的反思行動觀點（reflection-in-action）應用在學習活動上，認為學習者的專業知識建構歷程是在老師的教學策略協助下，透過學習者經驗的反思與重組歷程而建構新知識。

3.人本主義學習理論及其相關觀點：將注意力放在學習者獨特的能力和特徵，以及個人的內在情感，強調學習者主動、積極、自主性、心靈、情緒以及人格驅力和動機導向的目標追求。因此，此派主張為自己做抉擇，並對自己負責，可為自己安排學習活動，由自己掌握學習的進度和主權，負起學習的重大責任，並將個人心靈、感受與情意納入學習歷程活動。

從上面主要學習理論取向的論述可知，學習理論取向實在很難嚴格劃分，因為個人儘管建構自己的心理世界，但事實上卻又生活在大家共同建構的實體世界，個人擺脫不了社會文化環境的影響。在這種前提下，現代學習理論的建構應該朝向個人與環境並重的完形觀點，包括了解成人學習者、學習歷程與學習情境脈絡等三面向。

三、學習情境觀點的成人學習理論

在有關人類學習研究發展過程中，從一九三〇年代，心理學家重視學習者被動接受訊息的行為派研究取向，轉移到六〇代開始重視學習者扮演主動而積極角色的認知學習論取向，重視學習者的內在思考過程，將學習者視為能利用策略處理學習內容，以增進訊息的保留與回憶。一般說來，一九六〇年代的認知學習理論的基本假設在將個體的心理事件（mental events）解釋為從輸入到輸出訊息的改變或轉變（transformations）。以此解釋個體的認知歷程是包括輸入、轉換、儲存、檢索與運用等訊息處理的心理活動。這些心理活動就是學習歷程所要探討的主要部分（林美和，民77b）。

唯認知學習論取向的觀點，隨著學術研究的發展與進步，已從一九六〇年代的訊息處理模式（information processing model）轉到建構論（constructivism），甚至到一九九〇年代的學習情境觀點（contextual views）（林美和，民93）。因此，如果將學習視為

是個人積極而主動地透過和外在的物理與社會環境之建構過程，那麼學習者的學習永遠是在社會情境脈絡下的一種自我探求、反思和發現知識之歷程。在這個認知與學習歷程中，學習者與教學者究竟該扮演怎樣的角色？就成為本研究探討的問題與重點，因為當前的教育事實上是一種知識交流的過程。

基於上述對知識本質與當前成人學習理論對學習看法的新觀點，所引起在學習方式與教育方式的變革，特別是傳統面對面的傳授知識的教學活動，必須退居次要地位，而強調教師的角色在啟發學生的智慧，指導學生求知的管道與方法，強化學生學會選擇與判斷資訊，培養學生獨立解決問題的能力和主動探究的精神。因此，教師的教學方式要採取師生夥伴關係的對等合作互惠原則（林美和，民92），以提問與啟發為主，強調發現知識過程的重要性，尤其在日新月異的現代社會，知識更新快速，如過於重視認知與學習結果的學習方式是不夠的，所以，教學、學習及互動的過程是當前教育所強調的重點。

四、研究範圍與限制

儘管前述有關學習理論研究取向觀點，已朝向個人與環境並重的完形觀點，但因限於時間，本研究將不包括人格學習理論取向部分，且因本研究的分析資料主要是以學生學習日誌記載其撰寫研究報告的過程，將特重在 Donald Schön 的反思行動觀點。此種歷程是以學生的學習日誌來呈現，也是本研究的主要文件分析資料。

另一方面，本文所指的研究報告，只是針對所蒐集的文獻，從事分析、組織與整理，最後，提出自己的意見或創見，並不涉及實証研究。也就是說，僅指利用師生的對話與老師教學策略的協助，由學生利用圖書館與網路的資源，從事一種自我導向的報告撰寫過程，並將學生視為具有獨立、自主和自我導向的特質，教師只是依學生提出的問題與個別差異性，扮演協助、指導和教導的角色。

參、研究設計與實施

一、研究方法與對象

「學習資源利用」是台灣師大社會教育系一年級學生上學期的必修課程，「報告撰寫指導」則是下學期的選修課程。本研究採質性研究，透過個案的文件分析與詮釋（學習日誌），探究學習情境觀在大學生學習反思的實踐與應用。至於研究對象的選取，是

以 91 學年度台灣師大社會教育系一年級學生在完成必修課程後，繼續選修下學期課程的學生，從 25 位學生中（選修學生計 31 人，刪除 6 位非社教系大一學生），選取 3 位女性學生作為研究對象。本研究選取這三位學生為樣本，主要是研究者認為她們具積極、獨立和自主性的人格特質，並且和老師的對話與互動次數頻繁，比較能掌握其思考與學習歷程。

二、資料的蒐集

主要是樣本學生的學習日誌，包括教師的講述，師生在不同場合的上課對話與互動，以及學生紀錄其自我探求、反思和發現知識過程之紀錄。

三、實施過程

(一)學生的學習日誌：在實施本研究計劃前，先告知學生在撰寫研究報告過程中，重點的紀錄其在教室與圖書館的互動學習情境下，如何透過師生的對話、互動與老師教學策略的協助下，從事思考與研究報告的撰寫經過。

(二)教學與研究時間：91 學年度下學期（民國 92 年 2 月至 6 月）。

(三)教學與學習方式：以示範、提示（問）、個別指導、團體教學以及學生彼此間的合作互惠的學習與教學方式進行教學活動。

(四)教學目標：主要在培養學生能終身有效利用圖書館或網路資源，從事獨立學習與研究，以獲取新知。最後，還能將研究成果，用書面方式呈現出來。換言之，在引導學生如何擬定題目，蒐集資料，組織資料，擬定大綱，開始撰寫，修改內容架構，完成初稿，修正稿到定稿的獨立研究活動，以達成撰寫一篇合乎規範的研究報告之教學目標。

(五)教學單元與場所

1.必修課「學習資源利用」（一年級上學期）

教學內容包括圖書館類型與功能、圖書資源的種類與性質（教室），圖書館資訊管理與服務（教室），參訪本校圖書館，資訊與網路資源利用要領（教室），實作：館藏目錄查詢（某一特定主題的參考書目）（電腦教室），分組與團體討論（指定作業）（教室），中文資料庫（教室），實作：檢索中文電子期刊（電腦教室），西文資料庫（紙本和電子版）（教室），實作：檢索西文電子期刊（電腦教室），參考工具書（教室），教育相關文獻與網路資源（教室），實作：分組作業（圖書館），實作：個別主題研究（圖書館），個別指導（圖書館）與成果的呈現（包括題目、詳細大綱與參考書目）。

2.選修課「報告撰寫指導」（一年級下學期）

教學內容包括報告的類型與性質（教室），作業一：比較報紙與通俗性文章（圖書館），作業二：比較學期報告、學術性論文與學位論文（圖書館），學期報告的結構與內容（教室），學期報告的撰寫步驟與要領（教室），引註資料及參考文獻的性質與格式（教室），學期報告撰寫個別指導（圖書館），成果的呈現（符合學術規範的研究報告）。

四、資料處理

將個別學生的學習日誌，以 A，B，C 三個代號分別編碼，並修正一些學習日誌中的贅字，或用箭頭表示的省略句或字詞，以使其原文的陳述，較為清楚易懂。茲將三位學生和老師的互動與對話過程的學習日誌呈現於附錄（省略）。

肆、分析、討論與發現

研究者詳讀三位學生的學習日誌，從此文件資料中，整理出與老師互動與對話過程的一些與研究問題相關的概念，茲分別加以分析與詮釋如下：

一、A生

（一）思考研究題目的方向

A 生：完全沒頭緒的開始。？？？資訊素養？？？。將題目訂為「圖書館資訊素養教育」。

（二）題目範圍太大，不夠具體明確

A 生：將題目定為「圖書館資訊素養教育」

師：題目範圍太大，不夠具體，是指哪一類型圖書館？可考慮將「圖書館」界定在「學校圖書館」、「大專圖書館」或「公共圖書館」呢？再多看一點文獻後，再決定是哪一類圖書館。

A 生：看完文獻後，我決定將題目界定在「學校圖書館資訊素養教育」。

（三）顯示自主、思考與反思能力：在概念的釐清與定題目的過程中，完全表現出思考與反思的歷程

師：可再明確些，「學校圖書館」是指「國小圖書館」或「國中圖書館」？或可考慮寫妳現在大學所受的資訊素養教育經驗，可以寫一個跟大學資訊素養教

育有關的研究報告，並以自己課堂所學為例。

A生：決定我撰寫報告的方向，大致概念就是理論加上個人經驗。在看完文獻後，對資訊素養的定義和大學資訊素養教育的推行與課程教法有一定的理解，於是訂出了題目和架構。

㈣表現出學習者反思的實踐觀點，但大綱架構鬆散或缺乏邏輯：能在師生對話與老師的教學策略協助下，透過自己經驗的反思與重組歷程，建構大綱的架構，表現出 D. Schön 的反思行動觀點，但卻顯現內容架構鬆散或缺乏邏輯之現象。

A生：大學資訊素養教育

一、前言

二、資訊素養的定義

三、大學資訊素養教育實行的必要性

四、大學資訊教育推行與教學方式

五、資訊素養教學活動——以台灣師範大學社教系開辦之「學習資源利用」和「報告撰寫指導」為例

六、結論

師：題目修定為「大學資訊素養教育之實施與推展模式——以台灣師範大學社教系之課程設計為例」；將前述研究架構三納入前言；部分內容架構與標目修定。最後的題目與大綱如下：

大學資訊素養教育之實施與推展模式——以台灣師範大學社教系之課程設計為例

一、前言（將前述研究架構三納入此部份）

二、資訊素養的涵義

三、大學資訊素養教育之推展與模式

四、資訊素養教學活動設計

五、結論

二、B生

㈠思考研究題目的方向

B生：一開始想做婦女教育的未來發展，但因為資料需要較新的，蒐集不易，還需要婦女教育政策的資料，覺得有點困難，因此放棄這個主題。把主題移到

兩性平等教育上，題目訂為「國中小學裡的兩性平等教育的推展」。

（二）題目範圍太大，不夠具體明確

B 生：將題目定為「國中小學裡的兩性平等教育的推展」

師：「國中小學裡的……」範圍太大，何不針對某一階段做現況分析；從前言、理念、政策、推展、現況（階段、層次）到評析。

（三）顯示自主、思考與反思能力：在概念的釐清與定題目的過程中，完全表現出思考與反思的歷程

B 生：題目決定為「國中實施兩性平等教育的現況評析」，列出大綱。但自己覺得很多參考資料及教育政策，都是以中小學為一主體，所以也想一起談中小學的實施現況。

師：中小學還是有階段性差異，所有蒐集的資料彙整時，都要經過篩選，不是要全盤接受，先比較和判斷那些資料適合國中即可。

B 生：題目決定為「國中實施兩性平等教育的現況評析」，並與老師討論「作法」和「策略」的性質。

三、C 生

（一）思考研究題目的方向

C 生：不知道要作什麼，想想老師說知識管理很重要，那藉這個機會瞭解這個議題好了。根據書目資料的題目看來，題目就先暫定為「從知識管理看圖書資訊學」。

（二）題目範圍太大，不夠具體明確

C 生：將題目定為「從知識管理看圖書資訊學」

師：從知識管理看圖書資訊學的什麼呢？範圍太大了吧？先把題目訂清楚一點。

C 生：其實，很多概念都還不是很清楚。讀了一些期刊文獻，稍微整理了一下，然後想想我自己可能可以從哪方面發揮，寫出了大綱。

師：從妳的想法和這個大綱看起來，你說要「探討圖書館員的因應」和「知識管理的應用」，那可把題目暫定為「知識管理與圖書館員專業能力的提昇」可能會比較切題。

（三）顯示自主、思考與反思能力：在概念的釐清與定題目的過程中，完全表現出思考與反思的歷程

C 生：覺得自己概念還不是很清楚，所以又去找了一些相關書籍來閱讀，分析想
　　要著手研究的部分，覺得我想寫的應該不全然是「圖書館員專業能力」，還
　　包括圖書館面對知識管理的趨勢，對於圖書館本身的改變，例如館員之經驗
　　的傳承等，但是就算是這樣，還是不知道題目要訂什麼，所以又跟老師請教。

師：這樣看來，你想寫的應該是知識管理跟圖書館「營運」的關係。

C 生：對對對。

師：那建議題目定為「知識管理對圖書館營運的啟示」。

　㈣表現出學習者反思的實踐觀點，但大綱架構鬆散或缺乏邏輯：能在師生對話與老
師的教學策略協助下，透過自己經驗的反思與重組歷程，建構大綱的架構，表現出 D.
Schön 的反思行動觀點，但卻顯現內容架構鬆散或缺乏邏輯之現象。

C 生：題目定為「知識管理對圖書館營運的啟示」

　　壹、前言

　　貳、知識的定義和重要性

　　參、知識管理的概念和相關理論

　　　一、知識管理產生的背景和需求

　　　二、知識管理的學派

　　　三、知識管理的內容

　　　四、兩種知識管理模型

　　肆、知識管理與圖書館的關係──圖書館的新角色

　　伍、結論

師：知識的定義和重要性不需要用到一整個大段落的內容去寫，可以將「重要性」
　　放在前言，把「知識的定義」納入「知識管理的概念」的一項；而知識管理
　　的概念和相關理論這一大段的內容也太多，建議把「概念」和「相關理論」
　　分開，「相關理論」簡述即可，因為這是內容比例的問題。另外，「知識管
　　理與圖書館的關係──圖書館的新角色」倒可以作為題目，可以將「知識管
　　理與圖書館的關係──圖書館的新角色」當作文章的題目，然後把「知識管
　　理對圖書館營運的啟示」當作這一段的標目。

C 生：最後的題目和大綱如下：

知識管理與圖書館的關係──圖書館的新角色

　　壹、前言

從上述學習日誌的分析，歸納三位學生在學習活動中的表現與研究結果如下：

1.具自主、思考與反思能力，表現出學習者反思的實踐觀：三位學生都經過研究題目的思考過程，在定題到大綱擬定過程中，也都具有自主、思考與反思的實踐能力。

2.表現主動精神與積極態度的學習特徵：從學習日誌的記載日期顯示，三位學生和老師的互動與對話，不僅次數頻繁（5 到 7 次），而且能在師生的對話與老師教學策略（示範、提問、個別指導、團體教學、討論）的協助下，能自我監控，掌握學習進度，從事自我探求和發現知識的學習過程，顯示三位學生在學習過程中的主動精神與積極態度的學習特徵。

3.出現學期報告寫作的一般通病：三位學生都犯了題目範圍定得太大，定題不夠明確，以及大綱架構鬆散或缺乏邏輯體系的通病（B 生的學習日誌因遺漏大綱內容，未能顯示是否架構鬆散或缺乏邏輯體系）。從整體內容報告的撰寫過程看，三位學生均面臨資料評價困難，前後文缺乏連貫，內容比例不均衡，文獻引用規格不正確，與摘要式的報告之現象。

伍、結論與啓示

一、結論

總而言之，本研究以學習情境觀點，特別是將 D. Schön 的反思行動觀點應用在學習活動上為立論依據，以學生的學習日誌為主要文件資料，從事分析、歸納與詮釋本研究的問題，以了解大學生如何利用「報告撰寫指導」的課程，學習如何學習的歷程，包括學生到底怎麼想，想什麼，怎麼學與學什麼的歷程。研究對象是從台灣師大社會教育系一年級下學期選修「報告撰寫指導」的二十五位學生中，選取三位為研究對象。就教學

內容言，主要是著重在撰寫研究報告的過程與要領，以及學習如何學習之技巧（包括提供學生在獲取相關資源之協助）；就教學與學習方法言，主要是著重在學生在撰寫過程中，如何從師生的對話與老師教學策略的協助下，由學生本人將師生彼此對話與互動的過程，以學習日誌紀錄下來的一種自我探求、反思和發現知識之歷程。茲依據本研究發現，三位學生從思考研究題目之方向，到擬定題目，到定稿的整個報告的撰寫過程中，可回答本研究所設定的研究問題，並呼應以下相關觀點與主張：

1. D. Schön 的學習者反思行動觀點：在教學活動過程中，利用師生的對話與教師教學策略的協助下，能反映出學生具有思考及反思並建構新知識的能力。教師在教學活動中退居次要地位，僅扮演啟發學生的智慧，指導學生求知的管道與方法即可。

2.人本主義學習理論的主張：從學生的學習日誌，亦可了解學生在學習活動中，到底怎麼想，想什麼，怎麼學與學什麼的歷程。不論在教室、圖書館或自己的學習場域，學生只要具有主動精神與積極態度的學習特徵，透過師生的知識交流過程，學生可從事自我探索、反思和發現知識之歷程。

3.「做中學」概念的學習方式：透過學生反思的實踐，發現學生從思考研究題目之方向，到擬定題目，到定稿的整個報告的撰寫過程中，出現以下現象，包括：⑴題目訂太大，不夠明確；⑵大綱缺乏邏輯體系；⑶內容比例不均衡；⑷內容層次未分明；⑸摘要式的內容；⑹前後文缺乏連貫；⑺文獻引用之規格不正確；⑻參考文獻不夠多元；⑼引用二手資料；⑽標點符號的使用不正確。出現上述這些現象，證明學習也要兼顧「做中學」方式，讓學生透過實際的運作或撰寫的過程，了解怎麼學和學到什麼。否則，單靠團體教學所講述的「撰寫報告的過程、要領與應注意的事項」的單元內容以及範例的講解，還是不夠的。

二、啓示

由於篇幅的關係，本研究未能呈現三位學生的完整報告內容，但綜觀整個指導過程，能顯示出三位學生到底怎麼想，想什麼，怎麼學，學什麼的內在認知活動與學習歷程的大腦功能的運作。茲將本研究對實際教學所帶來的啟示，臚陳如下：

1.強調學習歷程導向的合作互惠教學：儘管學生在撰寫報告過程中是扮演自主、主動、積極與自我監控的角色，但教師在此過程中也扮演介入、諮詢、教導與協助的角色，以引導學生如何擬定題目，蒐集資料，組織資料，擬定大綱，開始撰寫，修改內容架構，完成初稿，修正稿到定稿的獨立研究活動，以達成撰寫一篇合乎規範的研究報告之教學

目標。此種教學是一種比較偏重認知與學習歷程導向的合作互惠原則,強調發現知識過程的重要性,以獲取新知,而非一般所著重的成果教學導向。

2.加強學生批判思考與評估資訊能力的大學教育課程:透過本研究的探討和指導其他選修學生撰寫報告的過程與經驗,發現學生在批判思考和評估資訊的能力有待培養,但在有關檢索資訊的能力,已因近年來的資訊素養教育的提倡與實施,而有所進步。台灣當前的教育政策重視終身學習,而學習如何學習的能力是建立學習社會不可或缺的指標之一,例如英國政府曾於 2000 年為了推展終身學習,建立學習社會,頒布了〈學習與技能法〉(Learning and Skills Act),其主要目的也在積極推動終身學習,提升國家競爭力。值此台灣社會正擺脫「勞力社會」,邁向「腦力社會」、「學習社會」和「知識經濟社會」之際,「讀書報告撰寫指導」不論從學習內容與學習方法言,皆符合推展終身學習之要求。因此,在大學開設此類課程,實有必要,也正符合大學的教育目的、當前的教育政策與「學生為主,老師為輔」的教學理念。

3.提供學生增強溝通表達能力之學習機會:溝通是一種過程,有其不同的層次能力,最基本的要求是要能清晰表達自己的意見給對方,且為對方所能覺知到的行為,而不是只有單方面給予對方訊息或報告事實,最重要在能達到表達自己的想法、意見、決定與判斷的層次。學生以學習日誌,表達其自我探求、反思與發現知識的過程,並以繳交書面的學期報告為最主要的教學目標,是顯示其表達書面溝通的能力;然另一方面,在互動與口頭溝通的教學與學習過程中,學生也必須學習如何透過對話,讓教師了解其想法、感覺和意見,也是一項必須學習的技能。

參考文獻

林美和(民 77a)。〈利用圖書館與自我學習〉。在郭為藩、薛光祖與林美和著,《教育與人生》,下冊(349-418 頁)。台北縣:國立空中大學。

林美和(民 77b)。〈認識學習與障礙〉。在郭為藩、薛光祖與林美和著,《教育與人生》,下冊(285-348 頁)。台北縣:國立空中大學。

林美和(民 92)。〈女性心理學研究及其在教學上的意義〉。在郭為藩編著,《成人心理:心理學的探討》(頁 125-158)。台北市:心理出版社。

林美和(民 93)。〈成人學習理論新視野〉。《成人及終身教育雙月刊》:出刊中。

黃富順主編(民 91)。《成人學習》。台北市:五南。

European Commission (2002). European report on quality indicators of lifelong learning.

Brussel : Author.

Harrison, R., Reeve, F., Hanson, A. and Clarke, J. (2002). Introduction: Perspectives on learning. In R. Harrison, F. Reeve, A. Hanson and J. Clarke. (Eds.) Supporting lifelong learning, Vol. 1(pp.1-7). London: Routledge Falmer.

Kerka, S. (1996). Journal writing and adult learning. ERIC Digest, no.174.(ED399 413).

Merriam, S. B.(Ed.) (2001). The New update on adult learning theory. San Francisco : Jossey-Bass. (New Directions for Adult and Continuing Education，No. 89)

Merriam, S. B. & Caffarella, R. S. (1999). Learning in adulthood : A comprehensive guide. 2nd ed. San Francisco : Jossey-Bass.

Rogers, A. (2002). Learning and adult education. In R. Harrison, F. Reeve, A. Hanson and J. Clarke. (Eds.) Supporting lifelong learning, Vol. 1(pp.8-24). London: Routledge Falmer.

Schön, D. (2002). From technical rationality to reflection-in-action. In R. Harrison, F. Reeve, A. Hanson and J. Clarke. (Eds.) Supporting lifelong learning, Vol. 1(pp.40-61). London: Routledge Falmer.

談花師圖書館大搬家：
用「手築成的橋」，用「心所鑄成的輸送帶」
Building Bridge by Hands, Completing
Transmission by Heart: a Story of Library
Moving at Hualien Teachers College

蘇國榮
Kou-rung Su

摘　要

任何居家辦公廳舍之遷移，首重新居之規劃，再則舊有擬遷入物資傢俱的捆綁與包裝或裝箱，圖書館亦然，所不同的是資料量龐大，類別排列必需精確無誤，本文就新館之規劃與舊館資料之消毒清點與捆綁都有詳盡之解說，尤以學生分別列隊接力搬遷而認識館藏與促進情誼之功，收一舉兩得之效。

Abstract

Same as household and office moving, the first thing regarding library moving is how to plan the new place well accommodated. Once the plan is done, it can begin the work of packing. However, moving library usually goes with the massive amount of data and documents, and so the sorting and ranging will have to be specific and accurate. This article will look at how to list and pack the old library, and also explain the planning work of the new library. It will also draw on the story of how students team and line up to help moving the library, and so get to appreciate not only the essence of library but also the friendship.

關鍵詞：圖書館行政；圖書館建築

Keywords: Library Administration; Library Architecture

楔　子

記得圖書館有位前輩說：「圖書館搬家是天大的事，從事圖書館員一輩子能遇到圖書館搬家是不容易的事」，但是我卻在不到十年間就碰到兩次，因為圖書館拆除舊地重建，所以先搬空遷至臨時館開放提供服務，原地拆除建妥新館再搬遷回來，這座擁有約壹拾肆萬冊資料的圖書館，自第一本（捆）書下架至最後一本（捆）書上妥架，總共用了三小時加一小時（上午八時四十分動工，三小時後用午餐及午睡，休息為走更遠的路，因天熱，所以午後三時才開始，一小時後完成），非但上架完妥，而且也依分類歸位妥善，只要把繩子剪開，即可開館閱覽流通，請看看我們的工作歷程。

壹、準備工作：萬事起頭難

一、新館

這是一座五層樓的新建館舍，建築工程規劃時已有圖書館專業人員的參與，因此，辦公區與服務區早經確定，因為我們採全開架式服務，所以，除辦公區外，尚有工作區是非讀者進入的，服務區讀者都可到達利用，書庫與閱覽是一體的，因此，首先將全館地面清洗打蠟完畢，先以平面圖分配書架與閱覽桌椅及動線空間，而後實地丈量並在圖面與地上均標示清楚明確，再三核對無誤後，依數量購置書架及相關傢俱，依標準尺寸定位。

目前樓層分配是這樣的，一樓為行政區、兒童圖書室、閱報室、存物室、服務台、玄關、門禁與安全系統，二樓是參考室、期刊室、珍本室與國民教育資料室，三、四樓為書庫，五樓為規劃中的非書資料中心，因此，遷館中圖書資料的搬運分布一至四樓，即一樓的兒童室，二樓的參考室、期刊室、珍本室與國民教育資料室，三、四樓書庫的

大批書籍，而我們的書架大部份是六層六聯雙面單柱鋼製書架，因此，我們先把所有書架事先標妥編號，在那一層樓、第幾座書架、A面與B面、第幾聯、第幾層，例4F 16-A-3-5即表示在四樓、第16座書架、A面、第3聯、第5層的書架，用標籤紙黏貼於每一架上，以待圖書之進來，這看似簡單做起來也不容易的。（圖一）

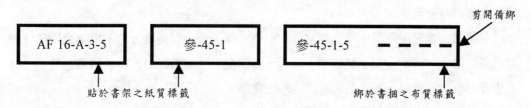

剪開備綁

AF 16-A-3-5　　　參-45-1　　　參-45-1-5　　－　－　－　－　－

貼於書架之紙質標籤　　　　　　　　　　　綁於書捆之布質標籤

用標籤紙黏貼於每一架上，以待圖書之進來，如圖左上角黃色標籤所示：參 45-1 表示此書架將放「參考書」「第 45 架」「第 1 層」之位置。

書上白布條標示依序為「參 45-1-1」「參 45-1-2」「參 45-1-3」「參 45-1-4」「參 45-1-5」…即第 45 架第 1 層之第 1,2,3,4,5 捆圖書。

圖一

請注意，對於圖書進館的分配一定要預留成長空間，決不可將書置滿整座書架，否則，新書一來，無處容身，只好移架，因無空間，只得全館移動了，那可累慘了，因此，我們是這樣分配的：每一架最多不超過二分之一，即留一半作成長空間，每聯只放五層，每架只排五聯，所以增加許多書架，看似浪費公帑，其實未雨綢繆，而標示一定清楚，免生意外，它影響整個上架排架，也影響了開館服務的時間，對本館的形象有重大影響。

二、舊館

是四間二樓（共八間教室大小）的教室所改裝而成的臨時圖書館，書已堆不下了，書架上，地板上都是書，所以搬遷前一定需先完成下列工作：

1.消毒除蟲：圖書館的圖書資料久置不動，尤其是部份罕用資料，可能數十年未曾移動，平時因開放閱覽，要進行全館消毒除蟲工作不易（本館無單獨消毒除蟲設備，供小規模分批消毒除蟲所使用），因此，為了未來數十年的圖書資料安全，絕不能把「蟲」隨書搬進新館，所以，必需先行消毒除蟲，我們的作法是這樣的，將整個圖書館的所有門窗以及透氣通風孔和排水孔均予以「完全密封」，僅留一門，讓施毒者進出，全部密封妥善無誤後，距館十公尺外圍設妥「警告標誌」，將毒品放入館內，該毒品與空氣結合即行「蒸發擴散」，約三十分鐘即可充滿全館，所有動物吸入此氣體後，均「窒息」

而亡，人也不例外，因此，施工時請格外小心，且館外必標示明顯清楚，以免誤入，為求除蟲消毒澈底，密封二星期後，試開一門「測殘毒成份」（原說明一週後毒性可消失），接著第二門第三門以及各窗都把它開開，讓新鮮空氣進入，再用電扇吹散館內餘存空氣，確定無餘毒一天之後才正式進入上班，這樣，所有資料絕無蟲蠹，可安全進入新館，以確保圖書資料安全。

2.清點：本來清點工作應該經常做，但是人員不足，資料量大時，每次能作部分清點已經不錯了，但是，要整館搬遷，可「一邊清點」「一邊捆綁」準備搬遷之用，一舉而兩得，所以，逐架逐類清點，點過的即行捆綁。

3.捆綁：這是一門學問，如捆得不好，半途散了，書就落滿地，非但弄壞弄髒了書本，更影響搬運的速度，還亂了陣腳，麻煩可大了。怎麼綁才妥當呢？我們是用「塑膠繩」捆的，先將書本放齊約二十五至三十公分厚（注意，絕不超過三十公分厚，以免太重搬動不易，且太厚易散掉），用塑膠繩以「十字形」捆綁後，於中央再以「垂直方向」捆一環，以「拉緊這四根繩子」，整捆就緊緊不會因任何外力使鬆散，捆綁完成立即標示（如圖二）。

4.標示：為了圖書搬運時「不傷及同學手掌或皮膚」，且在搬運中「不破損掉落」，所以特別用「白細布」為材料，以「黑墨筆書寫」（防止因磨擦而模糊不清），標明到「新館的確切位置」，如應搬到新館的那一層樓、第幾座書架、A 面還是 B 面、第幾聯、第幾層、第幾捆（如圖三），例 4F 16-A-3-5-2 即表示在第四樓、第 16 座書架、A 面、第 3 聯、第 5 層、第 2 捆的書，用標籤布條綁紮於每一捆書上，以待搬運到新館時易於辨識，依照標示之位置上架，這看似簡單做起來也不容易的。

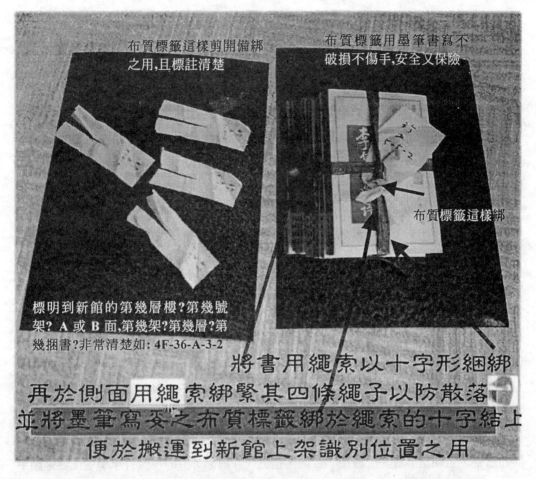

布質標籤這樣剪開備綁之用,且標註清楚

布質標籤用墨筆書寫不破損不傷手,安全又保險

布質標籤這樣綁

標明到新館的第幾層樓?第幾號架? A 或 B 面,第幾架?第幾層?第幾捆書?非常清楚如: 4F-36-A-3-2

將書用繩索以十字形綑綁
再於側面用繩索綁緊其四條繩子以防散落
並將墨筆寫妥之布質標籤綁於繩索的十字結上
便於搬運到新館上架識別位置之用

用塑膠繩以「十字形」捆綁後,於中央再以「垂直方向」捆一環,以「拉緊這四根繩子」,整捆就緊緊不會因任何外力使鬆散,最後用白布條以黑墨筆標示。珍五 5-5-2 即表該捆書將搬至珍本室第五架第五聯第五層的第二捆。

圖二

珍 五-5-4-3　　　- - - - - - -

以特別用『白細布』為材料,以『黑墨筆書寫』,標明到『新館的確切位置』,即應搬到新館的那一層樓、聯、第幾層、第幾捆,如珍五 5-4-3 即表該捆書應搬至珍本室第五架第五聯第四層的第三捆。

圖三

貳、全校總動員：用「心」來團結

一、心理建設：以退為進

　　學生常常問我：「圖書館搬家真的要我們搬嗎」？我說：「當然」。又問：「那麼多書我們怎麼搬得了」？「其實搬這些書本來是我們圖書館員的事，你們「只顧讀書」就好了，我們已經領薪水，搬書決不會埋怨的，這是工作。但是，我們的「編制人員有四人」，這裡有「十餘萬冊」書，一天有八小時，每人一天可搬多少冊，這樣，搬它三兩年，總有一天會搬完，反正是工作，急也沒用，您說對嗎」？「那我們的作業、報告怎麼辦」？「辦法是人想出來的，這裡（花蓮）沒有圖書館可用，可以去台北找，一樣也可以完成學業的」，「那怎麼行，兩三年下來我們沒自己的圖書館可用，甭想學到什麼知識了」，「更慘的還有呢！館員如果只提供「體力」撥出時間去「搬書」，那「買書」、「編書」等等的許多工作都得停下來，「資料」就要「斷層」，無法連續，「經費」不用也要「繳回」，損失可大了」，「那怎麼辦？我們怎麼這樣「倒霉」」？「你們「怕出力」會「流汗」，就只有認了，如果大家願意同心協力幫幫自己的話，說不定只要一天就解決了」，「真的嗎，如果真的一天就解決的事，為什麼要等兩三年呢」？「那就看同學的決定了，館員不論怎樣都要上班，早一天晚一天對他們沒影響的」，這樣的對話接近天天在進行，「逐漸形成共識」，讓學生自然而然的由心中體會圖書館對他的重要，也期望早日完成搬遷。否則，這批「好逸惡勞」的現代青年學生，要他動手出力做事，難如登天，甚至說：「我是來「讀書」的，不是來「做工」的，憑什麼要我做？簡直是壓榨勞力」，所以想要動用學生來搬書，可能不是一件容易的事。甚至部份家長、教師也是這麼想。當時我卻以為這是「機會教育」而不是「壓榨勞力」，因為我們的學生，將來全部都是要「當老師」的，如果分發到一個交通不便或經費無著而又需運送大量物品（如書籍、簿本）時，知道怎樣解決困難（這是方法之一），而且，可以不受客觀因素的影響，迅速解決問題，過去我就曾經以這方法搬運建築教室所用磚塊，也用同樣的方法搬運每學期的學生用教科書。經過一段「心理建設」之後，這種排斥心理已逐漸消失，而積極參與的心態逐漸形成，每日前來詢問正式遷館的人數漸增。

二、書走人不走：圖書在跳躍中進館

　　圖書館搬家如果雇用「搬家公司」來搬，他會要求用「紙箱」把書裝入捆綁，然後

用汽車運送，這樣要相當數量的紙箱，汽車來回在校園裡跑，書再由紙箱中取出，再予上架，成本過高（花費在紙箱、汽油、租車和運費上），也耗時，學校沒這筆預算，行不通；若由同學每人一捆或兩捆自舊館提到新館上架後再回舊館，這樣循環搬運，則自新館走回來時空手，浪費寶貴的時間，而且，兩腳走來走去會累，也浪費體力，會影響情緒，阻礙工作進行，因此，如何用最少的經費，最節省時間，快速搬遷，完成整理，開館服務，這是我們的目標。

我們以「圖書館是大家的」，由大家動手來搬遷為訴求，因而構思了「書走人不走」的創舉，於是開始紙上運兵，仔細考量各項因素與可能配合條件，訂定計劃，與訓導處、教務處、總務處協調，也請軍訓室協助，最後定案，動員全校學生，依如下計劃進行：全校學生共五百餘人，分成四列（圖四），每列有一百四十餘人，編妥列的序號（全校排成 A、B、C、D 四列，由一、二、三、四年組成，幼師排於四年級後，每列由初教、社教、語教、數教、幼教順序排列。），各列依地形連接，兩列間分隔而不交叉，以免因交叉而資料傳送錯誤，每兩位同學間相距約三至五公尺，即將隊伍自舊館連接至新館各樓層，形成輸送帶，同學只要依「順向」將書傳給相鄰的同學就可以了。有位教官曾問：「要不要請同學們傳快一點」？我回答：「不要，但是，要求同學「不要將書置於地上」，會污損書籍」，試想，誰願意把這麼重的書留在手上，大家一定想趕快傳送給別人，如真的留下且置於地上，不但坋損圖書資料，同時也會延遲傳送速度，甚至秩序大亂，後果不堪設想。

留下兩班同學，分別配置在新舊兩館，在舊館的一組同學分成四小組，將書架上的書取下，分別傳給指定的隊伍，不能有所差錯，否則該書可能抵達不同樓層而徒增困擾；另一組的同學則在新館也分成四列，分別迎接四支隊伍傳送過來的書籍，每一列再分為兩小組，其中甲組自樓梯口接書，送給乙組上架的同學，同時口中即唸出「標籤上的編碼」，而乙組同學中聽到自己所屬負責之書架編號時亦複誦該編碼，甲組同學即知傳給某人，乙組同學接妥並「查標籤無誤」後，即「依號上架」，這部份為全部工作最要緊的，館員要特別留意督導，否則資料排列大亂，重新整理可費事兒了，因此無論「新舊兩館」均應由「館員」負責指揮，這樣就不會亂掉。

AB 兩組由舊館甲門傳出進新館大門經右側安全梯直上四樓

CD 兩組由舊館乙門傳出進新館大門直走經中央樓梯上各樓

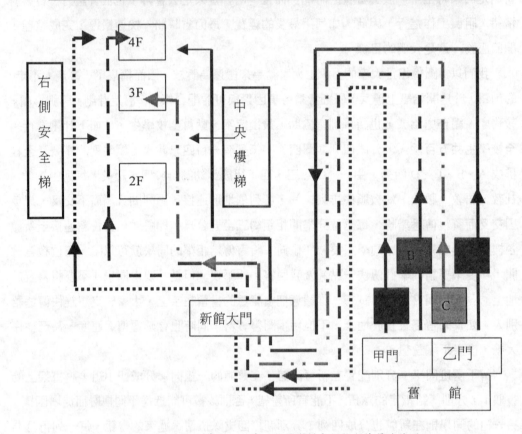

分 ABCD 四條龍自舊館分別傳送各種資料志新館各樓層路線圖

圖四

三、任務編組：環環相扣

全校分 A、B、C、D 四隊，由分別一、二、三、四年組成，幼師排於四年級之後，每列由初教、社教、語教、數教、幼教順序排列。每隊均委請輔導教官協助整隊，並帶到指定地點，準備接受任務。

一年級與二年級所組成之 A、B 兩列自舊館甲門依序排列至新館，進新館大門後向左轉彎，從左側安全樓梯直達四樓。

三年級與四年級和幼師所組成之 C、D 兩列自舊館乙門依序排列至新館，進新館大門後直往中央樓梯直達四樓。

初一甲全體同學擔任「新館排架」工作，由導師周教授東山率領直接抵達新館四樓，分 a、b、c、d 四組，a c 二組各十一人，分別置四樓中央樓梯口與四樓安全梯口，等待取書，送予 b d 二組同學上架；b d 二組則於書架附近將書依白布條所標示之架號位置上架。

初二甲全體同學擔任取書工作，分排二列由何主任率領直接抵達舊館二樓分 a 組由陳秋月老師 b 組由呂俊慧小姐分別引導至指定書架取書，交各列傳送。

參、啓動搬運：飛龍競躍，蟠踞名山

由呂小姐所引導之初二甲 b 組先排一列至報紙室將每月一或二冊之合訂本報紙，以一本一本分別傳給 C D 兩列同學，送四樓報紙室地上排整齊，送畢報紙後轉至書庫，繼續從中文書的 500 類往 999 之書籍自架上取下傳送。

由陳老師所引導之初二甲 a 組分二排列，一列直達書庫由最靠近敬業樓之門進入書庫，直接自最末一架之 999→500 書籍取下，傳給 A 列送至新館四樓，另一列則於相接之次門進入書庫，自中文書之 500→999 取書，傳給 B 列同學送至新館四樓。

以上工作準備妥善，一聲令下，只見一捆一捆的書籍，騰空跳躍，自舊館分成四列，有如四條巨龍，直奔新館，頓時全校一片喝采之聲響徹雲霄，許多教授、教官、職員看到這精彩的畫面，感動得自動加入搬運行列，導師們也紛紛搬來飲料鼓勵同學，為了使同學不致過於勞累，我們由舊館書架取書的同學那兒每隔十五分鐘即停一分鐘，以為休息之需，每一樓層完畢時，則停止二分鐘，一則暫停為休息，二則為調整隊伍至另一樓層也需時間（在新館的同學由四樓移師三樓或三樓移至二樓等等），所以，四樓送畢時，間隔二分鐘，以作調整如下：

呂小姐所引導之初二甲 b 組同學分一半至珍本室傳送西文書交 C 組傳至新館三樓，由呂小姐引導，另一半同學由吳桂雲小姐引導繼續傳送自 000→499 類中文書交 B 列傳至新館三樓，而陳老師所引導之初二甲 a 組停二分鐘後繼續傳送 499→000 類中文書交 A 列傳至新館三樓。

三樓圖書資料傳送完畢時，傳送暫停休息三分鐘，請用飲料通知（每人一瓶易開罐裝飲料由各班服務股送達，以補充水份），然後，再作調整如下：

呂小姐所引導之初二甲 b 組同學分一半至珍本室傳送珍本書交 C 組傳至新館三樓，

由呂小姐引導，另一半同學由吳桂雲小姐引導繼續傳送參考室圖書交 D 列傳至新館二樓。（注意：報紙室內有縮印本報紙，也送參考室），陳老師所引導之初二甲 a 組停二分鐘後繼續傳送期刊至二樓。

二樓送畢適值午餐時間將至，傳送「工作暫停，請往餐廳用餐，中午休息，下午三時原隊伍、原位置集合」通知，平時未做勞力的讀書人，經過三小時密集的運動確實有吃不消的感覺，所以平日午休至一時三十分，今日特別延長至三時，以補充體力，恢復疲勞，集合之後，再作調整如下：

呂小姐所引導之初二甲 b 組同學分一半至兒童室傳送兒童讀物交 C 列同學傳至新館一樓兒童室。陳老師所引導之初二甲 a 組停二分鐘後，先將二樓之編目室書籍送走後移師至一樓編目室，傳送編目與採購兩組書籍（這些是未編書籍），請尚英梅小姐引導。

每當變更樓層時，必有「第？樓資料已運送完畢，請移至第？樓」及「第？樓資料由此開始」的特大紙板為標示，提醒新館工作人員，以避免送錯樓層影響工作進行。

隊伍的首尾必需依資料運送的情形作調整，例如：在舊館這端因圖書搬空了，要換地方甚至樓層，新館的部份則專看送來什麼資料如何調整，為使新館作業順暢，我們計劃先送特殊的報紙（版面特大而軟，數量亦不少）接下來是四樓資料，然後三樓、二樓、一樓，然後完成而退出圖書館，計劃周密，井然有序。完全依靠館員的指揮運作。

肆、省思：代結語
—用「手築成的橋」，用「心所鑄成的輸送帶」—

曾經有位圖書館界的長者說過，一位圖書館員一生中能碰到「圖書館大搬家」，是「機緣」也是「劫難」，因為圖書館搬一次家是件非同小可的大事，沒有到非萬不得已絕不輕言搬家，「資料」之龐大且複雜，「傢俱」種類之多非一般家庭，且各有各的「順序」與「位置」，絲毫不能有所閃失錯放，牽一髮而動全身，說它是「機緣」，是從圖書館搬家可以學到許許多多平日無從學到的學問，也許是小動作，卻是大道理，例如「捆書」，「大捆」節省時間，一堆書捆沒幾捆就捆完了，但是，因為「太大捆」而產生「捆不牢固」，傳遞搬運中「容易散失」，而且「大捆太重」，學生搬不動，容易疲勞，影響工作情緒與速度，多大捆最合適？「怎樣捆」才捆得牢？「怎樣送」方送得快不弄破不沾髒？都需深思熟慮，再三推敲，才可獲此秘訣；至於說是「劫難」，看似言過其實，說真的，一位圖書館員，平日以「書」和「筆」為伍，今日一變而為「捆工」，幾天下來，小手「起了泡」，接著「泡破流血」，最終而「結成繭」，圖書從架上取下加以捆

綁，當天夜晚用餐時，因用力過多而疲憊感到「手不聽指揮」，次晨起來上裝時，兩手如千斤壓頂，需請「另一半」協助，否則衣服都穿不起來，而這僅搬遷的開始準備工作耳，其他還有「剪布條」、「寫標籤」、「綁標籤」、……。

過去，同學經常抱怨「圖書館的書很少」，要的書或資料「好像都沒有」，這次有四分之一的書「在自己的手上經過」（約三萬冊），也知道是否資料少了，還是自己「不知道查檢方法」而沒找到？「館藏」讓同學充分「瞭解」，可以提升他們對「資料利用的覺醒」與對圖書館的向心力，尤其是分配在新館上架的同學，瞭解更深，對他使用圖書館有更大的幫助。

「書」一捆一捆的從自己的手中「傳」過去，也從同學的手中「接」過來，這樣一「接」一「傳」就可使書本從舊館移到新館，這是許多同學用「手築成的橋」，讓書本走過去，也是大家用「心所鑄成的輸送帶」，將書本傳輸過去，這表示「團結就是力量」，「同心」沒有克服不了的困難，更因大家曾經用「熱誠」與「汗水」灌溉這肥沃美麗的園地——圖書館——，大家更加「珍惜」與「愛護」，也因而產生了情感，想念著它。

一天下來，讓我們看到有史以來我們花師最美的畫面——「團結、合作與笑容」，同學們「手連手」，「心連心」，愉快的工作，此起彼落的歡呼與歡笑聲，教授、教官、職員、技工友，大家不約而同的「自動加入行列」，也自動的「購買飲料」前來「慰勞」，這種「溫馨的畫面」，一直留在心中，久久不離，經常在腦海盤旋。

淺談大學實施資訊素養課程之相關問題
Some Issues on the Education of Information Literacy in Universities

陳仲彥
Chung-yen Chen

摘　要

　　本文主要是探討有關大學實施資訊素養教育之相關問題。首先說明從「圖書館利用教育」到「圖書資訊利用教育」以及「資訊素養教育」之發展歷程。其次討論在實施過程中可能影響教學成效之問題，包括：設備條件、課程規劃、教材設計、學生特質等。最後展望未來，提出七項期許：提昇教學內容的層次、圖書資訊專家與學科專家合作、彙整各校之教材以供交換觀摩、善用資訊素養教學網站、制定相關的指導綱要以及評量標準、透過各種方式促進經驗交流、相關學會組織共同合作。

Abstract

　　The purpose of this article is to discuss some issues of information literacy education in university. Firstly, describes the historical development. Secondly, discusses some problems concerning the effects of information literacy education, including the facilities, the plans of curriculum, the designs of teaching materials and the characteristics of students. Lastly, some prospective proposals are recommended.

關鍵詞：資訊素養；圖書資訊利用；圖書館利用教育

Keywords: Information Literacy; Library Instruction

一、前言

生活在現代充滿資訊的洪流裡，每天面對的是不斷發生、不斷成長的資訊世界。個人如何從這麼多的資訊裡，分析、擷起出適合自己所要的資訊，並且應用到實際生活中，則是現代人必備的技能。這也是在「資訊爆炸」的時代裡，減低「資訊焦慮」的有效途徑。

個人如何依據自己的需求，進行查尋、檢索、收集所有可能的各種資訊，並且經過閱讀、過濾、組織以後，以滿足實際的需要，即是有關「資訊素養」的主要課題。

由於長久以來有關人類精神文明之各種記錄的收藏場所是以圖書館為代表，也就是說，如果學會如何利用圖書館各種資源的技能，也即代表具備查尋、檢索、收集各種資訊的能力。而有關這一方面的教育與訓練，就稱之為「圖書館利用教育」。不過在這所謂的 e 時代裡，人類活動的各種記錄不必然是以書本的型式呈現，而收藏各種記錄的場所也不一定是在實體的圖書館建築物內。因此，有關如何利用各種圖書資訊的教育與訓練——「圖書館利用教育」，就逐漸改稱為「圖書資訊利用」，並成為整體「資訊素養」教育中的一環，以反映時代的變遷與趨勢。

雖然根據美國圖書館學會（American Library Association）對於「資訊素養」的定義，意指個人有能力查覺資訊需求，並且能夠獲取、評估、利用相關的資訊。[1]不過因為受限於授課時間等因素，一般在大學裡實施有關資訊素養課程時，大多將重點放置於如何利用各種圖書資訊系統以及相關的參考資源，以滿足學生之需求。

因此，本文主要是針對大學裡開設「圖書資訊利用」相關課程的一些情況與問題，進行概要式的簡述，希望對於提昇「資訊素養」教育的成效有所助益。

二、歷史回顧

有關圖書資訊利用的發展歷史，與圖書館推展參考資訊服務的歷程有關。在一八七六年美國圖書館學會第一屆大會中，麻薩諸賽州伍思特公共圖書館（Worcester Public Library）館長格林（Samuel S. Green）即提出一篇名為「建立公共圖書館館員與讀者之間的交流與關係」（The Desirableness of Establishing Personal Intercourse and Relations between Librarians and Readers in Public Libraries）的文章，[2]公開呼籲要求圖書館員必須加強對於讀者的服務，協助讀者查找資料。自此以後，不論各類型的圖書館即非常重視有關如何指導讀者使用圖書館資源的教育訓練，尤其是大學圖書館，更是積極投入此項服務工作。

美國自一九五九年即首次制定大學圖書館標準，後來雖歷經修訂，但是都明訂圖書資訊利用教育在大學圖書館服務項目中的重要地位。因此，也促使各大學圖書館在其參考服務政策中，均列載相關的項目，對於全面推動圖書資訊利用教育有極大之貢獻。[3]

除此之外，大學與研究圖書館協會（Association of College and Research Library）同時亦成立有關的部門以加強推展圖書資訊利用教育。並且先後制訂「學術圖書館書目指導綱要」（Guidelines for Bibliographic Instruction in Academic Libraries）[4]、「學術書目指導之目標的模式」（Model Statement of Objectives for Academic Bibliographic Instruction: Draft Revision）[5]、「學術圖書館指導計畫綱要」（Guidelines for Instruction Programs in Academic Libraries）[6]，以供做大學圖書館推動圖書資訊利用教育時參考。

由此可以知道，美國大學圖書資訊利用教育的發展，與圖書館以及圖書資訊學界之積極參與有著極直接之關聯。

有關我國大學圖書資訊利用教育的發展，最早可以推至民國二十七、八年間，有學者建請教育部將「目錄學」及「參考書使用法」列為大一學生之必修課程。[7]而在民國六十六年，全國大學暨獨立學院教務長聯席會議上，亦有討論如何將「研究方法」、「圖書資料運用方法」等教材納入教學內容中。[8]這是重視、推展圖書資訊利用教育的例證。

從歷年來幾份有關大專校院圖書資訊利用教育、資訊素養教育現況調查來看，[9]國內各大專校院多已普遍實施圖書資訊利用教育課程。由此可以得知，圖書資訊利用教育的重要性已普遍獲得認同，並且付諸實際的行動。然而，必須重視的是，這些種類繁多，有關圖書資訊利用的講習、課程等等，究竟成效如何？有無困難？又應如何因應時代的變遷？而資訊傳播模式的轉變，又帶給圖書資訊利用的教育何種挑戰呢？這些則都是值得探討的問題。

三、相關問題

大專校院實施圖書資訊利用教育課程時，必須要有相關條件配合才能夠完成教學的目標。事實上在實施的過程中，還是有一些問題存在，有的甚至會直接影響教學的成效，不可不注意。茲僅就設備條件、課程規劃、教材設計、學生特質等項目，說明實施圖書

資訊利用教學時可能會遭遇到的問題。

㈠設備條件

　　實施圖書資訊利用教學時，經常會遇到場所與設備的問題。在以紙本式圖書為主要資訊來源的時代裡，毫無疑問的，圖書館就是最好的施教場所，但是事實上卻有若干的問題存在。由於為了便利取用各種參考工具書，施教的地點極可能會是在參考室裡。然而在參考室講授，卻容易干擾其他讀者而引起不悅，因此也不是很妥當。最近幾所大學所新蓋的圖書館內，均規劃有較大的研習教室可供利用，是一大進步，值得觀摩採用。

　　而在今日許多資訊均已數位化，查檢資訊時都必須透過電腦來進行的時代裡，教授圖書資訊利用課程，亦有了新的困擾。由於在實地演練各種資訊系統時，最好是每位學生均能各自操作電腦，以加深印象、增進學習的效果。然而，一般而言，在圖書館內並沒有數量夠多的電腦教室，因此，也不便在圖書館內進行，反而可能是要經常借用學校電子計算機中心的教室授課。因此，也就更不能奢望有專用的教室，或是配備有各種媒體器材，並得以隨時取用各種參考工具書，以便利教師上課使用。

㈡課程規劃

　　開設有關如何利用圖書資訊課程的方式，就一般情況而言，大約有兩種：一種是單獨的課程，名稱多為「圖書館利用教育」或是「圖書資訊利用」之類名稱；另一種則是融入在相關課程中講授，例如「研究方法」或是「論文撰寫」等等。由於這兩種授課方式的授課教師、重點各有不同，連帶的也就影響教學的成效。

　　就單獨開設課程的方式而言，授課教師多由校內圖書資訊科系教師或是兼具教師身份的圖書館員擔任。由於沒有限定學科範圍以及資訊主題，因此，教學的重點多會偏向各種參考資源類型的介紹與利用。優點是學生對於整體的圖書資訊範圍，比較能夠獲得全面性的瞭解，然而，缺點是學生比較不會立即聯想如何將所學與自己主修學科產生關聯。為了彌補可能的缺失，教師除了示範講解一般的共通模式之外，也必須鼓勵學生於課堂間提出在研習其他學科時所遭遇到的有關查詢資訊的問題，以供檢討分析，並利用所學之技能以解決問題。

　　其次就融入在相關課程中講授的方式而言，由於多是由學科教師擔任授課教師，因此，在課程安排上，多會圍繞在某一學科主題上。優點是學生比較容易將所學與主修學科結合，然而缺點是，由於還必須講授有關研究方法或是如何撰寫報告等單元，所以，

有關各種圖書資訊的介紹與利用所佔的比例就會降低。而且，有些情況是要委請圖書館員講解，如此的話則容易引起質疑是否館員替代教師上課。

(三)教材設計

有關圖書資訊利用課程的教材安排，事實上與課程規劃的方式有密切的關係。如果是在一些相關課程中教授的話，教材內容的重點不會全然以如何查檢圖書資訊為主，在時數的分配方面，也不會佔絕大多數。因此，授課的內容就會較為精簡，並且是以能夠立即直接應用到主題學科研究為主。

反觀若是獨立課程的話，教材的內容設計就會偏向以該校圖書館擁有之資源為主。不論是認識圖書館環境（library orientation）、圖書館利用指導（library instruction）或是書目利用指導（bibliographic instruction）那一層次的圖書資訊利用活動，均是以圖書館的館藏圖書資訊為主，因此，在教材內容的安排上就較為周延，也比較能夠全面講授各種館藏資訊的特徵與應用。

(四)學生特質

學生特質包括人數多寡以及背景差異等，亦是影響圖訊資訊利用課程教學成效的重要因素之一。由於有關圖書資訊利用的課程多是以通識、大班級的方式開設，在由教師講解時，只要有大教室，大致上還不會有什麼問題，但是如果是要實地操作或是進行評量時，就會有一些問題產生。例如到圖書館內實地示範如何操作微縮片閱讀機時，除非分成許多組分別示範，否則的話，全部的學生擠在一起，站在後面、外圍的同學就根本聽不到、看不到，使得成效大打折扣。又如練習作業的批改，如果沒有助教協助的話，授課教師實在很難應付每個單元的龐大作業量。然而倒底多少的學生數才是理想的班級人數，卻也沒有一定的標準，必須視能夠支援的各種條件而定。不過，可以知道的是，人數過多，恐有害教學成效。

除了人數多寡之外，學生的背景、程度也會影響教學的成效。如果沒有限定學院或科系，修習學生人數越多，其主修科系的差異性也就會更大。如何因應學生的學識背景以及程度，在教學的安排上，也帶來另一項挑戰。另外，學生的年級別也會影響教學成效。一般認為在大一上學期開設圖書資訊利用課程，是理想的時機。然而，就實施經驗得知，大一新生經常還未能體會這門課程的重要性，或者是還沒遭遇找不到資料的挫折，引致於沒有強烈的學習動機。反觀二三年級的學習過程，似乎就比較容易進入狀況，而

且能夠立即實地應用，學習效果較佳。

四、未來展望

　　大學校院必須實施圖書資訊利用課程的觀念已普遍獲得認同，各校也是不斷地在提昇、改進教學的品質。綜合實際的經驗與檢討，展望未來，有以下幾項期許：

㈠提昇教學內容的層次

　　就圖書資訊利用教育的三個層次而言，有關認識圖書館環境的部份已不是教學的重點。目前的情況是大多維持在圖書館利用指導以及書目利用指導的兩個層次之間。也就是說重點是在於教導讀者熟悉使用各種參考工具，並且能夠有效應用各種書目進行檢索。不過，從美國的經驗可以發現，在一九七七年訂定「學術圖書館書目指導綱要」[10]以後，也曾經繼續修正並研擬相關的補充資料，而在一九九七年的修訂版本名稱則改為：「學術圖書館指導計畫綱要」，最新修訂版本是二零零三年。[11]從「書目指導」（bibliographic instruction）改稱為「計畫指導」（instruction programs）的現象來看，似乎也正提示著我們，有關圖書資訊利用的教學，最後還是必須導向針對某一計畫、方案或是學科主題，才能夠充份發揮研習圖書資訊利用的效用。

　　這也正是必須教導學生如何從分析資訊需求開始，然後運用查詢資訊、蒐集資訊的技能，將所獲得之資訊進行過濾與組織，並撰就成為文章，最後再透過發表等方式，將資訊傳播出去的過程。[12]也即是資訊素養教育的目標。

㈡圖書資訊專家與學科專家合作

　　觀察前述有關圖書資訊利用教學層次之變革與提昇的現象亦可以瞭解，在講求專業化的資訊時代裡，圖書資訊利用教育的目標，不能夠再以訓練完整的「圖書館技巧」為限，更需要培養學生將所習得之尋找資訊的技能，轉換成「學術研究能力」的提昇。也就是說除了具備「掌握資訊」的能力之外，必須能夠更進一步提煉為「追求知識」的熱誠與習慣，以造就自我成為一個具備獨立研究能力的個體。[13]

　　這種以訓練學生既能夠具備掌握資訊的技巧，又能夠實地應用到自己所主修之學科研究的教學目標，恐怕已不是由圖書資訊專家就能夠單獨勝任，或許還要與各類學科專家共同合作，才能夠實現其目標與理想。這種合作的模式，在國內已有成功的例子可循，值得觀摩參考仿效。[14]

三彙整各校之教材以供交換觀摩

　　如前所述，圖書資訊利用教育必須是結合圖書資訊專家與學科專家的合作，因此，乃是一種群策群力的教學活動，必須要結合眾人的努力才容易成功。而合作的模式除了如前述之共同擬定教材並且進行協同教學之外，各校之間也可以透過交換教材、教學資源等方式，以增進彼此的瞭解，並且參酌彼此的優缺點，再研擬出更理想的教學材料，這乃是提昇圖書資訊利用教育品質的良好途徑。

　　之前亦有人建議成立類似「資訊交換中心」（cleaning house）的機構來統籌各校之間相關教材的收集、整理與交換。[15]雖然此一構想受限於現實客觀環境的不足，一時還無法實現，不過亦可以透過現今正蓬勃發展的網路環境，形成一種「虛擬的」「資訊交換中心」。只要各校均將教材放置於網路上，並由某一單位負責網頁超連結的設定與維護，任何讀者只要連上該網頁，就能夠立即獲得各校的教材。這樣的呈現方式，事實上也是建立「資訊交換中心」的另一種方式。

四善用資訊素養教學網站

　　由於網路已成為當今社會裡極為重要的溝通介面，影響範圍也擴及到日常生活中各個層面。因此，無可避免地，如何透過網路進行遠距教育或是非同步教學，也是實施圖書資訊利用和資訊素養教育值得重視的方式之一。事實上在國外早有許多的圖書館在其網站內，建置相關的課程提供學生學習。[16]在國內亦有不少提供有關圖書資訊利用與資訊素養的相關網站，例如：淡江大學圖書館非同步網路教學網站（http://d-learning.lib.tku.edu.tw）、輔仁大學的圖書資訊利用教育網（http://libteach.lins.fju.edu.tw）、逢甲大學圖書館的資訊素養課程（http://w3.lib.fcu.edu.tw/lib_site/il/il-courses.html）等等。透過網站，將此類課程設計成非同步教學，即使不是選修該課程的學生，任何人只要有興趣學習，就直接進入該網站，也能夠獲得相關的教學指引，這是透過網路延伸圖書資訊利用與資訊素養教育的良好辦法之一，值得重視。

五制定相關的指導綱要以及評量標準

　　從美國能夠普遍成功實施圖書資訊利用教育的例子來看，其中還有一項極為重要的影響因素，那就是還制定有相關的指導綱要、標準可供依循參考。其中除了前述所提及之數種綱要之外，也包括從一九五九年開始訂定，後來並曾數次修正之「大學圖書館標準」（Standards for College Libraries）。在此標準中，亦明確列載大學圖書館必須積極

參與或承擔推展資訊利用教育的責任。[17]除此之外,還針對大學圖書館在推展資訊素養方面條列應有的作為,[18]並且制定大學資訊素養的評量標準以供參考。[19]

反觀國內的情況,在民國九十一年一月八日教育部圖書館事業委員會通過之「大學圖書館設立及營運基準草案」中第二十七條,明訂:「大學圖書館為提升讀者資訊蒐集與應用能力,奠定終身學習基礎,應積極推展圖書資訊利用教育」。[20]不過這僅是宣示性質而已,為真正落實並達成目標,似宜參仿前述美國的作法,進一步制訂相關的細目要項以及評量標準以供遵行。

(六)透過各種方式促進經驗交流

各大專校院的發展重點不同、條件設施不同,如何實施圖書資訊利用教育的方式亦不同。換句話說,也就是表示國內的圖書資訊利用教育呈現出多樣化的發展,各校各有其特色。在這種情況之下,實在應該善用各種的管道與方式,讓各校的經驗得以交流,藉以發揮切磋琢磨的功效,一方面吸取別人的寶貴經驗,另一方面也可以避免重蹈別人的覆轍。而具體的實施方式除了前述的交換教材之外,還應該鼓勵實地的教學人員,將其教學心得與經驗記錄下來並發表,以供他校參考。又如也可以召開圖書資訊利用教育的研討會,讓實務工作者共聚一堂,面對面溝通與交流,除了經驗互享之外,亦可以促進情感交流,以利往後的聯繫。此外,還可以利用網路之便利,開闢專門的討論群組、BBS 等,讓有興趣者都可以參與討論並發表意見,這也都是極佳的經驗交流管道,值得推廣。

(七)相關學會組織共同合作

長久以來,有關如何增進讀者學習能力的培養,從圖書館利用教育到圖書資訊利用教育,都是圖書館、圖書資訊學界的專長與主要任務之一。然而現今已是科際整合的時代,而且有關培育個人掌握資訊、利用資訊的作法也發展成為「資訊素養」之概念。所代表的意義即是說明,今日在實施、推廣有關如何利用圖書資訊,以奠定個人具備終身學習之能力的工作,除了要以圖書館、圖書資訊學界長久所累積的經驗、成就為基礎外,如能夠結合其他學科領域的專家學者共同參與,則應該會有更大的效果。這也就是說,中國圖書館學會、中華圖書資訊學教育學會、中華資訊素養學會、中華民國數位學習學會等等相關的學會組織,可以針對圖書資訊利用教育以及資訊素養教育的議題,進行跨學會、跨學科的研究,相信必定能為資訊素養教育,開闢出新的天地。

五、結語

在不同的時代裡，必須具備不同解決資訊問題的能力，才能夠適應生活的需要。面對當前資訊爆炸的時代，則必須要有良好的「資訊素養」，才能夠避免在這資訊洪流中滅頂，並為個人奠立終身學習的能力。

可喜的是，各級學校多已重視到此一課題，並且致力於有關「圖書資訊利用」或是「資訊素養」課程的安排，身為高深學術研究殿堂的大學校院也不例外。雖然在實施的過程中還存在若干的問題有待進一步解決，不過，相信在各校、圖書資訊學界以及其他相關學會組織的共同努力之下，我們有信心並且期待，「資訊素養」教育的成功，將可培育更多具備獨立研究能力的學生以及未來的研發人員，也即是為國家儲備人才，為厚植國力奠立基礎。就讓我們共同一起努力！

註釋

① American Library Association. *Presidential Committee on Information Literacy: Final Report.* http://www.ala.org/ala/acrl/acrlpubs/whitepapers/presidential.htm (93/03/10).

② 鄭恆雄等編著。《參考服務與參考資料》（臺北縣蘆洲鄉：國立空中大學，民國八十五年九月），第六頁。

③ 林美珍。〈美國大學圖書館利用教育發展史之研究〉。私立中國文化大學史學研究所圖書文物組碩士論文。民國七十八年一月。第一零八至一零九頁。

④ "Guidelines for Bibliographic Instruction in Academic Libraries." *College & Research Libraries News.* vol.38 no.3(May 1977) p.92.

⑤ "Model Statement of Objectives for Academic Bibliographic Instruction: Draft Revision." *College & Research Libraries News.* vol.48 no.5(May 1987) pp.256-260.

⑥ "Guidelines for Instruction Programs in Academic Libraries." *College & Research Libraries News.* vol.58 no.4(April 1997) pp.264-266. http://www.ala.org/ala/acrl/acrlstandards/guidelinesinstruction.htm (93/03/10).

⑦ 張錦郎。〈談大學及公共圖書館利用教育〉。《臺北市立圖書館館訊》，二卷二期（民國七十三年十二月），第四頁。

⑧ 楊美華。《大學圖書館理論與實務》（臺北市：五南，民國八十三年三月），第一八六頁。

⑨ 此類調查分析不少，例如有：
吳瑠璃。〈我國大學圖書館利用教育施行狀況調查研究〉。《社教系刊》，第十一期（民國七十二年六月），第七十一至七十六頁。
范豪英。〈大學圖書館讀者利用教育現況調查研究〉。《中國圖書館學會會報》，第四十八期（民國八十年十二月），第五十七至六十四頁。
朱淑卿、丁崑健。〈我國大專院校圖書館利用教育現況調查研究〉。《中國圖書館學會會報》，第五十四期（民國八十四年六月），第十五至二十五頁。
羅思嘉。〈資訊素養課程及實施成效初探〉。《國立成功大學圖書館館刊》，第六期（民國八十九年

十月），第七十七至一零二頁。

⑩　同註④。

⑪　同註⑥。

⑫　莊道明。〈以資訊素養為基礎的圖書館利用教育課程〉。《書苑》，第三十五期（民國八十七年十一月），第三十三頁。

⑬　同註⑧，第二零一頁。

⑭　陳超明、鍾雪珍。〈圖書館在「研究方法與論文寫作」課程中的角色〉。《圖書與資訊學刊》，第二十二期（民國八十六年八月），第十至二十五頁。

⑮　同註③，第一四五頁。

⑯　林麗娟、張淳淳。〈圖書資訊利用教學網之開發與評鑑〉。《大學圖書館》，六卷二期（民國九十一年九月），第三十二頁。

⑰　同註③，第一零四至一零九頁。

⑱　"Objectives for Information Literacy Instruction: A Model Statement for Academic Librarians." *American Library Association*. 2003. http://www.ala.org/ala/acrl/acrlstandards/objectivesinformation.htm (93/03/10).

⑲　"Information Literacy Competency Standards for Higher Education." *American Library Association*. 2003. http://www.ala.org/acrl/ilcomstan.html (93/03/10).

⑳　「大學圖書館設立及營運基準草案」http://www.ncl.edu.tw/bbs/pdf/5-2.pdf (93/03/10).

課外閱讀與圖書館利用之調查研究
——以松山高中爲例
Extracurricular Reading and Library Use:
a Case Study of Song Shan High School

池增輝

Tseng-hui Chih

摘　要

　　本研究主要目的在調查高中生的課外閱讀行為，探討高中生課外閱讀的習慣、動機、興趣，及圖書館利用的態度。同時進一步對推廣課外閱讀及圖書館利用提出相關建議，以期圖書館能提供更完善的服務。

Abstract

The purpose of this study is to investigate extracurricular reading behavior of senior high school students. The following characteristics were explored: (1) reading habit, (2) reading motivation, (3) reading interest, and (4)attitude toward library use. Moreover, this study proposed some suggestions to the library how to extend the extracurricular reading and library use in order to facilitate better services.

關鍵詞：課外閱讀；圖書館利用

Keywords: Extracurricular Reading; Library Use

壹、研究動機與目的

人類的智慧源自思考，思考則又主要來自閱讀。閱讀既然是如此重要，高中生是否有閱讀的習慣？根據金車文教基金會調查「2003 年青少年休閒生活」，青少年最常從事的休閒活動是上網或打電玩，其次是看電視（林麗雪，民 92）。

根據 Ley, Schaer 和 Dismukes（1994）的調查研究，美國學生在六年級至八年級的一段時間，閱讀行為大為減少，高達百分之三十的學生從不作課外閱讀。

電視、電玩和網路所構築的聲光世界中，孩子和書本的距離愈來愈遠。近來世界各國所推動的教育改革，幾乎都把推廣閱讀風氣，提升閱讀能力，列為重點。

圖書館為了提供讀者適當且符合其需要的服務，讀者的閱讀需求與行為，一直是圖書館從業人員所關心的重要課題。

本研究抽樣調查高中生的課外閱讀行為，主要目的在瞭解高中生課外閱讀的習慣、動機、興趣，及高中生圖書館利用的態度，以作為圖書館服務學生，推廣課外閱讀活動與圖書館利用的參考。

貳、文獻探討

一、閱讀的重要性

閱讀是學生學業成功的基礎，閱讀為增強學習能力的最佳利器。最新的腦部研究發現，閱讀和聯想力、創造力、感受力、理解力、記憶力都有極大關聯。

中央大學認知與神經學研究所所長洪蘭指出：「閱讀讓腦袋變靈光。」因為閱讀刺激我們的神經，神經的聯結就愈緊密。經驗是學習最好的方法，要獲得經驗要藉由大量的閱讀，將別人的經驗內化為自己的（洪蘭，民 91）。

閱讀能力高低影響競爭力，「閱讀」在學生生活中所佔的比重，有被邊緣化的情況，學生閱讀能力也有退步的現象。由於高中生對事物充滿好奇，渴望吸收獲取各式各樣的新知，老師多鼓勵學生閱讀課外讀物，是培養學生自信和創新的開始，也是許學生一個美好未來最簡便的投資。

二、影響高中生閱讀行為的因素

(一)青少年讀物

如前所述，美國學生在六年級至八年級從不作課外閱讀的比率甚高，究其原因，青少年將不喜歡閱讀的行為，歸因於找不到能引起閱讀興趣的好書。

郭麗玲（民89）指出高中生面對升大學的競爭，當然無暇去看課外讀物。既然青少年讀物沒有市場，作家及出版社也就不在這方面耕耘，臺灣的出版業出現斷層，從兒童讀物一躍就到了成人讀物。即使青少年想做課外閱讀，也找不到適合的書籍，成為惡性循環了。

方美鈴（民80）認為國內青少年讀物在量與質上都無法和成人讀物及童書相比，其中最大的因素即在父母、學校、教育學者，甚至青少年自己都尚未正視青少年讀物的重要性。

換言之，適合青少年閱讀的圖書出版量不多，以致學生課外讀物選擇性不多。

㈡閱讀習慣

有八成青少年課外讀物來自自己購買（Mellon, 1992）。一般青少年課外讀物的來源大多數是購買的，其次是向他人借閱，從圖書館借閱者反而較少（羅如蘭，民82）。

黃育君（民87）調查學生的閱讀行為指出，閱讀資料來源以向圖書館借閱佔大部分，向同學朋友借的比例亦不少。大部分學生都利用週末假日或寒暑假從事課外閱讀，而近半數的學生每日也僅閱讀半小時至一小時。閱讀場所絕大多數是在自己家裡，其次是圖書館與書店。選擇課外讀物則來自同學或朋友的建議，可有共同的話題並與同學彼此分享。

謝彩瑤（民90）調查台東師院學生課外閱讀行為指出，課外讀物訊息來源同學介紹佔最大多數，而店面陳列及大眾傳媒亦有六成多之比率。

㈢閱讀動機

從黃育君（民87）調查得知，高中生閱讀課外讀物的主要原因在於休閒娛樂，或因無聊藉著閱讀以達消遣的目的，為了增加知識而閱讀則為其次的動機。

楊曉雯（民84）指出學生的閱讀動機以最近可得、排遣無聊、作為休閒和交報告為主；對第一類組學生而言，是其平常的喜好、尋求休閒與放鬆的方式。

高中生受學校老師影響甚大，許多是因老師推薦某書而從事閱讀，同時對於課外閱讀，學校老師也多持鼓勵的態度，不但指定閱讀而且要求心得寫作，無形中養成學生閱讀課外讀物的習慣。而學校於寒暑假期間開列課外讀物書單，也是驅使同學接觸優良課外讀物的重要因素。

㈣閱讀興趣

就主題而言，年齡與性別是影響青少年閱讀興趣的主要因素。從各項研究可歸納出，青少年對小說類圖書較感興趣，男生對科幻、冒險主題較有興趣，女生對浪漫愛情小說、歷史故事較有興趣。黃育君（民 87）研究指出，青少年喜歡的主題亦包括勵志類書籍、散文、傳記、美術類、自然科學類等。而青少年最常閱讀的資料類型，依次是圖書、雜誌、報紙。楊曉雯（民 84）則發現報紙是學生閱讀頻率最高的類型。嚴媚玲（民 89）研究歸納出大學生課外閱讀上，散文小說類的休閒讀物較受歡迎，而勵志類主題的讀物也經常被提到。

三、高中生與圖書館利用

(一)高中生與圖書館

青少年的閱讀與資訊需求可分為三方面（Harmon & Bradburn, 1988）：

1.休閒的資訊需求：滿足課業壓力以外的社交、娛樂或嗜好等需求。

2.課業上的資訊需求：滿足個人研究興趣與課業上的需求。

3.生活上的資訊需求：非系統性，有關日常處世所需的資料，如升學、就業、醫療保健或是未來生涯規劃等。

資訊時代來臨，學校圖書館扮演的角色更多元化，它同時兼具資料、教學、學習、服務、閱讀、娛樂中心的功能。圖書館能為青少年提供服務，協助他們滿足上述的需求，在豐富的館藏中快樂閱讀。其最終的目的在配合學校教育計畫，充實館藏資料，支援教學活動，充分發揮教學資源中心的功能。

學校圖書館不只是提供影印或晚自習的場所而已，還是學校文化中心所在，更是學校心臟地帶，但是，學生到圖書館只為有個安靜舒適的場所，得以溫習功課或準備考試，而未能善用館內館藏資源，或其他的推廣服務項目，殊甚可惜。

(二)學生圖書借閱情形

松山高中採男女混合編班，男女生比率相當，九十二學年度第一學期借書流通統計，各年級每人每學期平均借書量分別為，一年級為 1.1 本，男生平均為 0.8 本，女生平均為 1.3 本；二年級為 1.2 本，男生平均為 0.7 本，女生平均為 1.6 本；三年級為 1.3 本，男生平均為 0.8 本，三年級女生平均為 1.9 本。

圖書借閱最大的比率是語文類，其次依序是史地類、美術類、自然科學類、社會科學類。就年級而言，其中一、三年級在語文類的借閱率各佔 74.5%，二年級僅佔 58.7%，唯二年級在應用科學類及社會科學類的借閱率各將近一成；各年級在自然科學類方面的

借閱率也不低，一、二、三年級各佔將近一成。

就性別而言，三年級女生總借書量及各類借書比率都是男生的 2 倍；二年級女生總借書量是男生的 2.4 倍，除語文類女生是男生的 2.7 倍外，其他各類借書比率男女生大致相同；一年級女生總借書量是男生的 1.9 倍，除自然科學類男生是女生的 3 倍，史地類女生是男生的 2 倍外，其他各類借書比率男女生大致相同。

以上數據顯示，女生比男生愛課外閱讀，課外閱讀的量與年級成正比，換句話說，年級愈高，讀課外書籍愈多。圖書借閱最大的比率是語文類，唯自然科學類、應用科學類及社會科學類的借閱率也不低。

參、結果與討論

一、高中生課外閱讀習慣之分析

(一)每天課外閱讀的時數

整體而言，松山高中學生平均每天課外閱讀的時數九成都在 1 小時以內。但發現平均每天課外閱讀的時數在 2 小時以上的，和年級成正比，以三年級的佔多數。換句話說，年級愈高平均每天課外閱讀的時數愈多，且調查結果與黃育君（民 87）每日僅閱讀半小時至一小時相近。最大的可能是學生因升學壓力，挪不出太多時間作課外閱讀。

(二)看課外讀物的地點

結果顯示，松山高中學生看課外讀物的地點九成左右都在自己家裡，其次是在圖書館佔五成多，而在書店也有五成。

可見大多數同學習慣在家中閱讀居多，因為在屬於自己熟悉的空間裡，不受他人干擾，有較良好的效果。而使用圖書館的比率與書店相差無幾。圖書館在知識世紀，應發展更多的附加價值，營造更優質的閱讀環境。換句話說，圖書館勢必要再轉型找到新定位，重新設定館藏發展與服務目的，才能吸引逐漸流失的閱讀群眾。

(三)看課外讀物的時間

結果顯示，松山高中學生看課外讀物的時間大多數是放學後在家時間，其次是在例假日（寒暑假）。放學後在家時間是一天休閒較長的時間，而例假日（寒暑假）課業很少，是最輕鬆的時候，都是較適合進行長時間性或持續性的閱讀活動。

(四)課外讀物的來源

結果顯示，松山高中學生課外讀物的來源七成是自己買的，其次是向同學朋友借的，

而向圖書館借的亦不少。可見大多數同學習慣擁有自己的書籍。此結果與文獻所述相符。

（五）和誰一起閱讀課外讀物

　　結果顯示，松山高中學生絕大多數都是自己一個人閱讀課外讀物。但和同學朋友一起閱讀課外讀物的佔一成，顯示同儕的影響不可忽視。

　　閱讀本身是一種傳播接受行為，尤其會受直接親密關係團體彼此相互影響，所以閱讀受同學朋友影響甚鉅。如前所述，課外讀物借自同學朋友，也是課外讀物來源的大宗，此一行為正可呼應同學朋友間閱讀行為相互影響的事實。

（六）選擇課外讀物的考量

　　結果顯示，松山高中學生選擇課外讀物大多數以書的主題內容為考量，佔 86.0%，其次是同學介紹佔 45.9%，不過考量書本的作者也佔了 36.6%。

　　就性別作進一步分析，女生考量「同學介紹」、「書本的作者」的比率遠高過男生。「同學的影響」是影響閱讀「人」的因素佔最大比例的。

（七）每學期課外閱讀的數量

　　結果顯示，松山高中學生平均每學期課外閱讀的數量以三至四本居多佔 34.2%，與九十二學年度上學期借書流通統計每人每學期平均借閱量的數字相符，而平均每學期課外閱讀的數量十本以上的佔 18.3%，也為數不少。

　　但發現平均每學期課外閱讀數量的多寡和年級成正比，尤其是數量十本以上的，以三年級的佔多數。換句話說，年級愈高平均每學期課外閱讀的數量愈多，此調查結果與九十二學年度上學期借書流通統計的數字相符。

（八）獲得課外讀物資訊的管道

　　結果顯示，松山高中學生獲得課外讀物資訊的管道七成是透過書店展示得知，其次是同學介紹佔六成，而大眾媒介與網際網路也發揮蠻大的效果，由此可見學生獲得課外讀物資訊的管道非常多元。

　　就性別作進一步分析，獲得資訊的管道所有變項中，女生的百分比皆高過男生，尤其是同學介紹的變項。研究發現，同學朋友間的相互影響，不僅在「選擇課外讀物的考量」，亦呈現在「獲得課外讀物資訊的管道」上。

（九）主要休閒活動

　　結果顯示，松山高中學生課餘時間主要休閒活動看電視的佔 73.3%，其次是聽音樂（廣播）佔 71.4%，而睡覺的佔 59.4%，閱讀課外書刊的佔 46.6%。

　　就性別作進一步分析，男、女生的休閒活動有所不同，女生比男生愛看書，閱讀在

女生休閒時的排名是第四位，在男生的排名落到第七位。男生第三順位是玩電玩遊戲，佔 64.1%遠高過女生的 12.5%，不過女生第五順位逛街的比率也頗高佔 43.0%，遠超過男生的 16.3%。

可見學生忙著考試、補習、升學，其精神出口普遍是電視、電玩，有句玩笑話說「沒有常識也要看電視」，反映了多數學生休閒的方式非常狹窄，看電視、聽音樂是學生假日主要的休閒方式，顯示學生休閒樣態以娛樂導向為主軸。

(十)每學期購買參考書的金額

結果顯示，松山高中學生平均每學期購買參考書的金額以 700-1000 元居多佔 29.6%，而 1100-2000 元的佔 25.4%，也為數不少。值得注意的是，從不買參考書的也佔 12.2%。

就年級作進一步分析，經由卡方考驗的結果達到顯著水準（***P<.001）。表示不同年級的學生平均每學期購買參考書的金額有差異，其中一年級比二、三年級多。

平均每學期購買參考書的金額在 700-2000 元，甚至花費更多的，以性別而言，則女生居多；以年級而言，則一年級居多；以類組而言，第一類組與第三類組都超過六成，第二類組則不到五成，僅佔 46.4%。就性別、年級、類組的變項而言，從不買參考書的以男生、二年級及第二類組居多。

(土)每學期購買課外讀物的金額

結果顯示，松山高中學生平均每學期購買課外讀物的金額以 400-600 元居多佔 28.0%，其次是 300 元的佔 24.2%。值得注意的是，從不買課外讀物的也佔 13.4%。

就類組作進一步分析，經由卡方考驗的結果達到顯著水準（**P<.01）。表示不同類組的學生平均每學期購買課外讀物的金額有差異，第二類組從不買的比第一類組多。

就性別、年級、類組的變項而言，從不買課外讀物的以男生、三年級及第二類組居多。

二、高中生課外閱讀動機及興趣之分析

(一)閱讀課外讀物的原因

結果顯示，松山高中學生閱讀課外讀物的原因以喜愛閱讀佔 65.9%，其次是打發時間佔 60.3%，不過在追求新知上也佔了 38.6%。

就性別作進一步分析，女生最主要的原因是喜愛閱讀，其次是打發時間，而男生則與女生相反。

(二)曾經推薦課外讀物的學科

結果顯示，松山高中學生認為學校各學科教師都曾經推薦課外讀物，但集中在少數學科推薦的比率較高，其中國文科佔八成，英文科佔五成，生物科一成。

許多研究發現，學生閱讀課外讀物是受學校老師推薦的影響，老師在課堂上分享閱讀經驗並鼓勵，此舉無形中養成學生課外閱讀的習慣。學校各科教師應肩負推動與引導的責任，廣泛性推薦優良讀物，以培養學生閱讀習慣，做好終身學習的準備。

(三)很少閱讀課外讀物的原因

結果顯示，松山高中學生很少閱讀課外讀物的原因八成是因為課業繁重，其次依序是沒錢買書佔 24.3%、沒有興趣佔 21.1%、書店找不到喜愛的書佔 19.2%。可見除了升學壓力外，適合青少年閱讀的圖書出版量不多、選擇性低，也是導致學生很少閱讀課外讀物的原因。

(四)課外閱讀的主題

結果顯示，松山高中學生課外閱讀的主題以翻譯小說佔 46.5%，其次依序是勵志、心理佔 38.2%、散文佔 37.9%、武俠小說佔 37.2%。

就性別及年級作進一步分析，男生最喜歡閱讀的主題是武俠小說佔 49.9%，其次依序是科幻小說 37.9%、幽默短文 37.3%、翻譯小說 36.4%；女生最喜歡閱讀的主題是翻譯小說佔 56.7%，其次依序是散文 51.9%、勵志、心理 44.2%、國內文藝小說 42.1%。而男生喜歡閱讀科普、資訊主題的書則遠勝過女生許多。

另外，一年級比二、三年級更喜歡閱讀勵志、心理主題的書。

(五)喜歡的課外讀物資料類型

結果顯示，松山高中學生喜歡的課外讀物資料類型以紙本印刷居多佔 78.8%，其次是網路上閱讀佔 7.5%。

就性別、年級、類組的變項而言，喜歡紙本印刷資料類型的以女生、三年級及第一類組居多。

從上面的結果顯示，雖然網路發達和電子資料庫盛行，學生對實體圖書館和紙本印刷資料之需求依然不減，表示圖書館所提供的閱讀環境和營造的文化氣氛，是網路空間網路空間所無法取代的。

(六)課外閱讀的類型

結果顯示，松山高中學生課外閱讀的類型以圖書為主，佔 67.6%，其次依序是雜誌佔 58.8%、報紙佔 52.7%、漫畫書佔 50.6%。就性別作進一步分析，女生喜歡圖書的比率

遠高過其他三種類型，佔 74.9%，漫畫書則敬陪末座佔 40.6%；男生最喜歡閱讀雜誌（61.8%），其次是漫畫書（60.3%）與圖書（60.3%）。

三、高中生圖書館利用之分析

(一)到自己學校圖書館的主要目的

結果顯示，松山高中學生到自己學校圖書館的主要目的是影印佔 58.4%，其次是看（查）書報雜誌佔 35.7%。就性別作進一步分析，女生去圖書館借還書（期刊）的比率遠高過男生，佔 39.1%。

(二)到自己學校圖書館的平均次數

結果顯示，松山高中學生到自己學校圖書館的平均次數以 3 至 4 週一次居多佔 42.5%，其次是 1 至 2 週一次佔 18.4%，值得注意的是，從不去圖書館的佔 18.1%，為數不少。

就年級作進一步分析，經由卡方考驗的結果達到顯著水準（**P<.01）。表示不同年級的學生到自己學校圖書館的平均次數有差異，其中一年級從不去圖書館的比二年級多。

就性別、年級、類組的變項而言，從不去圖書館的以男生、一年級及第二類組居多。

從上面的結果顯示，每天去圖書館與從不去圖書館的學生相差懸殊，是亟需努力的重點。未來圖書館如何推廣圖書館利用教育，並引導學生深度利用圖書館，是刻不容緩的。例如辦理更多元化的閱讀推廣活動，透過閱讀活動，使學生更喜歡進圖書館，使學生更愛讀書，並且有更多的學生一起來讀書，讓學校成為一個充滿書香的閱讀校園、人人樂於閱讀的學習型校園。

(三)利用自己學校圖書館的原因

結果顯示，松山高中學生利用自己學校圖書館的原因最主要是課業需要佔 56.3%，其次依序是方便性佔 55.0%、不用花錢則佔 42.6%。

(四)圖書館利用的態度

圖書館利用的態度整體分析上，大多數都達到「同意」的積極層面，不過僅有「我會使用網路資源找到需要的資料（M=3.36）」、「我認為利用圖書館找資料對寫報告很有幫助（M=3.00）」兩個子項，其平均數在四點量表中達到 3.00 以上。另外，「我在圖書館內找尋資料的技能很熟練（M=2.39）」、「我覺得學校老師上課時有教同學們找資料的方法（M=2.48）」、「我覺得學校圖書館辦的活動會引發自己想看課外讀物的動機（M=2.26）」三個子項平均數過低，在在都值得圖書館未來規劃圖書館利用教育與推廣

活動時的借鏡，以積極爭取學生的重視和參與。

　　就性別作進一步分析，經由單因子變異數分析，「我會使用學校圖書館首頁找到館藏資料（***P<.001）」、「我知道如何使用圖書館內的參考工具書（百科全書、字典）（*P<.05）」、「我認為學校寒暑假開列指定書單對自己的課外閱讀有幫助（***P<.001）」三個子項均達顯著差異，都是女生較男生同意情形來得高，可能是女生比男生愛閱讀課外讀物所致。

　　就年級作進一步分析，經由單因子變異數分析，「我會使用學校圖書館首頁找到館藏資料（**P<.01）」、「我覺得學校老師上課時有教同學們找資料的方法（***P<.001）」、「我覺得學校圖書館辦的活動會引發自己想看課外讀物的動機（*P<.05）」三個子項均達顯著差異，前兩項都是二年級較三年級同意情形來得高；後一項則是一年級較三年級同意情形來得高。

　　究其原因，可能是因「時近效應」的關係，一年級剛實施過圖書館利用教育且對圖書館舉辦的活動較熟悉之故。三年級則因課業繁重，未參與相關活動，所以，同意程度較低。

　　就類組作進一步分析，經由單因子變異數分析，「除了學校圖書館外我也常利用其他的圖書館（*P<.05）」、「我認為學校寒暑假開列指定書單對自己的課外閱讀有幫助（*P<.05）」二個子項均達顯著差異，都是第一類組較第二類組同意情形來得高，可能與第二類組從不購買課外讀物及從不去圖書館較多有關。

圖書館利用態度平均數、標準差一覽表

變項（N=678）	平均數	標準差
我會使用網路資源找到需要的資料	3.36	.64
我會使用學校圖書館首頁找到館藏資料	2.79	.74
我知道如何使用圖書館內的參考工具書（百科全書、字典）	2.95	.66
我在圖書館內找尋資料的技能很熟練	2.39	.72
我認為利用圖書館找資料對寫報告很有幫助	3.00	.72
我認為圖書館實施利用教育課程對如何使用圖書館很有幫助	2.80	.70
除了學校圖書館外我也常利用其他的圖書館	2.89	.83
我覺得學校老師上課時有教同學們找資料的方法	2.48	.75
我認為學校寒暑假開列指定書單對自己的課外閱讀有幫助	2.67	.87
我覺得學校圖書館辦的活動會引發自己想看課外讀物的動機	2.26	.81

肆、結論與建議

一、結論

㈠在圖書館利用的態度方面,大多數高中生都持積極的態度,且性別、年級、類組會影響圖書館利用的態度,其中女生較男生積極;一、二年級較三年級積極;第一類組較第二類組積極。

㈡高中生大多數是利用放學後在家時間,自己一個人在自己家裡閱讀自己買的課外讀物居多,平均每天閱讀的時數在 1 小時以內。

㈢高中生喜歡的課外讀物資料類型以紙本印刷的圖書為主,平均每學期閱讀三至四本居多。至於獲得課外讀物資訊的管道主要是透過書店展示得知,選擇課外讀物大多數以書的主題內容為考量,唯受同學的影響也很大。

㈣高中生平均每學期購買參考書的金額以 700-1000 元居多,且在年級上有差異,一年級比二、三年級多。購買課外讀物的金額以 300-600 元居多,且在類組上有差異,第二類組從不買的比第一類組多。

㈤高中生課餘時間主要休閒活動以看電視及聽音樂(廣播)為主。閱讀課外讀物的原因是喜愛閱讀及打發時間,很少閱讀課外讀物是因為課業繁重。

㈥學校各學科教師都曾經推薦課外讀物,但集中在國文科及英文科。課外閱讀的主題以翻譯小說最多,其次依序是勵志、心理、散文、武俠小說。

㈦高中生平均 3 至 4 週會到自己學校圖書館一次,且在年級上有差異,一年級從不去圖書館的比二年級多;主要是去影印,其次是看(查)書報雜誌。至於利用自己學校圖書館資料的原因,主要是因為課業需要。

㈧學生希望學校圖書館在課外閱讀提供的協助包括:公佈借閱排行榜、新書介紹(導讀)、舉辦作家講座或座談會、加強實施圖書館利用教育次數、增加並更新電腦等。

二、建議

㈠教師

1.為強化高中生課外閱讀,除改善學生之學習環境外,如何充實教師本身之閱讀素養,如何增強教師指導閱讀課外讀物之能力,亦是努力的途徑。

2.學校各科教師應肩負推動與引導的責任,廣泛地為學生推薦優良的課外讀物,並

由老師輔導,漸進培養閱讀習慣,進而在社會中為自己尋找定位。

(二)圖書館

1.圖書館是閱讀運動最大的推手,學校圖書館應積極鼓勵學生多閱讀和多利用圖書館,並為學生選擇優良讀物、舉辦讀書會,培養他們成為終身的愛書人。

2.為鼓勵高中生閱讀,建議各大學在推甄、申請入學的甄選條件中,加一項由就讀學校提供學生三年的借閱紀錄,一方面可以推動高中生的自我學習,擴大讀書範圍的意願;一方面可以提高學校圖書館對學生的教育職責,也可以使學校重視圖書館教育活動,對學生、學校圖書館、學校均有正面、積極的意義。

(三)出版界

1.青少年的讀書風氣和寫作能力已有日趨下降的現象,圖像式文化,應及早出版適合青少年的讀物,政府相關單位亦應多輔導鼓勵出版界,出版適合青少年的優良讀物,以好的出版品幫助青少年成長。

2.處在競爭激烈的升學考試、沉重參考書與厚厚近視鏡片大環境下的青少年,希望專家推薦適當的讀物,來引導、啟發青少年,讓他們知道甚麼樣的課外書能帶給他們更寬廣的視野、更美好的讀書趣味,與更開闊的知識空間。

參考文獻

方美鈴(民 80)。〈不讀書或沒書讀——漫談青少年讀物〉。《精湛季刊》,13,25-27。

林麗雪(民 92.03.30)。〈上網、打電腦青少年休閒最愛〉。《民生報》,A7。

洪 蘭(民 91)。〈活化大腦激發創造力〉。《天下雜誌》,263,92-94。

郭麗玲(民 89)。〈青少年閱讀指導〉。《全國新書資訊月刊》,18,11-13。

黃育君(民 87)。〈青少年閱讀行為與公共圖書館服務探討——以雲林縣立文化中心圖書館閱覽室青少年讀者為例〉。《圖書與資訊學刊》,26,54-78。

楊曉雯(民 84)。〈高中生閱讀行為研究——以台北市建國高級中學學生為例〉。未出版碩士論文,淡江大學教育資料科學系,台北。

謝彩瑤(民 90)。〈台東師院學課外生閱讀行為調查研究〉。未出版碩士論文,臺東師範學院/教育研究所,臺東。

羅如蘭(民 82)。〈給青少年一片想像的天空〉。《社教雙月刊》,55,50。

嚴媚玲(民 89)。〈大學生的閱讀行為概述〉。《全國新書資訊月刊》,19,12-15。

Harmon, Charles T., & Bradburn, Frances B.(1988, Summer) "Realizing the Reading and Information Needs of Youth," *Library Trends* 37:19-27.

Ley, T.C., Schaer, B.B., & Dismukes, B.W.(1994) "Longitudinal study of the reading attitude and behaviors of middle school students," *Reading Psychology: An International Quarterly* 15:1.

Mellon, C.A. (1992) "It's the Best Thing in the World! Rural Children Talk about Reading," *School Library Journal* 38:39-40.

書目計量/引文

臺灣地區圖書資訊學門博碩士論文
暨專題研究計劃探析
The Analysis of Theses and Research Projects
on Library and Information Science
in Taiwan

楊美華
Mei-hwa Yang

摘　要

　　研究是每一個學科發展其理論的基礎，研究者所從事的研究主題、研究方法反映在其所發表的論著上，若能從專業文獻所發展的主題、數量等方面予以分析，將可深入了解某一個學科領域的研究現況及發展趨勢。隨著圖書資訊研究所的增設，博碩士論文也急劇成長，自 1970 年至 2002 年為止，臺灣地區圖書館學相關的博、碩士論文計 678 篇。（其中博士論文 25 篇，碩士論文 653 篇）；其中，由圖書館學研究所所產出的論文共 595 篇（其中博士論文 14 篇，碩士論文 581 篇）。就研究方法而言，臺灣地區圖書資訊學博碩士論文，以調查法最多，約佔 55%（其中問卷調查法 39%、訪談法 14%、觀察法 2%）；其次為歷史研究法，約佔 12%。就研究主題而言，以讀者服務（201 篇）居多，其次為圖書館行政與管理（119 篇）、圖書館自動化與網路（66 篇）、技術服務（64 篇），而圖書資訊學教育最少，僅 37 篇。自 1970 年以來，筆者所能彙整之專題研究計畫報告共計 448 篇，就執行機構而言，

臺大一枝獨秀，遙遙領先；其次為淡江、輔大及師大。就補助單位而言，主要的經費來源為國科會，其次為教育部。

Abstract

In order to contribute to the better understanding of the status and trends of development in the library and information science literature in Taiwan, this study tries to analyze theses and research projects from 1970 to 2002. The findings shows that there were 678 theses completed and 448 research projects produced. The research methods frequently used by the MLS graduates were survey methods and historical methods. As for the subject matters, readers' services and library management turn out to be the most popular ones. For the projects conducted by the institutions, National Taiwan University is the most active one, followed by Tamkang University and National Taiwan Normal University. NSC is the biggest sponsor.

關鍵詞：學位論文；專題研究計畫；圖書資訊學文獻

Keywords: Thesis; Research Project; Library and Information Science Literature

壹、前言

圖書資訊學是一門理論與實務並重的學科。然而許多文獻指出圖書資訊學由於追求專業，過於實務取向，因而缺乏研究的訓練。大多數的圖書館員缺乏從事較複雜的學術研究訓練，以致於圖書資訊學研究無法溶入整個圖書資訊界的核心；而圖書資訊學的專業期刊，常充滿結果的表達與影響，缺乏較嚴謹的研究証據。Busha 曾經說過：「實務應該植基於理論的指導，而理論應能豐厚實務的經驗」。[1]圖書資訊學若欲成為一門科學，就必須投入相對的學者和研究人員，並規律地運用科學方法分析各種問題之間的關係。惟有建立一般性的理論架構之後，圖書資訊學才能真正成為一門科學。[2]

創造性思考必須基於既存知識的使用，因此強化自己的知識有助於創造力的產生。既存知識不僅提供領域特定的知識，也影響個人思維的方式，[3]所以研究成果的累積與吸收誠屬重要。研究是每一個學科發展其理論的基礎，研究者所從事的研究主題、研究方法反映在其所發表的論著上，若能從專業文獻所發展的主題、數量等方面予以分析，將

可深入了解某一個學科領域的研究現況及發展趨勢。誠如 Atkins 所言：惟有藉由系統化的方法，分析圖書館學與資訊科學的文獻，才能瞭解圖書館學的過去、現在以及未來應有的方向。④而不斷地對圖書資訊學研究結果進行分析，將有助於自我檢視、分辨未來的需求、培育新的技術。⑤

施孟雅的研究指出國內圖書館學者對其他領域提供良好的資訊服務，但對於本身圖書館學領域的研究發展狀況及文獻特性的研究，反而較忽略。⑥民國 81 年李德竹的研究報告顯示我國圖書館學教師之著作中，平均引用參考文獻約僅七篇，而引用圖書館學與資訊科學的文獻則高達 85.4%，⑦且自我引用的比例高達 83%，可見圖書館學門的發展過於封閉性；⑧鄭麗敏由參考文獻的主題分佈，亦發現臺灣地區圖書館學與資訊科學並不具科際研究的特性。⑨

歸納而言，臺灣地區圖書資訊學的研究呈現下列的瓶頸：

1.理論與實務脫節，過份強調實務，缺乏理論的基礎；

2.急於套用其它學科的研究成果，而忽略本身研究的價值；

3.缺乏其它學科背景及研究方法的訓練。⑩

貳、文獻探討

一、圖書館學研究方法的類別

科學方法可以分為三個層次：第一層次是各學門具體科學所特有的方法，如圖書館學和資訊科學中的書目計量法和引文分析法等，它們用於具體的解析事物的某一特性；第二層次是科學研究的一般方法，從科學研究的某一角度揭示認識的一般進程。這類方法有觀測、實驗、假設、比較、模型、分析和綜合、歸納與演繹以及數學方法等，第三層次則是哲學方法。⑪

以最簡略的二分法而言，研究方法可分為質的研究與量的研究。Robert Grover 和 Jack Glazier 認為，不論是質的研究或是量的研究都依賴資料的蒐集。不同的是，量化的方法與數學的邏輯性有較緊密的關聯，而質化的方法則與層級的邏輯有較大的關聯。此外，質化研究需要收集敘述性的資料，加以分析並做一般性的處置，辯証法無法提供新的資料，但可用於解釋的過程，因為它可以給與存在的資料意義。⑫

B. C. Peritz 針對「研究方法論」（Research Methodology），分類如下：

1.理論／分析研究（Theoretical/analytical research）

2.資訊系統設計（Information system design）

3.使用者調查（Surveys on the library public）

4.圖書館、服務、作業、館員的調查或實驗性研究（Survey or experiments on libraries, services, operations or librarians）

5.書目性研究（Bibliographic studies）

6.內容分析（Content analysis）

7.二次文獻分析（Secondary analysis）

8.歷史方法（Historical methodologies）

9.描述性書目（Descriptive bibliography）

10.比較研究（Comparative studies or regions or systems using methodologies other than the above）

11.其他和綜合性（Other and multiple）[13]

就研究方法而言，K. Jarvelin 和 P. Vakkai 曾經細分如下：

M10：實證研究策略（Empirical Research Strategy）

M30：概念性研究策略（Conceptual Research Strategy）

M40：數學 / 邏輯方法（Mathematical / Logical Method）

M50：系統 / 軟體分析 / 設計（System / Software Analysis / Design）

M60：文獻探討（Literature Review）

M70：討論性文章（Discussion Paper）

M80：書目性方法（Bibliographic Method）

M90：其他方法（Other Method）

M00：無方法 / 不適用（No Method / Not Applicable）[14]

大陸祁玖麟曾從事圖書館學方法論的研究，其將研究法分為五大類：哲學方法、經驗科學方法（調查、實驗法）、理性思維方法（歷史、邏輯、比較分析、歸納和演繹）、橫向科學方法（數學、控制、系統論等），以及圖書情報學專門方法（文獻計量學、引證分析、文獻信息處理）。其研究結果發現哲學總論性文章占了大多數（31.7%）。[15]

華薇娜針對大陸地區圖書館學情報學等研究狀況予以定量分析，其中研究方法的分析計有：1.理論分析法 2.經驗總結分析法 3.歷史法 4.描述法 5.實例分析法 6.調查法 7.文獻研究：引文分析 8.數學方法 9.二次分析法 10.比數分析法 11.實驗方法 12.內容分析法 13.專家法等。[16]

而白崇遠則認為大陸地區常用的圖書館學、情報學研究方法有 14 種，分別是：調查統計法、實驗法、概念分析法、歷史研究法、比較分析法、理性思維法、心理學法、數學方法、文獻計量學法、引文分析法、系統論法、控制論法、信息論法、計算機自動化研究法等。[17]

圖書館學研究方法指的是圖書館學研究中所運用的理論、原則和方法。持平而論，圖書館學不是十分成熟的學科，因而其本身特有的研究方法比較少，其研究方法大多來自其他學科，[18]歸納來說，臺灣地區圖書館學研究常採行的研究方法約有實驗法、調查法、歷史法、作業研究、個案研究、比較研究、書目計量法、內容分析法等。

Schlachter 與 Thomison 兩位學者針對 1925-72 年中，660 篇圖書館學的學位論文，分析其研究方法，結果顯示調查法佔 44%，居各法之首，其次為歷史法。[19]Grotzinger 分析 1977-78 年的博士論文，發現調查研究與歷史法是最常被引用的方法。[20] Peritz 在分析 1950-75 年間三十九種核心期刊的文獻，發現最常使用的研究法為實驗或調查研究，約占三分之一的比例。[21]

Kim 分析 Collage and Research Libraries 期刊二十年間的研究文獻，結果亦與前述一致，惟調查研究的比例卻有逐年減少的現象。[22]Jarvelin 和 Vakkari 的調查顯示在圖書館學與資訊科學之論文中，以歷史法和調查法為最多，使用書目計量法者僅佔 4.2%。[23]

Nour 針對 1980 年代 41 種圖書館學核心期刊進行研究分析，發現僅有 24.4%的期刊文章屬於研究性論著，使用的研究方法以調查法居多，約佔 40%。[24]而 Feehan 等人亦於 1984 年針對 90 種圖書館學與資訊科學期刊 2,689 篇文章進行分析，結果發現 23.6%的文章屬於研究性文獻；半數以上的文章屬於實務性的探討，最常用的研究方法係歷史法，佔 24%。[25]

程煥文的研究指出在大陸地區最流行的研究策略是歷史法和無適當方法，而最不流行的研究策略則是實驗法和調查法。[26]

施孟雅的學位論文就臺灣地區十四種圖書館學期刊文獻，進行書目計量學的相關分析，結果發現有 36.3%的文獻採用調查法，其次為歷史法（26.8%），而各研究法的文章篇數並沒有逐年增加或減少的趨勢。[27]陳旭耀的研究針對臺灣地區的碩士論文進行引用文獻分析，發現最常用的研究方法是文獻分析法、問卷調查法和歷史研究法，[28]筆者的研究亦有類似的結果。[29]

二、圖書館學研究主題的分佈

Jarvelin 和 Vakkari 對圖書館學文章的研究主題做如下的分類：

01.圖書館事業（The Profession）

02.圖書館史（Library History）

03.出版（圖書史）（Book History）

10.圖書館學和資訊科學教育（Education in L & IS）

20.方法論（Methodology）

30.圖書館學和資訊科學分析（Analysis of L & IS）

40.圖書資訊學服務活動（L & IS Service Activities）

50.資訊儲存和檢索（Information Storage and Retrieval）

60.資訊尋求（Information Seeking）

70.科學和專業傳播（Scientific and Professional Communication）

80.其他方面（Other L & IS Aspects）[30]

Nour 曾將圖書館學的研究主題分為：⑴圖書館行政、⑵讀者服務、⑶技術服務、⑷資料研究、⑸自動化、⑹圖書館史、⑺資訊科學理論、⑻圖書及出版相關研究，和⑼其它。[31]其於 1980 年分析四十一個重要圖書館學期刊文獻的主題，顯示超過 20%的著作探討行政問題，是所有研究主題比例最高者。[32]

華薇娜針對大陸地區圖書館學情報學等研究狀況予以分析，其中研究內容主題如表 1[33]：

表1：大陸地區圖書館學情報學研究內容主題（華薇娜）

大　類	小　類
一、綜論	⑴圖書館史、圖書館學史；⑵圖書情報與社會；⑶外國圖書館、圖書館學
二、圖書情報工作與事業研究	⑴圖書情報學教育；⑵圖書館地位、職能；⑶法規、標準、職業道德；⑷各類型館（所）；⑸事業建設與發展
三、理論研究	⑴綜述；⑵基礎理論；⑶情報交流、組織、系統；⑷文獻計量（含自動標引）；⑸目錄學
四、應用研究	⑴行政管理；⑵公共服務；⑶技術加工；⑷文獻開發與利用；⑸建築與環境；⑹資源共享；⑺讀者研究；⑻自動化、現代化
五、其他	

而白崇遠則認為研究內容有下列幾種（表2）[34]：

表2：大陸地區圖書館學情報學研究內容主題（白崇遠）

大　類	小　類
一、綜論	(1)圖書館史、圖書館學史；(2)圖書情報與社會；(3)外國圖書館、圖書館學；(4)圖書情報工作與事業研究
二、圖書情報事業研究	(1)圖書情報學教育；(2)圖書館地位、職能；(3)法規、標準、職業道德；(4)各類型館
三、圖書情報工作研究	(1)行政管理；(2)公共服務；(3)技術加工；(4)情報檢索；(5)情報交流；(6)情報技術；(7)資源共享；(8)情報需求和讀者分析輔導；(9)文獻研究
四、其他	出版、檔案、其他

　　大陸地區有關研究主題分析的文獻亦不少，如邱均平先生取幾種大陸圖書館學的專業期刊，細分五十八個主題類目，結果以「情報科學」一類最多。[35]吳慰慈的研究則以「情報檢索」一類居多。[36]程煥文的研究指出，圖書館學和資訊科學基礎理論、訊息服務和相關學科是大陸地區圖書館研究最流行的主題，這三個主題的數量占了全部論文數量的百分之六十。[37]

　　有關主題的分類，臺灣地區先後有以下幾種分類法（參見表3）。

表3：圖書資訊學研究主題相關研究

編　者	題　名	年　代
國立中央圖書館	圖書館學文獻目錄	1986年
漢珍公司	中文圖書資訊學文獻摘要	1998年
國科會科資中心	科資中心分類表	
施孟雅	從專業文獻分析我國臺灣地區的圖書館學研究	1992年
陳旭耀	臺灣地區圖書資訊學碩士論文及其引用文獻之研究	1997年
楊美華	臺灣地區圖書資訊學研究之特性及發展	1999年
羅思嘉、陳光華、林純如	圖書資訊學學術文獻主題分類體系之研究	2001年

　　其中，施孟雅和陳旭耀的主題分類大同小異，茲以施孟雅所採用的架構說明如表4：

表 4：施孟雅圖書資訊學研究主題相關研究

大　類	小　類
一、圖書館學與圖書館事業	(1)通論；(2)圖書館與文化建設；(3)圖書館與資訊社會；(4)圖書館史；(5)中國圖書館學會；(6)圖書館人物；(7)國外圖書館、學會；(8)圖書館週圖書館發展趨勢；(9)圖書館哲學、目的、功能；(10)國際關係
二、圖書館行政與管理	(1)通論；(2)人事；(3)規章；(4)組織；(5)經費；(6)建築；(7)業務統計；(8)評鑑；(9)決策、規劃、管理方法
三、技術服務	(1)通論；(2)徵集；(3)分類；(4)編目（CIP、權威控制、ISBN、標題）；(5)典藏（淘汰）
四、讀者服務與參考服務	(1)通論；(2)閱覽；(3)流通；(4)推廣；(5)參考服務；(6)參考資料；(7)利用指導；(8)特殊讀者服務；(9)讀者分析（使用研究、資訊需求）；(10)新知服務（SDI）
五、館際合作	(1)通論；(2)合作採訪；(3)合作編目；(4)合作典藏；(5)館際互借；(6)互惠閱覽；(7)合作人員訓練；(8)館際合作組織
六、特殊資料處理及利用	(1)期刊；(2)視聽資料；(3)特藏資料；(4)報紙、剪輯資料、小冊子；(5)檔案管理；(6)政府出版品；(7)其他
七、資訊科學與圖書館自動化	(1)資訊科學理論；(2)圖書館自動化通論；(3)圖書館自動化系統；(4)訊系統與資訊網；(5)資料媒體與技術；(6)機讀目錄（MARC）；(7)資訊儲存與檢索；(8)資料庫；(9)中文資料處理；(10)資料轉換
八、圖書館學與資訊科學教育	(1)國內外圖書館教育；(2)圖書館學系（所）課程；(3)繼續教育；(4)圖書館利用教育
九、各類型圖書館	(1)國家圖書館（呈繳制度）；(2)大學圖書館；(3)專門圖書館與資訊中心；(4)公共圖書館；(5)學校圖書館；(6)兒童圖書館；(7)文化中心；(8)鄉鎮圖書館
十、目錄學與版本學	
十一、出版事業	
十二、圖書館法規與標準	(1)圖書館法、標準；(2)著作權法、專利法；(3)自動化標準

　　鑑於國內外有關研究主題之分類甚為分歧，筆者在「臺灣地區圖書資訊學研究之特性及發展」研究計畫中制定之分類表如表 5：

表 5：楊美華研究計畫分類表

大　類	小　類
一、圖書資訊學通論	(1)圖書館史；(2)圖書館哲學；(3)圖書館相關組織；(4)圖書館人物
二、圖書館行政與管理	(1)通論；(2)建築、設備；(3)經費、財務；(4)組織；(5)人力資源；(6)圖書館法規與標準；(7)圖書館評鑑（包含業務統計）
三、讀者服務	(1)通論；(2)閱覽、流通；(3)參考資源；(4)參考服務；(5)資訊尋求行為；(6)利用教育；(7)推廣服務；(8)館際合作
四、技術服務	(1)通論；(2)徵集（採訪）；(3)分類；(4)編目；(5)典藏（包括維護、保存與淘汰）；(6)期刊；(7)特殊資料處理
五、圖書館自動化與網路	(1)資訊儲存與檢索；(2)圖書館自動化系統；(3)資訊技術；(4)資料庫；(5)電子出版品
六、圖書資訊學教育	(1)研究方法；(2)課程
七、目錄學與版本學	

此外，羅思嘉、陳光華、林純如在「圖書資訊學學術文獻主題分類體系之研究」一文中[38]，將圖書資訊學的主題類表區分如下：(1)圖書館與圖書館事業、(2)行政與管理、(3)技術服務、(4)讀者服務、(5)圖書資訊理論與基礎、(6)圖書資訊技術、(7)圖書與文獻、(8)其他。而圖書館年鑑的分類如下：

表 6：圖書館年鑑（91 年 p.351-352）

大　類	小　類
一、圖書館學總論	
二、圖書館學論文集	
三、圖書館事業	(1)各國圖書館事業；(2)圖書館誌；(3)圖書館暨資料單位名錄；(4)圖書館調查與統計
四、圖書館相關法制	
五、圖書館教育	
六、圖書館行政與管理	(1)通論；(2)標準與規章；(3)組織與編制；(4)建築與設備；(5)人力資源管理；(6)評鑑
七、館藏發展	(1)通論；(2)館藏建設；(3)館藏研究
八、技術服務	(1)通論；(2)資源組織與整理；(3)主題法；(4)典藏與館藏維護
九、讀者服務	(1)通論；(2)參考資源與服務；(3)圖書館利用教育；(4)讀者研究
十、圖書館合作	(1)通論；(2)合作組織與整理；(3)合作採訪；(4)合作編目；(5)館際互借與複印服務
十一、圖書館推廣與輔導	(1)通論；(2)推廣；(3)輔導；(4)圖書館與讀書會；(5)行銷與公共關係
十二、特殊資料	(1)通論；(2)視聽暨多媒體資料；(3)其他
十三、各類型圖書館	(1)國家圖書館；(2)公共圖書館；(3)大學及專科學校圖書館；(4)中小學（兒童）圖書館；(5)專門圖書館暨資料中心
十四、圖書館與出版	(1)通論；(2)電子出版；(3)出版法與圖書館

　　林巧敏針對民國 43 年 6 月至 82 年 6 月共 50 期的「中國圖書館學會會報」所發表的圖書館學研究性論著予以分析，發現研究性論著約 370 篇，就研究主題而言，以「資訊科學與圖書館自動化」一類和「圖書館學與圖書館事業」為最多，各佔 17.30%，其次為「讀者服務與參考服務」。[39]陳旭耀的研究針對臺灣地區的碩士論文進行引用文獻分析，發現圖書館行政與管理、讀者服務與參考服務、目錄學與版本學是主要的研究主題。[40]

　　根據楊美華自訂的分類表，臺灣地區圖書館學論著（至 1997 年止）之研究主題以圖書資訊學通論（237 篇）居多，其次為技術服務（186 篇）、讀者服務（180 篇）；圖書資訊學教育最少，僅 26 篇。（其詳如表 7）。

表 7：臺灣地區圖書資訊學研究主題之分析表

研究主題	論文	研究計畫	書籍	總計
圖書資訊學通論	47	15	175	237
圖書館行政與管理	50	26	57	133
讀者服務	65	31	84	180
技術服務	33	19	134	186
圖書館自動化與網路	24	44	46	114
圖書資訊學教育	15	7	4	26
目錄學與版本學	25	1	37	63
總　　計	259	143	537	939

　　茲將國內圖書資訊學相關研究之主要研究主題比較如下。（參見表 8）。

表 8：國內圖書資訊學相關研究之主要研究主題比較表

相關研究	研究年代	研究對象	主要研究主題
施孟雅	民國 70 年～79 年	14 種專業期刊文獻	1.資訊科學與圖書館自動化 2.讀者服務 3.各類型圖書館
李德竹	民國 69 年～79 年	教師著作	1.資訊科學與圖書館自動化 2.各類型圖書館 3.特殊資料處理
林巧敏	民國 43 年～82 年	中國圖書館學會報論著	1.圖書館學與圖書館事業、資訊科學與圖書館自動化 2.讀者服務 3.目錄學與版本學

| 陳旭耀 | 民國 59 年～84 年 | 碩士論文 | 1.圖書館行政與管理
2.讀者服務與參考服務、目錄學與版本學
3.資訊科學與圖書館自動化 |
| 楊美華 | 民國 49 年~86 年
民國 75 年~86 年
民國 58 年~86 年 | 博、碩士論文
研究計畫、研究報告
書籍 | 1.圖書資訊學通論
2.技術服務
3.讀者服務 |

三、有關學位論文之分析

學位論文對於研究者有極高的價值，從學位論文的分析可以看出學術發展的趨勢；有關學位論文的研究，國內外均有許多相關的研究文獻。

Danton 曾對 1930 至 1959 年間完成的 129 篇博士論文進行分析，並評估這些博士論文對於圖書館學專業領域的貢獻。研究結果發現，有 36%（47 篇論文）的主題是跨兩個主題領域的，即圖書館史、圖書史和印刷及出版等領域。[41] Schlachter 及 Thomison 分析 1925 至 1972 年 660 篇圖書館學博士論文，發現歷史法（30%）及調查法（44.25%）是最常使用的研究方法，佔了近四分之三的論文數量。[42]

Shaughnessy 分析 1972-1976 年 139 篇圖書館學學位論文使用的研究方法，發現 81%（113 篇）的論文傾向以實際、應用、解決問題為目的，僅有 26% 的論文可歸類為基礎性的研究；另外，幾乎有五分之一的論文係採歷史法。[43] 而 Grotzinger 分析 1977 至 1978 年 76 篇圖書館學博士論文使用的研究方法，發現大約有 42%（32 篇）是描述型的調查方法，這些調查方法一般都涉及問卷或訪談調查的方法，而有 17%（13 篇）的研究是使用歷史法。[44]

1982 年，Stroud 分析 1976 至 1981 年間有關學校圖書館的學位論文所使用的研究方法，發現調查法是最常被使用的研究方法（56%）。[45] 1994 年，Blake 分析 1974-1989 年間圖書館學與資訊科學博士論文所使用的研究方法。發現調查法與歷史法依然是主要的研究方法，大約有 60%的圖書館學博士論文是使用此兩種研究方法。另外實驗法與模式法在圖書館學與資訊科學博士論文中的使用有逐漸增加的趨勢。[46]

1993 年，劉茲恒針對北京大學和武漢大學 1981 至 1990 年圖書館學情報學碩士研究生的 275 篇論文進行分析，包括碩士論文數量、主題分析、研究方法、引文數量、引文年代、引文語文、引文文獻類型、引文學科領域等特性。其發現碩士論文研究主題以圖書館學情報學基礎理論為主（16.4%），其次為目錄學（8.7%），分類與編目（8.7%）；研究方法以理論分析法最多（54.18%），操作實驗法（14.18%）、歷史法（14.18%）次

之。[47]

　　1996 年，輔仁大學圖書資訊學研究所陳旭耀則針對臺灣地區從民國 59 年至 84 年 12 月止，圖書資訊學相關科系研究所發表的碩士論文，進行論文及其引用文獻特性的分析。[48]研究結果發現「圖書館行政與管理」、「讀者服務與參考服務」、「目錄學與版本學」是碩士論文主要的研究主題；最常用的研究方法則是文獻分析法、問卷調查法、歷史研究法。平均引用文獻高達 136.6 筆，遠高於國內外相關的研究結果；最大引文年限為文獻發表後的第三年，而引用文獻半衰期約為 8.2 年；〈中國圖書館學會會報〉及〈College & Research Libraries〉則是碩士論文引用的主要核心期刊。

　　根據筆者的研究，臺灣地區博碩士論文研究方法以文獻分析法、問卷調查法居多。而國內外對有關研究方法之比較可由表 9 窺出端倪：

表 9：國內外相關研究之主要研究方法比較表

相關研究	研究範圍	資料類型	圖書資訊學研究主要的研究方法
Schlachter	1925-1972	博士論文	調查法、歷史法
Schlachter	1973-1982	博士論文	調查法、歷史法
Grotzinger	1977-1978	博士論文	調查法、歷史法
Stroud	1976-1981	博士論文	調查法
Blake	1974-1989	博士論文	調查法與歷史法為主，約佔 60%
劉茲恒	1981-1990	碩士論文	理論分析法、歷史法、實驗法
陳旭耀	1970-1995	碩士論文	調查法、文獻分析法、歷史法
楊美華	1970-1997	博、碩士論文	調查法、文獻分析法、歷史法

參、圖書資訊學博碩士論文研究之評析

一、研究數量成長情形

　　隨著圖書資訊研究所的增設，博碩士論文也急劇成長，由圖 1 可以看出歷年成長的情形。自 1970 年至 2002 年為止，臺灣地區圖書館學相關的博、碩士論文計 678 篇。（其中博士論文 25 篇，碩士論文 653 篇）；由圖書館學研究所所產出的論文共 595 篇（其中博士論文 14 篇，碩士論文 581 篇）。

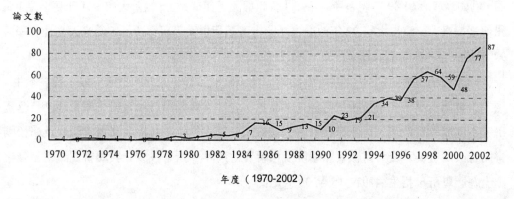

圖 1：博碩士論文數量成長情形（1970-2002）

　　目前有圖書資訊學研究所的學校計有 11 所之多，包括臺大（博士 4 名、碩士 15 名）、淡江（15 名）、輔大（17 名）、政大（15 名）、中興（12 名）、世新（40 名）、師大（62 名）、玄奘（20 名），以及臺大、交大、玄奘等大學的碩士專班和佛光大學的教育研究所等，故每年約有 200 篇博碩士論文的產出。

表 10：圖書資訊學研究所招生名額統計

學　校	博士班考試	碩士班考試	碩士班推甄	碩士在職班	合　計
臺灣大學圖書資訊學系(所)	4 人	16 人	6 人	15 人	41 人
政治大學圖書資訊學與檔案學研究所		10 人	5 人		15 人
臺灣師範大學圖書資訊學研究所		10 人	4 人	48 人	62 人
中興大學圖書資訊學研究所		12 人			12 人
交通大學電機資訊學院數位圖書資訊組				15 人	15 人
輔仁大學書資訊學系(所)		12 人	5 人		17 人
淡江大學資訊與圖書館學系(所)		11 人	4 人		15 人
世新大學資訊傳播學系(所)		10 人		30 人	40 人
玄奘人文社會學院資訊傳播所圖書組		20 人			20 人
佛光人文社會學院教育資訊研究所		20 人			20 人
總　計	4 人	121 人	24 人	138 人	257 人

　　臺灣地區辦理圖書資訊學博碩士班招生考試者，共計 9 個系所，系所名稱以「圖書資訊學」為主。近幾年，為培育資訊時代需求人才，各校依其教學特質朝跨學科領域發

展，例如淡江大學 89 年將系所更名為「資訊與圖書館學系」、世新大學 901 年更名為「資訊傳播學系」、政治大學 92 年改名為「圖書資訊與檔案學研究所」，佛光人文社會學院 92 年則成立「教育資訊研究所」。

　　碩士班招生考試部分，各系所招生名額在 10 人至 20 人之間，招收一般生及在職生；碩士班推薦甄試，各系所招生名額在 4 至 6 人之間。為延續就業者終生學習理念及落實研究所回流教育政策，近年來已有臺大圖資所、師大社教系（招收圖書資訊學及學校圖書館行政兩班）、交大電機資訊學院及世新資傳系等 4 所學校成立與圖書資訊學相關之碩士在職專班，招生名額在 15 至 30 人之間。[49]

二、依學校區分

　　自 1970 年至 2003 年 8 月底為止，與圖書資訊學相關的博碩士論文，共有 716 篇，其中，由圖書館學研究所所產出的博碩士論文共 630 篇。各校博碩士論文之產出數，[50] 如圖 2 所示：

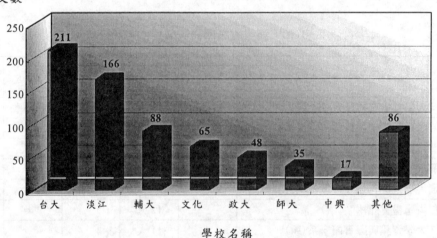

圖 2：各校博碩士學位論文數柱狀圖（1970-2003）

　　其他相關系所包括：中文所、史學所、東亞所、宗教所、企管所、管理所、商研所、科技管理、商業自動化與管理、醫管所、資工所、資管所、工業工程所、電子工程所、應用數學所、土木工程、傳播所、新聞所、出版所、建築所、視覺傳達設計、教研所、成人及繼續教育所、課程與教學所、資訊教育所等，依學校的分佈情形，如表 11。

表 11：圖書資訊學相關系所博碩士論文數量分佈情形

學校	系所	數量	系所	數量
中央	資訊及電子工程所	1	資管所	1
中正	企管所	1	成人及繼續教育所	1
	資工所	4		
中華	工業工程所	1		
中興	公行所	1	應數所	1
元智	管理所	1		
文化	中文所	1	史學所	1
	政治所	1		
臺大	土木工程系	1	中文所	1
	商研所	1	資工所	7
臺北大學	資管所	1		
臺南師範	資訊教育所	1		
臺科大	商業自動化與管理所	1	電子工程所	3
交大	科技管理學程碩士班	1	傳播所	1
	資訊科學系	8	管科所	1
成大	工管所	1	建築所	3
東吳	中文所	2		
東海	中文所	3	公行系	1
	企管所	1	建築所	1
東華	企管所	1		
南華	出版所	1		
政大	中文所	1	東亞所	1
	教育所	2	新聞所	2
師大	地理所	1	國文所	1
	資訊教育所	1		
高師大	工業科技教育系	1	成人教育所	1
國北師	課程與教學所	1		
淡江	建築所	1	資工所	3
	資管所	1		
清大	工業工程所	2		
逢甲	工業工程所	1	資工所	1
陽明	醫管所	1		
義守	資工所	1		
暨南	資管所	2		
輔大	宗教所	1	歷史所	1
銘傳	資管所	1	管科所	1

三、研究方法分析

就研究方法而言，臺灣地區圖書資訊學博碩士論文，以調查法最多，約佔 55%（其中問卷調查法 39%、訪談法 14%、觀察法 2%）；其次為歷史研究法，約佔 12%。其詳如圖 3。

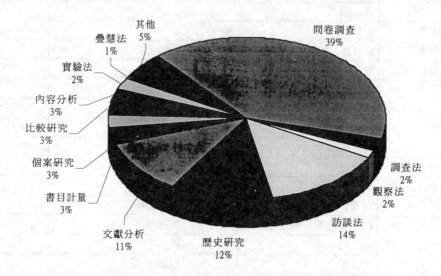

圖 3：博碩士論文研究方法之分析圓餅圖（1970-2003）

四、主題之分析

(一)研究主題以讀者服務、圖書館行政與管理、圖書館自動化與網路居多

本研究結果顯示，臺灣地區圖書館學論著之研究主題以讀者服務（201 篇）居多，其次為圖書館行政與管理（119 篇）、圖書館自動化與網路（66 篇）、技術服務（64 篇），而圖書資訊學教育最少，僅 37 篇。值得注意的是，目錄學與版本學的研究（38 篇）已有下降的趨勢。此外，博物館與檔案學的研究亦豐富圖書資訊學的內涵。其詳如表 12 所示。

表 12：博碩士論文研究主題之分析（1970-2003）

主題分類	論文數	主題分類	論文數
圖書資訊學通論（37）			
圖書資訊學通論	3	圖書館事業	13
圖書館史	7	出版	14
圖書館行政與管理（119）			
人力資源	49	圖書館行政與管理通論	46
圖書館法規	5	知識管理	8

圖書館建築	7	智慧財產權	4
讀者服務（201）			
讀者服務通論	4	參考資源	9
參考服務	25	推廣服務	18
利用教育	31	資訊尋求行為	62
館際合作	14	閱讀	15
網路資訊服務	23		
技術服務（64）			
分類	6	館藏發展	31
編目	16	期刊	8
典藏	3		
圖書館自動化與網路（66）			
資訊儲存與檢索	28	圖書館自動化系統	17
電子績效支援系統	4	電腦輔助教學	8
數位圖書館	4	電子出版品	5
圖書資訊學教育（37）			
目錄學與版本學（38）			
目錄學與版本學	25	藏書	13
其他（62）			
博物館	11	情境教學	7
檔案	18	綜合類	26

㈡有關圖書館類型之研究仍以大學圖書館為主

　　和國內外相關研究相同的是，圖書館類型的研究仍以大專院校及學術圖書館為主，其次為公共圖書館，學校圖書館和專門圖書館的研究尚有待開發，其詳如表 13。

表 13：博碩士論文所研究之圖書館類型分析（1970-2003）

圖書館類型	論文數
大專	129
公共	95
學校	48
專門	44
國家	5
博物館	14
檔案館	13
無特定類型	276

肆、圖書資訊學研究計劃之評析

一、研究數量分析

自 1970 年以來，筆者所能彙整之專題研究計畫報告共計 448 篇，其成長情形如表 14。

表 14：專題研究計畫數量分佈（1970~2002）

年代	篇數	年代	篇數	年代	篇數
1970	1	1981	4	1992	11
1971	0	1982	1	1993	12
1972	0	1983	0	1994	20
1973	0	1984	2	1995	13
1974	0	1985	3	1996	26
1975	1	1986	5	1997	38
1976	1	1987	5	1998	33
1977	0	1988	3	1999	59
1978	0	1989	4	2000	132
1979	0	1990	8	2001	36
1980	0	1991	6	2002	24
總計：					448

二、執行機構分析

就執行機構而言，臺大一枝獨秀，遙遙領先；其次為淡江、輔大及師大，其詳如表 15。

表 15：專題研究計畫數量分佈——依執行機關分（1970~2002）

機關類別	研究計畫量	機關類別	研究計畫量	機關類別	研究計畫量
臺大	125	元智	6	臺經院	2
淡江	33	中興	5	東吳	2
輔大	31	逢甲	4	東華	2
師大	26	雲科大	4	長榮	2
政大	21	藝術學院	4	屏科大	2
交大	20	成大	3	故宮	2
世新	19	東海	3	高科大	2

中研院	17	空大	3	農學會	2
清大	13	屏師	3	嘉大	2
中正	12	研考會	3	榮總	2
中山	8	工研院	2	銘傳	2
國家圖書館	7	中國圖書館學會	2	其他	33
中央	6	北市圖	2		

三、補助單位分析

就補助單位而言，主要的經費來源為國科會，其次為教育部，其詳如表 16。

表 16：專題研究計畫數量分佈——依補助單位分（1970~2002）

補助單位	研究計畫數量
國科會	338
教育部	27
臺北市政府	7
中標局	5
研考會	5
經濟部	5
文化資產保存研究中心籌備處	2
文建會	2
北市圖	2
退輔會	2
陸委會	2
其他	10

伍、建議事項

基於研究成果累積的重要性，資源分配的有效性，國科會希望能主動規畫，訂定政策，建立制度，引導研究方向，所以人文處特於民國 84 年 6 月 23 日召開「教育學門現況及發展研討會」，探討教育學門在人力及其他資源上的現況分析與未來的需求。此次研討會共分四組，圖書館學即為其中一組。會中，王振鵠教授總結未來的研究方向有下列四方面：

1.落實本土化：理論與實務的結合，外國文獻、實徵研究應用在我國的可行性與比較研究。

2.科際整合：與其他學門跨領域的研究，如讀者心理學、圖書館行銷、資訊尋求行為等。

3.研究方法的強化與周延：國內大多數的研究都止於文獻探討與調查研究，盼以後能有更多高等統計分析、評估研究、作業研究、比較方法等質的研究。

4.績效評估：圖書館管理等。

茲建議下列事項，和同道共勉：

一、期刊主題特色之建立

圖書資訊學的刊物不少，目前持續發行的刊物也有 32 種之多。薛理桂指出臺灣地區圖書館學與資訊科學學術性刊物的出版單位，可分為七大類：教育部、圖書館系所與學會、大學校院圖書館、專業學會、國家圖書館、公共圖書館及專門圖書館。[51]其中大學院校圖書館最多，有十種之多。惟圖書資訊學刊物水平參差不齊，亦有邀稿的困難，擬建議高水平學術刊物之整合與分工。

臺大的〈大學圖書館〉正是很好的起步，政大的〈圖書與資訊學刊〉、世新的〈資訊傳播與圖書館學〉、師大的〈圖書館學與資訊科學〉、淡江的〈教育資料與圖書館學〉，以及〈臺北市立圖書館館訊〉等，都屬於綜合性的刊物，或許可以考慮以圖書館主題各自分工，突顯特色。

二、倡導綜述刊物的發行

「綜述」係以三次文獻為工具，圍繞某個課題或主題，選擇大量的一次文獻，進行篩選、整理、分析、綜合、歸納、提煉而成的。它能有系統的、全面的反映某學科專業領域的研究動態和發展水平，包含的信息量極大，是瞭解專業領域研究現狀、水平和動向的一種極好的工具。[52]

作為一種特殊的文獻，綜述除提供高度濃縮的信息之外，在科學研究的整個過程中，亦可以做為一種有用的工具和參考。譬如在選擇題目時，綜述可提供研究人員相關課題的歷史、現狀、當前討論焦點及未來發展趨勢等資料，進而幫助他們選擇有意義、有價值的課題；在研究過程中，綜述亦可作為研究者交換意見、分享研究進展的工具。通過綜述，可對獲得的研究成果進行分析、綜合，以獲得新的思想、新的觀點，促進問題的解決，進而得出最佳的研究方法。在研究課題完成後，亦可通過綜述迅速的將成果傳遞出去，並藉此接收回饋的信息，為下一個課題的選擇做準備。[53]

　　歐美各國及大陸地區均有綜述型的刊物，臺灣地區如果能夠有一兩種類似綜述型刊物的發行，定可以累積研究成果，有效提昇研究水平。瞿海源即曾呼籲「整理社會科學研究之既有成就，撰成詳實之評估性論著」，由於過去之研究缺乏累積性的效果，今後如能對已有較豐富研究成果之領域，進行深入評估，撰寫成檢討性之論文（review essays），將可以做為既有成績之總結，並進而做為未來研究之指引。[54]

三、擴大研究領域，鼓勵整合性研究

　　圖書資訊學領域中，不論老師、學生或實務工作者，增強研究的技能固然重要，但不可忽略的是，如何普遍地提升作研究的興趣，培養委身投入研究的熱忱與責任感也是極重要的一環。[55]

　　由於科際整合的蓬勃發展，跨領域的研究也應運而生，舉例來說：許多建築所的研究生常以「圖書館建築」為主題，資管所的研究生多以「圖書館自動化」為題，甚至教育所的研究生也常探討「圖書館利用教育」的課題。因此，須找出圖書資訊學被引用的主題分佈，為圖書資訊學尋找一個可以與其他相關學科進行科際整合的切入點。由這些切入點來進行深入的研究，這樣才能對圖書資訊學學科地位的提升有所幫助，也才能讓其他學門瞭解圖書資訊學研究的學術價值。[56]

　　此外，亦須藉助其他學門的理論基礎，如資訊尋求行為的研究，可能需要心理學、傳播學等方面的訓練，其研究結果也將對其他相關領域有所啟發。

四、加強研究方法與統計方法的訓練

　　蘇緩曾語重心長的指出：缺乏研究生產力，一直是存在於圖書資訊學系所的問題。圖書資訊學相關學系的課程設計上，往往忽略到研究方法相關課程的重要性，無法做到將研究方法或評鑑課程設定為核心課程。[57]

　　在這個資訊科技掛帥的時代裡，圖書資訊學領域的各個層面皆受到技術的衝擊，即使是研究方法課程也應該與最新的資訊技術相結合，以提高研究的品質與效果。在研究方法相關課程中，也應該隨時針對特別的需求有所修訂與補充。各種不同研究方法的輔助、應用將會使論文從不同的面向來探討研究主題，提出更客觀的研究分析與結論。

　　從本研究的分析結果發現，圖書資訊學論著使用的研究方法都集中在文獻分析法、調查法及歷史法等三方面，對於其他研究方法的利用則相當的少，而實驗法及質的研究則更少。今後宜加強研究方法的訓練，讓從業人員能更靈活地運用各種不同的研究方法，

以更成熟的技術提升整體的研究水準。

五、注重灰色文獻的彙整和利用

所謂灰色文獻，是指通過常規的購書管道或一般的查檢方法，難以獲取的有使用價值的各種知識和資訊載體。造成文獻書目失控的主要原因在於：文獻交流的本位性、文獻問世的封閉性、科技手稿的自生自滅性以及文獻主題與專業領域的不一致性（有些文章不一定在專業領域的刊物上發表）。本次研究結果顯示研究計畫的收集非常不易，鑑於研究計畫的重要性，灰色文獻的掌控已刻不容緩。因此，在書目控制上，應建立圖書、期刊、資訊、檔案的統一編目以及跨地區、跨系統的書目資訊網路，如利用 Web technology、Z39.50 的方式提供虛擬聯合目錄。[58]

研究計畫的成本非常高，但是政府各部門對研究計畫的補助未能考核與追蹤，或有疊床架屋，重複研究的情事，殊為可惜。而且研究計畫的成果非常寶貴，如果能夠養成研究人員定期繳交，經由圖書館編目、加工，應可擴大使用管道，嘉惠更多學者。

陸、結語

依國科會人文處黃前處長榮村的估計，有二分之一乃至三分之二的人文社會科學學者並不是活躍的研究者；圖書資訊學門在人文社會科學領域中更屬邊陲的邊陲，是一個非常弱勢的族群。由歷年來研究計畫的申請，可以發現 1997 年雖然站上 34 篇的高峰，但 1998、1999 年卻降至 18 篇，有日漸萎縮的現象，能不令人憂心忡忡？民國八十八年一月十五、十六日所舉辦的「全國人文社會科學會議」上，楊前副院長國樞「學術創造力的沈寂、學術自信心的喪失、學術企圖心的不足」的有感而發，在圖書資訊學的情形似更為貼切。今後，應亟思如何急起直追，建立屬於圖書資訊學的版圖。

圖書館學迄今仍缺乏有一個廣泛、明確、具整合性、系統性、與科學性的理論性與實務性知識。亦即，目前圖書館學最迫切需要的乃是普遍化的真理、典範。是以，如果圖書館學欲成為科學，第一個要求就是要有一大批人能作研究，從方方面面，持續耕耘，不斷積累；第二個要求則是必須有人能評斷已完成的研究結果，去蕪存菁，並進行進一步的修正。[59]此外，亦須加強國際化、全球化的研究，一者可以和世界同步，二者可以提高臺灣地區圖書資訊學的能見度。

學術研究是一種傳承、累積和創新的歷程，惟有站在前人的基礎上才能發揚光大，蔚然成風。圖書資訊學的研究一向借用了其他學科或專業領域的觀念架構、文獻與研究

方法，而這些理論架構的修改、擴展或是研究設計的創新、修訂，皆對圖書館學相關問題的解決有深遠的影響。圖書資訊從業人員亦須致力於各種新的研究方法，時時去發掘與貢獻心力於各種新發展之上，思考如何善用質化與量化的各種方法以提昇研究水平，如此，方能對本學科的研究領域有所貢獻，甚至能對整個社會科學研究有所增進。展望未來，應是「伙伴的尋求，典範的建立」。

註釋

① Charles H. Busha：〈The Meaning & Value of Theory: an Introduction〉，《Drexel Library Quarterly》vol.19 (Spring 1993):1.

② Charles H. Busha and Stephen P. Harter：〈Research Methods in Librarianship: Techniques & Interpretation〉 (New York: Academic Pr.,1980)，p.5.

③ 鄭昭明撰：〈什麼是創造力〉，《臺大校訊》，第四版，1997 年 12 月 3 日。

④ Stephen E. Atkins：〈Subject Trends in Library and Information Science Research 1975-1984〉，《Library Trends》vol.36 (Spring 1988)，p.p.633-658.

⑤ Patricia E. Feehan：〈Library and Information Science Record: An Analysis of the 1984 Journal Literature〉，《Library and Information Science Research》vol. 9 (July-Sept. 1987):182.

⑥ 施孟雅撰：《從專業期刊文獻分析我國臺灣地區的圖書館學研究》（臺北市：漢美，1992 年），頁 74。

⑦ 李德竹撰：《我國圖書館學教師研究趨勢及資訊需求之調查研究》，行政院國家科學委員會專題研究計畫成果報告，1992 年。

⑧ 同註⑥，頁 78-81。

⑨ 鄭麗敏撰：《近二十年來臺灣地區圖書館學與資訊科學期刊論文引用參考文獻特性分析》（臺北：淡江大學教育資料科學研究所圖書館學與資訊科學組碩士論文，1994 年），頁 104。

⑩ 林巧敏撰：〈圖書館學研究方法及研究主題述評〉，《國立中央圖書館臺灣分館館刊》第一卷第二期（1994 年 12 月），頁 45-53。

⑪ 〈圖書館學情報學研究方法〉，《中國圖書情報工作實用大全》（北京：科學技術文獻出版社，1990 年），頁 48。

⑫ Robert Grover & Jack Glazier：〈Implications for Application of Qualitative Methods to Library and Information Science Research〉，《Library and Information Science Research》vol. 7 (July-Sept. 1985)，p.p.247-260.

⑬ Bluma C. Peritz, "The Methods of Library Science Research: Some Results from a Bibliometric Survey," 《Library Research》 2 (1980-81):251-268.

⑭ Kalervo Jarvelin and Pertti Vakkari：〈Content Analysis of Research Articles in Library and Information Science〉，《Library and Information Science Research》vol. 12 (October-December 1990)，p.p.395-421.

⑮ 祁玫麟撰：〈我國圖書館學情報學方法論研究述評〉，《昆明師專學報》（1991 年 2 月），頁 97-102。引自：陳旭耀撰：《臺灣地區圖書資訊學碩士論文及其引用文獻之研究》（臺北：輔仁大學圖書資訊學研究所碩士論文，1997 年 6 月）。

⑯ 華薇娜撰：〈我國 80 年代圖書館學情報學研究狀況的定量分析〉，《情報學報》第 14 卷第 3 期（1995 年 6 月），頁 218-226。

⑰　白棠遠撰：〈1984-1994 年圖書情報工作論文研究方法統計分析〉，《圖書情報工作》第 4 期（1996年），頁 17-20。

⑱　同註⑩，頁 45-53。

⑲　G.A. Schlachter & D. Thomison：〈The Library Science Doctorate : A Quantitative Analysis of Dissertation and Recipients〉，《Journal of Education for Librarianship》vol. 15 (Fall 1974)，p.p.95-111.

⑳　L. Grotzinger：〈Methodology of Library Science Inquiry-Past and Present〉，《A Library Research Reader and Bibliographic Guide》(Littleton, Colo. : Libraries Unlimited, 1981)，p.p.38-50.

㉑　B.C. Peritz：〈The Methods of Library Science Research : Some Results from a Bibliometric Survey〉，《Library Research》vol. 2 (Fall 1980)，p.p.251-268.

㉒　S. D. Kim & M. T. Kim：〈Academic Library Research : A Twenty -Year Perspective〉，《New Horizons for Academic Libraries》(New York: K.G. Saur, 1979)，p.p.375-383.

㉓　同註⑭，p.409.

㉔　Martyvonne M. Nour，〈A Quantitative Analysis of the Research Articles Published in Core Library Journals of 1980〉，《Library and Information Science Research》vol. 7 (1985)，p.p.261-273.

㉕　P. E. Feehan, et al：〈Library and Information Science Research: An Analysis of the 1984 Journal Literature〉，《Library and Information Science Research》vol. 9 (1987)，p.p.173-185.

㉖　程煥文撰：〈中國圖書館學信息學研究之文獻計量研究〉，《資訊傳播與圖書館學》第四卷第一期（1997年 9 月），頁 38-51。

㉗　同註⑥，頁 78-81。

㉘　陳旭耀撰：《臺灣地區圖書資訊學碩士論文及其引用文獻之研究》（臺北：輔仁大學圖書資訊學研究所碩士論文，1997 年 6 月）。

㉙　楊美華撰：《臺灣地區圖書資訊學研究之特性及發展》，行政院國家科學委員會專題研究計劃成果報告（民 88 年 7 月）。

㉚　同註⑭。

㉛　同註㉔。

㉜　同註㉔，頁 263。

㉝　同註⑯。

㉞　同註⑰。

㉟　邱均平撰：〈我國圖書館學情報學研究主題趨勢的定量分析〉，《中國圖書館學報》（1991 年 3 月），頁 3-11。

㊱　吳慰慈撰：〈情報科學在中國的發展述略〉，《山東圖書館季刊》（1992 年 2 月），頁 1-4。

㊲　同註㉖，頁 38-51。

㊳　羅思嘉、陳光華、林純如，〈圖書資訊學學術文獻主題分類體系之研究〉，《圖書資訊學刊》16 期（民國 90 年 9 月），頁 185-208。

㊴　林巧敏撰：〈中國圖書館學會會報論著之計量分析〉，《中國圖書館學會會報》51 期（民 82 年 12 月），頁 107-118。

㊵　同註㉘。

㊶　J. P. Danton：〈Doctoral Study in Librarianship in the United States〉，《College & Research Libraries》vol. 20 (Nov. 1959)，p.p.435-453.

㊷　G. A. Schlachter and D. Thomison：《Library Science Dissertation, 1925-1972 : An Annotated Bibliography》

(Littleton, CO : Libraries Unlimited, 1973)，p.p.256-262.

㊸ Thomas W. Shaughnessy：〈Library Research in the 70's : Problems and Prospects〉，《California Librarian》 vol. 37 (July 1976)，p.p.44-52.

㊹ L. Grotzinger：〈hodology of Library Science Inquiry-Past and Present〉，《Library Science Research Reader and Bibliographic Guide》(Littleton, CO. : Libraries Unlimited, 1981)，p.p. 38-50.

㊺ J. G. Stroud：〈Research Methodology Used in School Library Dissertations〉，《School Library Media Quarterly》vol. 10 (Winter 1982)，p.p.124-134.

㊻ Virgil L. P. Blake：〈Since Shaughnessy：Research Methods in Library and Information Science Dissertations, 1975-1989〉，《Collection Management》vol. 19 (1994): 1-42.

㊼ 劉茲恒撰：〈我國圖書館學情報學碩士論文的分析與研究〉，《大學圖書館學報》3（1993 年），頁 52-55。

㊽ 同註㉘。

㊾ 王琳斐，〈2003 年圖書資訊學相關系所博碩士班招生資訊〉，《中華圖書資訊學教育學會會訊》第 20 期，頁 14-17。

㊿ 資料來源為中華圖書資訊學系所現況暨教育文獻書目、圖書館年鑑、國家圖書館博碩士論文資料庫、 各系所網站、中華圖書資訊學教育學會會訊第 20 期。

51 薛理桂撰：〈我國圖書館學與資訊科學學術性刊物評鑑〉，《圖書館學與資訊科學》第 21 卷 2 期（1995 年 10 月），頁 61-80。

52 黃孟黎撰：〈綜述——極具價值的三次文獻〉，《圖書情報工作》第四期（1998 年），頁 19。

53 同前註，頁 20。

54 瞿海源撰：〈當前社會科學發展基礎研究之目標與策略〉，《全國人文社會科學會議會議手冊》（臺 北：國科會，1999 年），頁 35。

55 曲晶晶、汪冰撰：〈我國圖書館基礎理論研究的特徵分析〉，《圖書館工作與研究》第 2 期（1992 年）， 頁 17-21。

56 賴鼎銘、吳萬鈞撰：〈圖書資訊學教育有待突破的二個方向〉，《海峽兩岸圖書館事業研討會論文集》 （臺北：中國圖書館學會，1997 年），頁 58。

57 蘇諼撰：〈談圖書資訊學的研究方法課程〉，《中華民國大學校院人文類學門課程規畫研討會》，政 治大學，1997 年 2 月 22 日。

58 鄭滿莊撰：〈灰色文獻書目失控的原因及對策〉，《文獻信息服務論文集》（北京：北京圖書出版社， 1999 年），頁 87-90。

59 賴鼎銘撰：〈圖書館學研究的典範危機〉，《圖書館學與資訊科學》第 16 期（民 79 年 10 月），頁 73-86。

電子期刊被引用之時差
The Cited Time Lag of Electronic Journals

傅雅秀
Ya-hsiu Fu

摘　要

出版延宕是科學傳播的問題之一，電子期刊解決了出版速度的問題，為探討是否快速被引用以及是否提昇期刊影響力與被引用半衰期，本文調查 JCR 所收錄的電子期刊其中 22 種被引用情形，有 10 種同時有電子版與紙本。經計算即時引用指數和影響因素的相關係數，以及即時引用指數和被引用半衰期的相關係數，結果顯示前者達顯著水準，後者無顯著相關。換言之，快速被引用的電子期刊，其二年短期影響力較高，而其被引用半衰期則不一定較短。

Abstract

Publication delay is one of the problems of scientific communication. Electronic journals solve the problem of publication speed. To investigate if the publication speed influences the citation behavior, this paper selected 22 electronic journals (10 out of 22 also have print version) from the Journal Citation Reports to measure the correlation coefficient between the immediacy index and the impact factor, and between the immediacy index and the cited half life. The results showed that the early cited electronic journals had higher short term impact factor (typically the two year impact factor), while they had no significant effect on the cited half life.

關鍵詞：電子期刊；即時引用指數；引用時間差距；出版延宕

Keywords: Electronic Journals; Immediacy Index; Cited Time Lag; Publication Delay

一、前言

科學創新需要快速散播給同行週知，一則避免重複研究，再則爭取研究優先權。通常一篇科學論文自投稿至刊登所需的時間差距（Time Lag）因領域不同而有所差異，從生命、自然科學有些簡訊期刊（Letters Journals）之兩個月，到稿擠之數學期刊之兩年均有。[1]至於社會科學領域之投稿過程又遠較數理、生命科學費時。國內多以海運方式訂閱國外期刊，運期約三個月，資訊落後之差距更加嚴重。

從稿件被收到（Received），經審查後退回修改（Revised），再經接受（Accepted）後編輯、刊登，所需時間長短因刊物和論文修改程度不同而有所不同。傅雅秀於 1999 年曾以美國科學資訊研究所（Institute for Scientific Information, ISI）所作書目分析之期刊表現指標資料庫（Journal Performance Indicators）所公佈 1981 年至 1995 年十五年期刊累積影響因素（Cumulative Impact Factors）之排名前十五名之期刊為樣本，抽取出 150 篇研究論文，再計算收稿日期至出刊日期之間距，以瞭解研究完成至發表刊登的時間差距，試圖勾勒出科學期刊投稿、審稿過程所造成科學傳播之延宕，並期盼未來以電子期刊解決此問題。[2]事隔四年，電子期刊已蓬勃發展，有關電子期刊之文獻很多，大多論述價錢的問題，極少論文探討出版速度快的電子期刊是否被引用的速度亦增快，以及速度與期刊影響力、速度與被引用半衰期之關係。

二、期刊對學術傳播之影響

紙本或電子期刊是學術傳播最重要的管道，科學家或學者透過投稿期刊，將其學術研究成果散播出去，對讀者產生或多或少的影響力。本研究以檢視電子期刊被引用的情形，利用期刊評鑑工具，也是期刊排名資料唯一來源的期刊引用文獻報告（Journal Citation Reports, JCR）所列之期刊影響因素（Impact Factor, IF），即時引用指數（Immediacy Index, II），和被引用半衰期（Cited Half Life, CHL）來探討電子期刊被引用速度對學術傳播的影響。所謂影響因素或影響力係指在某一時期內，一篇文章被引用的平均次數，其計算方法是以某期刊最近兩年，例如 2000 年和 2001 的文章，在某特定年，即 2001 年被引用的次數除以該期刊該兩年內所刊出的篇數，所得的平均引用比率數值，其目的是要把期

刊放在同樣的水平上比較，否則每期篇數較多或刊期較頻繁的期刊被引用的次數會較多。而即時引用指數則指某期刊某年出版的文章在同一年內平均被引用的次數，是期刊即時影響力的指標，即在評估一期刊平均每篇文章多快被引用。出版速度較快的期刊，理應較快被引用。至於被引用半衰期則指從目前這一年倒數回去，計算某期刊這一年被引用的次數在過去幾年內達到了一半。這名詞原係核能物理工程用來描述輻射物質之退化，近年來被圖書資訊學用來形容文獻之老化。③

三、出版延宕（Publication Delay）與引用延宕（Cited Time Lag）

有關期刊影響因素的文獻很多，但有關期刊出版速度和被引用速度的議題則較乏人探討。此外，被引用半衰期的文章亦不多。圖書館界較關心的是期刊價錢的問題，而非資訊傳播速度的重要性。出版商常計算電子期刊被下載的次數，Stephen P. Harter 認為，計算次數無法評估電子期刊對知識進展的影響及在學術研究過程所能扮演的正式角色的程度，而應計算期刊影響因素，即時引用指數和被引用半衰期，才是評量研究品質的方法，其可信度相當高。④Shengli Ren 和 Ronald Rousseau 亦認為，僅用期刊影響因素來評估期刊會產生偏差，應採用多種指標來評量，於是以 1998 年版的 JCR 分析 500 種地質科學期刊，發現期刊影響因素和即時引用指數之相關係數為 0.950。⑤

Harter 曾報導電子期刊對學術傳播的影響，他以 JCR 分析 1993 年至 1995 年之電子期刊，發現其影響力很小。有些電子期刊亦出版紙本，更難辨認電子期刊的影響力。⑥Harter 進一步發現僅有 2%的參考文獻係引用網路資源，而其中引用電子期刊者僅佔 0.2%，此外，電子期刊之文章較紙本期刊之文章易引用電子資源。⑦Harter 和 Kim 假設，參考文獻對引用者具有影響力，調查 1993 年以前即開始電子出版的 39 種期刊，收集其文章之參考文獻作為實證資料，找出 8 種被引用最多的電子期刊。結果發現，引用情形極度偏差，有 15 種從未被引用過。⑧

1997 年，M. Luwel 和 H. F. Moed 研究科學領域之出版延宕和文獻老化的關係，將出版延宕定義為自投稿至刊登之時間間距。結果發現，數學領域和技術領域之延宕比自然科學領域更嚴重，且延宕會使影響力延遲多年才顯現。電子出版是為了改進出版延宕的問題，延宕一旦減低，會影響參考引用文獻之出版年分佈情形，因此可肯定延宕和參考文獻之出版年有關聯，例如有一期刊拖延二年再出版，則很難在其參考文獻中找到最新一、二年之文章。因此，只要分析一些參考文獻的樣本，就可估計出版延宕的情形，而不需收集從投稿至刊登之時差資料。Luwel 和 Moed 的結論是，二至三年前出版的參考文

獻的比例是觀察延宕最好的指標。而出版延宕的期刊之被引用半衰期比快速出版的電子期刊被引用半衰期長。[9]Leo Egghe 和 Eousseau 亦證明延宕會引起引用文獻在時間上分佈較大，不規則的延宕時間會影響短期（即二年）的影響因素。[10]

1999 年，學術和專業學會出版者協會（Association of Learned and Professional Society Publishers, ALPSP）曾調查 2,500 位作者有關投稿的考慮因素，許多人提及「出版速度」的問題，因為研究者擔心別人會搶先發表類似的作品，出版速度對化學家而言尤其重要。[11]

2001 年，I. Diospatonyi、G. Horvai 和 T. Braun 研究十種分析化學期刊之出版延宕時間（publication Lapse Time），他們認為所謂好期刊之定義相當主觀，評量期刊品質的方法之一就是研究期刊之出版延宕。從收稿至接受，主要時間花費在送審、修改；而從接受至出版，則包括校對、印刷、與裝訂的時間。此研究抽選 1985 年、1990 年、1995 年和 1999 年之紙本分析化學期刊為樣本，發現從投稿至出版所需時間分別為 205 天、231 天和 208 天，顯示印刷技術和電子郵件技術之進步並未加速出版的速度。[12]

除了出版延宕，另有索引延宕（Indexing Lag），係指論文發表後被收錄到索引摘要資料庫的時間差距，此索引延宕亦會影響到文章被引用的時間。1987 年，Spencers S. Marsh 調查生物倫理期刊文章被生物倫理書目（Bibliography of Bioethics）和醫學索引（Index Medicus）二個資料庫收錄之速度，前者有二至三年的差距，而後者僅需一年。[13]2001 年，I. Diospatonyi、G. Horvai 和 T. Braun 以十種分析化學之核心期刊測試化學摘要（Chemical Abstracts, CA）和分析摘要（Analytical Abstracts, AA）二個書目資料庫過去 10 年收錄文獻之速度，發現 CA 比 AA 快兩倍。[14]

至於發表快速的電子預印本（E-Print）是否會快速被引用？Cecelia Brown 曾調查 1998 年至 1999 年之 arXiv.org 網站之 12 群物理、天文主題的檔案被期刊引用的情形，發現電子預印本於發表 3 年後達到被引用高峰，此和紙本期刊在出版後 3 年達到被引用尖峰期類似，因此假設電子預印本與紙本印刷文章之被引用類型相同。[15]2003 年，當 arXiv.org 網站增至 15 個檔案，傅雅秀再度檢索 SciSearch 資料庫，驗證了電子預印本仍如同紙本期刊，在刊登 2 至 3 年後達到被引用最高點，此與 2001 年 Brown 之研究結果相同。[16]以上結果意味著出版延宕指的是出版速度太慢，而無關乎刊登後被引用的速度。

四、被引用速度對影響力和被引用半衰期的影響

ISI 之科學網（Web of Science, WOS）近年來收錄電子期刊，其收錄標準和紙本期刊

大致相同，出版標準（Publishing Standards）、編輯內容（Editorial Content）、國際多樣性（International Diversity）、與文獻引用分析（Citation Analysis）均在考量項目中。[17] 為檢視 WOS 收錄電子期刊及其被引用情形，經以 WOS 之被引用參考文獻（Cited Reference）欄位檢索電子期刊，若被引用參考文獻右邊出現「見識別號」（View ID），該筆即為電子期刊。（見圖一）

Cited Reference Search

36 references matched query:
Cited Work=BMC Cancer
Database(s)=SCI-EXPANDED; Timespan=1996-2003

References 1 -- 20 |◀ ◀◀ ◀ [*1*/2] ▶ ▶▶ ▶|

Hits	Cited Author	Cited Work	Volume	Page	Year	ID
0	CAO ZA	BMC CANCER	2		2002	VIEW ID
0	CHEN ZH	BMC CANCER	2		2002	VIEW ID
0	CORNELISSEN M	BMC CANCER	3		2003	VIEW ID
0	DEPRIMO SE	BMC CANCER	3	1	2003	
0	EMBERLEY ED	BMC CANCER	2		2002	VIEW ID
0	FENG CW	BMC CANCER	2		2002	VIEW ID
0	FISCHER H	BMC CANCER	1		2001	VIEW ID
0	HAUX J	BMC CANCER	1		2001	VIEW ID
0	HAUX J	BMC CANCER	1	1	2001	
0	HE XY	BMC CANCER	2		2002	VIEW ID
0	IVANOVA T	BMC CANCER	21	4	2002	
0	IVANOVA T	BMC CANCER	2		2002	VIEW ID
0	JAMIESON TA	BMC CANCER	3		2003	VIEW ID
0	KONGRUTTANACHOK N	BMC CANCER	1		2001	VIEW ID
0	KURANAGA N	BMC CANCER	1		2001	VIEW ID
0	KURNAGA N	BMC CANCER	1	2407	2001	
0	LEFESVRE P	BMC CANCER	2		2002	VIEW ID
0	LI MT	BMC CANCER	2		2002	VIEW ID
0	LIMTRAKUL PN	BMC CANCER	1		2001	VIEW ID
0	MAHYARROEMER M	BMC CANCER	2		2002	VIEW ID

圖一　電子期刊被引用範例

　　根據 2003 年 4 月份被 WOS 收錄之電子期刊清單[18]所列 73 種期刊選出 22 種被 2002 年科學版的 JCR 收錄的電子期刊，其中 12 種為純電子期刊，另 10 種同時有電子版與紙本。本研究之前提假設（Assumption）是「電子期刊出版速度比紙本快」，因此不需再收集投稿日期和出版日期間距之數據資料來驗證電子期刊出版速度較快。本文之研究問題為：1.出版速度快的電子期刊被引用的速度是否較快?亦即，其即時引用指數是否較高？2.即時引用指數高之電子期刊之短期（二年）影響因素是否亦高？3.即時引用指數高之電子期刊之被引用半衰期是否較短？由於無法分辨作者係引用電子版或紙本期刊，無法探討紙本期刊在發行電子版後，其即時引用指數或期刊影響因素是否會提高，此乃研究上的限制。2002 年科學版的 JCR 共收錄 5792 種期刊，影響因素最高者為 54.455，即時引用指數最高為 15.647，而被引用半衰期最多計算至 10，超過一律標示大於 10。由表一數據觀之，除刊名 New Astronomy 之快速指標 1.108 排名 174 外，其餘均名列於 5000 多，表示出版快速之電子期刊被引用速度並未較快。再將表一數據以 SAS 軟體作相關分析，得到即時引用指數和影響因素之相關係數達顯著水準（r=0.67566），換言之，快速被引用的期刊其短期影響因素會較高。根據 Luwel 和 Moed 之研究，出版快速之期刊之被引用半衰期應比出版延宕者短[19]，但本研究之數據顯示，即時引用指數和被引用半衰期並無顯著相關存在（r=-0.33171）。再者，有紙本的電子期刊，因讀者可能係引用紙本，被引用半衰期理應較長，但由表一觀之，有否紙本和被引用半衰期亦無關聯。

表一　2002 年科學版 JCR 收錄的部份電子期刊被引用情形

	影響因素	即時引用指數	被引用半衰期	有否紙本
1. AAPS Pharmsci	1.7	0.3	2.2	N
2. Advances in Renal Replacement Therapy	1.128	0.069	4.7	Y
3. Am. J. of Kidney Diseases	3.688	0.679	5.0	Y
4. Arthritis Research	3.436	0.627	2.1	N
5. Atmospheric Chemistry and Physics	0.714	0.412	4.7	N
6. BMC Cancer	1.05	0.029	—	N
7. Bulletin of the Am. Math. Soc.	1.824	0.778	>10	Y
8. Cancer Biology & Therapy	—	0.636		Y
9. Conservation Ecology	3.88	0.5	3.5	N

10. Electrochemical & Solid State Letters	2.505	0.503	2.9	Y
11. Frontiers in Bioscience	3.063	0.585	3.3	N
12. Green Chemistry	2.547	0.612	2.5	Y
13. J. of Artificial Intelligence Research	0.933	0.074	6.2	N
14. J. of the Am. Math. Soc.	2.533	0.593	7.0	Y
15. J. of Turbulence	1.172	0.154	—	N
16. New Astronomy	3.108	1.108	3.7	N
17. New J. of Physics	1.768	0.376	2.6	N
18. Pacific J. of Math.	0.467	0.065	>10	Y
19. Phys Chem Comm	1.643	0.480	1.9	N
20. Physiological Genomics	4.667	0.453	2.1	N
21. Proceedings of the Am. Math. Soc.	0.334	0.148	>10	Y
22. Transactions of the Am. Math. Soc.	0.664	0.181	>10	Y

五、結論

　　科學資訊來源如期刊和書目資料庫均需維持高品質的標準，其中一項重要的品質指標是新資訊被傳播的速度。過去十幾年來，網路資訊資源有重大發展，電子資源已漸成為研究人員可以接受的重要工具。過去國內決策者採計 SCI 之被引用指標來評估學術研究成果，許多研究人員為了升等的壓力，不願投稿至 SCI 未收錄之電子期刊。現若 SCI 和 JCR 已收錄電子期刊，可計算期刊影響因素，則快速出版的電子期刊當會更加普及，學術傳播與資訊使用的模式將大為改觀。本研究選擇 JCR 收錄的 22 種電子期刊為樣本，探討其被引用情形。結果顯示，不乏電子期刊被引用，但並未比紙本較快速被引用。再計算即時引用指數和二年短期影響因素之相關係數以及即時引用指數和被引用半衰期之相關係數，證明被引用速度快的期刊，其二年影響力略微提昇，但不影響被引用半衰期。

註釋

① 　Tony Stankus, "A Review of the Print Journal System in the Sciences, with Prospects for Improvement in Deficiencies and Costs through Electronic Publishing," *Science & Technology Libraries* 18(2/3):32(1999).

② 　傅雅秀，《從圖書資訊學的觀點探討科學傳播》（台北：漢美，民 88 年），頁 37-39。

③ 　同上註，頁 131。

④ 　Stephen P. Harter, "Scholarly Communication and Electronic Journals: an Impact Study," *Journal of the American Society for Information Science* 49(6):508 (May 1, 1998).

⑤ 　Shengli Ren and Ronald Rousseau, "A Citation Data Analysis of JCR-Covered Journals in Geosciences,"《圖

書館學與資訊科學》28(1)：4-13(民 91 年 4 月)。

⑥ Stephen P. Harter, "The Impact of Electronic Journals on Scholarly Communication: a Citation Analysis," *The Public Access Computer Systems Review* 7(5):1-27 (1996).

⑦ 同註④，507-516。

⑧ Stephen P. Harter & Hak Joon Kim, "Electronic Journals and Scholarly Communication: a Citation and Reference Study," *Proceedings of the Midyear Meeting of the American Society for Information Science, San Diego, CA, May 20-22, 1996*, pp. 299-315. http://ezinfo.ucs.indiana.edu/~harter/harter-asis 96midyear.html/ (Retrieved on January 20, 2003).

⑨ M. Luwel & H. F. Moed, "Publication Delays in the Science Field and Their Relationship to the Aging of Scientific Literature," *Scientometrics* 41(1-2): 29-40 (1998).

⑩ Leo Egghe and Ronald Rousseau, "The Influence of Publication Delays on the Observed Aging Distribution of Scientific Literature," *Journal of the American Society for Information Science* 51(2):158-165 (January 15, 2000).

⑪ Alma Swan, "What Authors Want: the ALPSP Research Study on the Motivations and Concerns of Contributors to Learned Journals," *Learned Publishing* 12(3):170-172 (July 1999).

⑫ I. Diospatonyi, G. Horvai and T. Braun, "Publication Speed in Analytical Chemistry Journals," *Journal of Chemical Information and Computer Science* 41(6): 1452-1456.

⑬ Spencer S. Marsh, "Bibliography of Bioethics and Index Medicus: Comparison of Coverage, Publication Delay, and Ease of Recall for Journal Articles on Bioethics" *Bulletin of Medical Library Association* 75(3): 248-252 (July 1987).

⑭ I. Diospatonyi, G. Horvai and T. Braun, "The Publication Speed of Information in Bibliographic Chemical Database," *Journal of Chemical Information and Computer Science* 41(6):1446-1451 (2001).

⑮ Cecelia Brown, "The E-Volution of Preprints in the Scholarly Communication of Physicists and Astronomers," *Journal of the American Society for Information Science and Technology* 52(3):187-200 (February 2001).

⑯ 傅雅秀，〈傳統和電子預印本被引用之情形〉，《圖書資訊學刊》1(2)：81-94（民 92 年 9 月）。

⑰ Thomson ISI, "Electronic Journal Selection and Evaluation Process," http://www.isinet.com/selection/electronic/ (Retrieved on 2/28/2004).

⑱ Siewtyng.fung@isinet.com (E-Mail on October 20, 2003).

⑲ M. Luwel and H. F. Moed, op. cit.

臺灣地區生命科學文獻與作者生產力研究
A Study of Life Science Literature and
Author Productivity of Taiwan

蔡明月
Ming-yueh Tsay

尤慧敏
Hui-min Yu

摘　要

　　本研究旨在利用書目計量學之方法，探討臺灣生產之生命科學文獻與作者生產力特性。研究內容包括文獻成長情形為何？文獻之資料類型為何？研究主題分佈為何？期刊論文又細分為那幾項出版類型？作者及機構之生產力分佈為何？此外，更進一步應用洛卡定律、普萊斯平方根定律以及 80/20 定律驗證作者生產力分佈。研究樣本取自 BIOSIS Preview、EMBASE 及 MEDLINE 等國際知名之三大生命科學資料庫，總計檢索 1975 至 2001 年 7 月共 74820 筆書目記錄。研究結果顯示由 1975 年起，臺灣地區生命科學文獻成長共計產生了三個高峰期（1975-1980、1984-1991、1994-2001）及二個低潮期（1981-1983、1992-1993），臺灣地區生命科學文獻持續穩定成長，前景看好。期刊是最主要且成長最快的資料類型，期刊與會議論文合計佔總文獻數 99%，顯示臺灣地區生命科學文獻高度集中於出版快速之新穎資料。臨床試驗為期刊論文中最特別的出版類型。生物化學與分子生物學、方法和技術、生

理學、藥理學以及新陳代謝等五大主題是臺灣地區生命科學文獻中最常見之研究主題。三位最多產作者及其文獻篇數與研究生涯分別為：高嘉鴻（154 篇，10 年）、林山陽（130 篇，17 年）、林茂村（113 篇，22 年）。臺灣大學、榮民總醫院及長庚紀念醫院為生產力最高的三個機構。共同研究相當普遍，平均一篇文章由 3.94 位作者共同完成。以洛卡定律最小平方法求得之 n 值為-2.214，常數值 c 為 0.677；進一步利用科斯檢驗法加以檢定，證明洛卡定律不適用於本研究。普萊斯平方根定律及 80/20 定律亦不符合作者分佈情形。

Abstract

The main purpose of this study is to explore the academic indicators of the life science literature in Taiwan based upon the theoretical perspectives of the bibliometrics, such as the growth of literature, document type, subject distribution, author and institution productivity. A total of 74820 bibliographic records were retrieved from the BIOSIS Preview, MEDLINE, and EMBASE databases. The results of these studies reveal that:

Since 1975, three higher peaks (1975-1980, 1984-1991, 1994-2001) and two lower troughs (1981-1983, 1992-1993) of the life science literature growth have been identified. It is also demonstrated that the literature growth rate is in a steadily up-growing trend.

Journal was the major way of publication. Journal and conference papers account for 99% of total publication, indicating that life science study extremely emphasizes timeliness and originality.

Biochemistry and molecular biophysics, methods and techniques, physiology, pharmacology and metabolism were the most popular research subjects.

Coauthorship was the major research model, and, on the average, each paper was published by 3.94 authors. National Taiwan University, Veterans General Hospital and Chang Gung Memorial Hospital are three most productive institutions. Three most productive authors with their corresponding papers and active years of research career are listed as follows: Chia-Hung Kao (154 papers, 10years), Shan-Yang Lin (130 papers, 17 years) and Mao-Tsun Lin (113 papers, 22 years).

Lotka's law was found to be inapplicable to author productivity distribution with n=-2.214 and C=67.7%.　The K-S test was also utilized to test the invalidity of observed distributions at 0.01 level of significance.　Price's square root law and 80/20 law were found to be inapplicable to author productivity distribution.

關鍵詞：臺灣生命科學文獻；文獻成長；研究主題；期刊出版類型；作者生產力；機構生產力；洛卡定律；普萊斯平方根定律；80/20 定律

Keywords: Taiwan Life Science Literature; Literature Growth; Publication Type, Subject Distribution; Author Productivity; Institution Productivity; Lotka's Law; Price Square Root Law; 80/20 Law

壹、前言

　　科學的領域廣泛複雜，每一學科或主題的影響各不相同，其中與人類生命直接且緊密相關的即是生命科學。生命科學包含的學科領域有植物學、動物學、生物化學、生物醫學、分子生物等[①]，可說是萬物的起源，亦是一國之基礎科學。促進生命科學發展最大的功臣即是從事研究的科學家及研究人員。在科學發展的過程中，科學家將其研究結果加以累積、傳播以促進科學不斷的進步，因此科學家可以說是促進科學進步的主體。將其研究結果於學術刊物公開發表，無疑是科學家在學術專業上獲得肯定的有效作法，其中尤以期刊論文最被重視。臺灣近二十年來，由於經濟起飛，國力增強，政府投入大量的人力、財力、物力，積極推動研發工作，以提昇學術的國際競爭力，在累積長期研究成果之後，該是檢驗其成效的時刻。生命科學之研究與其相關學科不斷的發展，起因於生命科學相關之文獻數量不斷的成長與流通。生物科技是 21 世紀的研究主流，所以有關生命科學生產力的研究，應能反應出目前生命科學與其應用之現象；基於上述之背景，引發本研究探討臺灣地區生命科學生產力之國際指標。本研究所謂國際指標是以文獻被國際知名資料庫收錄為基礎。本研究生命科學之界定乃根據中央研究院所劃分之研究領域為主。其中與生命科學相關的為植物、動物、生物化學、生物醫學和分子生物等五個研究所，因此本研究之生命科學界定為此五大主題。

　　臺灣地區研究人員大多分佈於研究機構及大專校院。根據《中華民國科學技術統計要覽》[②]中所記載，歷年臺灣為科學引用索引（Science Citation Index, SCI）資料庫收錄之論文分佈於 23 個主題，其中與生命科學相關者計有臨床醫學、生物及生化、動植物學、

藥理學、農業科學、神經科學、微生物學、生態環境、分子生物及基因與免疫學等十個主題，此十個生命科學相關主題在 2000 年共發表 3659 篇，佔所有文獻之 36%。由此，可見生命科學之重要性，其中臨床醫學在近五年每年都發表了一千多篇的文獻，並有逐年增加的趨勢，以 1996 年至 2000 年為例，平均每年增加 40 至 50 篇，其中 1998 年即增加了 171 篇。此外，生物及生化與動植物學二個主題平均每年發表 300 篇以上。至於藥理學與生態環境則平均每年刊載 200 篇文獻。整體而言，生命科學十個主題每年發表的文獻篇數都上百篇，雖然少數主題其文獻成長會約略減少，但大多數還是維持穩定成長之情況。

　　本研究之目的在探討臺灣生命科學生產力之國際指標，SCI 資料庫收錄範圍較有限制，因此本研究擴大研究對象為國際知名之三大生命科學資料庫，包含 BIOSIS Preview、EMBASE 及 MEDLINE。本研究探討之問題為：㈠文獻成長現象為何？是否符合線性、指數或邏輯斯第模式？㈡文獻之資料類型為何？期刊論文、專書、會議文獻、技術報告、專利等的分佈如何？期刊論文又可細分為那幾項出版類型？㈢文獻之特性為何？研究主題分佈為何？㈣作者與機構之生產力為何？作者合作的情形為何？㈤作者生產力分佈是否符合洛卡定律、普萊斯平方根定律以及 80/20 定律？

　　利用 Taiwan 此關鍵字檢索 institution 欄位。針對書目資料之語文、主題、資料類型、年代等四個要項之書目記錄加以下載，之後建立一小型的書目檔。如此可免去費時耗力又易出錯的原始建檔工作。資料庫下載的資料，均有相同的著錄格式，因此利用 Perl 程式語言將書目資料加以處理。最後再利用 Access [③] 及 Excel 將處理過的資料進行分析，依研究問題進行相關定律之統計檢測，再依據統計結果繪製統計圖表。

　　本研究總計檢索 74820 筆書目記錄，進一步運用書目計量方法探討臺灣地區生命科學文獻之特性。藉以了解臺灣地區生命科學研究之發展，以作為相關業界進行研究成果評估之參考，並提供圖書館館藏規劃與資訊服務之依據。以下分別就文獻成長現象、資料類型分佈、文獻主題分佈、作者與機構之生產力分佈、作者生產力分佈之驗證、高生產力作者之研究主題及其研究生涯以及作者合作之情形等加以敘述。

貳、文獻成長現象

　　一個時代之出版品可以反應出該學科領域之發展情況。本研究收集 1975 年至 2001 年 7 月臺灣地區 74820 篇生命科學文獻。依其出版年代將該學科所有文獻加以排序，進而逐年分析，以了解此學科歷年來產生何種變化。

　　由圖一及表一可見，臺灣地區生命科學每年文獻出版數量之起伏變化，圖一顯示，
1975 至 1980 年之間每年發表文獻都有小幅的增加，平均每年增加 100 多篇；1981 至 1983
年間文獻的成長呈現平緩的趨勢，尤其 1981 與 1983 年呈負成長，文獻量不增反減；然
而自 1984 年開始至 1991 年，文獻的成長量則明顯增加，此階段每年文獻平均增加 400
至 500 篇；1992 至 1993 年之後生命科學文獻又出現一成長的低潮期，文獻量降低；1994
年之後則為另一個文獻成長的高峰期，在 1994-2001 年間每年文獻出版量約為五至六千
多篇，平均每年增加 500 至 600 篇。本研究進行書目資料檢索時為 2001 年 7 月，當年的
資料不完整，因此在研究完成後再次檢索三大資料庫 2001 年之相關文獻，以期得到較完
整的文獻數，扣除重複文獻之後，圖一 2001 年的文獻數由 3583 筆增加為 9007 筆，進一
步由圖二可以看出臺灣地區生命科學文獻之成長幅度，其中顯示了在其成長過程中產生
四次負成長，分別為 1981、1983、1992 及 1993 年，其餘各年文獻都略有增長，只是增
長幅度不定而已。其中以 1994 與 2001 年最為明顯。

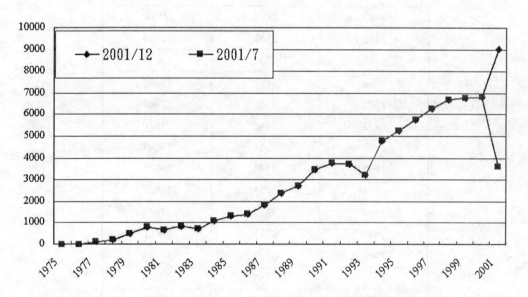

（註：3583 為 2001 年 7 月檢索之文獻數；補充檢索至 2001 年 12 月，其文獻數增加為 9007 筆。）

圖一　臺灣地區生命科學文獻成長圖

表一　臺灣地區生命科學文獻數量分佈表

年代		文獻篇數	文獻累積篇數
1975		1	1
1976		21	22
1977		130	152
1978		222	374
1979		514	888
1980		816	1704
1981		683	2387
1982		840	3227
1983		701	3928
1984		1092	5020
1985		1314	6334
1986		1393	7727
1987		1827	9554
1988		2365	11919
1989		2700	14619
1990		3457	18076
1991		3786	21862
1992		3748	25610
1993		3233	28843
1994		4786	33629
1995		5275	38904
1996		5749	44653
1997		6283	50936
1998		6703	57639
1999		6765	64404
2000		6825	71229
2001	7月	3583	74812
	12月	9007	80236
*缺		8	74820
總計		74820	

（*書目記錄中沒有記載）

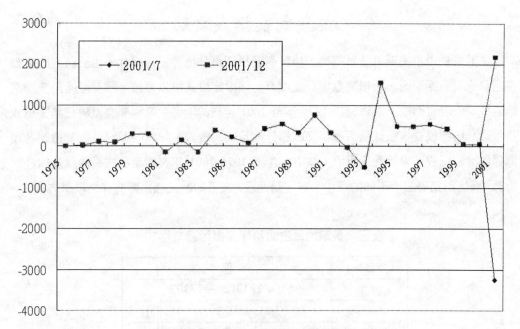

圖二　臺灣地區生命科學文獻成長率分佈圖

　　整體而言，如表二所示，臺灣地區生命科學文獻的成長，可分為三個線性成長期與二個低潮期，由最初線性的成長萌芽期後產生一成長平緩期（1981-1983），接著為第二個平緩的線性成長期（1984-1991），之後文獻的成長又陷入一為期二年的低潮（1992-1993），文獻量不增反減，第三次的線性成長為文獻成長的高潮期（1994-2001），比起前二次的文獻成長，這個時期的成長幅度較大，由此可知該時期的文獻成長大於之前各時期。如之前圖一所示，1975 至 1980 年、1984 至 1991 年及 1994 至 2000 年三個時期呈現成長趨勢，可知此三個時期文獻成長各有其一定之比例；介於此三個時期中的年代，其文獻成長則較無規律。

表二　臺灣地區生命科學文獻成長分佈表

文獻特性	年代	文獻篇數	文獻成長現象
成長萌芽期	1975-1980	1704	1975-1980 年間文獻以線性方式成長,平均每年增加 100 多篇
成長低潮期	1981-1983	2224	文獻成長平緩
穩定發展期	1984-1991	17934	每年文獻以線性方式成長,約增加 400-500 篇
成長低潮期	1992-1993	6981	文獻成長量小幅降低,文獻成長不增反減
蓬勃發展期	1994-2001	45969	文獻成長的另一高峰,平均每年約增加 500-600 篇
總計		74820	

叁、文獻成長模式之驗証

文獻成長現象主要可分為線性、指數與邏輯斯第分佈等三種模式，由於研究的文獻主題和時間範圍不同，所以文獻成長並沒有一個固定模式可以遵循，亦有可能是多種文獻成長現象混合而成。本研究以 1975 年至 2001 年臺灣地區生命科學文獻驗証其文獻成長是屬於何種模式，根據前面歷年文獻的分佈及成長數據，計算其迴歸係數及繪製各種迴歸曲線。研究結果如圖三所示，其中包含了 1975-2001 年文獻累積成長曲線及線性、指數、邏輯斯第等三種不同的最小平方迴歸曲線，表三即為三種迴歸曲線之數學方程式。

表三　臺灣地區生命科學文獻迴歸方程式

迴歸線	方　程　式
線性	$y = 2819.2x - 17303$
指數	$y = 97.21 \exp[\,0.292\,(t - 1975)\,]$
邏輯斯第	$y = 80000\,/(1 + 976.427\,e^{-0.36524\,t})$

由於臺灣地區生命科學文獻每年收錄的文獻並非固定不變而是逐年略為增減，由圖三文獻成長累積圖可見，臺灣地區生命科學文獻只有 1996-2000 年符合線性成長，亦即文獻依一定的比例增加，其餘部分則不符合線性成長模式。整體而言，臺灣地區生命科學文獻並不符合線性之文獻成長模式。

指數成長的迴歸曲線與實際數據的分佈則差異頗大。1994 年以前，文獻的實際總數多於指數成長曲線之預測，1994 年後，文獻總數則遠低於指數成長之預測值。指數迴歸曲線的成長率約為 29.2%。圖三顯示客觀的環境實際上無法支持文獻隨時間而呈指數成長的理論。因此可知，臺灣地區生命科學文獻之文獻成長現象與指數成長模式不相同。

邏輯斯第迴歸曲線與實際數據較為接近，由圖三之邏輯斯第曲線假設可得，最終文獻收錄總數為 80000 篇。另外二個常數則為最小方平差迴歸分析的結果。邏輯斯第曲線的反曲點為 $tr = \ln(976.427)/0.3652 = 18.8 \approx 19$，亦即 1994 年。反曲點是指文獻成長量達到飽和之後呈現衰退的時間點。因此邏輯斯第迴歸曲線顯示，臺灣地區生命科學文獻的成長在 1994 年達到最高點，之後開始下降。

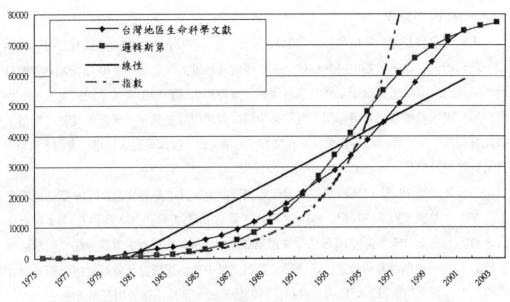

圖三　臺灣地區生命科學文獻累積成長量及線性、指數與邏輯斯第迴歸曲線

　　由圖三可知臺灣地區生命科學文獻在 1991 年之前與邏輯斯第成長模式十分相似，
1991 年之後則不相同。誠如上述，依邏輯斯第迴歸之預測，1994 年後文獻成長應開始衰
退，然而臺灣地區生命科學文獻成長量卻仍不斷的增加，顯然與邏輯斯第之預測並不吻
合，反而呈現另一線性成長。由此可知邏輯斯第預測 1994 年為反曲點並不符合實際之情
況，臺灣地區生命科學文獻成長情形截至 2001 年止仍是不斷的蓬勃發展中。

　　整體而言，由圖三三種迴歸曲線與臺灣地區生命科學文獻之數據分佈，可看出臺灣
地區生命科學文獻之成長曲線與線性迴歸曲線並不相符，與指數迴歸曲線亦不相同，至
於邏輯斯第曲線只有前部分約略相似，亦即文獻之成長一開始維持同樣之速度,到了 1991
年開始起了變化。截至 2001 年臺灣地區生命科學文獻出版之情況一直維持穩定的成長，
尚未達到文獻成長的飽和點，也未呈現衰退遲緩，與邏輯斯第成長模式之後半段不相同。

肆、資料類型分佈

　　透過文獻資料類型分佈之研究，可以了解臺灣地區生命科學文獻之來源及其所佔之
比例，進而得知其重要性與資訊價值。各種資料類型除了出版形式不同外，其資料內容
亦具獨特之性質，因而由文獻之資料類型可以了解臺灣地區生命科學的研究特性。

一、一般資料類型

本研究收集臺灣地區生命科學文獻共 74820 篇，由於有些文獻同時具有二種資料類型，為求研究之公平客觀，將其各計一次，因此資料量由原來的 74820 筆增加為 79531 筆。本研究之資料來自三個不同的資料庫，各資料庫對資料類型有其不同的定義，有的資料庫只定出較廣義之資料類型，有的則根據文獻之研究對象及性質定義其資料類型，因此資料類型多達數十種，其中以期刊文獻、會議文獻、技術報告、專書、專利、書目、應用軟體等最常見。

本研究收集 79531 種資料類型之分佈如表四所示。其中期刊文獻 71536 篇佔總文獻數之 90%；會議文獻 7330 篇佔 9%；專書 431 篇佔 0.5%；專利 222 篇佔 0.3%；技術報告 2 篇，不到 0.01%；其他 10 篇佔總文獻篇數 0.01%。其中期刊文獻與會議文獻約佔總文獻數之 99%，顯示臺灣地區生命科學文獻高度集中於出版快速及新穎性強之期刊與會議論文上，其次為專書，特別的是專利資料位居第四，而技術報告則是第五。

表四　臺灣地區生命科學文獻資料類型分佈表

排名	資料類型	文獻篇數	百分比	累積百分比
1	期刊文獻	71536	90%	90%
2	會議文獻	7330	9%	99%
3	專書	431	0.5%	99.5%
4	專利	222	0.3%	99.8%
5	技術報告	2	<0.01%	99.9%
6	其他	10	0.01%	100.0%
合　計		79531	100%	

二、期刊資料出版類型的分佈

生命科學文獻各資料類型之定義與文獻內容及研究對象息息相關，因此實有必要針對期刊文獻之出版類型（publication type）進一步加以分析研究。由表五得知，期刊資料之出版類型大體以具原創性之期刊論文為主，共計 64,925 篇，佔總數之 90.76%，其餘較重要的出版類型依次為臨床試驗（clinical trial）（3.16%），評述論文（review）（1.79%），以及研究型文獻（research article）（1.66%）。上述四種類型文獻即佔 97.4%。至於個案報告評述（review of reported case）、個別指導評述（tutorial review）以及信函（letter）

共佔 1.87%。其他多樣化的出版類型尚有註解、個案研究、社論、評估研究、複合中心研究、勘誤資料等。

表五　臺灣地區生命科學期刊文獻資料類型分佈表

資料類型	文獻數	%
原創性文章 (journal article)	64925	90.76
臨床試驗 (clinical trial)	2263	3.16
評述 (review)	1277	1.79
研究型文獻 (research article)	1188	1.66
信函 (letter)	634	0.89
個別指導評述 (tutorial review)	356	0.50
個案報告評述 (review of reported cases)	340	0.48
註解 (note)	86	
個案研究 (case Study)	75	
錯誤更正 (erratum)	66	
簡短調查 (short survey)	55	
社論 (editorial)	53	
評估研究 (evaluation studies)	50	
複合中心研究 (multicenter study)	49	
學術評述 (academic review)	40	
確認研究 (validation studies)	19	
多重個案評述 (multicase review)	14	
歷史性文獻 (historical article)	10	0.77
分類命名法則 (taxonomic key)	8	
評論 (comment)	7	
改正及再版文章 (corrected and republished article)	6	
多元分析 (meta-analysis)	4	
撤銷出版 (retracted publication)	4	
演講稿 (lectures)	2	
複本出版 (duplicate publication)	2	
成對研究 (twin study)	1	
消息報導 (news)	1	
出版錯誤更正 (published erratum)	1	
合　計	71536	100

伍、研究主題分佈

　　本研究針對臺灣地區生命科學文獻進行主題分佈研究，以了解生命科學之研究發展方向，利用書目資料中主題（subject）或敘述語（descriptor）欄位進行分析，由於每一篇文獻可能同時包含數個主題，為求公平客觀，將每一個主題各計一次視為一筆記錄，因此資料量由原始的 74820 筆增加為 138707 筆。扣除歷年來之重複主題共得 69348 個獨立的研究主題，由此可知生命科學分類之複雜及詳盡。因為主題十分廣泛，故只針對前 20 名主題加以了解其發展趨勢及方向。如表六所示，共有 12 個主題其相關文獻超過 1000 篇，其中生物化學與分子生物物理學（Biochemistry and Molecular Biophysics）是生命科學中最常見之研究主題，有 3372 篇文獻。其次是方法和技術（Methods and Techniques）、生理學（Physiology）、藥理學（Pharmacology）、新陳代謝（Metabolism）、病理學（Pathology）、細胞生物學（Cell Biology）、傳染（Infection）、發展（Development）、酵素學（Enzymology -Biochemistry and Molecular Biophysics）、遺傳學（Genetics）、神經系統－神經中樞協調（Nervous System-Neural Coordination）等。較特別的是位居第二的方法和技術，以及排名第九的發展。在生命科學領域中不同的實驗或研究所使用之研究方法及技術或是儀器與設備都會影響研究結果，因此 BIOSIS Preview 資料庫在定義主題時並不只是由資料內容來定義該主題，而是特別強調該研究使用之方法及技術，甚至會將實驗使用之儀器加以記錄於主題的欄位中。

表六　臺灣地區生命科學文獻前 20 名主題分佈

排名	主題	文獻數
1	生物化學與分子生物物理學(Biochemistry and Molecular Biophysics)	3372
2	方法和技術(Methods and Techniques)	2116
3	生理學(Physiology)	1841
4	藥理學(Pharmacology)	1766
5	新陳代謝(Metabolism)	1534
6	病理學(Pathology)	1501
7	細胞生物學(Cell Biology)	1438
8	傳染(Infection)	1374
9	發展(Development)	1222
10	酵素學(Enzymology -Biochemistry and Molecular Biophysics)	1177

11	遺傳學(Genetics)	1175
12	神經系統－神經中樞協調(Nervous System-Neural Coordination)	1036
13	毒物學(Toxicology)	924
14	內分泌系統(Endocrine System-Chemical Coordination and Homeostasis)	867
15	食品學(Foods)	858
16	血液和淋巴腺(Blood and Lymphatics-Transport and Circulation)	836
17	腫瘤學(Oncology-Human Medicine, Medical Sciences)	833
18	形態學(Morphology)	819
19	心血管系統(Cardiovascular System-Transport and Circulation)	736
20	再生系統(Reproductive System -Reproduction)	721

陸、作者生產力分佈

在進行作者分佈研究前，宜對作者之計算方式加以定義之。由於資料庫對作者的注錄方法大多採用縮寫，例如：Chen CY。因此，同一名字可能包含數個不同作者，如此一來在計算作者生產力時，便無法判斷是否為同一作者，進而會造成作者生產力計算之誤差。為了解決不同作者名字相同之問題，可以進一步利用作者之服務機構加以判別。然而，遺憾的是，在書目記錄中只標明第一作者所屬機構名稱，所以本研究僅能以各篇文獻之第一作者為研究對象。再且，各資料庫在標明第一作者之方式並不相同，EMBASE在機構前加上作者名稱；BIOSIS Preview 則是在作者及機構中以[a]符號來表示，若未注明則為第一作者之機構名稱；至於 MEDLINE 其所記載之機構亦為第一作者之機構。以下就臺灣地區生命科學文獻作者生產力之分析結果，加以整理歸納，並進一步說明研究結果及可能影響之原因。茲分別針對作者分佈、高生產力作者特性以及作者生產力分佈規律及其驗證加以敘述。

一、作者分佈情形

如表七所示，74820 篇文獻為 17830 位作者所著，平均每位作者有 4.2 篇著作。有三位作者出版品超過 100 篇，出版量分別為 154 篇，130 篇及 113 篇。發表 1-10 篇文獻之作者佔多數，為 16670 人，佔所有作者之 93%，其中僅出版一篇文獻的作者共 9204 位，佔所有作者數之 52%，即表示多數作者出版了少量之文獻。整體而言，臺灣地區生命科學文獻作者發表文獻數與作者人數呈現反比情形。

表七　作者生產力分佈表

發表篇數	人數	人數(%)
>151	1	0.01%
141-150	0	0.00%
131-140	1	0.01%
121-130	0	0.00%
111-120	1	0.01%
101-110	0	0.00%
91-100	1	0.01%
81-90	3	0.02%
71-80	8	0.04%
61-70	11	0.06%
51-60	9	0.05%
41-50	39	0.22%
31-40	67	0.38%
21-30	214	1.20%
11-20	805	4.51%
10	205	1.15%
9	228	1.28%
8	272	1.53%
7	330	1.85%
6	470	2.64%
5	601	3.37%
4	855	4.80%
3	1477	8.28%
2	3028	16.98%
1	9204	51.62%
總計	17830	100%

二、高生產力作者之特性分析

在 17830 位作者中,根據文獻著作數量,列出前 36 位著作超過 50 篇之作者,其著作總數,約佔總文獻之 3.4%。這些作者可以說是臺灣地區生命科學領域具高生產力之領

導作者。如表八所示，發表文獻最多的前三名分別為：高嘉鴻 154 篇、林山陽 130 篇以及林茂村 113 篇。本研究 13 位高生產力作者在醫院服務，22 位在大學任職，另一位於研究機構服務。

表八　出版著作超過 50 篇以上之作者

排名	文獻數	人數	服務機構	作者
1	154	1	臺中榮總	高嘉鴻
2	130	1	臺北榮總	林山陽
3	113	1	國立陽明大學	林茂村
4	93	1	中國醫藥研究所	蔡東湖
5	88	1	馬階紀念醫院	陳持平
6	82	1	臺北榮總	王鵬惠
7	81	1	國立臺灣大學	林仁混
8	80	3	長庚大學	廖運範
			臺北榮總	林清淵
			長庚紀念醫院	吳基鈺
11	79	2	國立臺灣海洋大學	陳建初
			臺北榮總	陳適安
13	77	2	臺中榮總	林萬鈺
			國立成功大學	吳天賞
15	73	1	國立成功大學	鄭瑞棠
16	69	2	元智大學	林勝雄
			國立清華大學	楊孝德
18	68	1	國立中興大學	顏國欽
19	67	2	國立臺灣大學	鄧哲民
			長庚大學	楊春茂
21	65	1	臺中榮總	王世禎
22	63	2	高雄醫學大學	張瑞昇
			高雄榮總	簡崇仁
24	61	3	國立臺灣大學	陳青周
			國立陽明大學	范秉真
			國立臺灣大學	黃德福
27	60	1	高雄醫學大學	林俊清
28	56	1	長庚紀念醫院	黃錦章

29	55	1	國立陽明大學	黃啟剛
30	53	3	臺北榮總	張扶揚
			臺灣大學	林婉婉
			國立臺灣海洋大學	蕭錫延
33	52	3	長庚大學	陳敏夫
			元智大學	莊瑞鑫
			長庚紀念醫院	魏福全
36	50	1	國立臺灣海洋大學	黃登福
總計	2616	36		

　　除了分析作者生產力的分佈外，本研究透過研究者的個人網頁、國科會研究人才資料庫及本研究檢索之書目資料的主題等三大部分，進一步分析高生產力作者之研究專長、主題及研究生涯，其結果如表九所示。其中研究生涯是指每位作者發表文章的起始年代與最近一篇著作之出版年代的時間間距。

表九　高生產量作者之研究專長、主題及研究生涯

排名	作者	研究生涯	專長	研究主題	服務機構
1	高嘉鴻 Kao Chia-Hung	1991-2001	放射線核醫科	核子醫學及臨床應用、正子造影、醫學研究設計	臺中榮總 核子醫學科
2	林山陽 Lin Shan-Yang	1984-2001	藥理學	藥效研究	臺北榮總 醫學研究部
3	林茂村 Lin Mao-Tsun	1979-2001	生理	心血管學、牙醫學、神經科學、基礎醫學	國立陽明大學 生理學科
4	蔡東湖 Tsai Tung-Hu	1991-2001	製劑研究	藥物分析、藥物動力學、藥理學、藥學及中醫藥學	中國醫藥研究所
5	陳持平 Chen Chih-Ping	1995-2001	婦產科	生殖醫學、產前診斷、優生保健、臨床遺傳學	馬階紀念醫院 婦產科
6	王鵬惠 Wang Peng-Hui	1997-2001	醫學	腹腔鏡手術、青春痘、子宮內膜異位、更年期症候群、婦科癌症	臺北榮總 婦產部
7	林仁混 Lin Jen-Kun	1980-2001	醫學	致癌作用之研究與癌症之預防機制	國立臺灣大學 生物化學研究所
8	廖運範 Liaw Yun-Fan	1982-2000	醫學	肝炎研究、臨床研究	長庚大學 肝病中心

	林清淵 Lin Ching-Yuang	1985-2001	小兒科	免疫學、過敏學、分子生物學、腎臟學、生化學	臺北榮總小兒部 小兒免疫科
	吳基鈺 Wu CC	1990-2001	醫學	骨科外傷的基礎與臨床研究	長庚紀念醫院 骨科
11	陳建初 Chen Jiann-Chu	1988-2001	農學	養殖環境、生理生態、生物化學、水質學	國立海洋大學 水產養殖系
	陳適安 Chen Shih-Ann	1989-2001	醫學	心電生理學	臺北榮總內科部 心臟內科
13	林萬鈺 Lin Wan-Yu	1993-2001	放射線 核醫科	核醫藥物學、臨床醫學、體內放射腫瘤治療	臺中榮總 核子醫學科
	吳天賞 Wu Tian-Shung	1991-2001	化學	生理活性天然物之分離、有機化學、儀器分析、藥物化學、生藥學	國立成功大學 化學系
15	鄭瑞棠 Cheng Juei-Tang	1986-2001	藥理	基礎醫學、藥學及中醫藥學	國立成功大學 藥理研究所
16	林勝雄 Lin SH	1991-2001	化學工程	工業廢水回收再利用、資源回收利用、分離技術在污染防治之應用、地下水與土壤復育	元智大學 化工系
	楊孝德 Yang Shiaw-Der	1985-2001	生物醫學	生物醫學、訊號調控學	國立清華大學 分子與細胞生物 研究所
18	顏國欽 Yen Gow-Chin	1988-2001	保健食品 研發開發	食品機能化學、食品衛生安全、保健食品、食品油脂	國立中興大學 食品科學系
19	鄧哲明 Teng Che-Ming	1981-2001	藥理	血液學、藥理學	國立臺灣大學 藥理研究所
	楊春茂 Yang Chuen-Mao	1990-2001	藥理	生理學、毒物學、細胞學、藥理學	長庚大學基礎醫 學研究所
21	王世禎 Wang Shyh-Jen	1984-2001	放射線 核醫科	核子醫學、臨床醫自由型計畫	臺中榮總 核醫科
22	張瑞昇 Chang Long-Sen	1993-2001	藥理	生物藥劑學	高雄醫學大學 藥學系
	簡崇仁 Jan Chung-Ren	1997-2001	藥理	基礎醫學	高雄榮總 教學研究部
24	陳青周 Chen Ching-Chow	1981-2001	藥理	藥理、毒理、藥學及中醫學	臺灣大學醫學院 藥理學科教授
	范秉真 Fan Ping-Chin	1980-2001	熱帶醫學	寄生蟲學、熱帶醫學、寄生蟲診斷學	國立陽明大學 寄生蟲學科

	黃德福 Huang Tur-Fu	1979-2001	藥理	蛇毒蛋白之抗血栓和抗腫瘤、細胞轉移、血栓研究、藥理學	臺灣大學醫學院 藥理學科教授
27	林俊清 Lin Chun-Ching	1989-2001	農業生物	中國醫學學、本草學、生藥學、生藥之品質評價、生藥藥理學	高雄醫學大學 天然藥物研究所
28	黃錦章 Huang Chin-Chang	1984-2001	醫學	神經內科、遺傳疾病研究，如威爾森氏症及巴金森氏症	長庚紀念醫院 神經內科
29	黃啟剛 Wong Kai-Kong	1980-2001	藥理	中藥研究、心臟血管藥理	國立陽明大學 藥理學系
30	張扶揚 Chang Full-Young	1980-2001	醫學	消化性潰瘍診斷與治療、胃腸運動功能異常疾病診斷與治療	臺北榮總 內科部腸胃科
	林婉婉 Lin Wan-Wan	1988-2001	藥理	生物生化、基礎醫學	臺灣大學醫學院 藥理學科教授
	蕭錫延 Shiau Shi-Yen	1987-2001	漁業	食品營養研究、食品科技、農學(水產動物營養)、漁業及海洋	國立海洋大學 食品科學系
33	陳敏夫 Chen Miin-Fu	1979-2001	一般外科	臨床醫學	長庚大學 醫學系
	莊瑞鑫 Juang Ruey-Shin	1992-2001	分離技術	水污染防治、吸附與離子交換、溶劑萃取與液膜分離、薄膜分離技術	元智大學 化學工程系
	魏福全 Wei Fu-Chan	1984-2001	整形外科	手外科、基礎醫藥、整型重建外科、臨床醫學、顯微手術	長庚紀念醫院 整形外科
36	黃登福 Hwang Deng-Fwu	1990-2001	食品	水產化學、毒物學、食品化學、食品毒物學、環境毒物學	國立海洋大學 食品科學系

　　由表九作者專長一欄可知 36 位高生產力作者，醫學專長有 17 位、藥學 11 位、農學四位、化學三位及漁業一位，由此可見臺灣地區生命科學領域之作者以醫學及藥學為主。作者研究生涯由 1979 年至 2001 年都有研究者不斷持續進行研究，其中主要集中於 1991年至 2001 年。進一步分析生產力最高的前十名作者，經由圖四可見生產力最高的作者高嘉鴻，是在 1991 年開始發表文獻，雖然研究生涯僅十年，但每年都具有極高的生產力，尤其是 1994 年，單年即發表了 25 篇文獻，平均每年發表 15 篇。排名第二的林山陽，每年文獻生產力雖不如第一名作者，但因為他由 1984 年即開始進行研究並發表論文，平均每年出版八篇文獻，如此持續不斷的研究及發表，造就了可觀的生產量。第三名則是最早開始發表文獻的林茂村，其在 1979 年即開始其研究生涯直至 2001 年，雖然每年數量不多但仍持續發表。其餘作者大多是在 1982 與 1983 年開始有著作發表，截至 2001 年，

每年發表文獻均保持固定數量，表示各作者都持續不斷的在進行研究，其中亦不乏有近年崛起的後起之秀，例如：王鵬惠，其在 1997 年才開始發表，卻居高生產力作者之第六名，平均每年發表 16 篇文獻。本研究發現有些高生產力作者，平均每年文獻生產量竟高達一、二十篇，究其原因，可能是生命科學領域之共同研究十分普遍，合作發表文獻自屬必然，作者發表文獻篇數亦隨之提高。有關作者合作情形將於第九節加以探討。

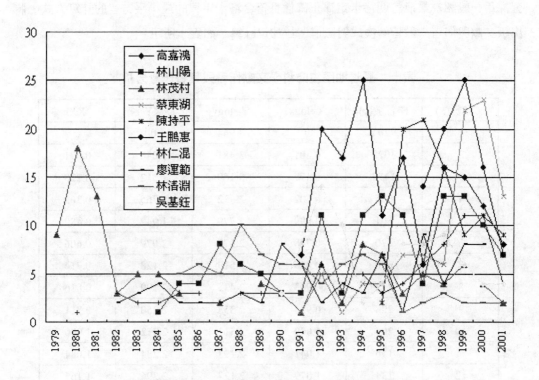

圖四　臺灣地區生命科學文獻前 10 名作者分佈

柒、作者生產力分佈之驗証

本研究以洛卡定律、普萊斯平方根定律與 80/20 定律加以驗証作者生產力分佈規律。本研究分析文獻篇數為 74820，全體作者總數為 17830 位，共出版了 60831 篇文獻，其中有 13989 篇文獻沒有記載作者。

一、洛卡定律

(一)洛卡定律之應用

本研究 60831 篇文獻共為 17830 位作者所著，根據洛卡定律的理論，本研究發表一篇文章的作者人數應為：17830x0.6079=10838。但實際觀察人數卻有 9204 位，佔全部作者之 52%，由此可見 C 值與洛卡原始定律不符合。為求得洛卡定律之 n 值與 c 值，本研究採用一般認為最能證明洛卡定律正確性且符合洛卡定律的最小平方差的計算方式，將出版文獻與作者人數皆轉換成對數值，並加以計算，如表十所示。

表十　臺灣地區生命科學文獻作者與其著作量分析

文獻數(x)	作者數(y)	X=logx	Y=logy	XY	XX
1	9204	0	3.964	0	0
2	3028	0.301	3.481	1.048	0.091
3	1477	0.477	3.169	1.512	0.228
4	855	0.602	2.932	1.765	0.362
5	601	0.699	2.779	1.942	0.489
6	470	0.778	2.672	2.079	0.606
7	330	0.845	2.519	2.128	0.714
8	272	0.903	2.435	2.199	0.816
9	228	0.954	2.358	2.250	0.911
10	205	1.000	2.312	2.312	1.000
11	156	1.041	2.193	2.284	1.084
12	134	1.079	2.127	2.296	1.165
13	93	1.114	1.968	2.193	1.241
14	91	1.146	1.959	2.245	1.314
15	79	1.176	1.898	2.232	1.383
16	75	1.204	1.875	2.258	1.450
17	54	1.230	1.732	2.132	1.514
18	37	1.255	1.568	1.969	1.576
19	39	1.279	1.591	2.035	1.635
20	47	1.301	1.672	2.175	1.693
21	35	1.322	1.544	2.042	1.748
22	40	1.342	1.602	2.151	1.802

23	22	1.362	1.342	1.828	1.854
24	26	1.380	1.415	1.953	1.905
25	20	1.398	1.301	1.819	1.954
26	22	1.415	1.342	1.899	2.002
27	14	1.431	1.146	1.641	2.049
28	14	1.447	1.146	1.659	2.094
29	10	1.462	1.000	1.462	2.139
30	11	1.477	1.041	1.538	2.182
31	9	1.491	0.954	1.423	2.224
32	10	1.505	1	1.505	2.265
33	11	1.519	1.041	1.581	2.306
34	6	1.531	0.778	1.192	2.345
35	4	1.544	0.602	0.930	2.384
36	11	1.556	1.041	1.621	2.422
37	3	1.568	0.477	0.748	2.459
38	7	1.580	0.845	1.335	2.496
39	3	1.591	0.477	0.759	2.531
40	3	1.602	0.477	0.764	2.567
41	6	1.613	0.778	1.255	2.601
42	2	1.623	0.301	0.489	2.635
43	4	1.633	0.602	0.983	2.668
44	3	1.643	0.477	0.784	2.701
45	6	1.653	0.778	1.286	2.733
46	4	1.663	0.602	1.001	2.765
47	4	1.672	0.602	1.007	2.796
48	6	1.681	0.778	1.308	2.827
49	3	1.690	0.477	0.806	2.857
50	1	1.699	0	0	2.886
52	3	1.716	0.477	0.819	2.945
53	3	1.724	0.477	0.823	2.973
55	1	1.740	0	0	3.029
56	1	1.748	0	0	3.056
60	1	1.778	0	0	3.162
61	3	1.785	0.477	0.852	3.187

63	2	1.799	0.301	0.542	3.238
65	1	1.813	0	0	3.287
67	2	1.826	0.301	0.55	3.335
68	1	1.833	0	0	3.358
69	2	1.839	0.301	0.554	3.381
73	1	1.863	0	0	3.472
77	2	1.886	0.301	0.568	3.559
79	2	1.898	0.301	0.571	3.601
80	3	1.903	0.477	0.908	3.622
81	1	1.908	0	0	3.642
82	1	1.914	0	0	3.663
88	1	1.944	0	0	3.781
93	1	1.968	0	0	3.875
113	1	2.053	0	0	4.215
130	1	2.114	0	0	4.469
154	1	2.188	0	0	4.785
總計	17830	105.725	76.588	84.008	168.102

（註：x 代表文獻數，y 代表作者數）

將上列計算值分別代入最小平方差的公式[④]，求得 n 值：

$$n = \frac{N \sum XY - \sum X \sum Y}{N \sum X^2 - \left(\sum X\right)^2} = \frac{72(84.008) - (105.725)(76.588)}{72(168.102) - (105.725)^2} = -2.214$$

將求得之 n 值代入公式 $C = 1/(\sum 1/x^n) = 1/1.477 = 0.677$，即 C 為 67.7%。

本研究所求得之 n 值為-2.214，此值與洛卡所估計之-2 相去不遠。常數值 0.677 與洛卡估計的 0.6079 亦頗為符合，然而與實際之觀察值 0.52 卻差異甚大。依此數據上之差異看來，洛卡定律似乎不適用於本研究。依圖五臺灣地區生命科學作者分佈圖來看，曲線由左向右下傾斜，高生產量的作者（即圖左半部）分佈，少數落在洛卡分佈定律之直線上，但發表文獻數較少的作者則與洛卡之分佈圖大不相同，其分佈點並未在直線上，因此整條曲線並非如洛卡定律所述呈一直線。由圖中可以看出觀察值與期望值數據的分佈有差距，若由圖解的方式來看，本研究之作者生產力與洛卡定律並不符合。

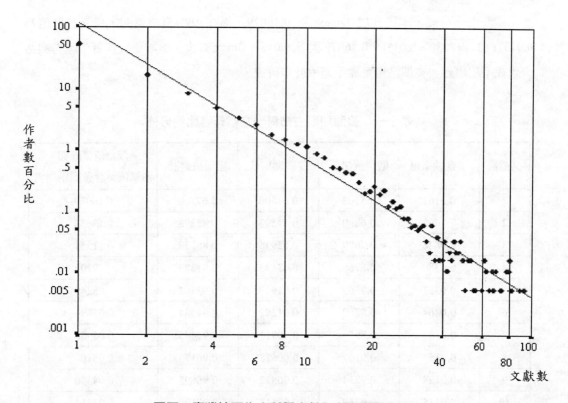

圖五　臺灣地區生命科學文獻作者生產力分佈

　　為了檢驗作者生產力之分佈現象是否符合洛卡定律。本研究進一步利用科斯檢驗法（Kolmogorov-Smirnov Test），檢定洛卡定律之理論值與研究觀察所得之累積值的關係。

㈡洛卡定律之驗證－柯斯檢驗法

　　在統計學上，為了減少預測性的錯誤，凡是有關統計理論的運用，都要經過「顯著性檢定」，以檢定實驗操作的結果，藉以了解其準確度和成功率。故在應用洛卡定律時，亦需藉由統計檢定來測試實驗與理論二者之差異程度。一般最常採用科斯檢驗法，來檢定洛卡定律理論和觀察值之間的關係。應用科斯檢驗法之步驟如下：

　　1.將觀察值與期望值及其累積之百分比，分別依大小次序排列（見表十一）。

　　2.將觀察值累計與期望值累計的差額取絕對值。

　　3.根據不同之顯著水準，確定理想之臨界點。假使觀察值累計與期望值累計之差額的最大絕對值（Dmax）小於臨界點之值，則表示洛卡定律適用於研究觀察結果。反之則不適用。

依表十一可知，本研究之 Dmax 為 0.16079，而在 99%自信區間，柯斯統計值為 0.013 $(1.63/\sqrt{17830}=0.013)$。0.16079 大於 0.013，Dmax 較大，故本研究作者生產力與洛卡定律不相吻合，亦即洛卡定律不適用於本研究。

表十一　臺灣地區生命科學文獻作者比例分佈

文獻數	作者觀察值	觀察值累計	作者期望值	期望值累計	觀察值累計與期望值累計差額絕對值
1	0.5162	0.5162	0.67700	0.67700	0.16079
2	0.1698	0.6860	0.14592	0.82292	0.13688
3	0.0828	0.7689	0.05946	0.88238	0.11351
4	0.0480	0.8168	0.03145	0.91383	0.09701
5	0.0337	0.8505	0.01919	0.93302	0.08249
6	0.0264	0.8769	0.01282	0.94584	0.06894
7	0.0185	0.8954	0.00911	0.95495	0.05955
8	0.0153	0.9107	0.00678	0.96173	0.05107
9	0.0128	0.9234	0.00522	0.96695	0.04350
10	0.0115	0.9349	0.00414	0.97108	0.03614
11	0.0087	0.9437	0.00335	0.97443	0.03074
12	0.0075	0.9512	0.00276	0.97720	0.02599
13	0.0052	0.9564	0.00231	0.97951	0.02309
14	0.0051	0.9615	0.00196	0.98147	0.01995
15	0.0044	0.9660	0.00169	0.98316	0.01720
16	0.0042	0.9702	0.00146	0.98462	0.01446
17	0.0030	0.9732	0.00128	0.98590	0.01271
18	0.0021	0.9753	0.00113	0.98702	0.01176
19	0.0022	0.9775	0.00100	0.98802	0.01057
20	0.0026	0.9801	0.00089	0.98891	0.00882
21	0.0020	0.9821	0.00080	0.98971	0.00766
22	0.0022	0.9843	0.00072	0.99044	0.00614
23	0.0012	0.9855	0.00065	0.99109	0.00556
24	0.0015	0.9870	0.00060	0.99169	0.00470
25	0.0011	0.9881	0.00054	0.99223	0.00412

26	0.0012	0.9893	0.00050	0.99273	0.00338
27	0.0008	0.9901	0.00046	0.99319	0.00306
28	0.0008	0.9909	0.00042	0.99361	0.00270
29	0.0006	0.9915	0.00039	0.99400	0.00253
30	0.0006	0.9921	0.00036	0.99436	0.00227
31	0.0005	0.9926	0.00034	0.99470	0.00211
32	0.0006	0.9932	0.00031	0.99502	0.00186
33	0.0006	0.9938	0.00029	0.99531	0.00154
34	0.0003	0.9941	0.00028	0.99559	0.00148
35	0.0002	0.9943	0.00026	0.99585	0.00151
36	0.0006	0.9950	0.00024	0.99609	0.00114
37	0.0002	0.9951	0.00023	0.99632	0.00120
38	0.0004	0.9955	0.00022	0.99653	0.00102
39	0.0002	0.9957	0.00020	0.99673	0.00105
40	0.0002	0.9958	0.00019	0.99693	0.00108
41	0.0003	0.9962	0.00018	0.99711	0.00092
42	0.0001	0.9963	0.00017	0.99728	0.00098
43	0.0002	0.9965	0.00016	0.99744	0.00092
44	0.0002	0.9967	0.00016	0.99760	0.00091
45	0.0003	0.9970	0.00015	0.99775	0.00072
46	0.0002	0.9973	0.00014	0.99789	0.00064
47	0.0002	0.9975	0.00013	0.99802	0.00055
48	0.0003	0.9978	0.00013	0.99815	0.00034
49	0.0002	0.9980	0.00012	0.99827	0.00029
50	0.0001	0.9980	0.00012	0.99839	0.00036
52	0.0002	0.9982	0.00011	0.99850	0.00029
53	0.0002	0.9984	0.00010	0.99860	0.00023
55	0.0001	0.9984	0.00009	0.99870	0.00027
56	0.0001	0.9985	0.00009	0.99879	0.00030
60	0.0001	0.9985	0.00008	0.99887	0.00033
61	0.0002	0.9987	0.00008	0.99894	0.00023
63	0.0001	0.9988	0.00007	0.99901	0.00019
65	0.0001	0.9989	0.00007	0.99908	0.00020

67	0.0001	0.9990	0.00006	0.99914	0.00015
68	0.0001	0.9990	0.00006	0.99920	0.00015
69	0.0001	0.9992	0.00006	0.99926	0.00010
73	0.0001	0.9992	0.00005	0.99931	0.00009
77	0.0001	0.9993	0.00005	0.99935	0.00003
79	0.0001	0.9994	0.00004	0.99940	0.00004
80	0.0002	0.9996	0.00004	0.99944	0.00017
81	0.0001	0.9997	0.00004	0.99948	0.00019
82	0.0001	0.9997	0.00004	0.99952	0.00020
88	0.0001	0.9998	0.00003	0.99955	0.00023
93	0.0001	0.9998	0.00003	0.99958	0.00025
113	0.0001	0.9999	0.00002	0.99960	0.00029
130	0.0001	0.9999	0.00001	0.99961	0.00033
154	0.0001	1.0000	0.00001	0.99962	0.00038

二、普萊斯平方根定律

根據普萊斯平方根定律,全數作者人數的開平方根,即為完成全部論文數的一半。本研究所有作者 17830 位的開平方數為 133.5,也就是約 133 位作者完成一半的論文。但由表十二顯示出,當作者人數累計到 132 人,需由發表論文數 32 篇以上(含 32 篇)的作者來完成,但表十二顯示,發表 32 篇以上之作者所發表的論文總數為 6364 篇,佔所有文獻之 10.46%。並不符合普萊斯平方根定律所述,應包含所有論文之一半,因此可以推斷,臺灣地區生命科學文獻之分佈情形並不符合普萊斯平方根定律。普萊斯平方根定律在分析作者分佈時主要都是針對所有作者,並不只有第一作者。所以在此定律的應用及分析上較不易吻合。

表十二　臺灣地區生命科學文獻數與作者人數累計表

發表篇數	作者數	文獻數	累積文獻數	累積文獻數(%)	累積作者數	累積作者數(%)
154	1	154	154	0.25%	1	0.01%
130	1	130	284	0.47%	2	0.01%
113	1	113	397	0.65%	3	0.02%
93	1	93	490	0.81%	4	0.02%
88	1	88	578	0.95%	5	0.03%

82	1	82	660	1.08%	6	0.03%
81	1	81	741	1.22%	7	0.04%
80	3	240	981	1.61%	10	0.06%
79	2	158	1139	1.87%	12	0.07%
77	2	154	1293	2.13%	14	0.08%
73	1	73	1366	2.25%	15	0.08%
69	2	138	1504	2.47%	17	0.10%
68	1	68	1572	2.58%	18	0.10%
67	2	134	1706	2.80%	20	0.11%
65	1	65	1771	2.91%	21	0.12%
63	2	126	1897	3.12%	23	0.13%
61	3	183	2080	3.42%	26	0.15%
60	1	60	2140	3.52%	27	0.15%
56	1	56	2196	3.61%	28	0.16%
55	1	55	2251	3.70%	29	0.16%
53	3	159	2410	3.96%	32	0.18%
52	3	156	2566	4.22%	35	0.20%
50	1	50	2616	4.30%	36	0.20%
49	3	147	2763	4.54%	39	0.22%
48	6	288	3051	5.02%	45	0.25%
47	4	188	3239	5.32%	49	0.27%
46	4	184	3423	5.63%	53	0.30%
45	6	270	3693	6.07%	59	0.33%
44	3	132	3825	6.29%	62	0.35%
43	4	172	3997	6.57%	66	0.37%
42	2	84	4081	6.71%	68	0.38%
41	6	246	4327	7.11%	74	0.41%
40	3	120	4447	7.31%	77	0.43%
39	3	117	4564	7.50%	80	0.45%
38	7	266	4830	7.94%	87	0.49%
37	3	111	4941	8.12%	90	0.50%
36	11	396	5337	8.77%	101	0.57%
35	4	140	5477	9.00%	105	0.59%
34	6	204	5681	9.34%	111	0.62%

33	11	363	6044	9.94%	122	0.68%
32	10	320	6364	10.46%	132	0.74%
31	9	279	6643	10.92%	141	0.79%
30	11	330	6973	11.46%	152	0.85%
29	10	290	7263	11.94%	162	0.91%
28	14	392	7655	12.58%	176	0.99%
27	14	378	8033	13.21%	190	1.06%
26	22	572	8605	14.15%	212	1.19%
25	20	500	9105	14.97%	232	1.30%
24	26	624	9729	15.99%	258	1.44%
23	22	506	10235	16.83%	280	1.57%
22	40	880	11115	18.27%	320	1.79%
21	35	735	11850	19.48%	355	1.99%
20	47	940	12790	21.03%	402	2.25%
19	39	741	13531	22.24%	441	2.47%
18	37	666	14197	23.34%	478	2.68%
17	54	918	15115	24.85%	532	2.98%
16	75	1200	16315	26.82%	607	3.40%
15	79	1185	17500	28.77%	686	3.84%
14	91	1274	18774	30.86%	777	4.35%
13	93	1209	19983	32.85%	870	4.87%
12	134	1608	21591	35.49%	1004	5.62%
11	156	1716	23307	38.31%	1160	6.50%
10	205	2050	25357	41.68%	1365	7.64%
9	228	2052	27409	45.06%	1593	8.92%
8	272	2176	29585	48.63%	1865	10.44%
7	330	2310	31895	52.43%	2195	12.29%
6	470	2820	34715	57.07%	2665	14.92%
5	601	3005	37720	62.01%	3266	18.29%
4	855	3420	41140	67.63%	4121	23.08%
3	1477	4431	45571	74.91%	5598	31.35%
2	3028	6056	51627	84.87%	8626	48.30%
1	9204	9204	60831	100.00%	17830	99.84%
總計	17830	60831				

三、80/20 定律

80/20 定律是指 20%的高生產作者,完成了整體文獻量的 80%。本研究全部作者 17830 人的二成應完成 80%的文獻量。由表十二可見,發表四篇文獻以上(含四篇)的作者共 4121 位,佔所有作者之 23%,其發表的文獻量為 41140 篇佔所有文獻之 68%。研究結果顯示臺灣地區生命科學 20%的高生產作者,僅完成了 68%的文獻,由此可知,臺灣地區生命科學文獻作者的分佈規律並不符合 80/20 定律。80/20 定律在分析作者分佈時主要都是針對所有作者,並不只有第一作者。因此本研究在作者分佈定律的應用及分析上較不易吻合。

捌、機構生產力分佈

本研究 74820 篇文獻中有 926 篇因沒有記載機構或標示不清楚,僅列出國家、城市或地址,故無法判別。實際所得作者所屬機構總數為 756,文獻篇數為 73894。進一步將作者所屬之機構加以分析,如表十三所示,17830 位作者分佈於 756 個機構中。機構的界定主要是根據書目記錄中機構(IN)之欄位,若為同一機構體系,則將教育機構與醫療單位分開計算,例如:臺灣大學(National Taiwan University)與臺大醫院(National Taiwan University Hospital)。研究結果發現出版量超過 9000 篇以上的機構有二個,共出版 19316 篇佔所有文獻的 26%。出版文獻超過 1000 篇的機構有 14 個,其分佈的情況為 9000 篇以上的有二個分別出版 9981 及 9335 篇;5000 以上及 7000 篇以下的機構各有一個,分別出版 6718 及 5519 篇;出版 3001 到 4000 篇的機構有三個,分別為 3892、3727 及 3637 篇;出版 2001 到 3000 篇的機構有三個,分別為 2807、2068 及 2027 篇;出版 1001 到 2000 篇的機構有四個,分別為 1769、1767、1437 及 1190 篇。整體而言,臺灣地區生命科學文獻作者發表文獻數與機構數呈現反比情形,也就是少數機構出版了大多數的文獻。此外,出版文獻量以 1-10 篇的機構佔最多,共有 585 個,總計出版 1249 篇文獻,亦即多數機構出版了少量之文獻。

表十三　臺灣地區生命科學機構生產文獻數分佈表

文獻數	機構數	文獻總數	文獻總數(%)
>9000	2	19316	26.1%
6001-7000	1	6718	9.1%
5001-6000	1	5519	7.5%

4001-5000	0	0	0%
3001-4000	3	11256	15.2%
2001-3000	3	6902	9.3%
1001-2000	4	6163	8.3%
501-1000	5	4371	5.9%
401-500	1	476	0.6%
301-400	4	1515	2.1%
201-300	15	3705	5%
101-200	23	3266	4.4%
51-100	18	1396	1.9%
41-50	7	317	0.4%
31-40	14	495	0.6%
21-30	21	521	0.7%
11-20	48	709	1%
1-10	585	1249	1.7%
總計	756	73894	100.00%

一、高生產力機構

　　進一步分析臺灣地區生命科學文獻之高生產力機構。由表十四可知，臺灣大學（National Taiwan University）出版最多文獻共 9981 篇，由 1821 個作者所撰寫；其次是榮民總醫院（Veterans General Hospital）由 1721 位作者撰寫，共出版 9335 篇文獻；第三則是長庚紀念醫院（Chang Gung Memorial Hospital），1272 位作者共發表 6718 篇文獻。整體而言，臺灣地區生命科學少數研究機構即出版了大量的文獻，例如：前六名的機構即出版了 53%的文獻，前 21 名的機構則出版了 82%的文獻，由此可知臺灣地區生命科學研究機構之生產力十分集中。

表十四　臺灣地區生命科學高生產力機構分佈表

排名	機構	作者數	文獻數	累積文獻數	累積文獻數(%)
1	國立臺灣大學	1821	9981	9981	13.51%
2	榮民總醫院	1721	9335	19316	26.14%
3	長庚紀念醫院	1272	6718	26034	35.23%
4	臺大醫院	993	5519	31553	42.70%

5	高雄醫學大學	693	3892	35445	47.97%
6	國立成功大學	762	3727	39172	53.01%
7	中央研究院	784	3637	42809	57.93%
8	國立陽明大學	777	2807	45616	61.73%
9	國防醫學院	492	2068	47684	64.53%
10	國立中興大學	420	2027	49711	67.27%
11	三軍總醫院	472	1769	51480	69.67%
12	國立清華大學	455	1767	53247	72.06%
13	長庚大學	322	1437	54684	74.00%
14	馬階紀念醫院	368	1190	55874	75.61%
15	國立海洋大學	150	980	56854	76.94%
16	臺北醫學大學	255	890	57744	78.14%
17	高雄醫學大學附設醫院	215	704	58448	79.10%
18	國立中山大學	155	674	59122	80.01%
19	中國醫藥學院	161	605	59727	80.83%
20	中國醫藥學院附設醫院	146	518	60245	81.53%

玖、作者合著分析

　　合作研究已成為各領域研究發展之趨勢，因此探討各學科間作者合作發表之情形可以看出該領域之研究模式及合作方式。本研究 74820 篇文獻中有 13989 篇文獻沒有記載作者，因此僅以 60831 篇之作者合作情形進行分析。若將每篇文獻的每位作者視為一筆記錄，作者總數則變為 239740。表十五顯示，每篇文章合作者數最多為 27 人，次多為 22 人，有三篇文獻屬於此類。另有一篇則是由 21 人共同完成。作者數為 10-19 個作者之文獻共有 856 篇，其中又以 10 個作者為最多，共 518 篇。整體而言，10 個合作者以下的文獻最多，合作者為二個至八個的文獻數都超過了一千篇以上。最常見的作者合作模式是三個人，共有 13923 篇文獻（23%）屬於此類型，其次為四個人共同出版，其文獻有 11400 篇，佔全部文獻之 19%。再者，為二個作者共同合作之文獻為數亦不少，共有 11290 篇文獻。至於單一作者的情形反較少見僅有 3991 篇，佔所有作者數之 1.66%。由此可見，臺灣地區生命科學合作研究的現象相當普遍，平均一篇文獻由 3.94 位作者共同發表。

表十五　臺灣地區生命科學合作者數分佈表

合作者數	文獻數	作者數	作者數(%)	累積作者數(%)
27	1	27	0.01%	0.01%
22	3	66	0.03%	0.04%
21	1	21	0.01%	0.05%
19	1	19	0.01%	0.06%
18	2	36	0.02%	0.07%
16	8	128	0.05%	0.12%
15	15	225	0.09%	0.22%
14	23	322	0.13%	0.35%
13	55	715	0.30%	0.65%
12	87	1044	0.44%	1.09%
11	147	1617	0.67%	1.76%
10	518	5180	2.16%	3.92%
9	767	6903	2.88%	6.80%
8	1624	12992	5.42%	12.22%
7	2948	20636	8.61%	20.83%
6	5734	34404	14.35%	35.18%
5	8293	41465	17.30%	52.47%
4	11400	45600	19.02%	71.49%
3	13923	41769	17.42%	88.92%
2	11290	22580	9.42%	98.34%
1	3991	3991	1.66%	100.00%
總計	60831	239740	100.00%	

拾、結論

　　本研究旨在探討近二十多年來臺灣地區生命科學文獻之特性，利用書目計量學方法，透過書目資料所記載之文獻出版年代、資料類型、研究主題、作者與機構生產力等分析，以觀察臺灣地區生命科學之生產力分佈，洞悉其研究走向及知識發展趨勢，為提昇國家基礎科學在國際上之學術地位建立一有效指標，亦可作為學術界評估研究成果之客觀依據；此外亦可提供圖書館資訊服務之參考。茲綜合歸納本研究之研究結果如下：

一、臺灣地區生命科學文獻成長穩定

　　由 1975 年起，臺灣地區生命科學文獻成長共計產生了三個高峰期及二個低潮期，由最初的線性成長萌芽期後產生一成長平緩期，接著為第二個平緩的線性成長期，之後文獻的成長又陷入一為期二年的低潮，文獻量不增反減，第三次的線性成長為文獻成長的高潮期，其文獻成長量多於之前各時期。由此可知，臺灣地區生命科學文獻持續穩定成長，其前景看好。

二、期刊是最主要的資料類型、臨床試驗為期刊論文之外最特別的期刊出版類型

　　臺灣地區生命科學文獻高度集中於出版快速及新穎性強之期刊（90%）與會議論文（9%）。期刊論文佔期刊出版類型的絕大部份，除了單純的期刊論文之外還包含評論性的文章，評論性文章除了包含某主題文章的整體評論外，還包含了各種研究文獻的評論。研究文章是期刊資料中較特別的出版類型，其中又以臨床試驗為最多，其他尚有個案研究、評估研究、成對研究等，此乃生命科學領域的一大特色。

三、生物化學與分子生物學為最常見之研究主題

　　本研究結果顯示生物化學與分子生物學是臺灣地區生命科學文獻中最常見之研究主題，其次是方法和技術、生理學、藥理學以及新陳代謝等五大主題。其中較特別的是位居第二的方法和技術，因為在生命科學領域中，不同的實驗或是研究方法與技術都影響著該研究進行之結果，因此在主題的分類中特別強調該研究使用之方法與技術。其餘的主題亦多是生命科學領域中常見之研究主題。

四、文獻發表篇數與作者人數呈反比現象

　　本研究 74820 篇文獻為 17830 位作者所著，平均每位作者有 4.2 篇著作。整體而言，發表文獻以 1-10 篇之作者佔多數，為 16670 人，佔所有作者之 93%。著作超過 50 篇之作者有 36 人。發表 100 篇以上文獻的作者只有三人，至於，發表一篇的作者則有 9204位佔全部作者（52%），由此可知，發表文獻數與作者人數呈現反比情形。

五、高生產力作者專長以醫學為主

　　本研究 36 位高生產力作者，醫學專長有 17 位、藥學 11 位、農學四位、化學三位及漁業一位，由此可見臺灣地區生命科學領域之作者以醫學及藥學為主。研究生涯主要集中於 1991 至 2001 年。高生產力作者平均每年的文獻生產量高達一二十篇，主要是因為該領域之合作情形十分普遍，因此作者在進行研究及發表文獻時可相互協助，以致於提

高了發表文獻的篇數。高生產力作者前十名為：高嘉鴻、林山陽、林茂村、蔡東湖、陳持平、王鵬惠、林仁混、廖運範、林清淵及吳基鈺。

六、研究機構的生產力十分集中

臺灣地區生命科學文獻作者共 17830 位，分佈於 756 個機構中，出版量超過 9000 篇以上的機構有二個，共出版 19316 篇，佔所有文獻的 26%。出版文獻超過 1000 篇的機構有 14 個。其中出版文獻量以 1-10 篇的機構佔最多，為 585 個，共出版 1249 篇文獻，亦即多數機構出版了少量之文獻。進一步分析高生產力機構，結果發現臺灣大學出版最多文獻共 9981 篇，分由 1821 個作者所撰寫；其次是榮民總醫院，由 1721 位作者撰寫，共出版 9335 篇文獻；第三則是長庚紀念醫院，由 1272 位作者撰寫，出版了 6718 篇文獻。整體而言，臺灣地區少數的生命科學研究機構即出版了大量的文獻。前六名的機構出版了 53%的文獻，前 21 名的機構即出版了 82%的文獻，由此可知臺灣地區生命科學研究機構之生產力十分集中。

七、本研究作者生產力不符合三大作者生產力定律之分佈規則

本研究利用符合洛卡定律的最小平方計算法求得之 n 值為-2.214，常數值 c 為 0.677，與洛卡所估計之 n 值-2 與常數值 c 的 0.6079 並不十分吻合，依此數據上之差異看來，洛卡定律似乎不太適用於本研究。進一步利用科斯檢驗法加以檢定，證明洛卡定律不適用於本研究。以普萊斯平方根定律驗證作者生產力，亦發現全數作者開平方得 133 位作者，其發表文獻總數為 6364 篇，僅佔所有文獻之 10.46%。與 50%的文獻總數，相差甚遠。再以 80/20 定律針對作者生產力分佈情形加以驗證，發表四篇文獻以上（含四篇）的作者共 4121 位，佔所有作者之 23%，其發表的文獻量為 41140 篇佔所有文獻之 68%。研究結果顯示臺灣地區生命科學 20%的高產作者，僅完成了 68%的文獻。因此，本研究作者生產力分佈並不符合普萊斯平方根定律及 80/20 定律。臺灣地區生命科學作者生產力分佈，以洛卡定律、普萊斯平方根定律及 80/20 定律加以驗証結果都不符合其分佈規則，雖然原始洛卡定律主要亦是針對第一作者進行分析，然而本研究在研究範圍上限制於臺灣地區發表但為國際知名資料庫 Medline、Embase 及 Biosis Preview 收錄為主，因此在作者生產力分佈規律上便受到影響。在本研究中除洛卡原始定律即是應用於分析第一作者外，普萊斯平方根定律及 80/20 定律在分析作者分佈時主要都是針對所有作者，並不只有第一作者。所以在此二大定律的應用及分析上較不易吻合。

八、合作研究是生命科學領域主要之研究模式

本研究結果顯示臺灣地區生命科學文獻中合作者數最高為 27 人，次多的為 22 人，再次則由 21 人共同完成。作者數為 10-19 個之文獻共有 856 篇，其中又以 10 個作者為最多共 518 篇。最常見的作者合作模式是三個人，共有 13923 篇（23%）屬於此模式，其次為四個人共同出版的文獻，有 11400 篇，佔全部文獻之 19%，再次為二個作者共同合作之文獻，共有 11290 篇文獻。至於單一作者的情形反較少見，僅有 3991 篇文獻，佔所有作者之 1.7%。整體而言，臺灣地區生命科學合作研究的現象相當普遍，平均一篇文獻為 3.94 位作者共同發表。

誌謝：本文為國科會專題研究報告《臺灣地區生命科學生產力與影響力之國際指標研究(I)》之部分內容，計畫編號 NSC90-2413-H-032-010，民國 90 年 8 月 1 日至民國91 年 7 月 31 日。

註釋

① 傅雅秀，〈從科學傳播的觀點探討中央研究院生命科學專家的資訊尋求行為〉，《圖書館學刊》，11（民 85），頁 133-163。
② 中華民國科學技術統計要覽，http://www.nsc.gov.tw/pla/stat/pub/data_main.htm。檢索日期：02/16/2002。
③ 吳權威、王緒溢編著，《Access 2000 中文版實務》（臺北市：松崗，民 89），頁 5。
④ 何光國，《文獻計量學導論》（臺北：三民，民 83），頁 115。

中文索引

英文索引

國家圖書館出版品預行編目資料

王振鵠教授八秩榮慶論文集

王振鵠教授八秩榮慶籌備小組編著. – 初版.
臺北市：臺灣學生，
2004[民 93]
面；公分
含參考書目及索引

ISBN 957-15-1225-7 (精裝)

1. 圖書館學 – 論文、講詞等
2. 資訊科學 – 論文、講詞等

020.7   93012086

王振鵠教授八秩榮慶論文集(全一冊)

編　　　著：王振鵠教授八秩榮慶籌備小組
出　版　者：臺灣學生書局有限公司
發　行　人：盧　　　保　　　宏
發　行　所：臺灣學生書局有限公司
　　　　　　臺北市和平東路一段一九八號
　　　　　　郵政劃撥帳號：00024668
　　　　　　電　話：(02)23634156
　　　　　　傳　眞：(02)23636334
　　　　　　E-mail：student.book@msa.hinet.net
　　　　　　http：//www.studentbooks.com.tw

本書局登
記證字號　：行政院新聞局局版北市業字第玖捌壹號

印　刷　所：長欣彩色印刷公司
　　　　　　中和市永和路三六三巷四二號
　　　　　　電　話：(02)22268853

定價：精裝新臺幣八〇〇元

西元二〇〇四年七月初版

02071